« BEST-SELLERS »
Collection dirigée par Henriette Joël et Isabelle Laffont

JOHN LE CARRÉ

LA
MAISON RUSSIE

roman

traduit de l'anglais
par Mimi Perrin et Isabelle Perrin

ÉDITIONS ROBERT LAFFONT
PARIS

Titre original : THE RUSSIA HOUSE

© Author's Workshop, 1989

Traduction française : Editions Robert Laffont, S.A., Paris, 1989

ISBN 2-221-05977-8
(édition originale :
ISBN 0-340-50573-7 Hodder & Stoughton, Londres)

A Bob Gottlieb,
grand éditeur
et ami d'une patience indéfectible

« Les hommes aspirent tellement à la paix que selon moi les gouvernements feraient bien un jour de leur laisser le champ libre et de leur accorder ce qu'ils réclament. »

Dwight D. EISENHOWER

« Il faut penser en héros pour se comporter simplement en être humain digne de ce nom. »

May SARTON

AVANT-PROPOS

Dans un roman, les remerciements paraissent souvent aussi ennuyeux que le générique d'un film. Cependant, étant à chaque fois touché par la bonne volonté dont font preuve des gens, par ailleurs fort occupés, en consacrant leur temps et leurs compétences à une entreprise aussi futile que la mienne, je ne peux manquer cette occasion de leur témoigner ma reconnaissance.

Je souhaite exprimer ma gratitude toute particulière pour son aide à Strobe Talbott, soviétologue et illustre journaliste de Washington, qui a publié de nombreux travaux sur la défense nucléaire. Si ce livre contient des erreurs, elles ne lui sont certes pas dues et, sans lui, elles eussent été bien plus nombreuses. Le professeur Lawrence Freedman, auteur de plusieurs ouvrages de référence sur le conflit moderne, m'a aussi accepté comme disciple, mais ne doit pas être tenu pour responsable de mes naïvetés.

Frank Geritty, agent du FBI pendant de nombreuses années, m'a initié aux mystères du détecteur de mensonges, aujourd'hui affligé du piètre nom de polygraphe ; et si mes personnages ne chantent pas autant que lui les louanges de cet appareil, la responsabilité en incombe à eux seuls.

Je dois aussi innocenter John Roberts, directeur de l'Association Grande-Bretagne/URSS, et son équipe. Il fut mon compagnon lors de mon premier voyage en URSS, m'ouvrant de nombreuses portes qui, sans lui, seraient restées closes. Mais il ne savait rien de mes sombres desseins, et n'a pas cherché à les connaître. Parmi ceux de son équipe, je mentionnerai particulièrement Anne Vaughan.

Mes hôtes soviétiques à l'Union des Écrivains ont fait preuve d'une égale discrétion, et d'une largeur d'esprit à laquelle je ne m'attendais guère. Quiconque visite l'Union soviétique en ces années extraordinaires, et a le privilège de mener des entretiens comme ceux que l'on m'a accordés, ne peut en revenir sans une affection durable pour ce peuple, et un sentiment de respect mêlé d'effroi devant l'ampleur des problèmes qu'il doit affronter. J'espère que mes amis soviétiques trouveront reflété dans cette fable un peu de leur chaleur humaine, et de nos espoirs partagés d'un avenir gouverné par la raison et la fraternité.

Le jazz est un grand unificateur, et je n'ai pas manqué de conseils amicaux en ce qui concerne Barley et son saxophone. Le célèbre dessinateur et instrumentiste de jazz Wally Fawkes m'a prêté son oreille de musicien, et John Calley son oreille absolue, pour la musique et les mots. Si par bonheur de tels hommes dirigeaient le monde, je manquerais de conflits sur lesquels écrire.

John LE CARRÉ

1.

Dans une large rue de Moscou, à moins de deux cents mètres de la gare de Leningrad, au dernier étage d'un hôtel hideux à l'architecture surchargée, du style stalinien que les Moscovites nomment « Empire durant la Peste », la première foire audio pour l'enseignement de l'anglais et la diffusion de la culture britannique organisée par le British Council touchait péniblement à sa fin. Il était 17 h 30. En ce jour d'été, le temps se montrait fantasque : de fortes averses avaient sévi depuis le matin, mais à présent la lumière d'un soleil trompeur scintillait dans les flaques d'eau, et une vapeur légère s'élevait des trottoirs. Les plus jeunes des passants portaient jeans et baskets, tandis que leurs aînés étaient encore emmitouflés dans des vêtements chauds.

La salle louée par le British Council n'était pas chère, non plus d'ailleurs qu'adaptée à la circonstance. J'ai eu moi-même l'occasion de la visiter lors d'un récent voyage à Moscou pour une autre mission. Après avoir monté sur la pointe des pieds l'imposant escalier désert, passeport diplomatique en poche, je suis resté un instant dans cette éternelle grisaille crépusculaire qui flotte sur les vieilles salles de bal endormies. Avec ses larges piliers marron et ses miroirs à dorures, ce décor évoquait plutôt les dernières heures d'un paquebot en train de sombrer que le lancement d'une grande initiative. Au plafond, des Russes grimaçants en casquette de prolétaire saluaient Lénine du poing. Leur vitalité contrastait dérisoirement avec les étagères d'un vert écaillé sur lesquelles s'alignaient des cassettes de *Winnie l'Ourson* et d'*Anglais informatique en trois heures, niveau avancé*. Les cabines d'écoute en grosse toile, de fabrication locale, comportaient finalement peu des caractéristiques promises, et exhalaient la tristesse de chaises longues sur une plage un jour de pluie. Les stands des exposants, rassemblés à l'ombre d'une galerie en encorbellement, semblaient aussi blasphématoires que des officines de pari dans un temple.

Quoi qu'il en soit, la foire – c'est un bien grand mot – avait eu lieu. Comme toujours quand ils ont les documents et le statut satisfaisants aux yeux impitoyables des hommes en veste de cuir postés à l'entrée, les Moscovites étaient venus. Par politesse, par curiosité, pour parler avec des Occidentaux, ou simplement pour être là. En ce soir du cinquième et dernier jour se déroulait le grand cocktail d'adieux réunissant exposants et invités. Quelques membres de la petite nomenklatura de la bureaucratie culturelle soviétique étaient réunis sous le lustre : des dames aux coiffures apprêtées, en robes à fleurs dessinées pour des silhouettes plus élancées ; des messieurs amincis par des complets lustrés de coupe française, marque de leur accès à des magasins d'habillement réservés. Seuls leurs hôtes britanniques, dans un triste camaïeu de gris, respectaient la monotonie de l'austérité socialiste. Le brouhaha s'intensifia tandis qu'une cohorte de serveuses en tablier présentait aux invités des sandwiches au salami racorni et du vin blanc tiède. Un haut diplomate anglais, qui n'était tout de même pas l'ambassadeur, serra les mains les plus importantes en se disant absolument ravi.

Seul Niki Landau restait à l'écart des festivités. Penché sur la table de son stand vide, il totalisait le montant de ses dernières commandes et vérifiait ses bordereaux de dépenses, car il avait pour maxime de ne jamais aller s'amuser avant d'avoir bouclé son travail de la journée.

Du coin de l'œil, il apercevait vaguement la silhouette bleue et nerveuse de cette femme russe qu'il ignorait délibérément. *Ennuis en perspective*, pensait-il tout en s'affairant. *A éviter.*

L'atmosphère de réjouissances ne s'était pas communiquée à Landau, tout fêtard qu'il fût. D'abord, il détestait les fonctionnaires britanniques depuis que son père avait été renvoyé de force en Pologne. Les Anglais en général, me dit-il par la suite, c'était sacré. Lui-même anglais par adoption, il se montrait inébranlable dans sa vénération, comme tout converti. Mais il mettait à part les larbins du Foreign Office. Plus ils prenaient de grands airs, s'agitaient, faisaient des simagrées, ou haussaient bêtement les sourcils,

12

plus il les détestait en pensant à son père. Par ailleurs, si cela n'avait tenu qu'à lui, il ne serait jamais venu à la foire audio, mais serait resté bien au chaud à Brighton avec la gentille Lydia, sa nouvelle petite amie, dans un gentil petit hôtel discret, où l'on pouvait amener ses petites amies.

Au siège principal de ses clients près du périphérique ouest, Landau avait conseillé : « Mieux vaut nous réserver pour la foire du livre de Moscou en septembre. Les Russkofs aiment bien les livres, voyez-vous, Bernard, mais le marché audio leur fait peur, et ils ne sont pas encore prêts pour ça. Si on fonce sur la foire du livre, on fera un tabac. Si on fonce sur la foire de l'audio, on signe notre arrêt de mort. »

Mais les clients de Landau étaient jeunes et riches, et ne croyaient pas à la mort.

– Mon petit Niki, avait commencé Bernard, venant derrière lui et lui posant la main sur l'épaule, ce qui avait déplu à Landau. Dans le monde d'aujourd'hui il faut hisser le drapeau. On est patriotes, vous comprenez, Niki ? Comme vous. C'est pour ça que notre compagnie est multinationale. Aujourd'hui avec la glasnost, l'Union soviétique c'est le mont Everest du marché de l'enregistrement. Et vous allez nous emmener au sommet, Niki, parce que sinon, on trouvera quelqu'un d'autre pour le faire, quelqu'un de plus jeune, hein, Niki ? Quelqu'un qui aura l'énergie et la classe.

L'énergie, Landau l'avait encore, mais la classe, lui-même était le premier à le reconnaître, peine perdue. Il aimait à se considérer comme un phénomène, un drôle de phénomène polonais, arriviste, bas du cul, et fier de l'être. Le bon vieux Nik, le petit gars culotté, le représentant spécialisé dans les pays de l'Est, capable, se vantait-il volontiers, de vendre des photos cochonnes à un couvent géorgien ou une lotion capillaire à une boule de billard roumaine. Landau, le petit athlète en chambre, qui portait des talonnettes pour donner à son corps slave la stature anglaise qu'il admirait tant, et des costumes voyants qui semblaient crier « Attention les yeux ! ». Quand ce vieux Nik prépare son stand, assurèrent ses collègues à nos enquêteurs non identifiables, on croirait entendre tinter la clochette d'un marchand des quatre-saisons polonais.

Et le petit Landau riait lui aussi de la bonne blague, il entrait dans le jeu. « Eh, les gars, je suis saoul comme un Polonais ! » déclarait-il fièrement en commandant une autre tournée. Ce qui avait le don de les faire rire, et pas à ses dépens. Souvent, pour confirmer ses dires, il sortait prestement un peigne de sa poche-poitrine, se penchait devant un tableau ou une surface polie et, de ses deux mains, plaquait virilement en arrière ses cheveux trop noirs avant de partir à l'assaut d'une nouvelle conquête. « Et qui donc est cette ravissante personne que je vois là-bas dans le coin ? » demandait-il avec son accent infernal, mélange de polonais du ghetto et de cockney de l'East End. « Bonsoir, ma jolie ! Pourquoi elle se morfond toute seule ce soir, la petite chérie ? » Une fois sur cinq il faisait une touche, ce qu'il jugeait un bon rendement, à condition que les tentatives soient fréquentes.

Mais ce soir-là, Landau ne pensait pas à faire une touche, ni même une tentative. Il songeait qu'une fois de plus il s'était donné bien du mal toute la semaine pour une maigre pitance, ou, comme il me le dit de manière plus imagée, pour se faire avoir jusqu'au trognon. Maintenant chaque foire, qu'elle fût du livre, de l'audio, ou de n'importe quoi, le vidait un peu plus qu'il n'aimait à se l'avouer et lui donnait un peu moins en contrepartie, tout comme les femmes. Il avait hâte de reprendre l'avion pour Londres dès le lendemain. Et si cette nana russe en robe bleue s'obstinait à attirer son attention alors qu'il essayait de finir ses comptes et arborait déjà son sourire mondain avant de rejoindre la joyeuse mêlée, il allait très certainement lui dire quelque chose en russe qu'ils regretteraient à jamais tous les deux.

Qu'elle fût russe allait de soi. Il n'y a qu'une Russe pour porter au poignet un filet à provisions en plastique (bien que d'ordinaire ce genre de sac soit en ficelle), dans l'éventualité de ces achats inopinés qui sont les petites victoires de la vie quotidienne. Il n'y a qu'une Russe pour être curieuse au point de se tenir si près d'un homme qu'elle pourrait vérifier ses comptes. Enfin, il n'y a qu'une Russe pour faire précéder son intervention d'un de ces soupirs d'impatience qui, chez un homme, rappelait toujours à Landau son père en train de lacer ses chaussures, et chez une femme, le lit.

— Excusez-moi. Êtes-vous le monsieur d'Abercrombie & Blair ? demanda-t-elle.

— C'est pas ici, ma belle, rétorqua Landau sans lever les yeux.

Comme elle s'était exprimée en anglais, il avait répondu dans la même langue, selon sa bonne habitude.

— Monsieur Barley ?

— Non, pas Barley, ma grande. Landau.

– Mais ceci est le stand de M. Barley.

– Non, c'est pas le stand de Barley. C'est le mien. Abercrombie & Blair, c'est la porte à côté.

Toujours sans la regarder, Landau agita son crayon vers un stand vide à sa gauche derrière la cloison, où un panneau vert signalait en lettres d'or l'antique maison d'édition Abercrombie & Blair de Norfolk Street dans le Strand.

– Mais ce stand est vide, objecta-t-elle. Il n'y a personne. Et il était vide hier aussi.

– Affirmatif. Bravo, fit Landau d'un ton qui semblait sans appel.

Il se replongea ostensiblement dans ses comptes, attendant que la silhouette bleue disparaisse. Il savait pertinemment qu'il se montrait grossier, mais cette présence obstinée l'incitait à l'être davantage encore.

– Mais où est donc Scott Blair ? Où est celui qu'on appelle Barley ? Je dois lui parler. C'est très urgent.

Landau se mit à détester la jeune femme avec une hargne irraisonnée. Il releva la tête d'un mouvement brusque et regarda la Russe droit dans les yeux.

– Môssieur Scott Blair, plus connu de ses intimes sous le nom de Barley, est absent sans permission, chère madame. En clair, il a déserté son poste. Oui, sa compagnie avait réservé un stand. Mais M. Scott Blair a beau être président, directeur, administrateur général, et pour autant que je sache, dictateur à vie de cette société, il n'a pas occupé son stand...

Tout en parlant, il vit le regard de la jeune femme, et commença à perdre son assurance.

– Écoutez, ma jolie, il se trouve que j'essaye de gagner mon pain, là, d'accord ? Je ne gagne pas celui de M. Barley Scott Blair, malgré tout l'amour que j'ai pour lui.

Puis il s'arrêta net, sa colère passagère se muant en sollicitude chevaleresque, car la femme tremblait. Il le remarqua d'abord à ses mains, qui serraient le filet marron, et au col de dentelle ancienne sur la jolie robe bleue, qui frissonnait contre son cou, à la peau devenue soudain plus blanche que le tissu. En revanche, sa bouche et sa mâchoire crispées exprimaient une volonté farouche qui lui en imposa.

– S'il vous plaît, monsieur, soyez gentil, aidez-moi, supplia-t-elle, comme s'il n'y avait pas d'alternative.

Landau se faisait fort de bien connaître la gent féminine. Une autre de ses petites fiertés agaçantes, mais qui celle-ci n'était pas sans fondement. « Les femmes, Harry, c'est mon passe-temps, mon sujet favori de recherche et ma passion dévorante », me confia-t-il un jour avec une conviction aussi solennelle qu'un franc-maçon prêtant serment. Il avait perdu le compte de toutes celles qu'il avait eues, mais avouait avec satisfaction que le chiffre dépassait la centaine, et qu'aucune n'avait eu la moindre raison de regretter l'expérience. « Je joue franc-jeu, et je choisis avec discernement, Harry, m'assura-t-il en se tapotant le nez du bout de l'index. Pas de poignets tailladés, pas de mariages brisés, pas de disputes après coup. » Ni moi ni personne ne saura jamais à quel point c'était vrai, mais il ne fait aucun doute que les instincts qui l'avaient guidé dans ses aventures galantes vinrent à sa rescousse alors qu'il se formait une opinion sur la jeune femme.

Elle était sérieuse, intelligente, résolue et effrayée, mais une lueur d'humour brillait dans ses yeux sombres. Elle avait cette rare qualité que Landau, dans son parler fleuri, aimait à appeler « la classe que seule Mère Nature peut accorder ». En d'autres termes, elle avait de la noblesse et de la force de caractère. Et comme en période de crise l'enchaînement habituel de nos pensées fait place à un déferlement d'intuition et d'expérience, il perçut toutes ces choses en un instant et les maîtrisait déjà quand elle recommença de parler.

— Un de mes amis soviétiques a écrit une grande œuvre littéraire, dit-elle après une profonde respiration. C'est un roman. Un grand roman. Son message est important pour l'humanité entière.

Elle s'arrêta, à court d'arguments.

— Un roman ? relança Landau avant de lui demander, sans même savoir pourquoi : Quel est son titre, mon petit ?

Il songea que la force qui émanait d'elle ne tenait ni de la bravade ni de l'inconscience, mais résidait dans sa conviction.

— Quel est son message, alors, s'il n'a pas de titre ? insista-t-il.

— Il prône l'action plutôt que le discours. Il récuse la lenteur de la perestroïka. Il réclame l'action et rejette tout changement purement formel.

— Intéressant, fit Landau impressionné.

Elle parlait comme ma mère, Harry, le menton relevé et en vous regardant droit dans les yeux.

— Malgré la glasnost et le prétendu libéralisme des nouvelles directives, le roman de mon ami ne peut pas encore être publié en Union soviétique, continua-t-elle. M. Scott Blair s'est engagé à le publier avec discrétion.

— Chère madame, dit gentiment Landau, le visage maintenant près du sien, si le roman de votre ami est publié par la vénérable maison Abercrombie & Blair, pour ce qui est du secret, croyez-moi, vous ne serez pas déçue.

Il avait fait ce commentaire par goût de la plaisanterie, mais aussi parce que son instinct lui soufflait qu'il fallait détendre la conversation pour la rendre moins suspecte à des observateurs éventuels. Et qu'elle eût compris la blague ou pas, la jeune femme sourit également, un sourire fugace et chaleureux d'auto-encouragement qui marquait une victoire sur sa peur.

— Alors, monsieur Landau, si vous êtes partisan de la paix, je vous supplie d'emporter ce manuscrit en Angleterre et de le remettre immédiatement à M. Scott Blair. En main propre. C'est un témoignage de confiance.

Ce qui arriva ensuite prit aussi peu de temps qu'une transaction au coin de la rue entre un vendeur décidé à vendre et un acheteur décidé à acheter. D'abord Landau jeta un coup d'œil par-dessus l'épaule de la jeune femme, simple mesure de précaution pour eux deux. Comme il l'avait constaté, dès que les Russkofs trament quelque manigance, il se trouve toujours des gens dans les parages. Mais cette partie de la salle était déserte et les stands sous la galerie plongés dans la pénombre, la fête battant maintenant son plein au centre de la pièce. Les trois hommes en veste de cuir à l'entrée parlaient entre eux, l'air revêche.

Son inspection terminée, Landau lut le nom de la jeune femme sur le badge en plastique épinglé à son revers, ce qu'il eût fait plus tôt si les yeux marron-noir ne l'avaient pas distrait. Ekaterina Orlova. Et juste en dessous, le mot « Octobre » en anglais et en russe, le nom de l'un des plus petits éditeurs moscovites d'État, spécialisé dans la traduction de livres soviétiques pour l'exportation, principalement vers d'autres pays socialistes, ce qui, j'en ai peur, le condamnait à une relative médiocrité.

Ensuite, ou déjà peut-être en lisant le badge, Niki lui expliqua ce qu'elle devait faire. En bon gamin des rues, Landau connaissait la musique. A en juger par les apparences, la jeune femme était sans doute aussi courageuse que six lions, mais elle n'avait rien d'une conspiratrice. Il la prit donc sans hésiter sous sa protection, et lui parla comme à toute femme ayant besoin de ses conseils pratiques – généralement, où trouver la chambre d'hôtel où il logeait, ou que dire au cher et tendre une fois rentrée à la maison.

– Alors vous l'avez sur vous, ma belle ? demanda-t-il avec un sourire amical en lorgnant le filet.

– Oui.

– Là-dedans, hein ?

– Oui.

– Bon, donnez-moi le tout comme si de rien n'était, fit-il en lui dictant les instructions étape par étape. Voilà. Maintenant embrassez-moi gentiment à la russe. Un petit baiser formel. Parfait. Vous m'avez apporté un cadeau d'adieux officiel le dernier soir de la foire, d'accord ? Quelque chose qui cimentera les relations anglo-soviétiques et me vaudra une surcharge sur l'avion du retour, sauf si je le jette dans une poubelle à l'aéroport. Une transaction tout ce qu'il y a de plus normal. J'ai déjà dû recevoir une bonne demi-douzaine de cadeaux de ce genre aujourd'hui.

Tout en lui tenant ces propos, il se pencha, sortit le paquet de papier kraft du filet et se retourna pour le jeter prestement dans son attaché-case classique, avec des compartiments à soufflets.

– Vous êtes mariée, Katia ?

Pas de réponse. Peut-être n'avait-elle pas entendu. Ou bien elle était trop occupée à le regarder.

– C'est votre mari qui a écrit le roman, alors ? demanda Landau sans se laisser décourager par son silence.

– C'est dangereux pour vous, murmura-t-elle. Mais si vous croyez en ce que vous faites, tout devient évident.

Sans réagir à cet avertissement, Landau choisit parmi les échantillons qu'il avait mis à part pour les distribuer ce soir un coffret de quatre cassettes du *Songe d'une nuit d'été* lu par la Royal Shakespeare Company, et le plaça bien en vue sur la table avant de le dédicacer au feutre sur l'emballage plastique : « Pour Katia, Au nom de la paix, Niki » et la date. Puis il déposa ostensiblement le coffret dans le filet, dont il réunit les deux poignées qu'il lui mit dans la main, car, la voyant blêmir, il craignit qu'elle ne panique et perde ses moyens. C'est seulement à ce moment-là, en gardant sa main dans la sienne, qu'il lui donna l'assurance dont elle semblait avoir besoin. Une main froide, me dit-il, mais jolie.

– On doit tous faire quelque chose de risqué un jour ou l'autre, non ? lui dit-il d'un ton léger. Et maintenant, on va honorer la fête de notre présence ?

— Non.

— Je peux peut-être vous emmener dîner quelque part ?

— Ce ne serait pas opportun.

— Je vous escorte jusqu'à la porte ?

— Si vous voulez.

— Je crois qu'on aurait intérêt à sourire, jolie madame, dit-il tandis qu'ils traversaient la salle.

Il s'exprimait toujours en anglais, bavardant avec elle en bon représentant qu'il était redevenu. Quand ils arrivèrent à l'imposant palier, il lui serra la main.

— On se voit à la foire du livre en septembre, alors ? Et merci du conseil, je m'en souviendrai. Enfin, le principal, c'est qu'on ait conclu notre affaire. C'est toujours agréable, vous ne trouvez pas ?

Elle lui prit la main et sembla y puiser du courage, car elle sourit de nouveau, un sourire un peu timide, mais reconnaissant et irrésistiblement chaleureux.

— Mon ami a fait un grand geste, expliqua-t-elle, rejetant en arrière une mèche rebelle. Je vous demande de vous assurer que M. Barley en ait bien conscience.

— Je lui dirai, ne vous en faites pas, dit Landau d'un ton désinvolte.

Il aurait aimé avoir droit à un autre sourire, mais elle ne s'intéressait déjà plus à lui. Elle fourrageait dans son sac, cherchant une carte de visite pour la lui remettre, ce qu'elle avait omis de faire jusque-là. « ORLOVA, Ekaterina Borissovna » imprimé d'un côté en cyrillique et de l'autre en lettres romaines, ainsi que le nom Octobre dans les deux alphabets. La lui ayant donnée, elle descendit le pompeux escalier, l'allure raide, la tête haute, tenant d'une main la large rampe de marbre et de l'autre son filet. Les hommes en veste de cuir la suivirent des yeux jusque dans le vestibule. Tout en fourrant la carte dans sa poche-poitrine avec la demi-douzaine d'autres qu'il avait collectionnées au cours des deux dernières heures, Landau remarqua leur regard et leur adressa un clin d'œil, qu'ils lui rendirent après mûre réflexion. C'était l'ère de l'ouverture, et une belle paire de hanches russes avait bien droit à l'admiration qu'elle méritait, même d'un étranger.

Pendant les cinquante dernières minutes de réjouissances, Niki se jeta à corps perdu dans la fête. Il chanta et dansa pour une bibliothécaire écossaise au visage austère, parée d'un collier de perles, raconta une anecdote politique pleine d'humour sur Mrs. Thatcher à deux membres livides de l'agence étatique de copyright, la VAAP, qui finirent par éclater soudain de rire, passa de la pommade à trois dames des éditions Progrès et offrit à chacune, au terme d'une série d'allers et retours à son attaché-case, un petit souvenir de son séjour, car Landau était généreux de nature et se rappelait les noms et les promesses, comme tant d'autres choses, avec la clarté d'un esprit dégagé. Mais ce débordement d'activité ne l'empêcha pas de surveiller son attaché-case du coin de l'œil, et avant même le départ des invités il le tenait déjà d'une main tout en faisant ses adieux de l'autre. Pendant le trajet dans l'autocar privé qui reconduisait les représentants à leur hôtel, il le garda sur les genoux, tout en entonnant de gaillardes chansons de rugby avec les autres, dirigés comme toujours par Spikey Morgan.

— Attention, les gars, il y a des dames! rappela Landau.

Il se leva et les fit taire dans les passages qu'il jugeait trop osés. Mais tout le temps qu'il joua au chef d'orchestre, il garda bien serrée dans sa main la poignée de son attaché-case.

Devant l'entrée de l'hôtel traînait l'habituelle faune de maquereaux, de dealers et de changeurs à la sauvette, avec leurs surveillants du KGB. Ils regardèrent entrer le groupe, mais Landau ne vit rien qui pût l'inquiéter dans leur attitude, ni trop attentive ni trop nonchalante. Le vieux mutilé de guerre qui surveillait le couloir menant aux ascenseurs exigea comme d'habitude son laissez-passer, mais lorsque Landau, qui lui avait déjà offert plus de cent Marlboro, lui demanda en russe d'un air accusateur pourquoi il n'était pas en train de flirter avec sa petite amie ce soir, il partit d'un rire de crécelle et lui donna une bourrade amicale dans l'épaule.

« Je me suis dit que s'il s'agissait d'un coup monté, ils avaient intérêt à me pincer vite fait avant que la piste ne refroidisse, Harry, me raconta-t-il par la suite, se mettant à la place de l'ennemi. Pour coincer les gens, il faut faire une descente rapide, tant que les preuves sont encore sur la victime », expliqua-t-il comme s'il avait passé sa vie à coincer les gens.

— Au bar du National à 9 heures, lui dit Morgan d'un air las quand ils se furent frayé un chemin hors de l'ascenseur au quatrième.

20

– P'têt ben qu'oui, p'têt ben qu'non, répondit Landau. Je ne suis pas vraiment moi-même, pour tout dire.

– Dieu merci! plaisanta Spikey dans un bâillement avant d'enfiler d'un pas traînant le sombre couloir sous le regard malveillant de la concierge dans sa petite guérite.

Arrivé à la porte de sa chambre, Landau dut s'armer de courage pour introduire la clé dans la serrure. Ils agiraient maintenant, pensa-t-il. Ici et maintenant, ce serait le meilleur moment pour me cueillir avec le manuscrit.

Mais quand il pénétra dans la pièce, elle était déserte et en ordre, et il se sentit idiot d'avoir pu envisager le contraire. Toujours en vie, pensa-t-il en posant son attaché-case sur le lit.

Il ferma les rideaux de poupée du mieux qu'il put, c'est-à-dire à mi-course, accrocha à la porte l'inutile panneau « Ne pas déranger », et s'enferma. Il vida les poches de son complet, y compris celle dans laquelle il stockait les cartes de visite professionnelles, ôta sa veste et sa cravate, ses remonte-manches en métal, et finalement sa chemise. Il ouvrit le réfrigérateur et se servit un doigt de vodka-citron dont il but une gorgée. Il n'était pas vraiment gros buveur, comme il me l'expliqua, mais à Moscou il aimait bien siroter une petite vodka-citron pour finir la journée. Il emporta son verre dans la salle de bains, où il passa dix bonnes minutes à examiner avec inquiétude son cuir chevelu à la recherche de racines blanches, dont il camoufla la couleur déshonorante à l'aide d'un nouveau produit miracle. Finalement satisfait de son travail, il s'enroula autour du crâne un turban en plastique sophistiqué en guise de bonnet de bain et prit une douche en chantant fort honorablement *I am the very model of a modern major-general*. Puis il se sécha vigoureusement pour stimuler ses muscles, passa un flamboyant peignoir à fleurs et retourna dans la chambre, toujours en chantant.

Tout cela parce qu'il accomplissait régulièrement ce rite et avait besoin ce soir de se rassurer par la familiarité du quotidien, mais aussi parce qu'il était fier d'avoir envoyé la prudence au diable, pour une fois, et de ne pas avoir trouvé vingt-cinq bonnes raisons de ne pas agir, comme il aurait bien pu le faire à l'époque.

C'était une vraie dame, Harry. Elle avait peur, et elle avait besoin d'aide. Niki Landau avait-il jamais rien refusé à une dame ? Et même s'il se trompait à son sujet, eh bien alors, il s'était fait avoir comme un enfant de chœur et il ne lui restait plus qu'à remballer sa brosse à dents et se présenter aux portes de la Loubianka pour cinq ans de recherches sans sursis sur leurs excellents graffitis. Il préférait encore se faire rouler vingt fois plutôt que d'abandonner une femme sans raison valable. Et tout en se parlant ainsi, intérieurement car il se méfiait des micros, Landau sortit le paquet de son attaché-case et entreprit, malgré une certaine gêne, de défaire la ficelle sans la couper, comme le lui avait appris sa sainte mère, dont il gardait pieusement la photographie dans son portefeuille. Elles ont le même rayonnement, pensa-t-il avec une douce nostalgie en s'affairant patiemment sur le nœud. C'est la peau slave. Ce sont les yeux slaves, et le sourire. Deux jolies Slaves. La seule différence, c'est que Katia n'avait pas fini à Treblinka.

Le nœud céda enfin. Landau enroula la ficelle et la posa sur le lit. Vous comprenez, ma belle, dit-il en lui-même à Ekaterina Orlova, il faut que je sache. Je ne veux pas me mêler de ce qui ne me regarde pas, je ne suis pas du genre fouineur, mais si je dois mentir en passant la douane, autant connaître l'objet de mon mensonge, parce que ça aide.

Landau défit le papier kraft délicatement, pour ne pas le déchirer. Il ne se voyait pas vraiment dans la peau d'un héros, du moins pas encore. Ce qui représentait un danger pour une beauté moscovite n'en était peut-être pas un pour lui. Il avait grandi à la dure, c'est vrai. L'East End de Londres n'était pas de tout repos pour un immigré polonais de dix ans, et Landau avait eu sa part de lèvres fendues, de nez cassés, de jointures écrasées et de ventre creux. Mais si on lui avait demandé aujourd'hui, ou pendant ces trente dernières années, sa définition d'un héros, il aurait répondu sans la moindre hésitation que c'était le premier à se défiler par la porte de derrière quand on réclamait un volontaire.

Quoi qu'il en soit, en regardant le contenu du paquet de papier kraft, Niki était sûr d'une chose : il avait la pêche. Il en chercherait la raison plus tard, à loisir. Mais s'il y avait un boulot louche à faire ce soir, Niki Landau était l'homme de la situation. Parce que quand Niki a la pêche, Harry, personne ne pêche mieux que lui, toutes les filles le savent...

La première chose qu'il vit fut l'enveloppe, et en dessous trois carnets, le tout relié par un gros élastique, comme ceux qu'il conservait mais n'utilisait jamais. L'enveloppe, brune, carrée et mal collée, retint d'abord son attention, parce qu'elle portait l'écri-

22

ture de la jeune femme, une écriture nette d'écolière qui le conforta dans l'impression de pureté qu'il avait gardée d'elle. « Personnel. A l'attention de M. Bartholomew Scott Blair. Urgent. »

Landau la dégagea de l'élastique, et la tint devant la lumière, mais son opacité ne révéla aucune ombre. La palpant entre le pouce et l'index, il devina qu'elle contenait une feuille de papier fin, deux au maximum. *M. Scott Blair s'est engagé à le publier avec discrétion*, se souvint-il. *Monsieur Landau, si vous êtes partisan de la paix... remettez-la immédiatement à M. Scott Blair. En main propre. C'est un témoignage de confiance.*

Elle a confiance en moi aussi, pensa-t-il en retournant l'enveloppe. Le verso était vierge.

Comme on ne peut apprendre grand-chose d'une enveloppe brune cachetée, et que Landau avait pour principe de ne jamais lire le courrier personnel d'autrui, en l'occurrence de Barley, il rouvrit son attaché-case, sortit d'un des soufflets une enveloppe en papier bulle, sur le rabat de laquelle était élégamment imprimé « De la part de M. Nicholas P. Landau », et dans laquelle, avant de la cacheter, il glissa l'enveloppe brune. Puis il griffonna « Barley » dessus et la rangea dans le soufflet étiqueté « Divers », qui contenait tout et n'importe quoi, depuis les cartes de visite que des inconnus lui avaient mises d'office dans la main jusqu'aux listes de courses qu'il avait promis de faire pour des gens, comme cette éditrice qui avait besoin de cartouches d'encre Parker, ou l'employé au ministère de la Culture qui voulait un T-shirt Snoopy pour son neveu, ou encore la dame de chez Octobre qui s'était trouvée là au moment où il rangeait son stand.

Landau prit cette précaution parce que l'instinct d'un métier qu'il n'avait jamais appris lui dictait avant toute chose de ranger l'enveloppe aussi loin que possible des carnets. Si ceux-ci se révélaient dangereux, il voulait que rien ne pût les relier à l'enveloppe, et vice versa, ce en quoi il avait parfaitement raison. Les instructeurs les plus polyvalents et expérimentés du Service, rompus à toutes les ficelles de notre métier, n'auraient pu lui donner meilleur conseil.

C'est alors seulement qu'il prit les trois carnets et fit glisser l'élastique, aux écoutes du moindre bruit de pas dans le couloir. Trois calepins russes minables, se dit-il. Il choisit le premier et le retourna lentement. Reliure cartonnée aux vignettes frustes, dos en tissu effiloché. Deux cent vingt-quatre pages en in-quarto réglé de mauvaise qualité, si Landau se rappelait bien l'époque où il s'était occupé de papeterie. Prix en URSS : environ vingt kopeks chez tous les bons papetiers, sous réserve que la livraison ait eu lieu et qu'on fasse la queue au bon endroit, le bon jour.

Il finit par ouvrir le carnet, et parcourut la première page.

Elle est toquée, pensa-t-il en essayant de réprimer son indignation.

Elle est entre les mains d'un cinglé. Pauvre gosse !

Des phrases absurdes gribouillées à toute allure et dans tous les sens par un fou, avec une plume à dessin et de l'encre de Chine, dans les marges, en travers ou en longueur, se chevauchant même en diagonale, comme une écriture incohérente de médecin. Le tout assaisonné de points d'exclamation et de soulignages grotesques. Une partie en cyrillique, une partie en anglais. « Le Créateur crée des créateurs », lut-il en anglais. « Etre. Ne pas être. Anti-être », suivi d'une ridicule diatribe en français contre la guerre de la folie et la folie de la guerre, suivie d'un embrouillamini incompréhensible. Ah ben, bravo ! pensa-t-il en tournant une page, puis une autre, toutes deux tellement surchargées de cette écriture démente qu'on voyait à peine le papier au travers. « Après avoir passé soixante-dix ans à détruire la volonté populaire, nous ne pouvons pas nous attendre à ce qu'elle resurgisse pour nous sauver », lut-il. Une citation ? Une inspiration subite ? Comment savoir ? Des références à des écrivains russes, latins et européens. Des commentaires sur Nietzsche, Kafka et des gens dont il n'avait jamais entendu parler, et qu'a fortiori il n'avait pas lus. Encore des réflexions sur la guerre, cette fois-ci en anglais : « Les vieux la déclarent, les jeunes la font, mais aujourd'hui les bébés et les vieillards la font aussi. » Il tourna encore une page et tomba sur une simple tache, ronde et marron. Il porta le carnet à son nez et renifla. De l'alcool, pensa-t-il avec mépris. Ça pue comme dans une brasserie. C'est pas étonnant qu'il soit copain avec Barley Blair. Une double page consacrée à une série de proclamations hystériques :

— NOTRE PLUS GRAND PROGRÈS EST DANS LE DOMAINE DE L'ARRIÉRATION !

— LA PARALYSIE SOVIÉTIQUE EST LA PLUS PROGRESSIVE DU MONDE !

— NOTRE ARRIÉRATION EST NOTRE PLUS GRAND SECRET MILITAIRE !

— SI NOUS NE CONNAISSONS PAS NOS PROPRES INTENTIONS ET NOS PROPRES CAPACITÉS, COMMENT POURRIONS-NOUS CONNAÎTRE LES VÔTRES ?

— LE VÉRITABLE ENNEMI, C'EST NOTRE INCOMPÉTENCE !

Et sur la page suivante, un poème recopié avec application Dieu sait où :

> *Il s'enroule puis se déroule.*
> *Laissant sa trace sur la route*
> *Mais dans quel sens ? Là est le doute*
> *Que le serpent sème dans la foule.*

Landau se leva et se dirigea d'un pas furieux vers la fenêtre, qui donnait sur une triste cour pleine d'ordures non ramassées.

« Une putain de jongleur de mots, Harry. C'est ce que j'ai cru que c'était. Une espèce d'intello drogué qui se croit génial. Et elle s'est jetée dans ses bras, comme elles le font toutes. »

Elle avait de la chance qu'il n'y eût pas d'annuaire de Moscou dans la chambre, car sinon il l'aurait appelée pour lui dire le fond de sa pensée.

Histoire d'attiser sa colère, il prit le second carnet, qu'il feuilleta page par page avec dédain d'un doigt humecté de salive. C'est ainsi qu'il tomba finalement sur les schémas. L'espace d'un instant, ce fut le noir complet, l'écran vide en plein milieu du film, pendant lequel il se maudit d'être un petit Slave impétueux au lieu d'un Anglais calme et flegmatique. Puis il se rassit sur le lit, avec précaution toutefois, comme s'il y reposait quelqu'un qu'il aurait blessé par ses accusations prématurées.

Si Landau méprisait ce qui trop souvent passait pour littérature, en revanche son intérêt pour les sujets techniques était immense. Même lorsqu'il ne comprenait pas ce qu'il lisait, il savait déguster une bonne page de mathématiques pendant une journée entière. Et il comprit au premier coup d'œil, comme pour Katia, que ce qu'il avait sous les yeux était de grande valeur. Il ne s'agissait certes pas de beaux dessins tirés à la règle, mais ces simples esquisses n'en paraissaient que meilleures, ainsi tracées à main levée, sans instrument, par quelqu'un capable de penser avec un crayon. Des tangentes, des paraboles, des cônes, et parmi ces figures, des descriptions détaillées comme celles des architectes ou des ingénieurs, des termes tels que « point de mire », « masse critique », « erreur systématique », « gravité », et « trajectoire », une partie en anglais, Harry, et une partie en russe.

A cela près que Harry n'est pas mon vrai nom.

Toutefois, quand il compara la belle calligraphie du second carnet avec les gribouillis absurdes du premier, quel ne fut pas son étonnement de découvrir certaines similarités incontestables, si bien qu'il eut le sentiment de contempler le journal intime d'un schizophrène, un tome écrit par le Docteur Jekyll, et l'autre par Mister Hyde.

Il étudia le troisième carnet, aussi méthodique et précis que le deuxième, mais sous forme d'un journal de bord relatant des raisonnements mathématiques, avec des dates, des chiffres et des formules, et le mot « erreur » fréquemment répété, souvent souligné ou rehaussé par un point d'exclamation. Puis soudain Landau écarquilla les yeux, fasciné, et ne put s'empêcher de lire ce qui suivait. L'obscurité rassurante du jargon technique de l'auteur se terminait par un grand coup d'éclat, ainsi que ses divagations philosophiques et ses superbes schémas annotés. Les mots se détachaient maintenant avec une netteté éblouissante.

« Les stratèges américains peuvent dormir en paix. Leurs cauchemars ne se réaliseront jamais. Le chevalier soviétique agonise dans son armure. Il n'est plus qu'une puissance secondaire, comme vous les Anglais. Il peut commencer une guerre, mais ne peut pas la poursuivre, encore moins la gagner. Croyez-moi. »

Landau n'alla pas plus loin. Un sentiment de respect d'autrui, mêlé à un fort instinct de conservation, lui conseilla de ne pas gratter plus profond. Il ramassa l'élastique et le glissa autour des trois carnets. C'est fini, pensa-t-il. A partir de maintenant je m'occupe de mes affaires et je fais mon devoir : j'emporte ce manuscrit dans mon Angleterre bien-aimée et je le remets immédiatement à M. Bartholomew alias Barley Scott Blair.

Barley Blair! pensa-t-il stupéfait, tout en ouvrant le placard pour sortir la grande mallette en aluminium où il rangeait ses échantillons. Eh ben ça alors! On s'était souvent demandé si on réchauffait un espion en notre sein, et maintenant, on sait.

Le calme de Landau était olympien, m'assura-t-il. L'Anglais avait une fois de plus repris le dessus sur le Polonais. « Si Barley pouvait le faire, Harry, je me suis dit que moi aussi j'en étais capable », me répéta-t-il par la suite durant la courte période où il me prit pour confesseur. Les gens me font ça de temps en temps. Ils devinent cette face cachée de moi-même et lui parlent comme s'il s'agissait de ma vraie personnalité.

Il posa la mallette sur le lit, ouvrit les serrures, et en sortit deux coffrets audio-visuels que les officiels soviétiques lui avaient ordonné de retirer de son étalage : une histoire en images du XXe siècle avec un commentaire en voix off qu'ils avaient arbitrairement jugé anti-soviétique, et une brochure sur le corps humain avec des photographies de mouvements associée à une cassette d'exercices pour garder la forme, que les officiels, après avoir contemplé avec envie la jeune et souple déesse en justaucorps, avaient jugée pornographique.

Le coffret historique était haut de gamme : l'extérieur imitait un livre, et l'intérieur contenait nombre de poches pour les cassettes, les textes d'accompagnement, les fiches de vocabulaire de difficulté croissante, et les notes explicatives pour les étudiants. Ayant vidé ces poches de leur contenu, Landau essaya d'y glisser les carnets mais n'en trouva aucune assez large, et décida d'en convertir deux en une. Il alla chercher sa paire de ciseaux à ongles dans sa trousse de toilette en tissu-éponge et se mit au travail avec des gestes assurés, retirant précautionneusement les agrafes de la séparation centrale.

Barley Blair ! songea-t-il à nouveau comme il insérait la pointe des ciseaux à ongles. J'aurais dû m'en douter, ne serait-ce que parce que t'étais le seul auquel je n'aurais jamais pensé. M. Bartholomew Scott Blair, dernier rejeton d'Abercrombie & Blair : un espion ! La première agrafe se détacha, et il l'extirpa délicatement. Barley Blair, dont on disait toujours qu'il n'aurait pas pu vendre du foin à un cheval richissime pour sauver sa mère mourante le jour de son anniversaire : un espion ! Il s'attaqua à la deuxième agrafe. Toi dont le haut fait de gloire il y a deux ans, à la foire du livre de Belgrade, avait été d'envoyer Spikey Morgan rouler sous la table à coup de vodka, et ensuite de jouer si bien du saxo ténor avec l'orchestre que même les policiers de service avaient applaudi : un espion ! Un gentleman-espion. Et moi maintenant je fais le pigeon voyageur pour ta petite dame.

Landau prit les carnets et essaya en vain de les insérer dans l'emplacement qu'il venait de préparer. Il lui faudrait faire une pochette des trois.

Tu jouais les ivrognes, Barley, pensait Landau. Tu jouais les idiots, et nous on y a cru comme des imbéciles. Tu dilapidais le reste de la fortune familiale, tu coulais la compagnie de plus en plus. Oh, oui. Mais d'une manière ou d'une autre tu te débrouillais toujours pour trouver une grande banque de la City qui te sortait du pétrin juste au bon moment, hein ? Et puis ta façon de jouer aux échecs... Si Landau avait seulement su observer, il était là l'indice ! Comment un homme abruti par l'alcool peut-il battre n'importe qui aux échecs, Harry, à moins d'être un espion entraîné ?

Les trois poches n'en faisaient plus qu'une, dans laquelle les carnets rentraient tant bien que mal. L'étiquette correspondante indiquait toujours « Notes explicatives pour les étudiants ».

« Des notes, racontait déjà Landau dans sa tête au jeune douanier inquisiteur de l'aéroport Cheremetievo. Des notes, vous voyez, jeune homme, c'est écrit sur l'étiquette. Des notes pour les étudiants. Voilà pourquoi il y a une pochette spéciale réservée aux notes. Et ces notes que vous tenez, là, sont le travail d'un vrai étudiant qui a vraiment suivi le cours. C'est pour ça qu'elles sont là, jeune homme, vous comprenez ? Ce sont des *notes explicatives*. Et les dessins, là, ça a rapport avec... »

Avec les schémas socio-économiques, jeune homme. Avec les évolutions démographiques. Avec des statistiques vitales dont vous, les Russkofs, vous n'avez jamais assez, pas vrai ? Tenez, vous avez déjà vu un truc comme ça, vous ? Ça s'appelle un guide du corps humain.

Ce qui sauverait peut-être la peau de Landau, selon l'intelligence des préposés, ce qu'ils savaient déjà, et les sentiments que leur inspirait leur femme ce jour-là.

Mais en vue de la longue nuit qui l'attendait, et de la descente dans sa chambre à l'aube, quand ils défonceraient la porte d'un grand coup de pied et se jetteraient sur lui revolver au poing en criant : « Allez, Landau, donnez-nous ces carnets ! », en vue de cet agréable moment, le coffret ne servirait à rien. « Des carnets, messieurs les officiers ? Des carnets ? Ah, vous voulez parler de ce tas de paperasses qu'une belle Russe un peu dingue m'a forcé de prendre à la foire ce soir. Je pense que vous les trouverez dans la poubelle, monsieur l'officier, si la femme de chambre ne l'a pas vidée pour une fois ! »

Dans cette éventualité, Landau prépara la scène avec un soin scrupuleux. Il sortit les carnets de la poche du coffret historique, les disposa artistiquement dans la corbeille à papier comme s'il les avait jetés là durant la rage passagère qui l'avait saisi à la première lecture. Pour faire bonne mesure, il jeta également des brochures et de la littérature commerciale superflue, ainsi qu'un ou deux cadeaux d'adieux inutiles qu'il avait reçus : le mince volume d'un énième poète russe, un tampon-buvard à poignée en fer-blanc. La dernière touche fut d'ajouter une paire de chaussettes non reprisées que seul un riche Occidental peut se permettre de jeter.

Une fois de plus, il me faut m'émerveiller, comme nous le fîmes tous plus tard, de l'ingéniosité naturelle de Landau.

Cette nuit-là, il ne sortit pas jouer. Il endura patiemment son emprisonnement dans le cadre familier de sa chambre d'hôtel moscovite. De sa fenêtre il regarda le crépuscule devenir lentement obscurité, et les pâles lumières de la ville s'allumer à contre-cœur. Il se fit du thé dans sa petite bouilloire de voyage, et mangea deux barres de fruits secs contenant sa ration de fer quotidienne. Il pensa avec nostalgie à la plus agréable de ses conquêtes, et aux autres avec un sourire triste. Il s'endurcit pour affronter souffrance et solitude, évoquant pour ce faire son enfance difficile. Il passa en revue le contenu de son portefeuille, de son attaché-case et de ses poches, et en sortit ses possessions les plus personnelles, qu'il n'aurait pas voulu avoir à commenter de l'autre côté d'une table nue : une lettre torride qu'une petite amie lui avait envoyée des années auparavant et qui avait encore le pouvoir de raviver ses appétits, la carte de membre d'un club de vidéo par correspondance auquel il appartenait. Son premier instinct fut de « les brûler comme ils font dans les films », mais il se ravisa à la vue des détecteurs de fumée au plafond, bien qu'il eût parié qu'ils ne fonctionnaient pas.

Ayant trouvé un sac en papier, il déchira toutes les reliques en petits morceaux, les fourra à l'intérieur, jeta le sac par la fenêtre et le vit tomber parmi les ordures de la cour. Puis il s'étendit sur le lit et regarda s'avancer la nuit. Il se sentait courageux par moments, et à d'autres tellement effrayé qu'il devait enfoncer ses ongles dans ses paumes pour ne pas craquer. Il alluma la télévision, espérant tomber sur les petites gymnastes nubiles qu'il aimait bien, mais au lieu de cela, il eut droit à l'empereur en personne déclarant encore une fois à ses enfants fascinés qu'il ne fallait plus être esclave des apparences, comme sous l'Ancien Régime où la cour n'avait pas d'habits. Et quand Spikey Morgan, pour le moins à moitié saoul, l'appela du bar du National, Landau, qui avait envie de parler, lui fit la conversation jusqu'à ce que l'autre s'endorme au bout du fil.

Une seule fois, dans un grand moment de dépression, l'idée de se présenter à l'ambassade britannique pour demander l'aide de la valise diplomatique traversa l'esprit de Landau. Sa faiblesse passagère le mit en colère. « Ces minables ? se dit-il avec mépris. Ceux qui ont renvoyé mon père en Pologne ? Je ne leur confierais même pas une carte postale de la tour Eiffel, Harry. »

Et puis de toute façon, ce n'est pas ce qu'elle lui avait demandé de faire.

Le matin suivant, il revêtit son plus beau costume et glissa la photographie de sa mère dans la poche de sa chemise, comme s'il allait à son exécution.

Et c'est ainsi que j'imagine encore Niki Landau lorsque je consulte son dossier ou que je le reçois pour le rappel des six mois, comme nous l'appelons, pendant lequel il aime revivre son heure de gloire avant de signer une fois de plus un exemplaire de la Législation sur la conservation du secret. Je l'imagine sortir d'un pas désinvolte dans cette rue de Moscou, sa mallette métallique à la main, ignorant tout de son contenu, mais prêt à risquer sa brave petite tête, quoi qu'il arrive.

Comment lui me voit-il, s'il pense jamais à moi, je n'ose me poser la question. Hannah, que j'ai aimée, mais dont j'ai déçu les espérances, n'aurait eu aucun doute à ce sujet. « Encore un de ces Anglais avec le visage plein d'espoir mais rien dans le cœur », aurait-elle dit, rouge de colère. Car elle dit tout ce qui lui passe par la tête ces temps-ci, j'en ai bien peur. Elle a beaucoup perdu de sa vieille indulgence.

2.

Tout Whitehall s'accorda pour dire que plus jamais une affaire ne devait commencer ainsi. Les ministres concernés laissèrent éclater leur colère. Ils désignèrent une commission d'enquête des plus secrètes chargée de découvrir l'erreur initiale, recueillir des témoignages, donner des noms, n'épargner aucune susceptibilité, porter des accusations, éclaircir les zones d'ombre empêcher toute récidive, me nommer président et rédiger un rapport. Les conclusions de cette commission, si tant est qu'il y en eût, demeurent le plus inaccessible des secrets, tout particulièrement pour ceux d'entre nous qui en firent partie. En effet, comme nous le savions tous pertinemment, ce genre de comité a pour fonction de discuter solennellement jusqu'à ce que la poussière soulevée retombe sur le dossier, et que ses membres retournent eux aussi à la poussière de l'oubli. Ce que fit consciencieusement notre commission, tel un chat du Cheshire dépité, ne laissant derrière elle qu'un compte rendu provisoire sans intérêt et un paquet d'annexes confidentielles dans les archives de la Trésorerie, assortis d'une discrète moue désapprobatrice.

Dans le langage peu châtié de Ned et de ses collègues de la Maison Russie, tout commença par une connerie monumentale lorsque, par un beau dimanche ensoleillé, entre 17 et 20 h 30, un certain Nicholas P. Landau, représentant et honnête contribuable sans casier judiciaire bien que Polonais d'origine, se présenta à la porte de quatre ministères dans Whitehall – pas moins –, en suppliant que lui fût accordé de toute urgence un entretien avec un officier de la Section des Renseignements britanniques, comme il les appelait, pour se voir bafoué, refoulé, voire malmené en une occasion. Que deux gardiens intérimaires du ministère de la Défense soient allés jusqu'à l'empoigner par le col du veston et le fond du pantalon pour le reconduire *manu militari* jusqu'à l'entrée, comme l'affirma Landau, ou qu'ils l'aient poliment aidé à retrouver la sortie, à en croire leur version, reste un point sur lequel un consensus ne put se dégager.

– Mais pourquoi donc, demanda gravement notre comité, les deux gardiens se sont-ils crus obligés de venir ainsi en aide à ce monsieur ?

– C'est que M. Landau a refusé de nous laisser examiner le contenu de son attaché-case, messieurs. Oui, il nous a proposé de nous le confier pendant qu'il attendait, à condition d'en garder la clé. Mais c'est contre le règlement. Et c'est vrai aussi qu'il l'a agité sous notre nez, il l'a palpé, il l'a lancé en l'air et rattrapé, apparemment pour nous prouver qu'il ne contenait rien de dangereux. Mais ça non plus ce n'est pas conforme au règlement. Et quand on a voulu le débarrasser en douceur dudit attaché-case, ce gentleman – comme ils le désignèrent par la suite dans leur rapport – nous a résisté et s'est mis à vociférer avec un accent étranger, à faire du tapage.

– Mais que criait-il ? demanda la commission, affligée à l'idée que l'on puisse élever la voix dans Whitehall, un dimanche de surcroît.

– Eh bien, messieurs, autant que nous ayons pu comprendre, vu son état d'extrême agitation, il hurlait que son attaché-case contenait des documents hautement confidentiels qui lui avaient été remis à Moscou par une Russe, messieurs.

Cette teigne de petit Polonais ! auraient-ils pu ajouter. Il débarque par un de ces beaux dimanches londoniens, où il y a du cricket à la télé, messieurs ! En plein milieu du résumé des Pakistanais contre le grand Botham, qu'on regardait dans l'arrière-salle, messieurs...

Même au Foreign Office, ce foyer officiel et glacial de l'hospitalité britannique où un Landau découragé finit par échouer en désespoir de cause, ce ne fut qu'après force supplications et larmes sincères du fond de son âme slave, que Landau parvint non sans peine à se faire entendre de l'Honorable Palmer Wellow, auteur d'une savante monographie sur Liszt.

Si Landau n'avait utilisé une nouvelle tactique, ses larmes

slaves ne lui eussent sans doute été d'aucun secours. Mais cette fois il posa son attaché-case ouvert sur le comptoir, et le gardien de service, jeune mais néanmoins méfiant, colla sa tête aux cheveux gominés contre la vitre blindée récemment installée, et vérifia d'un œil indolent qu'il ne contenait pas de bombe mais quelques vieux carnets crasseux et une enveloppe brune.

— Revenez lundi entre 10 et 5, articula-t-il comme un robot dans le merveilleux micro tout neuf, avant de se renfoncer dans la pénombre de sa guérite.

La grille était entrouverte. Landau jeta un coup d'œil au gardien, derrière lequel il aperçut le grandiose portique construit un siècle auparavant pour intimider les princes insoumis de l'Empire britannique des Indes. Et soudain, il saisit son attaché-case, franchit les défenses prétendues impénétrables conçues précisément pour empêcher ce genre d'intrusion, traversa la cour sacrée à toutes jambes comme une gazelle, oui messieurs, et grimpa la volée de marches conduisant au monumental vestibule. C'était son jour de chance. Palmer Wellow appartenait entre autres à la phalange conciliatrice du Foreign Office. Et il était justement de service. Il descendait le majestueux escalier quand il vit Landau, rouge et essoufflé, flanqué de deux gardes imposants.

— Mon Dieu, mon Dieu! Vous vous êtes mis dans de beaux draps. Je m'appelle Wellow. Je suis sous-secrétaire permanent ici, dit-il en tendant la main droite vers Landau.

— Je ne veux pas d'un sous-secrétaire, fit Landau. Je veux voir un officier supérieur, et personne d'autre.

— Mais c'est un poste assez élevé, sous-secrétaire, affirma Palmer d'un ton modeste. Ne vous laissez pas abuser par le terme.

Il faut reconnaître, et notre comité n'y manqua point, que jusque-là le petit numéro de Palmer Wellow était irréprochable. Il sut montrer de l'humour dans l'efficacité, et ne commit aucune bévue. Il conduisit Landau dans une salle d'interrogatoires, l'invita à s'asseoir, et s'occupa de lui avec prévenance, lui faisant apporter une tasse de thé sucré et un biscuit pour l'aider à se remettre de ses émotions. S'armant d'un coûteux stylo plume offert par un ami, il nota le nom et l'adresse de Landau, ainsi que ceux des compagnies qui l'employaient, le numéro de son passeport anglais, sa date et son lieu de naissance : 1930, Varsovie. Il lui expliqua avec une désarmante sincérité qu'il ne connaissait rien aux problèmes du Renseignement, mais s'engagea à remettre les documents de Landau aux « personnes compétentes » qui leur accorderaient certainement toute l'attention méritée. Et à la demande réitérée de Landau, il rédigea impromptu un reçu sur une feuille de papier pelure bleu du Foreign Office, le signa et demanda au portier d'y apposer un tampon faisant état de la date et de l'heure. Il ajouta que si les autorités avaient besoin de plus amples informations, Landau serait très certainement contacté, peut-être simplement par téléphone.

Alors seulement Landau se décida-t-il à lui confier son paquet fatigué, regardant avec un pincement au cœur la main de Palmer s'en saisir négligemment.

— Pourquoi ne le remettez-vous pas directement à M. Scott Blair ? s'enquit Palmer à la vue du nom inscrit sur l'enveloppe.

— Mais c'est ce que j'ai essayé de faire ! s'écria Landau exaspéré. Je vous l'ai déjà dit. J'ai téléphoné partout, j'ai donné trente-six coups de fil. Il n'est ni chez lui, ni à son travail, ni à son club, ni à nulle part, s'emporta Landau qui, de désespoir, en perdait sa grammaire. J'ai essayé de l'aéroport. Bon d'accord, le samedi c'est difficile.

— Aujourd'hui, c'est dimanche, rectifia Palmer avec un sourire indulgent.

— Et alors, hier c'était samedi, non ? J'appelle sa société, j'ai un bip électronique continu. Je consulte l'annuaire téléphonique. Je trouve un Blair à Hammersmith. Pas les mêmes initiales, mais un Scott Blair, et je tombe sur une dame furieuse qui m'envoie au diable. Je connais un représentant, Archie Parr, qui démarche pour lui dans l'ouest du pays. Je l'appelle : « Archie, par pitié dis-moi où je peux joindre Barley d'urgence. » « Il s'est taillé, Niki. Une de ses fugues habituelles. On ne l'a pas vu à la boîte depuis des semaines. » J'essaie les renseignements. Londres, les environs. Sans résultat. Pas un seul Bartholomew sur les listes. Au fond c'est normal, non ? Si c'est un...

— Si c'est un quoi ? demanda Palmer intrigué.

— Écoutez, il a disparu, d'accord ? Il l'a déjà fait. Il a sûrement des raisons pour disparaître, des raisons que vous ignorez parce que vous n'êtes pas censé les connaître. Il y a peut-être des vies en jeu... et pas seulement la sienne ! C'est superurgent, d'après la jeune femme. Et top secret. Alors remuez-vous, je vous en prie.

Ce même soir, comme il ne se passait pas grand-chose dans le monde, hormis une crise des plus fastidieuses dans le Golfe, et une émission sordide sur un scandale financier chez les militaires de Washington, Palmer se rendit à une sympathique soirée à Montpelier Square, organisée par des anciens de sa promotion de Cambridge, des joyeux célibataires comme lui. Un compte rendu de cette réunion parvint également aux oreilles de notre commission.

— A propos, est-ce que l'un de vous connaîtrait un certain Scott Blair ? demanda Wellow sur le tard, lorsqu'en pianotant quelques mesures de Chopin il se rappela l'existence de Landau. Personne ne se souvient de Scott Blair à Cambridge ? Ça me dit quelque chose, insista-t-il, n'ayant pas réussi la première fois à se faire entendre par-dessus le brouhaha.

— Oui, quelques années avant nous à Trinity College, lui répondit une voix étouffée de l'autre bout de la pièce. Il voulait gagner sa vie en jouant du saxophone. Mais son vieux s'y opposait. Oui, oui, Barley Blair... Toujours bourré dès l'aube.

Palmer Wellow plaqua un accord tonitruant qui imposa aussitôt le silence à la bruyante assemblée.

— Est-ce que c'est un horrible espion ? demanda Wellow.

— Le père ? Il est mort.

— Le fils, imbécile! Barley.

Comme par magie, son interlocuteur émergea de la foule où se côtoyaient jeunes et moins jeunes, et se planta devant lui, un verre à la main. Palmer reconnut alors avec plaisir un excellent camarade de Trinity College, qu'il n'avait pas vu depuis des lustres.

— J'ignore si Barley est un horrible espion, dit l'ami de Palmer du ton cassant qui lui était habituel, tandis que le brouhaha ambiant s'intensifiait de nouveau. Je sais, en revanche, que c'est un raté, si l'on peut mettre ça à son palmarès.

Palmer, dont la curiosité était maintenant aiguisée, réintégra son vaste appartement au Foreign Office, non sans avoir au passage récupéré les carnets et l'enveloppe de Landau confiés aux bons soins du portier. C'est à partir de là que son comportement prit un tour regrettable, pour employer les termes de notre compte rendu provisoire; ou, dans les termes plus crus de Ned et de ses collègues de la Maison Russie, c'est là que dans n'importe quel pays civilisé, P. Wellow aurait été pendu par les pouces à l'un des plus hauts édifices de la ville, et abandonné dans cette position pour méditer à loisir sur ses agissements.

En effet, pendant deux nuits et un jour et demi Palmer se divertit à la lecture des carnets, dont il trouva le contenu fort amusant.

Il n'ouvrit pas l'enveloppe brune – sur laquelle Landau avait écrit « Très confidentiel. A l'attention de M. B. Scott Blair, ou d'un haut responsable du Renseignement » – car Palmer, comme Landau, appartenait à cette vieille école qui juge inconvenant de lire le courrier d'autrui. De toute façon, l'enveloppe était collée aux deux extrémités et, d'une manière générale les obstacles matériels rebutaient Palmer. Mais le premier carnet, témoignant un mépris absolu envers politiciens et militaires, rempli de citations et d'aphorismes absurdes, de références éparses à Pouchkine, type même de l'homme-Renaissance, et à Kleist, type même du suicidaire, le fascina totalement.

Il ne saisit guère l'urgence de la situation, et encore moins la responsabilité qui lui incombait. C'était un diplomate, et non un « Ami », comme on appelle les espions. Dans le bestiaire de Palmer, les Amis constituaient une race dépourvue de la dynamique intellectuelle faisant l'étoffe de specimens tels que lui. A dire le vrai, il déplorait que la noble institution du Foreign Office dont il faisait partie servît de plus en plus de couverture aux agissements déshonorants des Amis. Palmer possédait en effet une érudition impressionnante, bien que dispersée. Il avait appris l'arabe, obtenu une mention très bien en histoire moderne, étudié le russe et le sanskrit à ses heures perdues, mais la mathématique et le bon sens lui faisaient défaut, ce qui explique pourquoi il sauta les fastidieuses pages de formules algébriques, d'équations et de diagrammes constituant l'essentiel des deux autres carnets, qui, à l'inverse des divagations philosophiques de l'auteur, se distinguaient par leur rigueur rébarbative. Ce qui explique aussi – en dépit des réticences du comité à cet égard – pourquoi Palmer décida de passer outre la Consigne permanente concernant les défecteurs et les offres de renseignements sollicitées ou spontanées, et d'agir à sa guise.

– Il fait des analogies complètement aberrantes dans tous les domaines, Tig, confia-t-il le mardi à un collègue et supérieur du département de la Recherche, ayant jugé le moment venu de partager avec quelqu'un sa précieuse acquisition. Il faut absolument que vous lisiez ça.

– Mais comment savez-vous que c'est un homme, Palms ?

Palmer le sentait, tout simplement. Les ondes, Tig, les ondes.

Le collègue parcourut le premier carnet, le deuxième, s'assit et examina longuement le troisième. Puis il revint au deuxième dont il étudia les schémas. C'est alors que son expérience professionnelle prit le dessus, devant la gravité de la situation.

— A votre place, je leur remettrais le tout sans délai, Palms, dit-il.

Mais après réflexion il transmit lui-même le tout sans délai, ayant auparavant téléphoné à Ned sur la ligne directe en lui demandant de l'attendre.

Sur quoi ce fut le branle-bas de combat deux jours plus tard. Le mercredi à 4 heures du matin, la lumière brillait encore au dernier étage d'une petite maison en brique du quartier Victoria, l'annexe choisie par Ned et connue sous le nom de « Maison Russie », où prenait fin dans la stupeur générale la première réunion de l'équipe chargée de l'opération par la suite baptisée Bluebird. Cinq heures plus tard, après deux autres réunions au QG du Service dans une nouvelle tour sur l'Embankment, Ned était de nouveau derrière son bureau, entouré par des piles de dossiers, comme autant de barricades érigées par les filles du fichier central...

— Les voies du Seigneur sont peut-être impénétrables, fit remarquer Ned à Brock, son assistant rouquin, entre deux arrivages de dossiers, mais la manière dont il choisit ses *Joes* l'est bien davantage !

Dans le jargon du métier, un *Joe* est une source vivante d'information, en anglais courant : un espion. Quand il parlait de *Joe* Ned faisait-il allusion à Landau ? A Katia ? A l'auteur anonyme des carnets ? Ou désignait-il déjà le personnage encore flou de ce grand gentleman-espion britannique, M. Bartholomew Scott Blair ? Brock l'ignorait et n'en avait cure. Originaire de Glasgow mais de parents lituaniens, il ne supportait pas les concepts abstraits.

En ce qui concerne votre serviteur, une semaine se passa avant que Ned se décidât, non sans les réticences d'usage, à embarquer ce vieux Palfrey à bord. D'aussi loin que je m'en souvienne, j'ai toujours été « ce vieux Palfrey », et j'ignore encore à ce jour ce qu'il est advenu de mes prénoms. « Mais où est donc ce vieux Palfrey ? » « Où est passé notre rusé renard de juriste ? », « Qu'on aille vite quérir notre licencié ès passe-droits. Cette affaire-là, c'est du ressort de Palfrey. »

Quelques mots suffisent à me décrire. Inutile d'y consacrer des heures. Je m'appelle Horatio Benedict de Palfrey, mais vous pouvez tout de suite faire abstraction des deux prénoms. Quant à la particule, personne ne semble l'avoir jamais remarquée. Dans le Service, on me connaît sous le pseudonyme de Harry, alors, n'étant pas contrariant de nature, il m'arrive fréquemment de m'appeler moi-même Harry. Par exemple quand je me fais cuire une côtelette dans l'intimité de ma minuscule garçonnière. Conseiller juridique au service de l'illégalité, tel est mon titre. Il y a vingt ans, je fus aussi pendant un temps second associé dans la défunte étude d'avoués Mackie, Mackie et de Palfrey, sur Chancery Lane. Depuis, je suis votre très humble et secret serviteur, prêt en toute occasion à fausser la balance de cette incorruptible déesse Justice que l'on m'apprit à respecter dans ma jeunesse.

Un palefrei (ancien français pour palefroi), m'a-t-on dit, n'était pas un cheval de bataille ni de chasse, mais une monture destinée aux dames. Eh bien, ce vieux Palfrey que je suis ne s'est laissé guider sur longue distance que par une seule petite dame, qui faillit bien d'ailleurs le conduire jusqu'à sa tombe et s'appelait Hannah. C'est à cause d'elle que je me suis réfugié à l'intérieur de cette citadelle secrète où la passion n'a pas sa place, et dont les murs épais m'empêchaient d'entendre le martèlement de ses poings, ou sa voix qui m'implorait de la laisser entrer, et d'affronter ainsi un scandale terrifiant pour un jeune juriste au seuil d'une honorable carrière.

Le visage plein d'espoir, mais rien dans le cœur, disait-elle à mon propos. Une femme mieux avisée eût gardé ces réflexions pour elle, m'a-t-il toujours semblé. Parfois, dire la vérité à tout prix devient une forme de jouissance. « Dans ce cas, pourquoi te bats-tu pour une cause perdue ? lui rétorquais-je. Si le malade est déjà mort, pourquoi essayer de le ressusciter ? »

Sans doute parce qu'Hannah était une femme. Parce qu'elle croyait en la rédemption des âmes masculines. Parce que je n'avais pas assez payé pour mes imperfections.

Maintenant, j'ai assez payé, croyez-le.

C'est à cause d'Hannah que j'erre le long des couloirs secrets, qualifiant ma lâcheté de devoir et ma faiblesse de sacrifice.

A cause d'Hannah que tard le soir dans la grisaille d'un minuscule bureau dont la porte s'orne de la plaque « Service juridique », au milieu d'un amoncellement de paperasses, de bandes enregistrées et de films, aussi volumineux que le dossier Jarndyce contre

Jarndyce sans le traditionnel ruban rose, je rédige un rapport officiel destiné à blanchir l'opération appelée Bluebird, et son protagoniste, Bartholomew, alias Barley, Scott Blair.

A cause d'Hannah aussi que tout en griffonnant l'acte de disculpation, ce vieux Palfrey pose de temps en temps sa plume, lève la tête et se laisse aller à rêver.

Le ralliement de Niki Landau aux couleurs britanniques, si tant est qu'il les eût jamais délaissées, se produisit quarante-huit heures exactement après que les carnets eurent atterri sur le bureau de Ned. Depuis son éprouvant passage à Whitehall, Landau était malade de colère et d'humiliation. Il n'avait pas repris son travail, et négligeait son petit appartement de Golders Green, que d'habitude il bichonnait et chérissait comme la prunelle de ses yeux. Même Lydia n'avait pu l'arracher à sa mélancolie. J'avais obtenu à la hâte une autorisation de l'Intérieur pour mettre sa ligne sur écoute. Et quand elle lui téléphona, nous entendîmes Landau lui signifier son refus de la voir. Lorsqu'elle fit une apparition mélodramatique à sa porte, nos observateurs nous rapportèrent qu'il la laissa entrer le temps d'une tasse de thé, et la congédia.

— Je ne sais pas ce que j'ai fait de mal, mais je m'en excuse, l'entendirent-ils déclarer tristement en repartant.

Elle était à peine dans la rue que Ned téléphonait à Landau, qui par la suite me demanda à raison si c'était là pure coïncidence.

— Allô, Niki Landau ? fit Ned sur un ton qui ne donnait pas envie de plaisanter.

— Que lui voulez-vous ? rétorqua Landau en se redressant sur son siège.

— Je m'appelle Ned. Nous avons un ami commun, je crois. Inutile de citer des noms. Vous avez très aimablement déposé une lettre pour lui l'autre jour. Ce n'était pas évident, je dois avouer. Il y avait un paquet également.

La voix de Ned séduisit Landau sur-le-champ. Assurée, autoritaire. La voix d'un bon officier, Harry, pas d'un cynique.

— Oui, c'est exact, commença-t-il.

Mais Ned enchaînait déjà :

— Inutile d'entrer dans les détails par téléphone. Mais il est indispensable que nous ayons ensemble une longue conversation, et je crois aussi que nous vous devons des remerciements. Le plus tôt sera le mieux. Quand êtes-vous libre ?

— Quand vous voulez, répondit Landau, qui dut se retenir pour ne pas ajouter « monsieur ».

— Il ne faut jamais remettre au lendemain... Maintenant, ça vous irait ?

— Excellente idée, Ned, dit Landau d'un ton ravi.

— Je vous envoie immédiatement une voiture. Restez chez vous et attendez le coup de sonnette. Ce sera une Rover verte, immatriculée B. Le chauffeur s'appelle Sam. Si vous avez un doute, demandez-lui sa carte. Et si cela ne vous suffit pas, appelez le numéro inscrit dessus. Ça vous convient ?

— Notre ami commun va bien, au moins ? ne put s'empêcher de demander Landau, mais Ned avait déjà raccroché.

La sonnette retentit deux minutes plus tard. En fait, la voiture attendait au coin de la rue, songea Landau en descendant l'escalier comme dans un rêve. Ça y est, je suis entre les mains de professionnels. On le conduisit à une maison située dans un îlot récemment rénové du quartier chic de Belgravia. En cette fin de journée ensoleillée, sa façade fraîchement repeinte en blanc brillait d'un éclat accueillant aux yeux de Landau. Le palais de la perfection, le temple abritant les pouvoirs secrets qui gouvernent notre existence. Sur la porte à colonnes, une plaque de cuivre étincelant indiquait « SERVICE DE LIAISON AVEC L'ÉTRANGER ». Le battant s'ouvrit comme Landau montait les marches, et tandis qu'un portier en uniforme refermait derrière lui, Landau vit s'avancer à sa rencontre dans les rayons du soleil un homme élancé, le port bien droit, la quarantaine, le visage avenant, sérieux et respirant la santé. Il apprécia la poignée de main discrète mais ferme, comme celle d'un officier de la marine.

— Parfait, Niki. Entrez donc.

A une voix agréable ne correspond pas toujours un visage agréable, mais chez Ned, les deux s'harmonisaient. En le suivant dans le bureau ovale, Landau avait le sentiment que cet homme resterait toujours de son côté, quoi qu'il puisse lui confier. Landau remarqua de nombreux détails qui lui plurent aussitôt chez Ned, doué d'autant de séduction que le Joueur de Flûte : le charme et la beauté discrets, la calme assurance du chef, le « Entrez donc ». Il détecta aussi en Ned le polyglotte qu'il était lui-même. S'il lançait dans la conversation un nom ou une expression russes, Ned acquiesçait aussitôt d'un sourire, et lui donnait la réplique dans cette langue. C'était un des nôtres, Harry. Si un secret vous pesait, c'est à lui qu'il fallait le confier, et pas à ce larbin du Foreign Office.

Jusqu'à ce qu'il commence de parler, Landau ne s'était pas rendu compte à quel point il avait besoin de se confier. Dès qu'il eut ouvert la bouche, plus rien n'aurait pu l'arrêter. Il écoutait son propre récit avec étonnement, car il racontait bien sûr l'histoire de Katia, des carnets, pourquoi il avait accepté de s'en charger, et comment il les avait dissimulés, mais aussi sa vie, le malaise que lui causaient ses origines slaves, son amour de la Russie malgré tout, et son sentiment d'être déchiré entre deux cultures. Pourtant Ned ne l'y poussait pas, ni ne l'arrêtait d'ailleurs. C'était un auditeur-né. Il se contentait très discrètement de prendre quelques notes sur des petites fiches, et n'interrompait Niki que rarement, pour éclaircir un point de détail – par exemple le moment du départ à Cheremetievo, quand Landau avait passé les guichets sans le moindre contrôle.

– Est-ce que ce fut pareil pour tout votre groupe ?

– Absolument. Un signe de tête et on est tous passés.

– Vous ne vous êtes pas senti à part ?

– En quoi ?

– Vous n'avez pas eu l'impression que ce traitement s'appliquait à vous seul ? Une sorte de traitement de faveur ?

– Pas du tout. On nous a fait avancer comme une bande de moutons, euh, je veux dire un troupeau... Nous avons rendu nos visas, et on ne nous a rien demandé de plus.

– Avez-vous remarqué d'autres groupes qu'on aurait fait passer aussi vite ?

– Les Russkofs semblaient très décontractés. Peut-être parce que c'était samedi, c'était l'été, ou peut-être la glasnost. De temps en temps ils prenaient quelques voyageurs à part pour les fouiller et laissaient passer les autres. Je me suis senti ridicule, je vous l'avoue. Si j'avais su, je n'aurais pas pris toutes ces précautions.

– Vous n'avez pas été ridicule, croyez-moi. Vous vous êtes magnifiquement conduit, dit Ned sans la moindre trace de condescendance dans la voix, tout en prenant quelques notes. Et dans l'avion, qui occupait les sièges voisins, vous vous rappelez ?

– Spikey Morgan.

– Et de l'autre côté ?

— Personne. J'étais près de la fenêtre.

— Vous vous souvenez du numéro ?

Landau le lui donna sur-le-champ. Il réservait le même à chaque voyage quand c'était possible.

— Avez-vous parlé avec votre voisin pendant le vol ?

— Oui, beaucoup.

— De quoi ?

— Oh, surtout des femmes. Spikey vient d'emménager dans Notting Hill avec deux marginales.

Ned eut un petit rire amusé.

— Avez-vous parlé des carnets à Spikey ? Puisque vous étiez soulagé, cela aurait été tout à fait naturel, compte tenu des circonstances, Niki... de vous confier.

— Ça ne me serait même pas venu à l'esprit, Ned. Pas à âme qui vive. Je ne l'ai pas fait et je ne le ferai jamais. Je me confie à vous parce qu'il a disparu et que vous êtes un officiel.

— Et Lydia ?

L'atteinte portée à sa dignité effaça momentanément l'admiration de Landau pour Ned, et jusqu'à la surprise de le voir aussi bien renseigné sur sa vie privée.

— Les femmes que je fréquente savent quelques petites choses à mon sujet, Ned, c'est exact, et elles croient sans doute même en savoir davantage. Mais je ne les invite jamais à partager mes secrets.

Ned continuait de prendre des notes. Et d'une certaine façon, les mouvements précis de son stylo, ajoutés à l'insinuation que Landau aurait pu commettre une indiscrétion, encouragèrent celui-ci à se montrer curieux à son tour. Il avait remarqué que le visage calme et rassurant de Ned se figeait à la moindre mention du nom de Barley.

— Barley va vraiment bien ? Il ne lui est rien arrivé, j'espère ?

Ned ne parut pas entendre et prit une nouvelle fiche pour écrire.

— J'imagine que Barley aurait fait appel à l'ambassade, n'est-ce pas ? reprit Landau. Un professionnel comme lui. Il ne devrait jamais jouer aux échecs en public, si vous voulez mon avis. C'est ça qui le trahit.

Alors seulement Ned leva lentement le nez de sur ses papiers, et Landau remarqua son expression glaciale, plus terrifiante encore que les paroles qui l'accompagnaient :

– On ne cite jamais de noms ici, Niki, dit-il d'un ton égal. Pas même entre nous. Bien sûr, vous n'êtes pas fautif, puisque vous ne le saviez pas, mais veillez à ne pas recommencer.

Puis, voyant sans doute l'effet produit par son attitude, il se leva, alla prendre un carafon de sherry sur une petite table en bois, remplit deux verres et en offrit un à Landau.

– Oui, il va bien, conclut-il.

Ils portèrent un toast silencieux à Barley, ce nom que Landau s'était déjà juré dix fois de ne plus prononcer.

– Nous ne voulons pas que vous partiez à Gdansk la semaine prochaine, annonça Ned. Nous vous avons fait faire un certificat médical, et vous offrirons bien sûr une compensation financière. Vous êtes souffrant. Possibilité d'ulcère. Vous n'irez pas travailler d'ici là, d'accord ?

– Comme vous voudrez, répondit Landau.

Avant de partir, il dut toutefois signer un exemplaire de la Législation sur la conservation du secret sous le regard bienveillant de Ned. Il s'agit d'un texte alambiqué dans un jargon juridique destiné à impressionner le signataire, et lui seul d'ailleurs, car ses rédacteurs n'ont guère d'autre raison d'en être fiers.

Après quoi Ned coupa les micros et les caméras vidéo cachés que le douzième étage avait exigés, vu l'ampleur que prenait l'opération.

Jusque-là Ned avait agi seul, ce qui était son privilège en tant que chef de la Maison Russie. Les hommes de terrain sont avant tout des solitaires. Il n'avait même pas fait appel à ce vieux Palfrey pour la lecture de ce document ridicule. Pas encore...

Si Landau s'était senti délaissé jusqu'à cet après-midi-là, il se retrouva comblé d'attentions le reste de la semaine. Ned lui téléphona tôt le lendemain matin pour le prier, avec son habituelle courtoisie, de se rendre à une certaine adresse dans Pimlico, qui se révéla être un immeuble 1930 avec des fenêtres cintrées, au cadre métallique peint en vert, et une entrée digne d'une salle de cinéma. En présence de deux hommes qu'il ne lui présenta pas, Ned fit répéter son histoire à Landau sans le laisser souffler, puis le livra aux fauves.

Le premier qui l'interrogea avait des yeux clairs et des joues roses de bébé, l'air nerveux, papillonnant, et la voix chantante. Il portait un veston en lin assorti au blond filasse de ses cheveux désordonnés.

— Vous avez dit une robe bleue, c'est bien cela ? A propos, je m'appelle Walter, ajouta-t-il, comme surpris lui-même de l'apprendre.

— Oui, monsieur.

— Vous en êtes certain ? insista-t-il en secouant la tête et en coulant un regard à Landau par-dessous ses mèches soyeuses.

— Absolument sûr, monsieur. Elle tenait un filet marron à la main. Habituellement ces sacs à provisions sont en ficelle, mais le sien était en plastique marron. Je me suis dit : « Allons, Niki, ce n'est pas le moment, mais si à l'avenir tu devais tenter ta chance avec cette dame, on ne sait jamais, tu devrais lui rapporter de Londres un beau sac à main bleu assorti à sa robe. » C'est pour ça que je me souviens bien de la couleur. Ça fait le lien dans ma tête.

Même aujourd'hui, quand je repasse les bandes, je trouve curieux d'entendre Landau dire « monsieur » à Walter, alors qu'il a toujours appelé Ned par son prénom. Mais ce n'était pas tant chez lui une marque de respect envers Walter qu'un signe du malaise que celui-ci lui inspirait. Après tout, Landau était un homme à femmes, et Walter avait des goûts plutôt opposés.

— Et des cheveux noirs, c'est bien cela ? reprit la voix flûtée de Walter comme s'il avait du mal à y croire.

— Oui, monsieur. Noirs et soyeux. Presque aile de corbeau. J'en suis sûr.

— Teints, vous croyez ?

— Je m'en serais aperçu, déclara Landau en touchant ses propres cheveux, décidé à tout leur avouer y compris le secret de son éternelle jeunesse.

— Vous avez dit qu'elle était de Leningrad. Pourquoi ?

— Son port, monsieur. J'ai reconnu la classe. J'avais devant mes yeux une Russe de Rome, si j'ose la comparaison. C'est comme ça que je la vois. Saint-Pétersbourg.

— Et vous n'avez pas remarqué une ascendance arménienne ? Géorgienne ? Ou encore juive ?

Landau réfléchit à cette dernière suggestion, mais l'écarta très vite.

— Je suis juif moi-même, voyez-vous. Je ne prétends pas que seul un Juif puisse en reconnaître un autre, mais disons que je n'ai pas senti d'écho en moi.

Le silence qui suivit, peut-être empreint de gêne, sembla l'encourager à poursuivre.

— A vrai dire, je crois qu'être juif avant tout, c'est dépassé. Si certains y tiennent quand même, je leur souhaite bonne chance. Mais si on peut se passer de l'étiquette, qu'on ne vienne pas nous la coller de force. Moi je suis anglais d'abord, polonais ensuite, et tout le reste vient après. D'autres choisiraient l'ordre inverse, mais c'est leur problème.

— Bien dit, et empaqueté en peu de mots! approuva vivement Walter avec un gloussement et en agitant les doigts. Et vous dites qu'elle parlait un bon anglais?

— Mieux que cela, monsieur. Un anglais classique. Un exemple pour nous tous!

— Un anglais d'institutrice, si j'ai bien compris?

— C'est l'impression que j'ai eue. Enfin, de professeur, d'universitaire. J'ai senti les études, l'intelligence, l'esprit.

— Et elle ne pourrait pas être simplement interprète?

— Les bons interprètes savent s'effacer, monsieur. C'est du moins mon avis. Cette jeune femme projetait sa personnalité en parlant.

— Voilà une réponse pertinente, reconnut Walter avec des moulinets de ses manchettes roses. Et elle portait une alliance? Parfait tout cela, parfait.

— Oui, monsieur. Une bague de fiançailles et une alliance. C'est toujours ce que je repère en premier après le coup d'œil d'ensemble, et en Russie il faut savoir où regarder, parce que ce n'est pas comme en Angleterre, l'alliance se porte à la main droite. Les femmes russes célibataires sont de véritables plaies, et par ailleurs le divorce est chose courante. Moi, elles commencent à m'intéresser quand elles ont un mari solide et deux ou trois marmots qui les obligent à rentrer le soir à la maison.

— Justement, parlons-en. Vous dites qu'elle doit avoir des enfants? Exact?

— J'en suis convaincu, monsieur.

— Allons, allons, c'est impossible! s'écria Walter avec humeur, la bouche tombante. Vous n'êtes pas médium que je sache!

— Je vois ça aux hanches, monsieur. Oui, les hanches. La dignité de son port même quand elle avait peur. Ce n'est ni une matrone ni une sylphide. Mais une mère, simplement.

— Quelle taille? lança Walter d'une voix suraiguë, haussant ses sourcils incolores d'un air inquiet. Pouvez-vous nous dire sa taille ? Comparez avec la vôtre. A côté d'elle, vous levez les yeux ou vous les baissez ?

– Taille au-dessus de la moyenne, je vous l'ai déjà dit.

– Plus grande que vous, alors ? insista Walter.

– Oui.

– Un mètre soixante-dix ? Un mètre soixante-treize ?

– Plus près de soixante-treize, fit Landau de mauvaise grâce.

– Et son âge ? Vous avez hésité la première fois.

– Si elle a plus de trente-cinq ans, elle ne les paraît pas. Une peau délicate, une jolie silhouette, bref une belle femme dans la fleur de l'âge, surtout intellectuellement, monsieur, répondit Landau avec un sourire soumis.

Car s'il trouvait Walter déplaisant par certains côtés, il avait malgré tout un faible pour les excentriques, comme tous les Polonais.

– C'est dimanche. Imaginez qu'elle soit anglaise. Pensez-vous qu'elle irait à la messe ?

– Elle aurait certainement étudié la question sous tous les angles, répliqua aussitôt Landau surpris de sa réponse spontanée. Elle aurait pu décider que Dieu n'existe pas, ou le contraire. Mais elle n'aurait sûrement pas éludé le problème comme nous autres. Elle l'aurait pris à bras-le-corps, serait arrivée à une conclusion et aurait agi en conséquence.

En un instant toute la gestuelle affectée de Walter se cristallisa en un large sourire de commande.

– Vous êtes vraiment très fort, déclara-t-il d'un ton envieux. Au fait, vous vous y connaissez en sciences ? ajouta-t-il de sa voix à nouveau haut perchée.

– Un petit peu. Oh, quelques rudiments, c'est tout. Des trucs que je glane par-ci, par-là.

– En physique, par exemple ?

– Niveau bac, pas plus, monsieur. Je vendais des livres de classe. Je ne suis pas sûr que je réussirais à l'examen, même maintenant. Mais disons que ces lectures m'ont aidé à améliorer mes connaissances.

– Que signifie télémesure pour vous ?

– Rien du tout.

– Ni en anglais ni en russe ?

– En aucune langue, monsieur. Je suis passé à côté de la télémesure.

— Et CI ?

— Pardon, monsieur ?

— Cercle d'Incertitude. Mon Dieu, il a pourtant beaucoup écrit à ce sujet dans ces petits carnets que vous nous avez confiés. Ne me dites pas que les majuscules CI ne vous ont pas frappé.

— Je n'ai pas remarqué. J'ai dû sauter, je pense.

— Jusqu'au passage sur le chevalier russe agonisant dans son armure. Là vous avez repris votre lecture. Pourquoi ?

— Je n'ai pas recommencé délibérément à cet endroit. Je suis tombé dessus par hasard.

— Bon, admettons. Et vous vous êtes fait une idée. Exact ? De ce que l'auteur nous racontait sous cette forme. Quelle idée ?

— Une impression d'incompétence, je crois. Ils ne sont pas forts, les Russkofs. Ils se gourent.

— Ils se gourent sur quoi ?

— Sur les fusées, par exemple. Ils font des erreurs.

— De quelle sorte ?

— Toutes les sortes. Des erreurs de magnétique, des erreurs de visée, je n'y ai rien compris. J'en sais rien, moi. C'est votre boulot ça, non ?

L'agressivité défensive de Landau donna doublement de la valeur à son témoignage. Son incapacité à briller dans certains domaines, à son grand regret, les rassurait, comme le prouvèrent les gestes décontractés de Walter, apparemment soulagé.

— Je pense qu'il s'est très bien débrouillé, déclara ce dernier comme si Landau n'était pas là, agitant à nouveau les mains pour conclure avec emphase : Il nous dit ce dont il se souvient. Il n'essaie pas d'inventer pour enjoliver son récit. Vous n'en feriez rien, n'est-ce pas, Niki ? s'enquit-il soudain avec une pointe d'inquiétude, décroisant les genoux comme si son entrejambe le gênait.

— Non, monsieur, ne vous inquiétez pas.

— C'est bien vrai ? Parce que nous le découvririons tôt ou tard, et alors vos déclarations perdraient toute valeur.

— Oui, monsieur. Je vous ai fait un récit exact, ni plus ni moins.

— J'en suis convaincu, conclut Walter, s'adressant d'un ton naturellement confiant à ses collègues avant de se renfoncer dans son fauteuil. Le plus difficile dans notre métier, dans n'importe quel métier d'ailleurs, c'est de pouvoir dire « Je vous crois ». Niki est une source naturelle, aussi rare que le loup blanc. S'il y avait davantage de gens de son espèce, le monde n'aurait plus besoin de nos services.

— Voici Johnny, dit alors Ned, faisant office d'aide de camp.

Johnny, le cheveu grisonnant et ondulé, la mâchoire carrée, tenait un dossier rempli de télégrammes d'aspect très officiel. Avec sa montre de gousset en or et son complet anthracite fait sur mesure, il aurait pu incarner l'Anglais type aux yeux d'une barmaid étrangère, mais certainement pas à ceux de Landau.

— Avant toute chose, Niki, nous vous devons des remerciements, vieux, commença-t-il avec son accent américain légèrement traînant de la côte est.

« Nous » qui sommes les plus gros bénéficiaires, suggérait son ton magnanime. Nous les actionnaires majoritaires. Malheureusement, c'est tout Johnny, ça. Un bon officier de liaison, mais incapable de laisser sa suprématie américaine au vestiaire. Je suis enclin à penser que là réside toute la différence entre les espions américains et les nôtres. Les Américains, qui profitent ouvertement de leur puissance et de leur argent, font étalage de leur chance. Il leur manque l'instinct de dissimulation qui nous est si naturel, à nous autres Britanniques.

Quoi qu'il en soit, Landau se hérissa aussitôt.

— Cela ne vous gêne pas que je vous pose quelques questions ? demanda Johnny.

— Non, si Ned est d'accord, répondit Landau.

— Bien sûr, dit Ned.

— Bon, alors nous sommes à la foire de l'audio ce soir-là. O.K., vieux ?

— O.K., enfin plutôt fin de journée.

— Vous accompagnez Ekaterina Orlova jusqu'à l'escalier en haut duquel sont postés des gardes. Vous lui dites bonsoir.

— Elle me tient le bras.

— Elle vous tient le bras, parfait. Sous le nez des gardes. Vous la regardez descendre les marches. Dites-moi, vieux, la voyez-vous sortir dans la rue ?

Je n'avais jamais entendu Johnny employer « vieux » jusque-là, et j'en conclus qu'il essayait de piquer Landau au vif, une astuce comme une autre que les psychologues au service de l'Agence enseignent à ses membres.

— Oui, je l'ai vue, fit sèchement Landau.

– Sortir dans la rue, vraiment dans la rue ? Réfléchissez bien. Prenez votre temps, suggéra Johnny sur le ton faussement amical d'un procureur.

– Oui, elle est sortie dans la rue, et de ma vie par la même occasion.

Johnny attendit, juste le temps de s'assurer que tout le monde l'avait bien remarqué, Landau en particulier.

– Niki, pendant ces dernières vingt-quatre heures, on a posté des gens en haut de cet escalier, et selon eux, on ne peut pas voir la rue depuis le palier, vieux.

Le visage de Landau se renfrogna, non sous le coup de la gêne, mais de la colère.

– Je l'ai vue descendre l'escalier, traverser le vestibule jusqu'à la sortie sur la rue et je ne l'ai pas vue revenir. Alors à moins que quelqu'un n'ait déplacé cette rue durant les dernières vingt-quatre heures, ce qui sous Staline aurait pu se faire, je vous l'accorde...

– Allons, poursuivons, messieurs, coupa Ned.

– Avez-vous vu quelqu'un lui emboîter le pas ? demanda Johnny, le harcelant davantage.

– Dans l'escalier ? Ou jusque dans la rue ?

– Les deux, vieux.

– Non. Mais je ne l'ai même pas vue, elle, sortir dans la rue puisque vous venez de m'expliquer que c'était impossible. Alors pourquoi ne pas renverser les rôles ? Je vous pose les questions et vous répondez.

Johnny se renfonça dans son siège et Ned en profita pour intervenir.

– Niki, certains détails doivent être passés au crible. L'enjeu est énorme, et Johnny ne fait qu'obéir aux ordres.

– Mais moi aussi je compte dans cette affaire, remarqua Landau. Ma parole est en jeu, et je n'aime pas la voir mise en doute par un Américain qui n'est même pas sujet britannique !

Johnny consultait à nouveau son dossier.

– Niki, ayez l'obligeance de décrire les dispositifs de sécurité mis en place pour cette foire, du moins ce que vous avez remarqué.

Landau prit une longue respiration, l'air tendu.

– Voyons..., commença-t-il. Il y avait les deux jeunes policiers en uniforme dans le hall de l'hôtel. Ils sont chargés de relever les noms de tous les Russes qui entrent et sortent. C'est normal. À

49

l'étage, et à l'intérieur de la salle, il y avait les gros méchants, les policiers en civil. On les appelle les badauds, les *toptouny*, ajouta-t-il à l'intention de Johnny. Au bout de deux jours on les reconnaît sans problème. Ils n'achètent rien, ils ne volent pas dans les stands, ils ne réclament pas d'échantillons, et il y en a toujours un avec des cheveux jaune paille, ne me demandez pas pourquoi. Cette fois-là il y en avait trois, les mêmes pendant toute la semaine. C'est eux qui ont suivi Ekaterina des yeux pendant qu'elle descendait.

— Personne d'autre, vieux ?

— Autant que je sache, non. Mais on va sûrement me prouver que j'ai tort.

— N'avez-vous pas également remarqué deux dames à cheveux gris d'un âge incertain, qui venaient tous les jours à la foire, arrivaient tôt, repartaient tard, n'achetaient rien, ne se lançaient jamais dans des transactions avec les exposants, et ne semblaient avoir aucun motif valable pour fréquenter ce salon ?

— Vous parlez sans doute de Gert et Daisy ?

— Pardon ?

— Les deux vieilles biques du Comité des bibliothèques. Elles venaient là pour boire de la bière à l'œil. Leur plus grand plaisir était de rafler les brochures dans les stands et de ramasser tout ce qui était gratuit. On les a baptisées Gert et Daisy en souvenir d'une émission de radio anglaise très populaire pendant la guerre et un peu après.

— Et vous n'avez pas supposé un seul instant que ces deux dames pouvaient faire partie du système de surveillance ?

Ned essaya d'arrêter Landau d'un geste ferme, mais n'en eut pas le temps.

— Johnny, commença Landau bouillant de rage, on est à Moscou, d'accord ? Moscou en Russie, *vieux*. Si je m'étais vraiment penché sur le problème de la surveillance, je ne serais jamais sorti de mon lit le matin, et je ne me serais pas couché le soir. Là-bas, les oiseaux dans les arbres pourraient bien cacher des micros.

Mais Johnny avait déjà remis le nez dans ses télégrammes.

— Ekaterina Orlova vous a bien fait la remarque que le stand voisin, celui d'Abercrombie & Blair, n'était tenu par personne la veille. Exact ?

— Exact.

— Mais la veille, vous ne l'aviez pas vue, elle. Exact également ?

– Oui.

– Pourtant vous prétendez que vous ne manquez jamais de remarquer une jolie femme.

– C'est vrai, et j'espère bien que ça ne changera pas de sitôt.

– Dans ce cas, ne pensez-vous pas que vous auriez dû la remarquer la veille ?

– Je peux manquer mon coup de temps en temps, admit Landau s'empourprant. Par exemple, si j'ai le dos tourné, ou si je suis penché sur mon bureau, ou aux toilettes en train de me soulager, il arrive que mon attention se relâche quelques instants.

Mais l'impassibilité de Johnny était maintenant à toute épreuve.

– Vous avez de la famille en Pologne, n'est-ce pas, monsieur Landau ?

Le « vieux » avait apparemment fait son temps, car en écoutant l'enregistrement, je remarquai qu'il l'avait laissé tomber.

– Oui.

– Vous avez bien une sœur aînée qui occupe un poste haut placé dans l'administration polonaise ?

– Ma sœur travaille au ministère de la Santé en tant qu'inspectrice des hôpitaux. Ce n'est pas un poste haut placé, et elle a dépassé l'âge de la retraite.

– Avez-vous été, à un moment quelconque, directement ou indirectement la victime avertie de pressions ou de chantage de la part d'agences du bloc communiste, ou de tiers agissant pour leur compte ?

Landau se tourna vers Ned.

– Une victime comment ? Mon anglais laisse à désirer, je le crains.

– Consciente, précisa Ned avec un sourire en coin. Consciente, au courant, avertie...

– Non jamais, dit alors Landau.

– Au cours de vos voyages dans les pays de l'Est, avez-vous eu des relations intimes avec des femmes de ces pays ?

– J'ai couché avec certaines d'entre elles, mais je n'ai jamais eu de relations intimes.

Walter ne put réprimer un gloussement de potache, les épaules remontées jusqu'au cou, la main cachant sa bouche aux dents mal plantées. Mais Johnny poursuivit avec obstination :

– Monsieur Landau, avez-vous jamais été, avant ce jour, en contact avec les services secrets de pays alliés ou hostiles ?

— Négatif.

— Avez-vous vendu des renseignements à quelqu'un de statut ou de profession quelconque – journalistes, enquêteurs, policiers, militaires... – dans un but quelconque, même inoffensif ?

— Négatif.

— Et vous n'êtes pas, ni n'avez jamais été, membre du parti communiste, ni d'un organisme pacifiste ou groupe sympathisant à sa cause ?

— Je suis un sujet britannique, répliqua Landau en avançant sa petite mâchoire de Polonais.

— Et vous n'avez aucune idée, même vague, même confuse, du message global contenu dans les documents que vous avez eus en main ?

— Je ne les ai pas « eus en main », monsieur. Je vous les ai transmis, c'est tout.

— Mais vous les avez lus au passage, quand même ?

— J'ai lu le peu que je comprenais, oui. Très peu. Et puis j'ai laissé tomber, je vous l'ai dit.

— Pourquoi ?

— Par décence, si vous voulez savoir. Le genre de scrupule dont vous ne devez pas vous embarrasser, je commence à le croire.

Mais Johnny, au lieu de rougir, fouillait tranquillement dans son dossier, dont il retira une enveloppe, et de celle-ci un paquet de photographies format carte-postale qu'il étala en éventail sur la table. Certaines étaient floues, et toutes avaient un grain apparent. Sur quelques-unes, très rares, une ombre masquait le premier plan. On y voyait des femmes, en groupes ou seules, descendre les marches d'un immeuble de bureaux à l'aspect sinistre. Certaines tenaient un filet à la main, d'autres avaient la tête baissée et les mains vides. Landau se rappela avoir entendu dire qu'à Moscou les employées avaient l'habitude de s'éclipser à l'heure du déjeuner pour faire leurs courses, et de bourrer leurs poches de leurs emplettes, laissant leur sac à provisions bien en vue sur leur bureau afin de montrer à tous qu'elles étaient seulement allées faire un tour dans le couloir.

— C'est elle ! s'écria soudain Landau en désignant une femme du doigt.

Johnny eut encore recours à une de ses ruses d'avocat. Il était bien trop intelligent pour ce genre de bêtise, mais s'y complaisait néanmoins. Il prit l'air déçu et profondément incrédule, comme s'il avait surpris Landau en flagrant délit de mensonge. La vidéo de cet interrogatoire le montre chargeant exagérément son rôle.

— Comment osez-vous être aussi affirmatif ? Vous ne l'avez jamais vue en manteau, bon Dieu !

Mais Landau ne perdit pas contenance.

— C'est elle, c'est Katia, persista-t-il. Je la reconnaîtrais entre toutes. Katia. Là-dessus, elle a les cheveux relevés, mais c'est bien elle. Katia. Et c'est son filet aussi, en plastique. Et puis son alliance, continua-t-il en étudiant toujours la photo, semblant oublier un instant qu'il n'était pas seul. Je le ferais encore pour elle si c'était à refaire, murmura-t-il. Tous les jours.

Ce qui conclut de façon satisfaisante l'interrogatoire hostile de Johnny.

Au fil des jours, les entretiens mystérieux se succédant, jamais deux fois au même endroit, jamais avec les mêmes personnes à l'exception de Ned, Landau eut le sentiment croissant que les choses progressaient vers leur point culminant. Dans un laboratoire d'écoute derrière Portland Place, on lui passa des enregistrements de voix féminines, des Russes parlant russe et des Russes parlant anglais. Mais il n'identifia pas Katia. Un autre jour fut consacré aux finances, pas les leurs, mais celles de Landau, très inquiet. Ses relevés bancaires — comment diable se les sont-ils procurés ? —, ses feuilles d'impôts, ses bulletins de salaire, ses comptes épargne, ses emprunts, ses polices d'assurance... pire que le fisc !

— Faites-nous confiance, Niki, dit Ned, mais son sourire si sincère et rassurant donna à Landau la conviction qu'il avait dû le défendre auprès des autres pour que tout s'arrange bientôt au mieux.

Ils vont me proposer du travail, pensa-t-il le lundi. Ils vont faire de moi un espion, comme Barley.

Ils essaient de rattraper le coup pour mon père vingt ans après sa mort, se dit-il le mardi.

Le mercredi matin, Sam, le chauffeur, sonna chez lui pour la dernière fois, et tout devint clair.

— Où va-t-on aujourd'hui, Sam ? demanda gaiement Landau. A la Tour sanglante ?

— A Sing-Sing, répliqua Sam, ce qui les fit bien rire tous les deux.

Sam ne l'emmena en fait ni à la Tour ni à Sing-Sing, mais à l'entrée latérale d'un des ministères de Whitehall dont Landau avait en vain essayé de forcer les portes à peine onze jours auparavant. Brock, l'homme aux yeux gris, l'accompagna en haut d'un escalier de service et disparut. Landau pénétra dans une grande pièce qui donnait sur la Tamise, et se trouva face à des hommes assis en rang d'oignons derrière une table. A gauche, Walter, la cravate bien mise et les cheveux lissés en arrière. A droite, Ned. Tous deux l'air grave. Entre eux, les mains à plat sur la table, un homme plus jeune, à la mâchoire serrée et au rictus sévère, portant un élégant complet et des manchettes, visiblement le supérieur des deux autres, et qui n'avait pas l'air de sortir du même film, commenta Landau par la suite. Les lèvres pincées, soigné de sa personne, il semblait tiré à quatre épingles comme pour un passage télévision. La fortune lui avait souri, mais pas seulement financièrement. Il avait quarante ans, et un bel avenir. Son air innocent était ce qu'il y avait de plus inquiétant. Il paraissait trop jeune pour être accusé de crimes d'adulte.

— Je m'appelle Clive, dit-il d'une voix en demi-teinte. Entrez, Landau. Nous ne savons pas quoi faire de vous.

Derrière Clive — derrière eux tous d'ailleurs —, Niki Landau découvrit ma présence après coup. Ce vieux Palfrey. Ned, remarquant qu'il m'avait vu, sourit et s'employa à faire les présentations.

— Niki, voici Harry, mentit-il.

Personne n'avait jusque-là eu droit à une description de ses états de service, mais Ned en fournit une pour moi.

— Harry est notre arbitre à demeure, Niki. Il veille à ce que chacun soit équitablement traité.

C'est donc à ce moment-là de l'affaire que je fis mon entrée discrète en tant que juriste à tout faire, conciliateur, second rôle, homme de bonne volonté et, pour finir, chroniqueur. Tantôt Rosenkrantz, tantôt Guildenstern, et à l'occasion Palfrey.

Pour s'occuper encore mieux de Landau, il y avait aussi Reg, un grand rouquin d'aspect rassurant. Il mena Landau à une chaise bien en vue au milieu de la pièce, et s'assit à son côté. Rien d'anormal à ce qu'il plût aussitôt à Landau, car Reg était un assistant social dont la clientèle comprenait des transfuges, des hommes de terrain mis sur la touche, des agents brûlés, ainsi que des hommes et femmes dont la loyauté envers l'Angleterre aurait

54

risqué de se relâcher si ce bon vieux Reg Wattle et sa brave épouse Berenice n'avaient été là pour leur tenir la main.

— Vous avez fait de l'excellent travail, mais nous ne pouvons pas vous expliquer pourquoi sans courir de risque, reprit Clive de sa voix sèche lorsque Landau fut confortablement installé. Le peu que vous savez est déjà de trop. Nous ne pouvons donc vous laisser voyager à travers les pays de l'Est en emportant nos secrets dans votre tête. C'est beaucoup trop dangereux. Pour vous et pour tous les gens impliqués dans cette affaire. Paradoxalement, alors que vous nous avez rendu un fier service, vous êtes devenu pour nous un souci majeur. En temps de guerre, vous risqueriez l'emprisonnement, voire le peloton d'exécution. Mais nous ne sommes pas en guerre, du moins pas officiellement.

Au cours de sa prudente petite ascension vers le pouvoir, Clive avait appris à sourire. C'est une arme malhonnête quand on l'utilise contre des gens sympathiques, un peu comme le silence au téléphone. Mais Clive ignorait tout de la malhonnêteté, puisqu'il ignorait tout de son contraire. Quant à la passion, c'est ce qu'on doit utiliser quand il s'agit de convaincre les gens.

— Après tout, vous pourriez donner des gens très importants, continua-t-il d'une voix si douce que tout le monde retint son souffle pour l'entendre. Je sais bien que vous ne le feriez pas volontairement, mais quand on se retrouve enchaîné à un radiateur, on n'a guère le choix... au bout du compte.

Lorsque Clive estima qu'il avait suffisamment fait peur à Landau, il se tourna vers moi et me fit un léger signe de tête, m'observant comme j'ouvrais l'imposant porte-documents en cuir que j'avais apporté. J'en sortis le long texte préparé par mes soins, stipulant que Landau renonçait définitivement à tout voyage derrière le rideau de fer, qu'il ne sortirait jamais du pays sans en avertir Reg tant de jours à l'avance, les détails devant être réglés par la suite entre eux, et que Reg veillerait sur son passeport pour empêcher toute mésaventure. Pour finir, que Landau accepte donc à jamais dans sa vie la présence de Reg, ou de quiconque nommé à sa place par les autorités, dans le rôle du confident, du philosophe et de l'arbitre discret pour toutes ses affaires — y compris le délicat problème de l'imposition sur le chèque de cent mille livres attaché au document, payable dans une agence de Fulham par une banque anglaise très pointilleuse.

En outre, afin que sa crainte des autorités soit régulièrement ranimée, il devait se présenter tous les six mois devant Harry, le conseiller juridique du Service, pour faire le rappel de ses engagements sur le Secret – ce vieux Palfrey, amant épisodique d'Hannah, un homme tellement cassé par la vie qu'on pouvait le charger en toute confiance de redresser les autres. A la suite, en fonction, et en conséquence de quoi tout détail concernant une certaine Russe, le manuscrit de son ami, le contenu dudit manuscrit – même si Landau n'en comprenait que peu ou prou la portée – et le rôle joué par un certain éditeur anglais, devait à dater de cet instant être solennellement déclaré inexistant, enterré, sans valeur, et effacé, désormais et à jamais. Amen.

Il n'y en avait qu'un exemplaire, qui irait dormir dans mon coffre-fort jusqu'à ce qu'il tombe en poussière. Je le tendis à Landau, qui le lut deux fois, ainsi que Reg par-dessus son épaule. Puis il s'absorba dans ses pensées pendant un moment, sans se soucier de qui l'observait, de qui désirait qu'il signât et cessât d'être un problème. Car Landau savait que pour une fois il était acheteur et non vendeur.

Il se revit devant la fenêtre de sa chambre d'hôtel à Moscou. Il se rappela combien souvent il avait souhaité pouvoir raccrocher ses bottes de voyageur et s'installer dans une vie moins trépidante. Et l'idée saugrenue lui vint que son Créateur avait dû le prendre au mot et lui avait facilité la tâche. Sur quoi un petit rire lui échappa, créant un malaise général.

– Eh bien, Harry, j'espère que c'est Johnny le Yankee qui paye la note, dit Landau.

Mais sa plaisanterie tomba à plat, car il avait fait mouche sans le savoir. Donc Landau prit le stylo de Reg et signa le document, qu'il me remit et sur lequel j'apposai en tant que témoin ma propre signature, Horatio B. de Palfrey, qui après vingt ans d'efforts était devenue tellement illisible que j'aurais bien pu signer Soupe à la Tomate Heinz sans que Landau ou un autre s'en aperçoive. Je rangeai le précieux papier dans son cercueil de cuir et refermai doucement le couvercle. Suivirent une tournée générale de poignées de main et un échange de compliments mutuels.

– Nous vous sommes très reconnaissants, Niki, murmura Clive, comme dans le film dont Landau se persuadait régulièrement qu'il était le héros.

Chacun serra à nouveau la main de Landau, puis le regarda

s'éloigner majestueusement dans la lumière du soleil couchant, ou plus exactement s'éloigner d'un pas désinvolte dans le corridor en devisant avec Reg Wattle, deux fois plus grand que lui. Puis tout le monde attendit avec impatience l'enregistrement de cette conversation, pour lequel j'avais obtenu toutes les autorisations nécessaires sous le prétexte irréfutable de l'intérêt immense manifesté par les Américains.

Ils mirent ensuite sur écoute ses téléphones professionnel et personnel, lurent son courrier et fixèrent une balise radio-mobile au pont arrière de sa Triumph décapotable bien-aimée.

Ils l'espionnèrent durant ses heures de loisir, et recrutèrent même une dactylo de son bureau chargée de le surveiller en tant qu'« étranger suspect » pendant ses dernières semaines de préavis.

Ils postèrent des petites amies potentielles sur son terrain de chasse habituel dans les bars. Mais en dépit de ces précautions fastidieuses et inutiles, dictées par ce même intense intérêt des Américains, ils firent chou blanc. Pas le moindre écho de vantardise ou d'indiscrétion ne leur revint aux oreilles. Landau ne se plaignit jamais, ne se vanta en aucune occasion, ne chercha pas une fois à se faire de la publicité. Ce fut en fait l'un des rares épisodes bouclés et parfaits de notre métier.

Il fut le parfait prologue... et ne reparut jamais.

Il n'essaya jamais de prendre contact avec Barley Scott Blair, le grand espion anglais, dans l'admiration duquel il vécut toute sa vie. Même lors de l'ouverture de la boutique vidéo, ce grand jour où il aurait tant aimé parader en présence de ce héros anglais secret mais bien réel, il n'essaya pas de faire entorse au règlement. C'était peut-être une satisfaction suffisante pour lui de savoir que, ce soir-là à Moscou, quand son cher pays avait fait appel à lui, il s'était conduit comme le gentleman anglais qu'il avait toujours rêvé d'être. Ou alors, le Polonais en lui était heureux d'avoir roulé son voisin l'ours russe. Ou bien encore, le souvenir de Katia encourageait sa loyauté : Katia, forte, vertueuse, courageuse et belle, qui malgré sa propre peur l'avait prévenu des dangers qu'il courait. « Vous devez croire en ce que vous faites. »

Et Landau y avait cru. Et il en était fier comme Artaban. N'importe lequel d'entre nous l'eût été.

Même sa boutique vidéo prospérait. Elle fit sensation... sensation un peu trop forte parfois au goût de certains, dont les policiers de Golders Green auxquels je dus adresser quelques mots amicaux. Mais pour d'autres, cette boutique était un vrai don du ciel.

Par-dessus tout, il nous fut possible d'aimer Landau parce qu'il avait de nous l'image que nous souhaitions donner : les dépositaires omniscients, efficaces et héroïques de la santé interne de notre grande nation. Un point de vue que Barley ne sembla jamais disposé à partager – pas plus qu'Hannah, il me faut l'avouer, même si elle n'eut toujours qu'une vision extérieure de ce lieu où elle ne pouvait me suivre, ce temple du compromis absolu, et donc dans son jugement inflexible, le temple du désespoir.

A peine quelques semaines plus tôt, lorsque j'avais essayé pour une raison quelconque de vanter les mérites du Service, elle m'avait dit : « Il est évident que ce n'est pas le remède, Palfrey. Pour moi, ce serait plutôt la maladie. »

3.

Il n'existe pas d'opération d'espionnage qui ne tourne par moments à la farce, comme nous autres vétérans nous plaisons à le répéter. Et plus l'affaire est importante, plus le rire est homérique. La chasse à l'homme menée en secret pendant une semaine pour retrouver Bartholomew, alias Barley, Scott Blair, fit date dans le Service, car elle engendra une telle frénésie et de telles frustrations qu'elle mit sur les dents une dizaine de réseaux. Ainsi de jeunes novices conformistes comme Brock, de la Maison Russie, prirent Barley en grippe avant même de l'avoir rencontré.

Au bout de cinq jours de recherches, on crut tout savoir de lui, hormis l'endroit où il se trouvait. On connaissait sa filiation de libre-penseur et ses études coûteuses, les deux en pure perte, ainsi que les détails peu édifiants de ses divers mariages, tous brisés. On avait repéré dans Camden Town le café où il jouait aux échecs avec le premier oisif venu. Un vrai gentleman, même si les torts sont de son côté, fut-il confié à Wicklow, qui prétendait enquêter sur lui pour un divorce. Sous les prétextes habituels, cousus de fil blanc mais efficaces, on avait interrogé à Hove une sœur dont il faisait le désespoir, à Hampstead des fournisseurs qui lui écrivaient régulièrement, à Grantham une fille, mariée, qui l'adorait, et un fils, jeune loup dans la City, tellement renfermé qu'il semblait avoir fait vœu de silence.

On avait parlé avec des musiciens d'un orchestre de jazz amateur dans lequel Barley jouait du saxophone de temps à autre, ainsi qu'à l'aumônier de l'hôpital où il faisait des visites bénévoles, et au curé de l'église dans Kentish Town où il chantait comme ténor, à l'étonnement général. « Une très belle voix, quand il veut bien venir », dit le curé avec indulgence. Mais lorsqu'il fut décidé, grâce encore une fois à ce vieux Palfrey, de mettre son téléphone sur écoute pour mieux savourer ladite belle voix, ce fut en pure perte, car il n'avait pas payé sa quittance.

On retrouva même sa trace dans nos propres archives. En fait, ce fut une découverte des Américains, à notre grand dam. Au début des années soixante, lorsque tout Anglais possédant par malchance un nom à charnière risquait de se faire recruter par les services secrets, celui de Barley avait été envoyé à New York pour contrôle, conformément à un pacte de sécurité bilatéral plus ou moins respecté. Brock, indigné, demanda une contre-vérification au fichier central où, après avoir une première fois nié toute trace de Barley, on dénicha sa fiche dans une partie de l'index « blanc » toujours en attente de transfert sur ordinateur. Et à partir de cette fiche « blanche », ô miracle, un dossier « blanc » renfermant les originaux du formulaire et de la correspondance échangée à ce sujet. Brock fit irruption dans le bureau de Ned, comme s'il tenait la clé de l'énigme. Age : vingt-deux ans! Passe-temps : théâtre, musique! Sports : néant! Raisons de recrutement éventuel : un cousin du nom de Lionel dans les Life Guards!

Mais ces indices n'aboutissaient à rien. L'officier recruteur avait invité Barley à déjeuner à l'Athenaeum, puis apposé le tampon « Ne pas donner suite » sur le dossier, prenant même la peine d'ajouter « Définitif » de sa propre main.

Quoi qu'il en soit, ce curieux épisode vieux de plus de vingt ans eut une certaine incidence sur l'attitude générale envers Barley, autant que les doutes soulevés pendant un temps par les affinités de gauche inattendues du vieux Salisbury Blair, son père. En effet, à leurs yeux cette histoire liait Barley au Service. Pas pour Ned, qui était d'une autre trempe, mais pour Brock et les plus jeunes, qui avaient soudain l'impression que Barley leur appartenait, en quelque sorte, ne fût-ce qu'en raison de sa demande rejetée témoignant son désir d'adhésion à leur mystique.

Autre déception : la découverte par la police de la voiture de Barley en stationnement interdit dans Lexham Gardens, l'aile gauche emboutie, un permis périmé et une demi-bouteille de scotch dans la boîte à gants, ainsi que des lettres d'amour écrites de sa main. Les voisins s'étaient plaints depuis un certain temps de la présence de ce véhicule.

— On la remorque, on met un sabot, on verbalise ou on l'envoie à la casse ? demanda aimablement à Ned le commissaire par téléphone.

— Vous laissez tomber, répondit Ned d'un ton las.

Brock et lui se hâtèrent d'aller y jeter un coup d'œil dans le vain espoir de découvrir un indice. Les lettres d'amour se révélèrent adressées à une dame du quartier, qui les avait renvoyées à Barley. Elle leur déclara d'un air tragique qu'elle était bien la dernière personne à savoir où il se trouvait à l'heure actuelle.

Ce fut seulement le jeudi suivant, en vérifiant avec soin les relevés mensuels du compte bancaire, d'ailleurs à découvert, de Barley, que Ned remarqua des virements trimestriels d'une centaine de livres à l'ordre d'une société immobilière de Lisbonne, Real-quelque-chose-Limitada. Il regarda l'intitulé d'un œil incrédule, resta un moment le regard fixe puis, contrairement à son habitude, lâcha un juron. Il téléphona aussitôt au service des transports et leur demanda de vérifier les vieilles listes de passagers sur les vols de Gatwick et Heathrow à Lisbonne.

Quand il reçut la réponse, il jura pour la seconde fois. Ils arrivaient au bout de leurs peines après de longues journées infructueuses. Malgré les coups de téléphone, les entretiens, les sonnettes tirées, les règlements contournés, les surveillances, les télégrammes à des postes de liaison alliés aux quatre coins du monde, et malgré l'humiliation devant les Américains de leur service des Archives tant vanté, aucune des personnes interrogées, aucune recherche entreprise n'avait révélé cette information vitale, indispensable et toute bête : une dizaine d'années auparavant, Barley Blair, ayant hérité quelque deux mille livres d'une tante éloignée, s'était acheté sur un coup de cœur un petit pied-à-terre à Lisbonne, où il avait coutume d'aller mettre périodiquement au vert sa complexe personnalité. Il aurait pu choisir la Cornouaille, la Provence ou Tombouctou, mais le hasard avait voulu que ce fût Lisbonne, sur le front de mer, à côté d'un parking sauvage, et bien trop près du marché au poisson pour beaucoup d'odorats délicats.

Le calme précédant la bataille s'étendit sur la Maison Russie après cette découverte, et le visage osseux de Brock prit une teinte cireuse sous un masque de fureur.

— Qui est notre Ami à Lisbonne actuellement ? lui demanda Ned d'un ton à nouveau dégagé.

Puis il téléphona à ce vieux Palfrey alias Harry et le pria de se tenir disponible en permanence. Comme l'aurait dit Hannah, c'était une façon élégante de qualifier ma situation.

Barley était assis au bar quand Merridew finit par le trouver. Perché sur un tabouret, il tenait un grand discours à un major d'artillerie expatrié, imbibé d'alcool, nommé Graves : Major Arthur Winslow Graves, par la suite fiché dans le dossier « blanc » Barley, sa seule heure de gloire, dont il ne sut jamais rien. Barley tournait son long dos souple à la porte ouverte donnant sur le patio, et Merridew, la trentaine replète, put ainsi reprendre son souffle défaillant avant de débiter son boniment. Il avait couru après Barley la moitié de la journée, l'avait raté partout, et chaque échec l'avait mis un peu plus en colère.

Chez Barley, à cinq minutes à pied de là, une Anglaise à l'accent vulgaire lui avait dit par la fente de la boîte aux lettres d'aller se faire voir.

A la bibliothèque anglaise, la préposée lui avait appris que Barley avait passé l'après-midi le nez dans des livres, ce qui semblait insinuer – bien qu'elle le niât quand il lui posa la question sans détour – que Barley se trouvait dans un état d'ébriété avancé.

Enfin, dans une sordide taverne de style Tudor à Estoril, Barley et ses amis avaient pris un dîner des plus liquides sous les mousquets en plastique accrochés aux murs, et avaient quitté bruyamment les lieux à peine une demi-heure auparavant.

L'hôtel, un ancien couvent qui préfère se voir qualifier d'humble *pensão*, était très prisé des Anglais. Pour y accéder, Merridew dut grimper un escalier en pierre surmonté d'arceaux de verdure. Arrivé en haut, et après un premier coup d'œil de reconnaissance, il dut le redescendre en hâte dire à Brock de courir, « vous m'entendez, courir » téléphoner à Ned du café du coin. Après quoi il monta de nouveau les marches, d'où son essoufflement et sa rancœur. Des odeurs de grès humide et de café frais moulu se mêlaient aux senteurs de plantes nocturnes. Merridew, hors d'haleine, y resta insensible. Le chuintement des tramways et les sirènes des bateaux dans le lointain tissaient un fond sonore au monologue de Barley, mais Merridew ne les percevait pas.

– Les enfants aveugles sont incapables de mâcher, Gravey mon bon ami, expliquait patiemment Barley, son index effilé appuyé sur le nombril du major et son coude sur le bar à côté d'une partie d'échecs inachevée. C'est un fait scientifique, Gravey. Les enfants aveugles ont besoin qu'on leur apprenne à manger. Approchez-vous et fermez les yeux.

Il prit affectueusement la tête du major entre ses mains, l'attira à lui, et entrouvrit les mâchoires dociles entre lesquelles il glissa quelques noix de cajou.

— Très bien. Maintenant, à mon commandement, mâchez! Mâchez! Attention à la langue. Mâchez! Continuez.

Profitant de ce répit, Merridew décida de faire son entrée, un sourire affable accroché aux lèvres, et franchit la porte, surpris de se retrouver encadré par deux statues grandeur nature de mulâtresses en robe d'apparat. Voyons, cheveux châtains, yeux verts, se remémora-t-il comme s'il dressait une fiche anthropométrique de Barley. Un mètre quatre-vingt-trois, svelte, rasé de près, s'exprimant bien, tenue excentrique. Excentrique? Mon œil! se dit le gros Merridew encore essoufflé, détaillant la saharienne en lin, le pantalon de flanelle grise, et les sandales. Qu'est-ce que ces imbéciles à Londres s'imaginent qu'il porte le soir à Lisbonne par cette chaleur. Du vison?

— Excusez-moi, commença Merridew aimablement. Je cherche quelqu'un. Peut-être pourrez-vous m'aider?

— Ce qui prouve, sacré bon sang de bonsoir, reprit Barley après avoir redressé le major en position verticale, que comme le dit la célèbre chanson, même si le grand manitou nous a faits de chair et d'os, c'est très vilain de manger les gens.

— Je vous prie de m'excuser, intervint alors Merridew, mais n'êtes-vous pas monsieur Bartholomew Scott Blair? Si? C'est bien vous?

Tout en tenant solidement le major par le revers de sa veste pour éviter un désastre militaire, Barley se tourna avec précaution sur son tabouret et regarda Merridew du bout des chaussures jusqu'au sourire.

— Je m'appelle Merridew, je travaille à l'ambassade. Je suis second secrétaire commercial. Je suis désolé, mais nous avons reçu un télégramme assez urgent à votre nom par notre canal. Il nous semble que vous devriez venir en prendre connaissance immédiatement. Ça ne vous dérange pas?

Machinalement, Merridew eut alors un geste habituel aux officiels corpulents. Il étendit le bras, et se passa avec dignité la main

63

sur le crâne comme pour s'assurer que ses cheveux et son couvre-chef étaient bien en place. Ce geste théâtral d'un obèse dans une salle au plafond bas troubla étrangement Barley, qui du coup redevint sobre.

— Voulez-vous me faire comprendre que quelqu'un est mort, mon cher ? demanda-t-il avec le sourire crispé d'un homme qui se prépare à la pire des plaisanteries.

— Mon cher monsieur, ne sombrez pas dans le mélodrame, je vous en prie. Il s'agit d'une affaire commerciale, pas diplomatique, sinon ce ne serait pas transmis par nos services, fit-il avec un petit rire qui se voulait rassurant.

Mais Barley n'était pas convaincu, pas le moins du monde. Il restait la proie de sombres pressentiments, malgré l'optimisme de Merridew.

— Bon, alors qu'essaye-t-on de me raconter, au juste ?

— Mais rien ! répliqua Merridew soudain alarmé. Ne prenez pas cela trop à cœur. C'est un télégramme urgent par le canal diplomatique.

— Et qui juge de son urgence ?

— Personne. Je ne peux pas vous donner de détails en public, c'est confidentiel. Hautement confidentiel.

Tiens, ils ont oublié de mentionner ses lunettes, songea Merridew qui regardait Barley bien en face. Rondes à monture noire, trop petites pour lui, qu'il laisse glisser sur le bout de son nez quand il vous dévisage d'un air renfrogné en vous prenant pour cible.

— Une bonne petite dette peut bien attendre jusqu'à lundi, déclara Barley en se tournant à nouveau vers le major. Laissez-vous aller, monsieur Merridew, et buvez un verre avec la racaille.

Merridew n'était pas un modèle de minceur et de stature, mais il avait du ressort, il était malin et, comme beaucoup d'hommes affligés d'embonpoint, il possédait des réserves inattendues d'indignation, dont il savait ouvrir la vanne pour en déverser les flots au moment opportun.

— Ecoutez-moi, Scott Blair, vos affaires ne me regardent pas et j'en suis fort aise. Je ne suis pas un huissier, mais je ne suis pas non plus un simple messager. Je suis diplomate et j'ai un certain standing. J'ai passé la moitié de la journée à vous chercher. J'ai une voiture et un assistant qui attendent dehors et j'ai aussi une vie privée. Désolé.

Le duo aurait pu se poursuivre indéfiniment si le major n'avait alors refait surface, contre toute attente. Il rejeta les épaules en arrière, plaqua ses poings sur la couture de son pantalon et baissa le menton en un simulacre de respect.

— Ordre de Sa Majesté, Barley! brailla-t-il. L'ambassade, c'est le petit Buckingham local. Une invitation est un ordre. Il ne faut pas faire affront à Sa Majesté.

— Ce monsieur n'est pas Sa Majesté, objecta calmement Barley. Il ne porte pas de couronne.

Merridew se demandait s'il devait appeler Brock à la rescousse. Il tenta un sourire persuasif, mais le regard de Barley se déroba pour se porter vers l'alcôve où un vase de fleurs séchées cachait l'âtre vide. Merridew insista : « Ça y est ? On y va ? », du ton qu'il aurait employé avec une épouse en retard pour un dîner chez des amis. Mais Barley, l'air égaré, gardait les yeux fixés sur les fleurs mortes, comme si elles représentaient sa vie entière, chaque tournant raté, chaque faux pas au long du chemin. Et puis à l'instant même où Merridew abandonnait tout espoir, Barley ramassa ses affaires et les enfouit dans les poches de sa saharienne, méthodiquement, comme s'il partait pour un safari : son portefeuille éculé, rempli de chèques non endossés et de cartes de crédit annulées, son passeport rongé par la sueur de trop nombreux voyages, le carnet et le crayon pour griffonner les perles rares que lui dictait la sagesse de l'alcool, et qui lui fournissaient matière à réflexion dans ses moments de sobriété. Après quoi il jeta sur le comptoir un gros billet, avec l'indifférence de qui n'aurait plus besoin d'argent pendant longtemps.

— Manuel, accompagne le major à son taxi. Aide-le à descendre les marches, à s'asseoir confortablement à l'arrière, paye la course d'avance au chauffeur, et garde la monnaie. Adieu, Gravey, et merci. On a bien ri tous les deux.

Dehors la rosée tombait. Une lune toute neuve reposait sur un semis d'étoiles humides. Ils descendirent l'escalier, Merridew en tête, recommandant à Barley de faire attention aux marches. Le port était éclairé de lumières mouvantes. Une conduite intérieure noire portant la plaque du corps diplomatique les attendait le long du trottoir, et Brock faisait tranquillement le guet dans l'obscurité environnante. Une voiture banalisée était garée plus loin derrière.

— Voici Eddie, présenta Merridew en désignant Brock. Mon pauvre Eddie, nous vous avons fait attendre! J'espère que vous avez donné votre coup de fil ?

— C'est fait, oui, répliqua Brock.

— Et tout le monde va bien à la maison, Eddie ? Les petits sont couchés ? Votre épouse ne vous attend pas avec le rouleau à pâtisserie ?

— Tout va bien, tout va bien, grogna Brock d'un ton qui signifiait « la ferme ».

Barley s'installa à l'avant, et cala son crâne sur l'appuie-tête, les yeux fermés. Merridew prit le volant, Brock s'assit à l'arrière, immobile et silencieux. La seconde voiture démarra lentement derrière eux, en bonne escorte discrète.

— C'est le chemin que vous prenez pour aller à l'ambassade ? demanda Barley dans sa somnolence feinte.

— Non, mais le fidèle chien de garde a emporté le télégramme chez lui, expliqua Merridew avec obligeance, comme en réponse à une question pertinente. Voyez-vous, le week-end nous devons barricader l'ambassade à cause des Irlandais. Eh oui !

Il alluma la radio. Une voix gutturale de femme modulait un chant triste et superbe.

— Un *fado*, commenta Merridew. J'adore le *fado*. Je crois que c'est ce qui me retient ici. J'en suis même certain. J'ai dû indiquer « *Fado* » sur ma demande de poste !

Il imita un chef d'orchestre de sa main libre.

— C'est des gens de chez vous qui sont allés déranger ma fille pour lui poser des tas de questions idiotes ? demanda alors Barley.

— Oh, nous on s'occupe seulement des affaires commerciales, dit Merridew, s'appliquant encore davantage à diriger son orchestre fantôme.

Mais intérieurement il était très ébranlé de voir Barley aussi bien renseigné. Plus tôt il sera entre leurs mains, mieux je me porterai, songeait-il, sentant le regard farouche de Barley fixé sur sa joue droite. Si c'est à ce genre d'individu que la Centrale a recours de nos jours, Dieu me garde d'être nommé à un poste au pays.

Ils avaient loué la maison d'un ancien agent du Service, un banquier anglais qui possédait une résidence secondaire à Cintra. Le vieux Palfrey avait conclu le marché. Ils souhaitaient éviter les locaux officiels, afin que rien ne puisse être retenu contre eux par la suite. En tout cas la patine des ans et le lieu même avaient leur propre histoire. Une lanterne en fer forgé éclairait la voûte de l'entrée, et les dalles de granit avaient été taillées pour empêcher les chevaux de glisser. Merridew tira la sonnette, Brock formant une arrière-garde vigilante en cas d'incident.

– Bonsoir. Entrez, je vous prie, dit Ned affable en ouvrant la lourde porte ouvragée.

– Eh bien, moi, je vais vous laisser, je crois. Voilà, voilà. C'est parfait, fit Merridew, couvrant ainsi sa retraite vers sa voiture par un feu roulant d'exclamations avant que l'on n'ait eu le temps de le retenir.

La seconde voiture démarra derrière la sienne, comme après avoir raccompagné un ami dans un quartier dangereux.

Pendant un long moment, sous le regard de Brock, Ned et Barley se jaugèrent comme seuls savent le faire des Anglais qui ont la même taille, la même classe, et la même forme de crâne. Si Ned, apparemment l'archétype du contrôle de soi et du flegme britannique discrets, constituait à bien des égards l'antithèse de Barley, et si ce dernier était décontracté et anguleux, avec un visage qui, même serein, reflétait son refus de s'arrêter aux apparences, ils avaient suffisamment de points communs pour se reconnaître. Des murmures de voix masculines leur parvenaient à travers la porte close, mais Ned feignit de ne pas les entendre. Il conduisit Barley le long d'un couloir jusqu'à la bibliothèque.

– Par ici, dit-il, laissant Brock planté dans le vestibule. Avez-vous beaucoup bu ? demanda-t-il à Barley en baissant la voix et en lui tendant un verre d'eau glacée.

– Je n'ai pas bu du tout, répliqua Barley. Qui sont mes ravisseurs, et que se passe-t-il au juste ?

– Je m'appelle Ned. Je vais rectifier les données. Il n'y a pas de télégramme. Vos affaires ne vont pas mal, enfin pas plus que d'habitude. On ne vous a pas enlevé. Je fais partie des services secrets britanniques, ainsi que les gens qui vous attendent dans la pièce voisine. Vous avez jadis fait une demande pour vous joindre à nous. Vous avez maintenant l'occasion de nous aider.

Le silence s'installa, et Ned attendit la réponse de Barley. Ils étaient exactement du même âge. Depuis vingt-cinq ans, de diverses manières, Ned avait décliné sa fonction d'agent secret anglais aux gens qu'il souhaitait recruter, mais pour la première fois son « client » potentiel n'avait pas parlé, cillé, eu un mouvement de recul ni montré le plus petit signe de surprise.

– Je ne sais rien du tout, dit Barley.

– Nous souhaitons peut-être que vous découvriez quelque chose.

– Cherchez vous-mêmes.

– Impossible. Pas sans votre aide. C'est pour cette raison que nous sommes réunis ici.

Barley s'avança vers la bibliothèque, pencha la tête de côté et jeta un coup d'œil sur les titres des volumes par-dessus ses lunettes rondes, tout en buvant son verre d'eau.

– D'abord vous prétendez être de la mission commerciale, et maintenant vous voilà espions, remarqua-t-il.

– Vous devriez échanger quelques mots avec l'ambassadeur.

– C'est un imbécile. J'étais à Cambridge avec lui.

Il prit un livre relié et en examina le frontispice.

– Nul, dit-il avec mépris. Ils ont sans doute été achetés au poids. Qui est le propriétaire ?

– L'ambassadeur se portera garant pour nous. Si vous lui demandez de faire une partie de golf jeudi il vous répondra : pas avant cinq heures.

– Je ne joue pas au golf, fit Barley en prenant un autre volume. Je ne joue à rien, en fait. J'ai renoncé à tous les jeux.

– Sauf aux échecs, avança Ned en lui tendant l'annuaire du téléphone ouvert à la bonne page.

Barley haussa les épaules et composa le numéro. En entendant la voix de l'ambassadeur, il eut un sourire goguenard quoique intrigué.

– Tubby ? Ici Barley Blair. Que diriez-vous d'une petite partie de golf jeudi ? C'est bon pour le foie.

Une voix lui répliqua d'un ton acide que « l'on » était pris jusqu'à 5 heures.

– Non, pas à 5 heures, reprit Barley. On jouerait dans le noir... Ah, cet imbécile a raccroché, se plaignit-il en agitant le combiné silencieux.

C'est alors qu'il vit la main de Ned sur l'appareil.

– Il ne s'agit pas d'une plaisanterie, voyez-vous, déclara Ned. C'est très sérieux.

A nouveau perdu dans ses pensées, Barley reposa lentement le combiné.

– La frontière entre vraiment très sérieux et vraiment très cocasse est vraiment très mince, remarqua-t-il.

– Alors franchissons-la, qu'en dites-vous ? proposa Ned.

Les voix derrière la porte s'étaient tues. Barley tourna la poignée et entra, suivi de Ned. Brock resta dans le vestibule pour surveiller la porte. Nous avions écouté toute leur conversation sur le relais.

Si Barley se demandait ce qui pouvait bien l'attendre dans cette pièce, nous étions tout aussi anxieux que lui. C'est un jeu étrange que de fouiller dans la vie de quelqu'un sans jamais le rencontrer. Il entra lentement, avança de quelques pas et s'arrêta, ses longs bras ballants écartés du corps, tandis que Ned, à mi-chemin de la table, lui présentait l'assemblée, uniquement composée d'hommes.

– Voici Clive, Walter, ici Bob, et là-bas Harry. Messieurs, voici Barley.

Barley eut un vague petit salut pour chacun, se fiant davantage au témoignage de ses yeux qu'à ce qu'on lui disait.

Le mobilier chargé et le fouillis de plantes d'intérieur très ordinaires semblèrent soudain retenir son attention, ainsi qu'un oranger dont il toucha un des fruits et effleura une feuille avant de renifler délicatement son pouce et son index comme pour s'assurer de l'authenticité du parfum. Il couvait en lui une colère contenue, plus forte que l'envie d'en découvrir la cause. Colère d'avoir été dérangé, pensai-je, d'avoir été choisi, appelé par son nom – la chose que je redoutais moi-même le plus, selon Hannah.

Je me rappelle aussi lui avoir trouvé de l'élégance ce jour-là. Sûrement pas grâce à sa tenue négligée, mais dans ses gestes, sa noblesse surannée et sa courtoisie naturelle, dont il se défendait pourtant.

– Vous n'allez pas jusqu'aux noms de famille par hasard ? demanda Barley après avoir terminé son inspection des lieux.

– Non, désolé, répondit Clive.

– Parce qu'un certain M. Rigby s'est présenté chez ma fille Anthea la semaine dernière, comme inspecteur du fisc. Une sombre histoire à propos d'un réajustement de déclaration erronée. Il faisait partie de votre bande de clowns, non ?

– D'après votre description, je pense que vous avez raison, répliqua Clive avec l'arrogance de qui ne prend pas la peine de mentir.

Barley étudia Clive, son visage d'Anglais type qui semblait avoir été embaumé alors qu'il était encore un roi enfant, ses yeux intelligents au regard dur et impénétrable, son teint cendreux. Il se tourna alors vers Walter, tout en rondeurs, avec ses mèches folles et sa jovialité, sorte de Falstaff rejeté du grand monde. Puis son regard se porta sur Bob, remarquant ses allures de patricien, son âge déjà mûr, sa bonhomie naturelle, le camaïeu de marron qu'il affectionnait au lieu des gris et des bleus. Bob était affalé, jambes étendues, le bras sur le dossier d'un fauteuil dans l'attitude nonchalante du propriétaire. Des demi-lunettes à monture d'or sortaient de sa poche-poitrine, et les semelles de ses chaussures en cuir fendillé couleur acajou ressemblaient à des fers à repasser.

— Barley, je suis l'intrus de la famille, déclara Bob très à l'aise, avec son fort accent traînant de Boston. Je pense que je suis le plus âgé, et je ne veux laisser planer aucune ambiguïté. J'ai cinquante-huit ans, c'est hélas vrai, et je travaille pour la CIA, qui a son QG à Langley en Virginie, comme vous le savez. J'ai bien évidemment un nom de famille, mais je ne vous ferai pas l'affront de vous en proposer un, parce qu'il n'aurait aucun rapport avec le vrai.

Il leva sa main parsemée de taches brunes en un salut décontracté et ajouta :

— Je suis ravi de vous rencontrer, Barley. Tâchons de nous amuser un peu en faisant du bon boulot.

— Ça c'est sympathique, au moins, dit Barley sans grand enthousiasme en se tournant vers Ned. Alors quelle est notre destination ? Nicaragua, Chili, Salvador, Iran ? Si vous voulez faire assassiner un dictateur du tiers monde, je suis votre homme.

— Ne vous emballez pas, coupa Clive, mal à propos car c'était bien la dernière chose dont on pouvait accuser Barley. Nous ne valons pas mieux que l'équipe de Bob, et nous nous livrons aux mêmes activités. Seulement nous avons une Législation sur la conservation du secret qui n'existe pas chez eux, et vous allez en signer un exemplaire.

Sur quoi Clive m'adressa un signe de tête qui attira quelque peu l'attention de Barley sur moi. Dans ce genre de circonstance, je m'arrange toujours pour me tenir légèrement à l'écart, comme ce soir-là. Une vieille manie contractée au tribunal, j'imagine. Barley se tourna vers moi, et la franchise brutale de son regard me déconcerta un instant. Elle ne correspondait pas à notre image un peu farfelue du personnage. Après m'avoir étudié de pied en cap et en avoir tiré je ne sais quelles conclusions, il se livra à un examen plus détaillé de la pièce.

Elle était luxueuse et il vit peut-être en Clive le propriétaire des lieux. Elle correspondait effectivement au goût de Clive, qui s'apparentait à la petite bourgeoisie en cela qu'il ignorait jusqu'à l'existence de plus subtils raffinements. Elle était meublée de trônes sculptés, de sofas recouverts de chintz, avec des appliques en forme de bougie aux murs. La table de réunions, autour de laquelle tous les signataires d'un armistice auraient pu facilement prendre place, se trouvait au centre d'une alcôve surélevée, ornée d'hévéas tentaculaires dans des jarres d'Ali Baba.

— Pourquoi n'êtes-vous pas allé à Moscou ? demanda Clive avant même que Barley fût installé. Vous y étiez attendu. Vous avez loué un stand, réservé votre place dans l'avion et votre chambre à l'hôtel, mais vous n'y êtes pas allé, et vous n'avez pas payé les factures. Au lieu de cela, vous êtes venu à Lisbonne en compagnie d'une femme. Pourquoi ?

— Vous voudriez peut-être que ce soit en compagnie d'un homme ? Qu'est-ce que ça peut bien vous faire à vous et à la CIA que je sois ici avec ma maîtresse ou avec une poupée russe ?

Il saisit une chaise et s'assit d'un air plutôt rageur que résigné.

Clive me fit signe, et je commençai mon petit numéro habituel. Je me levai, fis le tour de la table grotesque, et posai devant Barley l'exemplaire de la Législation sur la conservation du secret. Je sortis de mon gilet un stylo impressionnant, et le lui tendis avec une tête d'enterrement. Mais son regard était perdu au loin, ignorant l'assemblée présente pour se fixer sur un coin sombre de son jardin secret, détail que je remarquai ce soir-là et souvent au cours des mois suivants, ainsi d'ailleurs que sa façon de tonitruer brusquement, comme pour chasser des fantômes que lui seul voyait ; ou encore, de faire claquer ses doigts sans raison, l'air de dire « c'est une affaire réglée », complètement hors de propos.

— Allez-vous signer ce papier ? répéta Clive.

— Que se passera-t-il si je refuse ? demanda Barley.

— Rien. Je vous préviens dès maintenant, officiellement et devant témoins, cette réunion, et tout ce qui se dira ici doivent rester secrets. Harry est homme de loi.

— C'est exact, je l'avoue, dis-je.

— Et moi je vous préviens, si ça me démange trop j'irai le crier sur les toits, fit Barley avec une calme assurance en repoussant le document non signé.

Je retournai à ma place, mon superbe stylo à la main.

— Vous avez laissé un beau gâchis derrière vous à Londres

aussi, semble-t-il, remarqua Clive en rangeant le papier dans son dossier. Des dettes partout, pas la moindre adresse, des cohortes de maîtresses éplorées. Vous cherchez à vous détruire sans doute ?

— J'ai hérité d'un catalogue rose, fit Barley.

— Qu'est-ce que c'est que cette histoire ? Ça veut dire quoi ? s'enquit Clive sans complexe. C'est un terme à vous pour parler de bouquins pornos ?

— Mon grand-père a fait son trou dans la littérature pour femmes de chambre. En ce temps-là, les gens avaient encore des femmes de chambre. Mon père appelait ces livres des « Romans pour les masses », mais il a repris le flambeau.

Bob, attendri, offrit quelques paroles de réconfort.

— Bon sang, Barley, qu'est-ce que vous reprochez à la littérature à l'eau de rose ? Ma femme en lit des tonnes et elle s'en porte très bien. C'est plutôt mieux que les ordures qui paraissent en ce moment.

— Si vous n'aimez pas les livres que vous publiez, pourquoi ne changez-vous pas de genre ? demanda Clive, qui ne lisait rien hormis les dossiers du Service et la presse conservatrice.

— Je dépends d'un comité, répondit Barley du ton las que l'on emploie avec un enfant assommant. J'ai un conseil d'administration, des actionnaires dans ma famille. Des tantes qui aiment les valeurs sûres : les guides en tous genres, les romans d'amour, les sujets d'actualité, les oiseaux de l'Empire britannique... la CIA vue de l'intérieur, conclut-il avec un coup d'œil à Bob.

— Pourquoi n'êtes-vous pas allé à la foire de Moscou ? redemanda Clive.

— Mes tantes ont annulé le projet.

— Vous voulez nous expliquer cela ?

— J'avais décidé de lancer la firme dans les cassettes audio. La famille a eu vent du projet et a décidé que ce serait une erreur. Fin de l'épisode.

— Donc vous avez pris la tangente, enchaîna Clive. C'est ce que vous faites habituellement quand on vous contrarie ? Vous feriez mieux de nous dire ce que signifie cette lettre, ajouta-t-il en faisant glisser une feuille dans la direction de Ned, sans un regard à Barley.

Ce n'était pas l'original, resté à Langley pour y être étudié sur toutes les coutures, depuis les empreintes jusqu'aux traces de la maladie des légionnaires, grâce aux pouvoirs inattaquables de la technologie. Nous n'avions qu'un fac-similé préparé selon les instructions méticuleuses de Ned, jusqu'à l'enveloppe brune scellée sur laquelle était écrit de la main de Katia « Personnel. A l'attention de M. Bartholomew Scott Blair. Urgent », ouverte avec un coupe-papier pour bien montrer qu'elle avait été lue au passage. Clive la donna à Ned, qui la remit à Barley. Walter se gratta le crâne, et Bob prit l'air magnanime du sympathique financier de l'opération. Barley me regarda comme s'il venait de décider de me prendre pour avocat. « Qu'est-ce que je fais de ça ? demandaient ses yeux. Je le lis, ou je le leur balance à la figure ? » Je restai impassible, du moins je l'espère. Je n'avais plus de clientèle en dehors du Service.

— Lisez-la attentivement, conseilla Ned.

— Prenez tout votre temps, Barley, surenchérit Bob.

Combien de fois avions-nous lu et relu cette lettre la semaine dernière, tous autant que nous étions ? me disais-je en voyant Barley examiner l'enveloppe, la retourner entre ses mains, la tenir à distance, la rapprocher, ses lunettes rondes remontées sur son front. Combien d'avis divergents avions-nous écoutés puis rejetés ? Cette lettre a été écrite dans un train, avaient décrété six experts de Langley. Dans un lit, avaient affirmé trois autres à Londres. A l'arrière d'une voiture. En hâte, pour plaisanter, par amour, par peur. Par une femme, par un homme. Par un gaucher, un droitier. Par quelqu'un dont la graphie d'origine était le cyrillique, le romain, les deux, ni l'un ni l'autre.

Comme touche finale à cette comédie, on avait consulté ce vieux Palfrey. Je leur avais dit : « En accord avec notre loi sur le copyright, le destinataire est le possesseur de la lettre, mais son auteur en détient le copyright. Je pense que personne ne va vous traîner devant les tribunaux d'Union soviétique. » Je ne sais si ma déclaration les avait soulagés ou inquiétés davantage.

— Reconnaissez-vous l'écriture ? demanda Clive.

Barley glissa ses doigts effilés à l'intérieur de l'enveloppe et en sortit enfin la lettre, mais avec une moue dédaigneuse, comme s'il s'attendait à voir une facture. Puis il fit une pause, retira ses lunettes rondes démodées, qu'il posa sur la table, et éloigna un peu sa chaise. A mesure qu'il lisait, son visage se renfrognait. Il parcourut la première page, jeta un coup d'œil à la dernière pour trouver la signature, revint à la deuxième et continua jusqu'à la fin. Il relut l'ensemble d'une traite, depuis le « Mon Barley adoré » jusqu'à « ... je vous aime. Votre K. ». Après quoi, il serra jalousement la lettre à deux mains sur ses genoux et se pencha en avant, nous cachant volontairement ou non son visage, sa mèche pendant sur son front comme un hameçon, et ses prières secrètes restant connues de lui seul.

— Elle est cinglée, dit-il dans le vide. Vraiment, complètement toquée. Elle n'était même pas là-bas.

Personne ne demanda de précisions sur « elle » et « là-bas ». Même Clive connaissait la valeur d'un silence opportun.

— K. est l'initiale de Katia, diminutif de Ekaterina, je crois, dit Walter de sa voix flûtée. Le patronyme est Borissovna.

Il portait de travers un nœud papillon jaune orné d'un motif marron et orange.

— Je ne connais ni de K., ni de Katia, ni de Ekaterina, déclara Barley. Borissovna, idem. Je n'ai jamais baisé, ni seulement dragué, ni demandé en mariage, ni épousé quelqu'un de ce nom-là, autant que je m'en souvienne. Ah, si!

Ils attendirent, j'attendis, et cela aurait pu durer toute la nuit, sans le moindre craquement de chaise ni raclement de gorge pendant que Barley fouillait sa mémoire à la recherche d'une Katia.

— Une vieille bique d'Aurora, reprit Barley. Elle a essayé de me refiler des gravures d'art de peintres russes, mais je n'ai pas marché. Les tantes auraient fait un scandale.

— Aurora ? demanda Clive, ne sachant s'il s'agissait d'une ville ou d'une agence gouvernementale.

— Une maison d'édition.

— Vous vous rappelez son autre nom ?

Barley secoua la tête, le visage toujours caché.

— On l'appelait Katia la Barbue, fit-il. Complètement torride.

La voix ample de Bob, au timbre exceptionnel, avait le don de changer les choses par sa résonance :

— Vous voulez la lire à haute voix, Barley ? demanda-t-il avec la gentillesse d'un vieux copain scout. Peut-être que cela vous rafraîchira la mémoire. Vous voulez essayer, Barley ?

Barley par-ci, Barley par-là, tout le monde était son ami, sauf Clive, qui à mon souvenir ne l'a jamais appelé autrement que Blair.

— Oui, c'est une bonne idée. Lisez à haute voix, renchérit Clive sur le ton d'un ordre.

A ma surprise, Barley sembla trouver l'idée bonne. Il se

redressa d'un mouvement souple, se tourna pour que la lettre et son visage se trouvent éclairés, et, le front toujours soucieux, commença la lecture avec une dérision voulue.

— « Mon Barley adoré. (Il inclina la lettre, puis reprit.) Mon Barley adoré. Vous souvenez-vous d'une promesse que vous m'avez faite un soir à Peredelkino, tandis que, assis sur la véranda de la datcha de nos amis, nous nous récitions les poèmes d'un grand mystique russe amoureux de l'Angleterre ? Vous m'avez juré que vous préféreriez toujours l'humanité aux nations, et que le jour venu, vous agiriez en être humain digne de ce nom. »

Il s'arrêta de nouveau.

— Rien de tout cela n'est vrai ? s'enquit Clive.

— Je vous le répète, je n'ai jamais vu cette bonne femme !

Il y avait une virulence nouvelle dans l'affirmation de Barley. Il semblait vouloir refouler une secrète angoisse.

— « Alors aujourd'hui je vous demande de tenir votre promesse, mais pas de la manière dont nous l'avions imaginé ce soir-là quand nous avons décidé de devenir amants. » C'est des conneries, tout ça, marmonna-t-il. Cette idiote est complètement givrée. « Je vous demande de montrer ce livre aux Anglais qui partagent nos opinions. Publiez-le, pour moi, servez-vous des arguments que vous aviez alors utilisés avec tant de flamme. Montrez-le à vos savants, à vos artistes, à l'intelligentsia, et dites-leur que c'est la première pierre d'une grande avalanche, et qu'ils devront jeter la deuxième eux-mêmes. Dites-leur qu'avec la récente ouverture, nous pouvons ensemble détruire la destruction et castrer le monstre que nous avons enfanté. Demandez-leur ce qui est le plus dangereux pour l'humanité : obéir comme des esclaves ou résister comme des hommes ? Agissez en être humain digne de ce nom, Barley. J'aime l'Angleterre de Herzen, et je vous aime. Votre K. » Bon Dieu, mais qui c'est, cette fille ? Elle est complètement dingue ! Ils le sont tous les deux, d'ailleurs.

Ayant posé la lettre sur la table, Barley alla se réfugier dans la pénombre à l'autre bout de la pièce, jurant entre ses dents et boxant dans le vide de son poing droit.

— Mais qu'est-ce qu'elle cherche cette femme, nom de Dieu ? s'insurgea-t-il. Elle mélange deux histoires qui n'ont strictement rien à voir. Et puis au fait, où est ce livre ?

Se rappelant soudain notre présence, il nous fit face.

— Le livre est en sécurité, dit Clive en me jetant un regard en coin.

– Où est-il? Il m'appartient.

– Nous pensions qu'il appartenait plutôt à son ami, répliqua Clive.

– On me l'a confié. Vous voyez bien ce qu'il a écrit. Je suis son éditeur. C'est donc ma propriété. Vous n'avez aucun droit dessus.

Il avait mis le doigt en plein sur le point que nous ne voulions pas lui voir soulever. Mais Clive eut le réflexe de détourner son attention.

– *Il*? Vous voulez dire que Katia est un homme? Pourquoi avez-vous dit *il*? C'est très déroutant, vous savez. Il est vrai que vous êtes un personnage déroutant.

Je m'étais attendu à un éclat, mais plus tôt. J'avais pressenti que l'apparente docilité de Barley ne nous concédait qu'une trêve, et non une victoire. Chaque tentative de Clive pour lui tenir la bride haute l'amenait davantage à ruer dans les brancards. Aussi, lorsque Barley s'approcha de la table d'un pas vif, se pencha, leva lentement les mains paumes ouvertes comme en un geste d'impuissance, ne m'attendais-je pas à ce qu'il fournît à Clive une réponse posée, mais je fus quand même surpris par la violence de l'explosion.

– Vous n'avez pas le droit! tonna Barley sous le nez de Clive en frappant si brutalement du plat de ses mains sur la table que mes papiers s'envolèrent.

Alarmé, Brock fit irruption dans la pièce, mais Ned lui donna l'ordre de retourner dans le vestibule.

– Ce manuscrit est à *moi*, reprit Barley sur le même ton. Il m'a été adressé à *mon* nom par *mon* auteur. Pour que *je* l'examine à *ma* convenance. Vous n'avez pas le droit de le dérober, de le lire, ni de le garder. Alors donnez-moi ce livre immédiatement et retournez dans votre île pourrie... et emmenez votre gourou de Boston dans vos bagages, conclut-il en pointant un doigt agressif vers Bob.

– C'est aussi votre île, lui rappela Clive. Le livre, comme vous dites, n'en est pas un. Et personne n'a de droit dessus, poursuivit-il avec une froideur glaciale et une totale mauvaise foi. Votre déontologie d'éditeur ne m'intéresse pas. Personne ici n'en a cure. L'important, c'est que ce manuscrit contient des secrets militaires concernant l'Union soviétique qui, en supposant qu'ils soient exacts, sont vitaux pour la défense de l'Occident... auquel vous appartenez, si je ne m'abuse, et j'en suis heureux. Que feriez-vous à notre place ? Vous n'en tiendriez pas compte ? Vous le jetteriez à la mer ? Ou vous essayeriez de savoir pour quelle raison il s'est trouvé adressé à un éditeur anglais sur le déclin ?

— Il veut que ce livre soit publié. Par moi. Et pas qu'il reste enfoui dans vos chambres fortes.

— Soit, reconnut Clive en me jetant un autre coup d'œil.

— Le manuscrit a été officiellement déposé au greffe et classé top secret, dis-je alors. Il est soumis aux mêmes impératifs de discrétion absolue que cette réunion. Et plus encore.

Mon vieux professeur de droit devait se retourner dans sa tombe, et ce n'était sans doute pas la première fois, je le crains. Mais c'est tout de même merveilleux ce qu'un juriste peut accomplir au sein d'une assemblée où personne ne connaît le droit.

Le silence dura très exactement une minute quatorze secondes, comme le prouva l'enregistrement. Ned le chronométra une fois de retour à la Maison Russie. Il avait attendu ce moment avec une extrême impatience, mais à l'écoute il craignit néanmoins une de ces défaillances techniques insupportables qui semblent fatalement se produire dans les moments cruciaux. En tendant l'oreille, toutefois, il discerna le grondement lointain d'une voiture et le petit rire d'une fillette à travers la fenêtre... car Barley avait alors ouvert les doubles rideaux et observait le petit jardin en contrebas. Pendant une minute quatorze secondes, donc, nous avions regardé le dos étrangement souple de Barley se profiler sur le ciel nocturne de Lisbonne. Puis on entend sur la bande un fracas épouvantable, comme un bris de vitres, suivi du jaillissement d'un liquide. On dirait que Barley s'échappe selon un plan préparé à l'avance, en emportant les assiettes portugaises accrochées au mur et les vases de fleurs fanées. En fait, le vacarme correspond au moment où Barley, ayant découvert la table des boissons, mit trois glaçons dans un verre en cristal et versa par-dessus une bonne rasade de scotch... tout cela à quelques centimètres du microphone que Brock, avec le surcroît de précautions qui le caractérise, avait dissimulé dans l'un des compartiments magnifiquement sculptés de la table.

4.

Il avait établi son camp à l'autre bout de la pièce, aussi loin de nous que possible, perché sur une chaise d'école inconfortable, nous offrant seulement son profil. Il tenait son verre de whisky à deux mains, et le contemplait, le front incliné comme un grand penseur, ou plutôt un penseur solitaire, car il s'adressait en fait à lui-même, d'un ton à la fois emphatique et incisif, ne bougeant que pour boire une gorgée ou hocher la tête afin de souligner un détail personnel et généralement obscur de son récit. Il s'exprimait avec l'importance du témoin incrédule d'un drame, une mort, par exemple, ou un accident de voiture : moi j'étais ici, vous vous teniez là, et l'autre type est arrivé par là.

— C'était à la dernière foire du livre de Moscou, un dimanche. Pas le dimanche d'avant, celui d'après, dit-il.

— En septembre, souffla Ned.

Barley tourna la tête vers lui et marmonna un remerciement, comme s'il appréciait son aide. Puis il fronça le nez, tripota ses lunettes, et reprit :

— On était crevés. La plupart des exposants avaient plié bagage le vendredi. Il ne restait qu'un petit groupe réunissant ceux qui avaient des contrats à mettre au point, et ceux qui n'avaient aucune raison précise de rentrer vite au pays.

C'était un homme captivant qui occupait le devant de la scène. Il semblait difficile de ne pas s'attacher à lui, planté là tout seul. Difficile de ne pas penser : « Advienne que pourra », d'autant plus qu'aucun de nous ne savait ce qui allait advenir de Barley.

– On s'est saoulés le samedi soir, et le dimanche on est allés à Peredelkino dans la voiture de Jumbo.

Il parut soudain se rappeler qu'il avait un auditoire :

– Peredelkino est le village des écrivains soviétiques, expliqua-t-il comme si nous n'en avions jamais entendu parler. On leur fournit une datcha aussi longtemps qu'ils sont bien sages. L'Union des écrivains dirige le village et n'y accepte que ses membres. Elle prend toutes les décisions : qui aura droit à une datcha, qui écrira mieux en prison, qui n'écrira pas du tout.

– Qui est ce Jumbo ? intervint pour une fois Ned.

– Jumbo Oliphant. Enfin, Peter Oliphant, le directeur de Lupus Books. Un fasciste écossais dans la clandestinité, et une grosse légume chez les francs-maçons. Il croit qu'il est sur une longueur d'ondes spéciale avec les Soviets. Il a la carte d'or.

Se souvenant à ces mots de la présence de Bob, il tourna la tête vers lui et précisa :

– Pas celle de l'American Express, une carte d'or pour la foire du livre de Moscou, que lui ont filée les organisateurs et qui prouve que c'est un grand bonhomme. Elle lui donne droit à une voiture gratuite, un interprète gratuit, l'hôtel gratuit, le caviar gratuit. Jumbo est né avec une carte d'or dans son berceau.

Bob fit un large sourire pour bien montrer qu'il n'avait pas mal pris la plaisanterie. C'était un homme au grand cœur, et Barley l'avait remarqué, faisant partie de ces gens qui perçoivent toujours les heureuses natures, et sont incapables de dissimuler leur propre générosité.

– Nous voilà donc tous partis, reprit Barley, retrouvant le fil de sa rêverie. Oliphant de chez Lupus ; Emery, de chez Bodley Head ; et une fille de chez Penguin, je ne me souviens plus de son nom. Ah si, Magda. Comment diable ai-je pu l'oublier ? Et Blair de chez A & B.

Barley poursuivit son récit en lançant des phrases courtes comme on sort des vieilleries de sa boîte à souvenirs. Voyage de pachas dans la limousine ridicule de Jumbo. Pas de voiture ordinaire pour le vieux Jumbo, mais une énorme Tchaïka. Avec des rideaux. Pas de freins. Et un gorille à l'haleine fétide comme chauffeur. L'idée, c'était d'aller voir la datcha de Pasternak. D'après la rumeur, on allait en faire un musée. Mais une autre rumeur disait que ces salauds allaient la détruire. Et peut-être bien la tombe avec. Au départ, Jumbo Oliphant ne savait pas qui était Pasternak. Mais Magda avait murmuré « *Jivago* », et comme il avait vu le film... Rien ne les pressait. Ils voulaient seulement se promener, respirer le bon air. Mais le chauffeur de Jumbo avait pris la file spéciale pour chauffards officiels en Tchaïka, alors ils avaient fait le trajet en quelques secondes au lieu d'une heure. Il s'était garé dans une flaque, et ils avaient pataugé jusqu'au cimetière, encore tout tremblants, et remerciant le ciel d'être en vie.

– Le cimetière est sur une colline au milieu des arbres. Le chauffeur est resté dans la voiture. Il pleuvait. Pas beaucoup, mais il avait peur d'abîmer son affreux costume.

Barley s'arrêta un instant, repensant apparemment à ce chauffeur grotesque.

– Sinistre crétin, murmura-t-il.

J'eus pourtant l'impression que Barley n'invectivait pas le chauffeur, mais lui-même, et qu'à travers ses propos s'élevait tout un chœur auto-accusateur, dont je me demandai si les autres le percevaient également. De multiples fantômes l'habitaient et le torturaient.

Manque de chance, nous expliqua Barley, ils étaient tombés sur un jour où les masses libérées avaient fait une sortie en force. A chacune de ses précédentes visites, il avait trouvé cet endroit complètement désert. Rien que des tombes encloses et des arbres aux formes torturées. Mais en ce dimanche de septembre, avec le nouveau parfum de liberté dans l'air, il y avait à leur arrivée environ deux cents fans de tout gabarit entassés autour de la tombe, et encore plus à leur départ. La pierre disparaissait sous un amoncellement de fleurs auxquelles s'ajoutaient sans cesse de nouvelles offrandes. Les gens se passaient les bouquets de main en main, par-dessus les têtes, pour pouvoir les déposer au sommet du tas.

Puis on avait rendu hommage à l'œuvre de Pasternak. Un petit bonhomme avait lu de la poésie, une grosse fille, de la prose. A ce moment-là, une saleté de petit avion avait volé si bas que personne n'entendait plus rien. Et puis il avait recommencé dans l'autre sens. Et encore un autre passage.

– Vroum, vroum! cria Barley devant nous en faisant des moulinets des bras. Wiii, wiii, imita-t-il d'un ton nasillard.

Mais l'avion, pas plus que la pluie, n'avait réussi à refroidir l'enthousiasme de la foule. Quelqu'un s'était mis à chanter, les badauds avaient repris en chœur au refrain, et l'ambiance avait tourné à la fête. Finalement l'avion s'était éloigné, sans doute à court de carburant. Pourtant ce n'était pas notre impression, expliqua Barley. Pas du tout. On avait plutôt le sentiment que ce sont les voix en s'élevant qui avaient débarrassé le ciel de cette vermine.

Le chant avait pris de l'ampleur, plus grave et plus mystique aussi. Barley connaissait trois mots de russe, et les autres, encore moins. Mais cela ne les avait pas empêchés de participer. Ça n'avait pas empêché la Magda de pleurer comme une Madeleine, ni Jumbo Oliphant de déclarer devant Dieu, la gorge serrée, en redescendant la colline, qu'il publierait l'œuvre complète de Pasternak jusqu'au dernier mot, pas seulement le film mais le reste, promis juré, et qu'il financerait tout de sa poche dès qu'il serait de retour dans son fabuleux palais du quartier des docks.

— Jumbo a parfois de grands élans d'enthousiasme, précisa Barley avec un sourire désarmant, revenant soudain à son public, et surtout à Ned. Il y a même des fois où ça dure plusieurs minutes.

Il s'interrompit, plissa une nouvelle fois le front, ôta ses curieuses lunettes rondes qui semblaient une source de tracas plutôt que de soulagement, puis nous dévisagea les uns après les autres comme pour se remémorer la situation présente, avant de reprendre son récit.

Ils continuaient de descendre la colline à pied, en pleurant toujours à chaudes larmes, quand le même petit Russe s'était précipité vers eux, tenant sa cigarette à hauteur de visage comme une chandelle, et leur avait demandé s'ils étaient américains.

Une fois de plus, Clive nous battit d'une longueur. Il leva lentement la tête, et sa voix autoritaire se fit alors tranchante :

— Le même petit Russe ? Quel même petit Russe ? Nous n'en avons pas entendu parler jusqu'ici.

Clive s'étant ainsi rappelé à lui de façon désagréable, Barley afficha de nouveau une expression de mépris.

— Mais celui qui avait lu, bon Dieu ! explosa-t-il. Le type qui avait lu la poésie de Pasternak près de la tombe. Il a demandé si on était américains. J'ai dit non, Dieu merci, nous sommes anglais.

Je remarquai, comme tous les autres je crois, que c'était Barley, et non Oliphant, Emery, ou la prénommée Magda, qui avait endossé le rôle de porte-parole du groupe.

Barley passa au discours direct. Grâce à son oreille de mainate, il prenait l'accent russe pour le petit homme, une voix aboyante d'Écossais pour Oliphant, et ces imitations semblaient lui échapper tout naturellement.

— Vous êtes écrivains? demanda le petit homme par la bouche de Barley.

— Hélas, non. Seulement éditeurs, répliqua Barley, reprenant sa propre voix.

— Des éditeurs anglais?

— On était à la foire du livre de Moscou. Je dirige une humble échoppe du nom d'Abercrombie & Blair. Lui, c'est le président de Lupus Books en personne. Un type très riche. Il finira chevalier un jour. Carte d'or et tout le tremblement. Pas vrai, Jumbo?

Oliphant reprocha à Barley d'être beaucoup trop bavard. Mais le petit homme voulait en savoir davantage.

— Je peux vous demander ce que vous faisiez près de la tombe de Pasternak, alors? s'enquit-il.

— C'est le hasard, répondit Oliphant, s'interposant de nouveau. Un pur hasard. On a aperçu la foule, on est venus voir ce qui se passait. Vraiment un pur hasard. Allez, on s'en va.

Mais Barley n'avait nullement l'intention de partir. Les manières d'Oliphant l'énervaient, et il ne voulait pas laisser un gros Écossais milliardaire envoyer promener un Russe sous-alimenté.

— Nous faisions comme tout le monde ici, répliqua Barley. Nous sommes venus rendre hommage à un grand écrivain. Nous avons beaucoup aimé votre lecture, d'ailleurs. Très émouvant. Un beau passage. Superbe.

— Vous admirez Boris Pasternak? demanda le petit homme.

Oliphant à nouveau, ce grand partisan des droits civils, campé par Barley d'une voix rocailleuse, la mâchoire de travers:

— Nous n'avons aucune opinion au sujet de Boris Pasternak ou de n'importe quel autre auteur soviétique. Nous sommes ici en tant qu'invités. Et seulement comme invités. Nous n'avons pas d'opinion sur les affaires intérieures soviétiques.

— Nous le trouvons merveilleux, coupa Barley. Une star de classe mondiale.

— Mais pourquoi? s'entêta le petit homme, soulevant ainsi la polémique.

Barley n'avait pas besoin d'être poussé. Peu importait qu'il ne fût pas totalement convaincu du génie que certains attribuaient à

Pasternak, et que celui-ci eût été beaucoup trop monté en épingle, à son avis. Tout cela n'était qu'opinions d'éditeur, alors que là, c'était la guerre.

– Nous avons du respect pour son talent et son art, répondit Barley. Pour son humanité, sa famille et sa culture. Et dixièmement, ou énièmement, je ne sais plus, pour sa capacité à toucher le cœur du peuple russe malgré la bande de bureau-crades qui a réussi à lui coller une frousse bleue, sans doute les mêmes salauds qui nous ont envoyé l'avion.

– Vous pouvez le citer de mémoire? fit le petit homme.

Barley nous expliqua l'air gêné qu'il avait ce genre de mémoire.

– Je lui ai récité la première strophe de « Prix Nobel ». Je trouvais que c'était de circonstance après ce putain d'avion.

– Pouvez-vous nous la réciter maintenant, s'il vous plaît? demanda Clive, comme s'il fallait tout vérifier dans les moindres détails.

Barley commença à voix basse, et j'eus le sentiment qu'il devait être réellement très timide.

> Ils m'ont traqué et pris au piège.
> Chez moi, ils m'ont fait prisonnier.
> La meute hargneuse m'assiège.
> Pourtant je sais la liberté.

Le petit homme écoutait, fixant le bout de sa cigarette d'un œil sombre, et l'espace d'un instant Barley se demanda vraiment s'ils n'étaient pas tombés dans le piège de la provocation, comme le craignait Oliphant.

– Si vous avez tant de respect pour Pasternak, venez donc avec moi, et je vous présenterai des amis, suggéra le petit homme. Nous sommes tous écrivains. Nous avons une datcha. Nous serions honorés de converser avec de distingués éditeurs anglais.

Selon Barley, Oliphant fut pris de panique dès les premiers mots. Jumbo savait parfaitement ce qui se passait en URSS quand on acceptait l'invitation d'un inconnu. Il était expert en la matière. Il savait qu'ils vous piégeaient, vous droguaient, ruinaient votre réputation par des photographies compromettantes, vous obligeaient à démissionner de votre place de directeur et à abandonner tout espoir d'être fait chevalier. De plus, Jumbo s'efforçait de conclure un ambitieux accord de coédition par l'entremise de la VAAP, et ce n'était vraiment pas le moment qu'on le trouve en compagnie d'indésirables. Oliphant confia tout cela à Barley d'une voix de stentor dans un aparté théâtral, croyant sans doute que le petit homme était sourd.

— De toute façon, il pleut, conclut triomphalement Oliphant. Qu'allons-nous faire de la voiture?

Oliphant regarda sa montre. La prénommée Magda regarda le sol. Emery regarda la prénommée Magda en songeant qu'il y avait pire à faire un dimanche après-midi à Moscou. Mais Barley, n'ayant de vues ni sur la fille ni sur le titre de chevalier, jeta un coup d'œil à l'étranger et le trouva sympathique. Il s'était dit depuis longtemps qu'il préférait être photographié dans son plus simple appareil avec un régiment de filles de joie russes plutôt que sur son trente et un aux côtés de Jumbo Oliphant. Alors il les fit tous remonter dans la Tchaïka, et partit à l'aventure avec l'inconnu.

— Nejdanov, déclara abruptement Barley à l'auditoire silencieux, s'interrompant lui-même. Je me souviens de son nom maintenant. Nejdanov. Un dramaturge. Il dirige un petit atelier de théâtre. Il n'arrivait même pas à monter ses propres pièces.

La voix haut perchée de Walter rompit le court silence:

— Cher ami, Vitali Nejdanov est un héros aujourd'hui. Trois de ses pièces en un acte vont être jouées à Moscou dans cinq semaines, et tout le monde nourrit les espoirs les plus fous à leur sujet. Il ne vaut pas un clou, entre nous, mais nous n'avons pas le droit de le dire parce que c'est un dissident. Enfin... c'en était un.

Pour la première fois depuis que j'avais rencontré Barley, son visage s'éclaira d'un intense bonheur, et j'eus la brusque impression que c'était là son être profond, jusqu'à présent masqué par une façade.

— Ça c'est formidable, alors! s'écria-t-il avec le plaisir sincère de qui sait apprécier la réussite des autres. Fantastique! C'est juste ce dont Vitali avait besoin. Merci de me l'avoir dit, ajouta-t-il, l'air soudain juvénile.

Mais bientôt son visage se rembrunit, et il se mit à siroter son whisky.

— Bref, il y avait plein de monde, marmonna-t-il. Plus on est de fous, plus on rit. Je vous présente mon cousin. Prenez donc un hot dog.

Je remarquai son regard et sa voix curieusement voilés, comme dans l'attente d'une épreuve.

Je jetai un coup d'œil alentour. Bob souriait. Même sur son lit de mort, Bob sourirait avec la sincérité d'un ancien scout. Clive était de profil, le visage tendu et impénétrable. Walter, toujours nerveux, transpirait et s'agitait sur sa chaise, enroulant une mèche de cheveux autour de son index moite, son visage intelligent souriant au plafond ouvragé pour se donner une contenance. Et Ned, le chef. Efficace, ingénieux. Ned, le linguiste et le guerrier, l'homme d'action et le stratège, assis au garde-à-vous depuis le début, attendant l'ordre d'avancer. Je songeai en le regardant que certains, pour leur malheur, sont trop loyaux et risquent un jour de ne plus avoir de cause à servir.

Une grande maison pleine de coins et de recoins, décrivit Barley dans le style télégraphique qu'il avait adopté. Revêtement de planches à clins. Des vérandas rococo, un jardin aux herbes folles, un bois de bouleaux. Des bancs qui pourrissent, un barbecue, l'odeur d'un terrain de cricket un jour de pluie, du lierre. Environ trente personnes dans le jardin, des hommes pour la plupart, assis, debout, occupés à faire la cuisine ou buvant un verre, aussi indifférents au mauvais temps que les Anglais. Garées le long de la route, des vieilles bagnoles déglinguées comme les voitures anglaises avant que Thatcher et ses chouchous aient pris le contrôle du navire. Des gens au visage sympathique s'exprimant avec aisance. Toute la nomenklatura esthético-artistique. Arrive Nejdanov, suivi de Barley. Personne ne leur prête attention.

– Notre hôtesse était poétesse, dit Barley. Tamara quelque chose. Lesbienne, les cheveux blancs, charmante. Avec un mari rédac chef d'une revue scientifique. Nejdanov était son beau-frère. Tout le monde était le beau-frère de quelqu'un. Le monde littéraire a le bras long là-bas. Si vous avez une voix et qu'on vous laisse vous en servir, vous avez un public.

Dans l'arbitraire de sa mémoire, Barley divisa l'épisode en trois parties : le déjeuner, qui commença vers 14 h 30 quand cessa la pluie, la soirée, qui enchaîna juste après, et ce qu'il appela « le final », moment où se passa ce que nous ignorions encore, et qui, d'après nos vagues estimations, se situa dans les heures troubles de 2 à 4, tandis que Barley, selon ses propres termes, dérivait mollement entre le nirvana et une gueule de bois gratinée.

Barley nous raconta qu'il s'était baladé de groupe en groupe avec Nejdanov jusqu'au déjeuner, puis tout seul, taillant une bavette avec qui voulait bien lui parler.

— En taillant une bavette ? répéta Clive d'un ton soupçonneux, comme s'il venait de découvrir un vice inconnu.

Bob se hâta de traduire :

— En bavardant, Clive, expliqua-t-il aimablement comme à son habitude. On bavarde en buvant un verre, rien de grave.

— Quand on annonça le déjeuner, poursuivit Barley, ils s'installèrent autour d'une table à tréteaux, lui-même à un bout, Nejdanov à l'autre et des bouteilles de vin blanc géorgien entre eux. Tout le monde dissertait dans son plus bel anglais : la vérité est-elle bien la vérité vraie quand elle n'arrange pas la prétendue grande Révolution prolétarienne, et peut-être faudrait-il retourner aux valeurs spirituelles de nos ancêtres, et la perestroïka a-t-elle un effet positif sur la vie des gens du peuple, et si vous voulez vraiment savoir ce qui ne va pas en Union soviétique, essayez donc d'envoyer un réfrigérateur de Novossibirsk à Leningrad.

Clive interrompit de nouveau, et je m'efforçai de ne pas montrer mon agacement. Les détails superflus l'ennuyaient, il voulait des noms. Oubliant son hostilité à son égard, Barley se donna une tape sur le front. Des noms, Clive, bien sûr ! Un type était prof à l'université d'État de Moscou, mais je n'ai pas réussi à saisir son nom, voyez-vous. Un autre gérait des stocks de produits chimiques, c'était le demi-frère de Nejdanov, et ils l'appelaient l'apothicaire. Il y avait aussi un certain Gregor, de l'Académie soviétique des sciences, mais je n'ai jamais pu savoir son nom, et encore moins sa spécialité.

— Y avait-il des femmes à table ? demanda Ned.

— Deux, oui, mais pas Katia, répliqua Barley.

Visiblement, Ned fut aussi impressionné que moi par sa rapidité d'anticipation.

— Mais il y avait bien quelqu'un d'autre, non ? suggéra Ned.

Barley renversa lentement la tête pour boire, puis se redressa, plaça le verre entre ses genoux, et pencha son front dessus comme s'il espérait y puiser une réponse avisée.

— Mais oui, bien sûr, il y avait quelqu'un d'autre, reconnut-il avant d'ajouter énigmatiquement : Il y a toujours quelqu'un d'autre, non ? Mais pas Katia. Quelqu'un d'autre.

Sa voix avait changé, bien que je fusse incapable de déceler en quoi. Moins timbrée, peut-être, avec une nuance de regret ou de remords. J'attendis, comme les autres, car sans doute sentions-nous déjà que quelque chose d'extraordinaire se profilait à l'horizon.

– Un barbu, continua Barley, les yeux perdus dans la pénombre comme s'il l'apercevait enfin. Grand, avec un costume sombre et une cravate noire. Un visage émacié. Sûrement la raison de sa barbe. Des manches trop courtes. Les cheveux noirs. Complètement saoul.

– Il avait un nom ? demanda Ned.

Barley, scrutant toujours la demi-obscurité, décrivait ce qu'aucun de nous ne pouvait voir.

– Goethe, répondit-il enfin. Comme le poète. Ils l'appelaient Goethe. Je vous présente notre éminent écrivain, Goethe. Il paraissait aussi bien cinquante ans que dix-huit. La minceur d'un adolescent. Avec des petites taches de couleur sur les pommettes. Et une barbe.

Comme le fit par la suite remarquer Ned en repassant l'enregistrement à l'équipe, ce fut à ce moment-là, techniquement parlant, que Bluebird prit son envol. La bande ne révèle pourtant pas de silence oppressant, ni de souffles retenus autour de la table. Barley choisit en effet cet instant pour être pris d'une de ces crises d'éternuements qui devaient se reproduire si souvent au cours de notre collaboration. Elle commença par quelques accès espacés, puis s'accéléra jusqu'à une longue salve avant de lentement se calmer, tandis qu'il s'épongeait le visage avec un mouchoir et jurait entre chaque spasme.

– Quelle vacherie ! s'excusa-t-il à la fin.

– J'ai été épatant, reprit-il. Parcours sans faute.

Il s'était resservi, mais d'eau cette fois, et il sirotait son verre avec les petits mouvements saccadés de ces oiseaux buveurs en plastique qui trônaient parmi les miniatures sur tous les tristes comptoirs des pubs anglais avant le règne du téléviseur.

– J'étais le champion. La star de la scène et de l'écran. Occidental, courtois, et séduisant. C'est pour ça que je vais là-bas, non ? Les Russkofs sont les seuls gens assez niais pour écouter mes conneries.

Il repiqua du nez sur son verre.

– C'est comme ça là-bas. Vous faites une promenade à la campagne, et vous vous retrouvez au cœur d'un débat sur l'opposition liberté/responsabilité avec des poètes saouls. Si vous allez pisser dans des toilettes publiques dégoûtantes, quelqu'un se penche par-dessus la cloison et vous demande s'il y a une vie après la mort. Vous êtes occidental, donc vous devez savoir. Alors vous leur dites, et ils s'en souviennent. Rien ne se perd.

Il sembla soudain sur le point de s'arrêter.

— Dites-nous simplement ce qui s'est passé et laissez-nous faire les commentaires, d'accord? suggéra Clive, impliquant par là que ceux-ci dépassaient les compétences de Barley.

— Ce qui s'est passé, c'est que j'ai été brillant. Le beau parleur s'est offert un grand jour. Passons.

Mais c'était la dernière chose que nous avions l'intention de faire, comme le montra le sourire chaleureux de Bob.

— Barley, je crois que vous êtes un peu trop dur avec vous-même. Il n'y a pas de honte à briller en société, enfin! D'après ce que vous en dites, vous avez gagné votre repas, voilà tout.

— De quoi avez-vous parlé? demanda Clive, indifférent à la gentillesse de Bob.

— Oh, fit Barley avec un haussement d'épaules. Comment reconstruire l'Empire russe entre le déjeuner et l'heure du thé. La paix, le progrès et la glasnost au kilo. Le désarmement immédiat sans conditions.

— Est-ce que vous vous étendez souvent sur ces sujets?

— Quand je suis en URSS, oui, répliqua Barley, un instant piqué de nouveau au vif par le ton de Clive.

— Pouvons-nous savoir ce que vous avez dit?

En vérité ce n'était pas à Clive que Barley racontait son histoire. S'il faisait point par point l'inventaire de ses divagations, c'était pour lui-même, pour la pièce et ses occupants, ainsi que pour ses compagnons de fortune.

— J'ai dit que le désarmement n'était ni une affaire militaire ni une affaire politique, mais simplement une question de volonté humaine. Qu'il fallait savoir si on voulait la paix ou la guerre, et se préparer en conséquence. Parce qu'on récolterait ce qu'on aurait semé.

Il s'interrompit pour expliquer à Ned :

— J'ai dit absolument n'importe quoi. Des arguments réchauffés que j'avais lus çà et là.

Comprenant sans doute que l'on attendait de lui une explication plus précise, il reprit :

— Il se trouve que cette semaine-là j'étais expert en la matière.

Je pensais que la compagnie pourrait passer commande d'un bouquin vite fait bien fait, et à la foire du livre un type collant m'avait proposé les droits pour l'Angleterre d'un traité sur la glasnost et la crise de la paix. Des essais écrits par des Faucons d'hier et d'aujourd'hui, des remises en question de la stratégie. Est-ce qu'une paix réelle pouvait finalement s'instaurer ? A partir de propos recueillis auprès de grands chefs américains des années soixante, ils montraient que beaucoup avaient complètement retourné leur veste depuis qu'ils avaient quitté leurs fonctions.

Barley semblait désireux de se trouver des excuses, et je me demandai pourquoi. Que nous préparait-il ? Pourquoi éprouvait-il le besoin d'atténuer le choc à l'avance ? Bob, loin d'être un imbécile malgré sa candeur, devait se poser la même question.

– Ça me paraît une bonne idée, Barley, dit-il. A mon avis ça rapporterait des sous. Peut-être même qu'il y aurait une part du gâteau pour moi ! ajouta-t-il avec un rire épais.

– Alors vous avez lu ce baratin et vous avez régurgité le tout, c'est bien ce que vous nous dites ? demanda Clive de sa voix acérée. Je me doute bien qu'il doit être difficile de se rappeler ses délires d'ivrogne, mais nous aimerions que vous fassiez un effort.

Qu'avait bien pu étudier Clive, me demandai-je, si tant est qu'il eût étudié ? Et où ? Qui l'avait porté, qui l'avait engendré ? Où le Service trouvait-il ces esprits étriqués et petits-bourgeois entièrement pétris de leurs valeurs, ou prétendues telles ?

Barley garda un front serein devant cette nouvelle attaque.

– J'ai dit que je croyais en Gorbatchev, dit-il d'un ton posé avant d'avaler une gorgée d'eau. Que peut-être eux doutaient de lui, mais pas moi. J'ai dit qu'il fallait que l'Ouest se trouve un Gorbatchev, et que l'Est devait comprendre l'importance du sien. Que si les Américains s'étaient donné autant de mal pour le désarmement que pour envoyer un pauvre type sur la lune, ou coller des rayures roses dans le dentifrice, on l'aurait depuis longtemps, le désarmement. J'ai dit aussi que le plus grand péché de l'Occident était de croire qu'il pouvait foutre en l'air le système soviétique par une surenchère dans la course aux armements, parce que dans ce cas-là, on jouait avec le destin de l'humanité. Et qu'en mettant sabre au clair, l'Ouest avait fourni un bon prétexte aux dirigeants soviétiques pour garder leur rideau baissé et instituer un État militaire.

Walter laissa échapper un hennissement de rire, et cacha ses dents écartées derrière sa main glabre.

— Pas possible! s'écria-t-il. Alors c'est nous qui sommes responsables des malheurs de la Russie? Eh ben ça, c'est la meilleure! Vous n'imaginez pas une seule seconde qu'ils aient pu les créer eux-mêmes, par exemple? Qu'ils se soient enfermés tout seuls dans leur paranoïa? Non, apparemment, vous n'y croyez pas.

Sans se laisser troubler, Barley continua sa confession:

— Quelqu'un m'a demandé si je ne pensais pas que les armes nucléaires avaient maintenu la paix pendant quarante ans. J'ai répondu que c'était des conneries de jésuites! Autant dire que la poudre à canon a maintenu la paix entre Waterloo et Sarajevo. Et de toute façon, qu'est-ce que c'est que la paix? La bombe n'a pas empêché la guerre de Corée, ni celle du Viêt-nam. Elle n'a dissuadé personne de rafler la Tchécoslovaquie, ni de faire le blocus de Berlin, de construire le Mur ou d'envahir l'Afghanistan. Si c'est ça la paix, essayons la même chose sans la bombe. J'ai dit que ce qu'il fallait faire, ce n'était pas de la recherche spatiale mais sur la nature humaine. Que les superpuissances devraient s'unir pour maintenir l'ordre dans le monde entier. J'étais en plein délire.

— Et vous croyiez vraiment à toutes ces âneries que vous racontiez? demanda Clive.

Barley n'avait pas l'air de le savoir, et sembla soudain honteux de sa complaisance.

— Et puis après, on a parlé de jazz, reprit-il. De Bix Beiderbecke, Louis Armstrong, Lester Young. J'ai joué un peu.

— Vous voulez dire que quelqu'un avait un saxophone? s'écria Bob amusé. Qu'est-ce qu'ils avaient d'autre? Une grosse caisse? Un tentette? Barley, je n'y crois pas!

Je crus d'abord que Barley allait sortir. Il se redressa, chercha la porte des yeux et se dirigea vers elle, l'air désolé, si bien que Ned se leva, craignant que Brock ne l'intercepte le premier. Mais Barley s'arrêta à mi-chemin devant une table basse en bois sculpté, se pencha au-dessus et se mit à chanter « pah-pah-paah pah-pah-pah-pah » d'une voix nasillarde en tambourinant du bout des doigts sur le bord pour imiter un accompagnement de cymbales, de balais et de grosse caisse.

Bob applaudissait déjà, comme Walter et moi. Ned riait. Seul Clive ne trouva là rien de distrayant. Barley se calma en buvant une gorgée et se rassit.

— Ensuite ils m'ont demandé ce qu'on pouvait y faire, reprit-il comme s'il ne s'était pas interrompu.

90

– Qui ça ? s'enquit Clive, avec ce ton d'incrédulité exaspérant.

– Un des convives. Quelle importance ?

– Prenons pour principe que tout est important, rétorqua Clive.

Barley imita de nouveau l'accent russe, la voix pâteuse et pressante :

– « Très bien, Barley. Supposons que tout soit comme vous dites. Qui fera ces recherches sur la nature humaine ? » Mais vous, bien sûr, ai-je répondu à leur grand étonnement. Pourquoi nous ? Parce que pour les changements radicaux, les Russkofs s'y connaissent mieux que l'Ouest. Ils ont une classe dirigeante restreinte et une intelligentsia traditionnellement très influente. Dans une démocratie occidentale, il est beaucoup plus dur de se faire entendre par-dessus la foule. Ils ont apprécié le paradoxe, et moi aussi.

Même cette attaque ouverte contre les grandes valeurs démocratiques ne parvint pas à ébranler l'indulgence de Bob.

– Eh bien, Barley, c'est une opinion un peu schématique, mais je crois qu'il y a du vrai là-dedans.

– Avez-vous suggéré une action quelconque ? insista Clive.

– J'ai dit qu'il ne restait plus que l'utopie, et que ce qui semblait un rêve fou il y a vingt ans était aujourd'hui notre seul espoir, qu'il s'agisse de désarmement, d'écologie, ou simplement de la survie de l'espèce. Que Gorbatchev l'avait compris, mais que l'Ouest s'y refusait. J'ai dit que les intellectuels occidentaux devaient retrouver leur voix, que l'Ouest devrait montrer l'exemple et non le suivre. Que c'était le devoir de tous de déclencher l'avalanche.

– Le désarmement unilatéral, c'est ça, dit Clive, s'étreignant vivement les mains. Aldermaston, nous voilà. Bon, oui.

Sauf qu'il ne prononça pas « oui », mais « uui », sa manière de dire oui quand il pensait non.

– Et tant d'éloquence après quelques vagues lectures sur le sujet ? remarqua Bob impressionné. Barley, je trouve ça extraordinaire. Si je pouvais retenir aussi bien les choses, j'en serais fier, croyez-moi.

En fait, il suggérait que c'était peut-être un peu trop extraordinaire, mais Barley ne releva pas le sous-entendu.

– Et pendant que vous étiez en train de nous sauver de nos instincts les plus terribles, que faisait l'homme du nom de Goethe ? demanda Clive.

— Rien. Tout le monde donnait son avis, sauf lui.

— Mais il écoutait ? Les yeux écarquillés, je suppose ?

— A cette heure-là, on en était à refaire le monde. Yalta, clap deuxième. On parlait tous en même temps, excepté Goethe. Il ne mangeait pas, il ne parlait pas. Moi je n'arrêtais pas de lui jeter des idées à la figure, simplement parce qu'il ne participait pas à la conversation. Mais ça ne faisait que le rendre plus pâle et le pousser à boire davantage. Finalement j'ai renoncé.

« Et Goethe n'émit pas la moindre opinion, continua Barley du même ton de déception indignée. Pas un seul mot de tout l'après-midi. Goethe écoutait, le regard fixé sur une boule de cristal invisible. Il riait parfois, mais jamais quand il y avait quelque chose un tantinet drôle. Ou bien il se levait, allait droit à la table des boissons se chercher une autre vodka alors que tout le monde buvait du vin, et revenait avec un gobelet plein, qu'il descendait en quelques gorgées dès que l'on proposait un toast. Mais lui-même n'en proposa aucun. Il fait partie de ces gens qui exercent une influence psychologique par leur silence, si bien qu'on finit par se demander s'ils se meurent secrètement de maladie ou s'ils échafaudent un grand projet.

Quand Nejdanov fit passer tout le monde à l'intérieur pour écouter Count Basie sur la chaîne stéréo, Goethe suivit docilement. C'est seulement fort avant dans la nuit, alors qu'il avait oublié jusqu'à l'existence de Goethe, que Barley l'entendit finalement parler.

Ned se permit ici de poser une de ses rares questions :

— Comment se comportaient les autres envers lui ?

— Ils le respectaient. Il était leur mascotte. « Voyons ce qu'en pense Goethe », disaient-ils. Il levait son verre, buvait à leur santé, et tout le monde riait sauf lui.

— Les femmes avaient la même attitude ?

— Tout le monde. Ils s'inclinaient devant son opinion. Ils déroulaient le tapis rouge, en quelque sorte : voilà le grand Goethe.

— Et personne ne vous a dit où il habitait, où il travaillait ?

— Seulement qu'il venait d'un endroit où on voyait la boisson d'un mauvais œil, et qu'il se prenait des vacances pour boire. Ils n'arrêtaient pas de porter des toasts à ses vacances de buveur.

C'était le frère de quelqu'un. De Tamara peut-être, je ne sais pas. Ou son cousin. Je n'ai pas bien compris.

– Vous croyez qu'ils le protégeaient ? demanda Clive.

Les pauses de Barley sont vraiment très surprenantes, pensai-je. Son contact avec l'environnement immédiat est si ténu que son esprit s'évade de la pièce, et l'on est sur des charbons ardents, à se demander s'il va revenir.

– Oui, dit soudain Barley, comme surpris de sa propre réponse. Oui, oui, ils le protégeaient. C'est ça. C'était son fan-club. Bien sûr.

– De quoi le protégeaient-ils ?

Nouvelle pause.

– Peut-être d'avoir à s'expliquer. Ce n'est pas ce que je pensais à l'époque, mais maintenant si. C'est ça.

– Et pourquoi aurait-il voulu éviter de s'expliquer ? Pouvez-vous nous fournir une raison, sans l'inventer ? insista Clive, apparemment résolu à attiser la colère de Barley.

Mais Barley ne s'énerva pas.

– Je n'invente jamais, répliqua-t-il, et nous savions tous qu'il disait vrai.

Une autre pause.

– On percevait en Goethe une intensité exceptionnelle, reprit-il, de nouveau parmi nous.

– Qu'est-ce que ça veut dire ?

– Ce silence éloquent... On n'entendait que le tic-tac de son cerveau, qui devait faire du deux cents à l'heure.

– Mais personne ne vous a dit « C'est un génie » ou quelque chose du même genre ?

– Personne. Ce n'était pas nécessaire.

Barley jeta un coup d'œil à Ned, qui approuva d'un hochement de tête. Homme de terrain jusqu'au bout des ongles, bien que restant sur la touche par obligation, Ned avait toujours une longueur d'avance alors qu'on le croyait encore à la traîne.

Bob avait une autre question :

– Personne ne vous a pris à part pour vous expliquer pourquoi Goethe avait un problème de boisson ?

Barley éclata d'un rire explosif. Parfois son manque de retenue avait quelque chose d'inquiétant.

– Mais en Russie on n'a pas besoin d'une raison pour boire, Dieu merci ! Citez-moi un seul Russe digne de ce nom capable de faire face aux problèmes de son pays en restant à jeun.

Il retomba dans son silence, grimaçant dans la pénombre. Puis le sourcil froncé, il marmonna quelque imprécation, sans doute à son endroit, et reprit soudainement, avec un petit rire :

— Je me suis réveillé en sursaut vers minuit. « Mais où est-ce que je suis, bon Dieu ? » J'étais sur une véranda, dans une chaise longue, couvert d'un plaid ! Je me suis d'abord cru aux États-Unis. Vous savez, sur une de ces vérandas de la Nouvelle-Angleterre, protégée par des cloisons-moustiquaires, et avec un jardin devant. Je n'arrivais pas à comprendre comment j'avais pu aller si vite aux États-Unis après un déjeuner à Peredelkino. Et puis je me suis souvenu qu'ils avaient cessé de me parler et que je m'étais ennuyé. Rien d'offensant. Simplement, ils avaient trop bu, et ils en avaient assez de tenir des propos d'ivrognes dans une langue étrangère. Alors je m'étais installé sur la véranda avec une bouteille de scotch. Quelqu'un m'avait couvert d'un plaid pour me protéger de la rosée. C'est la lune qui a dû me réveiller. Une pleine lune sanguine. Et puis j'ai entendu un type qui me parlait. L'air grave. Un anglais impeccable. Bon Dieu, je me suis dit, des nouveaux invités à cette heure-ci. « Certains maux sont nécessaires, monsieur Barley. Mais d'autres sont plus néfastes que nécessaires. » Il citait ce que j'avais dit au déjeuner, un extrait de ma conférence sur la paix qui avait ébranlé le monde. Je ne sais plus qui j'avais moi-même cité. Je l'ai regardé de plus près, et j'ai vu au-dessus de moi ce vautour barbu d'au moins deux mètres cinquante, une bouteille de vodka à la main, les cheveux au vent. Il s'est accroupi près de moi, la tête entre les genoux, et il a rempli son verre. « Salut Goethe, j'ai dit. Vous n'êtes pas encore mort ? Ça me fait plaisir de vous voir. »

A en juger par son visage soudain rembruni, Barley semblait de nouveau oppressé par cela même qui lui avait permis de se libérer.

— Et puis il me ressort une autre de mes perles du déjeuner : « Toutes les victimes sont égales. Aucune n'est plus égale que d'autres. » J'ai ri, mais pas trop. Je me sentais gêné, un peu mal à l'aise. J'avais le sentiment d'avoir été espionné. Ce type était resté assis pendant tout le repas, complètement saoul, il n'avait pas mangé, pas dit un mot. Et tout d'un coup, dix heures après, il régurgite mes propos comme un magnétophone. Ce n'est pas très agréable.

« Je lui ai dit : " Qui êtes-vous, Goethe ? Qu'est-ce que vous faites dans la vie quand vous ne buvez pas et que vous n'écoutez pas ? "

« – Je suis un hors-la-loi moral. Je m'occupe de grandes théories profanées.

« – C'est toujours sympathique de rencontrer un auteur. Qu'est-ce que vous écrivez en ce moment ?

« – Un peu de tout. Des essais historiques, des comédies, des mensonges, des histoires d'amour. " Et il enchaîne sur un délire qu'il a écrit à propos d'une motte de beurre qui fond au soleil parce qu'elle manquait de cohérence. L'ennui, c'est qu'il ne s'exprimait pas comme un écrivain. Il manquait trop d'assurance. Il se moquait de lui-même, et de moi aussi, je pense. C'était son droit après tout, mais cela n'avait rien de très drôle.

Une fois de plus, nous attendîmes, les yeux fixés sur la silhouette de Barley. La tension émanait-elle de nous ou de lui ? Il but une gorgée, détourna la tête et grommela quelque chose qui ressemblait à « plus bien » ou « putain », mais que ni son auditoire ni les microphones ne réussirent à saisir. Nous entendîmes sa chaise craquer comme du bois mouillé. Sur l'enregistrement, on dirait une rafale de mitraillette.

– Et puis il m'a balancé : « Allons, monsieur Barley. Vous êtes éditeur. Vous ne me demandez pas où je trouve mes idées ? » Je me suis dit : « Ce n'est pas ce que les éditeurs demandent en général, mon vieux, mais pourquoi pas ? » et j'ai répondu : « Allez-y, Goethe. Où trouvez-vous vos idées ?

« – Monsieur Barley. Je les trouve, premièrement... et il s'est mis à compter sur ses doigts.

Barley étendit alors ses longs doigts pour l'imiter. En entendant les très légères intonations russes qu'il prenait, je fus une fois de plus frappé par la précision de sa mémoire musicale, moins exercée à reproduire des mots qu'à les extraire d'une mystérieuse chambre d'écho intérieure où était conservé le moindre son.

– « Je trouve mes idées... premièrement, sur les nappes en papier des cafés berlinois des années trente. » Il prend une longue gorgée de vodka en même temps qu'une grande goulée d'air nocturne. Et il glouglloute. Vous voyez ce que je veux dire ? Ces gens qui ont des gargouillis ? « Deuxièmement, dans les publications de concurrents plus talentueux que moi. Troisièmement, dans les fantasmes obscènes des généraux et des politiciens de toutes les nations. Quatrièmement, dans l'intellect débridé des scientifiques enrôlés de force par les nazis. Cinquièmement, chez le grand peuple soviétique, dont toutes les aspirations démocratiques sont écrémées après examen à tous les niveaux de la pyramide jusqu'au sommet, et pour finir jetées dans la Neva. Et sixièmement, en de rares occasions, dans l'esprit d'un intellectuel occidental distingué qui déboule tout d'un coup dans ma vie. » Il devait parler de moi apparemment, parce qu'il me fixait du regard pour observer ma réaction. Il ne me quittait pas des yeux, comme un enfant précoce, et semblait m'envoyer un signal de détresse. Et tout d'un coup il change, et il devient soupçonneux. Les Russes sont comme ça. « C'était un joli petit numéro que vous nous avez fait au déjeuner. Comment avez-vous persuadé Nejdanov de vous inviter ? » C'était sarcastique. L'air de dire, je ne vous crois pas.

« — Je ne l'ai pas persuadé. C'était une idée à lui. Qu'est-ce que vous insinuez, au juste ?

« — Les idées n'appartiennent à personne, dit-il. Vous lui avez fourré ça dans le crâne. Vous êtes un malin. Du bon travail, bravo.

« Et au lieu de continuer à m'envoyer des vannes, il s'accroche à mes épaules comme quelqu'un qui se noie. Je ne savais pas s'il se sentait mal ou s'il perdait simplement l'équilibre. J'ai même eu peur qu'il ne me vomisse dessus. J'ai essayé de l'aider, mais je ne savais pas quoi faire. Il était brûlant, il transpirait. De grosses gouttes de sueur qui me tombaient dessus. Il avait les cheveux trempés. Et ces grands yeux d'enfant... Je me suis dit qu'il fallait lui desserrer son col de chemise. Et puis j'ai entendu sa voix, en plein dans mon oreille droite, je sentais ses lèvres et la chaleur de son haleine. Au début je ne comprenais pas ce qu'il disait, parce qu'il était trop près. Je me suis reculé, mais il s'accrochait toujours.

« Il a murmuré : " Je crois chaque parole que vous avez prononcée. Elles me sont allées droit au cœur. Promettez-moi que vous n'êtes pas un espion anglais, et je vous ferai une promesse en retour. " Il a dit ça mot pour mot, précisa Barley comme s'il en avait honte. Il se rappelait chaque phrase que j'avais prononcée. Et moi je me souviens de chacune de ses paroles.

Ce n'était pas la première fois que Barley parlait de la mémoire comme s'il s'agissait d'une calamité, et c'est peut-être pour cela que je me retrouvai, une fois de plus, en train de penser à Hannah.

« Mon pauvre Palfrey ! Avec une mémoire pareille, comment pourras-tu jamais oublier une femme comme moi ? » s'était-elle gaussée dans un de ses moments de cruauté, étudiant son corps nu dans le miroir tandis qu'elle sirotait sa vodka-tonic et se préparait à aller retrouver son mari.

Je me demandai si Barley faisait cet effet-là aux gens en général, s'il mettait inconsciemment le doigt sur leur point sensible, faisant aussitôt resurgir en eux leurs pensées les plus secrètes ? Peut-être cela avait-il été le cas pour Goethe.

Ce qui suivit ne fut jamais paraphrasé, ni résumé, ni « restructuré ». On passa l'enregistrement sans montage aux initiés, ou on leur fit lire la transcription dans son entier. Pour les non-initiés, cet épisode n'a jamais existé. Ce point crucial de l'affaire fut par la suite baptisé de manière délibérément obscure « la perspective de Lisbonne ». Lorsque entrèrent dans la ronde les alchimistes, les théologiens et les usufruitiers des deux côtés de l'Atlantique, c'est l'extrait qu'ils choisirent de faire passer dans leurs petites boîtes magiques pour justifier après coup les arguments caractéristiques du parti pris machiavélique de leurs camps respectifs.

— « Non, mon cher Goethe, je ne suis pas un espion. Je ne l'ai jamais été et ne le serai jamais. Ça marche peut-être comme ça dans votre pays, mais pas dans le mien. Et les échecs, vous aimez les échecs ? Parlons échecs. »

« Il ne semblait pas m'avoir entendu. " Et vous n'êtes pas. américain ? Vous n'êtes l'espion de personne, pas même un des nôtres ?

« — Écoutez, Goethe, pour ne rien vous cacher, ça commence à m'agacer. Je ne suis l'espion de personne. Je suis moi. Alors soit on parle échecs, soit vous frappez à une autre porte, d'accord ? " J'ai cru qu'après ça, il allait se taire, mais je me trompais. Il connaissait les échecs à fond, et il m'a dit que chaque joueur a sa stratégie, et si l'autre ne la devine pas, ou relâche un peu son attention, le premier gagne. Aux échecs, la théorie est la réalité. Mais dans la vie, du moins dans certains cas, on peut se trouver dans une situation où un joueur se fait des idées tellement grotesques sur un autre qu'il finit par s'inventer l'ennemi dont il a besoin. Pas vrai ? Oui, Goethe, je suis tout à fait d'accord. Et tout d'un coup, il ne s'agit plus d'échecs, voilà qu'il se justifie, comme le font tous les Russes quand ils ont trop bu. Pourquoi est-il sur terre ? Uniquement pour que je l'entende. Il dit qu'il est né avec deux âmes, comme Faust, et que c'est pour cela qu'on l'appelle

Goethe. Il raconte que sa mère était peintre, mais qu'elle peignait ce qu'elle voyait, si bien qu'on ne l'a jamais autorisée à exposer ou à acheter du matériel. Parce que tout ce qu'on voit est un secret d'État. Même une illusion devient un secret d'État. Même si quelque chose ne marche pas et ne marchera jamais, c'est un secret d'État. Et si c'est un tissu de mensonges, alors c'est le plus secret des secrets d'État. Il dit que son père a passé douze ans dans les camps et qu'il est mort d'une overdose de capacités intellectuelles. Que le problème, c'est que son père était un martyr. Qu'une victime c'est déjà dur, un saint, encore pire, mais que les martyrs c'est le summum. Pas vrai ?

« Je réponds que je suis d'accord, sans trop savoir pourquoi. Mais je suis poli, et quand un type qui me tient la tête dans ses mains me dit que son père a résisté douze ans avant de mourir, je ne vais pas le contrarier, même si je suis un peu rond.

« Je lui ai demandé son vrai nom. Il m'a expliqué qu'il n'en avait pas, que son père l'avait emporté dans la tombe. Que dans toutes les sociétés normales, on fusille les ignorants, mais qu'en Russie, c'est l'inverse. Ils ont tué son père parce que, contrairement à sa mère, il refusait de mourir de chagrin. Il me dit qu'il veut me faire une promesse. Qu'il adore les Anglais. Le peuple le plus moral d'Europe, les modérateurs secrets, les unificateurs du grand idéal européen. Les Anglais comprennent le rapport entre la parole et l'action, alors qu'en Russie personne ne croit plus à l'action, si bien que les mots sont devenus un substitut, jusqu'en haut de la pyramide, un substitut de la vérité que personne ne veut entendre parce qu'ils ne peuvent pas la changer, ou qu'ils perdront leur travail s'ils essaient, ou simplement parce qu'ils ignorent comment la changer. Il dit que la malchance des Russes c'est qu'ils rêvent d'être européens, mais que leur destin est de devenir américains, et que les Américains ont empoisonné le monde avec leur logique matérialiste. Si mon voisin a une voiture, il m'en faut deux. Si mon voisin a un pistolet, il m'en faut deux. Si mon voisin a une bombe, il m'en faut une plus grosse, et surtout plusieurs, même si elles ratent leur cible. Alors tout ce que j'ai à faire, c'est d'imaginer le fusil de mon voisin et de le reproduire, comme ça je justifie tout ce que je veux fabriquer. Pas vrai ?

C'est un miracle que personne ne l'ait interrompu à ce moment-là. Pas même Walter, qui retint sa langue comme tout le monde. On n'entendit pas une chaise grincer.

— Alors, reprit Barley, j'ai dit oui, je suis d'accord. Oui, Goethe, je suis complètement d'accord. Tout plutôt que l'entendre me demander si j'étais un espion anglais. Il se met à parler du grand poète mystique du XIXᵉ siècle, Pitourine.

— Petcherine, rectifia la voix de fausset de Walter, incapable de se retenir, cette fois.

— C'est ça, Petcherine. Vladimir Petcherine. Il voulait se sacrifier pour l'humanité, mourir sur la croix avec sa mère à ses pieds. Est-ce que j'en ai entendu parler ? Non, jamais. Petcherine est allé en Irlande, et s'est fait moine. Mais pour Goethe, c'est impossible, parce qu'il ne peut pas obtenir de visa, et que de toute façon il n'aime pas Dieu. Petcherine aimait Dieu mais détestait la science, sauf si elle prenait en compte l'âme humaine. Je lui demande quel âge il a. Goethe, pas Petcherine. A ce moment-là, on lui aurait donné aussi bien sept ans que soixante-dix-sept. Il me dit qu'il est plus proche de la mort que de la vie, qu'il a cinquante ans, mais qu'il vient de naître.

Walter intervint pour une fois à voix basse, comme dans une église :

— Pourquoi lui avez-vous demandé son âge, entre toutes les questions que vous auriez pu lui poser ? Qu'est-ce que ça pouvait bien faire dans un moment pareil de savoir combien de dents il avait ?

— Parce que c'est troublant. Il n'a pas une seule ride, sauf quand il fronce les sourcils.

— Et il a dit « science » ? Pas « physique », science ?

— Science, oui. Et puis il s'est mis à réciter du Petcherine, en traduisant au fur et à mesure. Le russe d'abord, l'anglais après. *Comme il est doux de haïr son pays natal et d'attendre avidement sa ruine... et dans sa ruine, de déceler l'aube d'une renaissance universelle.* Ce n'est peut-être pas tout à fait ça, mais c'est l'idée générale. Petcherine avait compris qu'il était possible à la fois d'aimer son pays et d'en détester le système, m'a dit Goethe. Petcherine était fou de l'Angleterre, comme Goethe. L'Angleterre, berceau de la justice, de la vérité et de la liberté. Petcherine a montré qu'il n'y avait rien de déloyal dans la trahison, à condition de trahir ce que l'on déteste et de se battre pour ce que l'on aime. Alors supposons que Petcherine ait possédé de grands secrets sur l'âme russe. Qu'est-ce qu'il aurait fait ? C'est évident. Il les aurait livrés aux Anglais.

« Moi je n'ai qu'une envie à ce moment-là, c'est qu'il me laisse tranquille, je commence à paniquer. Mais au contraire il se rapproche, son visage presque collé au mien. Il souffle comme un bœuf, son cœur bat à tout rompre. Il me regarde de ses grands yeux marron écarquillés. " Qu'est-ce que vous avez bu ? je lui demande. De la cortisone ?

« – Vous savez ce que vous avez dit d'autre au déjeuner ? me demande-t-il.

« – Rien. Je n'y étais pas. C'était mon frère jumeau. " Mais de nouveau il ne m'écoute plus.

« " Vous avez dit : De nos jours, il faut penser en héros pour agir simplement en être humain digne de ce nom.

« – Ça n'est pas très original. Pas plus que le reste. C'est des choses que j'ai lues à droite à gauche. Alors maintenant vous oubliez tout ce que j'ai dit, et vous retournez auprès des vôtres. " Mais il refuse toujours de m'écouter. Il me prend le bras. Il a des mains de jeune fille, mais une poigne d'acier. " Promettez-moi que si je trouve le courage de penser en héros, vous agirez simplement en être humain digne de ce nom.

« – Écoutez, j'ai dit. On oublie tout ça et on se trouve quelque chose à manger. Il y a de la soupe à l'intérieur. Je sens l'odeur. Vous aimez ça ? La bonne sou-soupe ? "

« Je ne pense pas vraiment qu'il pleurait, mais son visage blafard ruisselait. Il semblait suer de douleur. Il s'accrochait à moi comme à son confesseur. " Promettez-le-moi ", dit-il.

« – Mais qu'est-ce que je suis censé vous promettre, bon Dieu ?

« – Promettez que vous vous conduirez en gentleman.

« – Je ne suis pas un gentleman. Je suis éditeur. "

« – Et le voilà qui se met à rire. Pour la première fois. Un énorme éclat de rire étrangement rocailleux. " Vous ne pouvez pas savoir quelle confiance je tire de votre refus ", déclare-t-il.

« Alors je me suis levé. Doucement pour ne pas lui faire peur. Et lui, il s'accrochait toujours à moi.

« – Je commets le péché de la science chaque jour, dit-il. Je transforme des socs de charrue en épées. Je trompe nos maîtres. Je trompe les vôtres. Je perpétue le mensonge. Chaque jour j'assassine l'humanité que je porte en moi. Écoutez-moi.

« – Il faut que je parte, maintenant, mon vieux Goethe. Toutes les braves petites concierges de l'hôtel m'attendent et doivent s'inquiéter à mon sujet. Voulez-vous me lâcher, vous me cassez le bras. "

« Il me serre contre son cœur. J'ai l'impression d'être énorme tellement il est mince. Il a la barbe et les cheveux mouillés, et il est brûlant.

« " Promettez-le-moi. "

« Il me l'a arrachée sa promesse. Par sa ferveur. Je n'ai jamais rien vu de tel. " Promettez! Promettez!"

« J'ai dit : " D'accord. Si jamais vous arrivez à être un héros, je serai un être humain digne de ce nom. Marché conclu. D'accord? Maintenant soyez gentil et laissez-moi partir.

« – Promettez! il a répété.

« – Je vous le promets, j'ai dit en me dégageant.

Sur quoi Walter intervint avec véhémence. Aucun de nos avertissements, aucun regard furieux de Ned, de Clive ou de moi-même n'avaient pu le retenir plus longtemps.

– Mais est-ce que vous l'avez cru, Barley? Est-ce qu'il était en train de vous rouler? Vous êtes un type malin, derrière votre grande gueule. Quels étaient vos sentiments?

Silence. Silence prolongé. Et finalement :

– Il était ivre mort. J'ai dû être aussi saoul que ça deux fois dans ma vie. Disons trois. Il avait carburé à la vodka toute la journée, et il en descendait toujours comme si c'était de l'eau. Mais là, il avait eu un moment de lucidité. Je l'ai cru. Ce n'est pas le genre de type qu'on ne croit pas.

– Mais qu'avez-vous cru? explosa encore Walter. A votre avis, de quoi était-il en train de vous parler? Que pensez-vous qu'il faisait? Tout ce discours sur les choses qui ratent leur cible, le mensonge à ses maîtres et aux vôtres, les échecs qui ne sont pas un jeu mais quelque chose d'autre? Vous savez réfléchir, non? Pourquoi n'êtes-vous pas venu nous voir? Moi je sais pourquoi! Vous vous cachez la tête dans le sable comme une autruche. « Je ne sais pas parce que je ne veux pas savoir. » Ça c'est vous tout craché!

Et ce que l'on entend ensuite sur la bande, c'est Barley qui arpente la pièce en s'injuriant. « Merde, merde, et merde! » murmure-t-il sans cesse jusqu'à ce que la voix de Clive l'interrompe. Si jamais il incombe un jour à Clive de donner l'ordre de détruire l'univers, je pense qu'il utilisera ce même ton monocorde :

– J'ai le regret de vous annoncer que nous allons avoir sérieusement besoin de votre aide.

Paradoxalement, je crois que Clive était sincèrement désolé. Cet homme de technique, mal à l'aise avec les sources vivantes, cet espiocrate étriqué de la nouvelle école croyait que les faits étaient la seule information valable, et méprisait quiconque ne s'en tenait pas à eux. S'il avait d'autres passions dans la vie, hormis son avancement et sa Mercedes argentée qu'il refusait de sortir du garage n'eût-elle guère qu'une égratignure, c'était, dans l'ordre, la technique, et les tout-puissants Américains. La seule façon pour Clive de briller eût été que Bluebird fût un code à décrypter, un satellite, ou un comité interagence. Auquel cas, Barley n'aurait même pas eu besoin de voir le jour.

Ned était radicalement différent, ce qui lui conférait une position beaucoup plus délicate. Par tempérament et formation, c'était un chef de réseau et un meneur d'hommes. Les *Joes*, c'était son élément et sa passion, pour autant que ce mot figurât dans son vocabulaire. Il méprisait les querelles intestines de politique au sein du Renseignement, et laissait volontiers tout cela à Clive, de même qu'il abandonnait l'analyse à Walter. De ce point de vue, c'était un « primitif » pur et dur, comme le sont forcément tous ceux qui ont affaire à la nature humaine, tandis que Clive, pour qui celle-ci n'était qu'un vaste et infect bourbier, jouissait d'une réputation de moderniste.

5.

Nous étions à présent réunis dans la bibliothèque où Ned et Barley avaient eu leur premier entretien. Brock avait installé un écran, un projecteur, et des chaises en demi-cercle, chacune attribuée dans sa tête à l'un de nous, car comme tous les gens de tempérament sanguin il affectionnait à l'excès les menues besognes. Il avait écouté l'entretien sur le relais, et malgré ses sombres pressentiments au sujet de Barley, une lueur d'excitation brillait dans ses yeux délavés. Barley, plongé dans ses pensées, se prélassait au premier rang entre Bob et Clive, l'air indifférent d'un invité de marque à une avant-première. Sa tête penchée en avant se profila quand Brock alluma le projecteur, et se redressa brusquement à l'apparition de la première diapositive. Ned, assis à mes côtés, était silencieux, mais je sentais l'intensité contenue de son excitation. Sur l'écran défilèrent une vingtaine de visages masculins, pour la plupart des savants soviétiques qui, après de premières recherches hâtives dans les fichiers de Londres et de Langley, avaient été jugés susceptibles d'avoir eu accès aux renseignements Bluebird. Certains apparaissaient à plusieurs reprises, d'abord avec une barbe, puis sans, d'autres sur des photos vieilles de vingt ans, les seules disponibles dans nos archives.

— Il n'est pas dans le lot, déclara Barley à la fin du défilé, portant brusquement la main à sa tête comme si un moustique l'avait piqué.

Bob n'en croyait rien, mais il exprimait toujours son incrédulité avec autant de courtoisie que ses convictions :

— Pas même une vague hésitation, Barley ? Un léger doute ?

Vous semblez très sûr de vous pour un homme bien imbibé lors du premier contact visuel. Grand Dieu, moi, dans certaines soirées, je ne me souvenais même plus de mon nom à la fin!

— Non, vraiment rien. Désolé, mon cher, fit Barley, qui se replongea dans ses pensées.

Le tour de Katia était arrivé, mais il l'ignorait encore. Bob aborda le sujet avec d'infinies précautions, en vrai professionnel de Langley à l'œuvre.

— Barley, voici maintenant des photos d'hommes et de femmes qui gravitent dans le milieu de l'édition à Moscou, commenta-t-il d'un ton très dégagé pendant que Brock projetait les premières diapositives. Des gens que vous auriez pu rencontrer au cours de vos voyages en Russie, à des réceptions ou des foires du livre, enfin dans ce genre de circuit. Si vous identifiez quelqu'un, dites-le aussitôt.

— Bon sang, mais c'est Leonora! coupa Barley ravi en voyant sur l'écran une belle femme athlétique à l'arrière-train de jument, qui traversait d'un pas décidé un bout de chaussée dégagée. C'est la grande prêtresse chez SK.

— SK? répéta Clive comme s'il venait de découvrir une société secrète.

— Soyouzkniga. SK commande et distribue des livres étrangers dans toute l'Union soviétique. On ne sait pas s'ils arrivent à destination, mais ça c'est une autre histoire. Leni est fantastique.

— Vous connaissez son nom de famille?

— Zinovieva.

Exact, nous confirma le sourire entendu de Bob.

Ils firent défiler d'autres diapositives, sur lesquelles Barley repéra des gens dont nous savions déjà qu'il les connaissait. Mais quand apparut celle de Katia qu'ils avaient montrée à Landau, où elle descend les marches vêtue d'un manteau, les cheveux relevés et son filet à la main, Barley murmura « suivante » comme pour les autres inconnus. Bob laissa alors paraître un touchant désarroi.

— Non, restez sur celle-là, s'il vous plaît, dit-il d'un ton si dépité que même un enfant aurait deviné qu'elle avait une importance cachée.

Brock arrêta... et nous arrêtâmes de respirer.

— Barley, la petite jeune femme aux cheveux noirs et aux grands yeux, là, travaille pour les éditions Octobre, à Moscou.

Elle parle bien l'anglais, un anglais très pur comme vous et Goethe. Nous savons qu'elle est *redaktor*, qu'elle achète et supervise les traductions en anglais d'ouvrages russes. Ça ne vous dit rien ?

— Non. Dommage ! maugréa Barley.

Sur quoi, Clive me le confia d'un simple signe de tête. A vous de jouer, Palfrey. Le témoin est à vous. Faites-lui peur.

Pour mes petits sermons je prends toujours un ton de circonstance censé distiller la crainte des liens matrimoniaux, et que je déteste parce que Hannah le déteste. Si ma profession était de celles où l'on porte une blouse blanche faussement rassurante, ce serait le moment où je ferais l'injection fatale. Pourtant ce soir-là, une fois seul avec Barley, j'adoptai un ton plus protecteur, devenant un autre Palfrey, peut-être rajeuni, celui dont Hannah avait juré jadis qu'il triompherait. Je ne m'adressai pas à Barley comme à un vulgaire délinquant, mais comme à un ami que j'essayais de mettre en garde.

— Voilà ce dont il s'agit, dis-je en évitant de mon mieux le jargon juridique. C'est un nœud coulant que l'on va vous passer autour du cou. Faites attention. Réfléchissez.

Généralement, je fais asseoir les gens, mais j'avais remarqué que Barley se sentait plus à l'aise quand on le laissait bouger, faire les cent pas, et s'étirer à son aise. Même passagère, l'empathie est un fléau, mais aucune de ces maudites lois anglaises ne pourra jamais m'en protéger.

A mesure qu'il éveillait ma sympathie, je remarquai certains détails qui m'avaient échappé lors de la réunion générale. La façon dont il gardait ses distances, comme s'il se méfiait de sa tendance profonde à se confier au premier qui l'y encourageait. La façon dont ses bras, malgré ses efforts pour les maîtriser, s'agitaient sans cesse, surtout les coudes rebelles qui semblaient vouloir s'échapper de l'uniforme dans lequel on les avait emprisonnés.

J'éprouvai une certaine frustration de ne pouvoir bien l'observer de près, obligé de saisir son reflet au passage dans les miroirs aux cadres dorés. Aujourd'hui encore il reste pour moi un personnage insaisissable.

Je remarquai son côté pensif tandis qu'il écoutait mon discours d'une oreille distraite, relevait un détail par-ci, par-là, puis faisait demi-tour et s'éloignait de moi pour le digérer à loisir, son large dos m'apparaissant aussi hostile que son visage fermé.

Quand il revenait vers moi, il n'avait pas cette expression servile qui m'écœure chez la plupart de ceux auxquels je prodigue mes sages conseils. Il n'était pas impressionné, ni même affecté par mes paroles. Son regard me déroutait toujours autant que lorsqu'il m'avait dévisagé la première fois : trop franc, trop limpide, trop vulnérable. Même ses larges moulinets de bras ne pouvaient le protéger. J'avais l'impression que n'importe qui aurait pu prendre possession de Barley en plongeant ses yeux dans les siens, et à dire vrai, ce sentiment m'inspirait de la crainte. Comme une menace pesant sur ma propre sécurité.

Je repensai à son dossier. Tant d'actes irréfléchis, quasi suicidaires. Si peu de prudence. Un livret scolaire lamentable. Des efforts pour gagner quelques lauriers en boxant, ce qui lui avait valu de finir à l'infirmerie de l'école avec une mâchoire cassée. Son expulsion, après avoir lu l'Épître en état d'ivresse. « J'ai trop bu hier, monsieur. Je ne l'ai pas fait exprès. » Flagellé et renvoyé.

Comme ce serait simple, pour lui autant que pour moi, me disais-je, si j'avais pu mettre le doigt sur une faute grave qui le torture, un acte de lâcheté ou de négligence. Mais Ned m'avait donné tous les renseignements sur la vie de Barley, y compris les annexes secrètes, son dossier médical, ses revenus, ses maîtresses, ses épouses, ses enfants. Et il n'y avait rien d'exceptionnel dans tout cela. Pas de hauts faits ni de grands crimes. Rien d'important..., ce qui expliquait peut-être le personnage. Était-ce par manque d'aventures en haute mer qu'il s'échouait continuellement sur les petits écueils de l'existence, mettant son Créateur au défi de lui offrir une vie plus exaltante ou, à défaut, de le laisser en paix ? Se montrerait-il aussi intrépide si on lui proposait un enjeu d'importance ?

Et soudain, avant même que j'en prenne conscience, les rôles sont inversés. Il est là devant moi, me regardant de toute sa hauteur. L'équipe attend toujours dans la bibliothèque, d'où me parviennent des murmures d'impatience. Le formulaire est posé sur la table, mais Barley ne l'étudie pas. C'est moi qu'il étudie.

— Vous avez des questions ? lui demandé-je en levant les yeux vers lui. Souhaitez-vous certaines précisions avant de signer ?

Je finis par reprendre mon ton de circonstance dans un réflexe de défense. Il semble surpris sur le coup, puis amusé.

106

— Pourquoi ? Vous avez d'autres réponses que vous souhaiteriez me donner ?

— C'est une sale histoire, lui dis-je gravement. Sans le vouloir, vous êtes devenu le dépositaire d'un énorme secret dont vous ne pouvez plus vous débarrasser. Vous en savez assez pour envoyer un homme et sans doute une femme à la potence. Ce qui vous place dans une position particulière, avec des obligations auxquelles vous ne pouvez vous soustraire.

Malgré moi, me voilà en train de penser à Hannah. Barley vient de raviver ma vieille douleur, sensible comme une plaie fraîchement ouverte. Il hausse les épaules, rejetant son fardeau.

— J'ignore ce que je sais, déclare-t-il.

On frappe à la porte.

— Le problème, c'est qu'ils vont sans doute vouloir vous en apprendre davantage, dis-je en me radoucissant pour essayer de lui faire comprendre ma sympathie. Ce que vous savez déjà n'est peut-être que le début de ce qu'ils souhaitent vous voir découvrir.

Il signe. Sans même lire. C'est le pire client possible, il signerait son propre arrêt de mort sans le savoir et sans y attacher d'importance. On frappe toujours à la porte, mais il me reste encore à apposer ma signature en tant que témoin.

— Merci, me dit-il.

— De quoi donc ?

Je range mon stylo. J'ai fini par l'avoir, me dis-je triomphant mais sans joie, au moment même où Clive et les autres font leur entrée. Un client difficile, dont j'ai finalement obtenu la signature.

Pourtant, je me sens honteux et étrangement inquiet. J'ai l'impression d'avoir allumé un foyer à l'intérieur de notre camp, sans pouvoir prédire jusqu'où il s'étendra ni qui l'éteindra.

Le seul intérêt de la scène suivante est d'avoir été brève. Je me sentis désolé pour Bob. Il n'était pas sournois, et encore moins fanatique. Il semblait transparent, ce qui n'est pas encore un crime, que je sache, même dans le monde des services secrets. Il était plutôt de la trempe de Ned que de Clive, et ses méthodes s'apparentaient plus aux nôtres qu'à celles de Langley. Il fut un temps béni où Langley avait beaucoup d'agents dans le style de Bob.

— Barley, avez-vous la moindre idée de la nature des documents que Goethe, comme vous l'appelez, vous a confiés ? Ce que représente en gros son message, dirons-nous ? demanda maladroitement Bob, en le gratifiant de son large sourire.

Johnny avait posé la même question à Landau, je m'en souvenais..., mais il était tombé sur un bec.

— Comment voulez-vous que je le sache ? rétorqua Barley. Je n'ai même pas pu voir les documents en question. Vous refusez de me les montrer.

— Êtes-vous absolument sûr que Goethe ne vous a pas déjà donné certaines indications ? Un mot à voix basse, d'auteur à éditeur, sur ce qu'il pourrait vous soumettre un jour, si vous respectiez tous les deux votre engagement ? Quelque chose que vous auriez omis en nous racontant votre longue conversation à Peredelkino sur l'armement et les ennemis imaginaires ?

— Je vous ai dit tout ce dont je me souviens, répondit Barley en secouant la tête d'un air impuissant.

Comme Johnny avant lui, mais avec une gêne évidente, Bob consulta d'un coup d'œil le dossier posé sur ses genoux.

— Barley, au cours de vos six séjours en Union soviétique ces sept dernières années, avez-vous eu des rapports, même temporaires, avec des pacifistes, des dissidents, ou d'autres groupements non officiels de ce genre ?

— Est-ce un crime ?

— Répondez à la question de Bob, je vous prie, intervint Clive.

Et à l'étonnement général, Barley obéit. Par moments, Clive manquait tellement de finesse que Barley n'en était même pas affecté.

— On rencontre toutes sortes de gens, vous savez Bob. Dans le milieu du jazz, ou celui des livres, des intellectuels, des journalistes, des artistes. C'est donc une question à laquelle je ne peux pas répondre. Désolé.

— Puis-je la formuler autrement et vous demander si vous êtes en rapport avec des pacifistes en Angleterre ?

— Je n'en ai pas la moindre idée.

— Barley, saviez-vous que deux membres du groupe de blues dans lequel vous jouiez entre 1977 et 1980 avaient adhéré à la Campagne pour le désarmement nucléaire, et à d'autres groupuscules du même genre ?

Barley parut surpris, mais somme toute ravi.

— Vraiment ? Et on peut savoir leurs noms ?

— Cela vous surprendrait si je vous disais Maxi Burns et Bert Wunderley ?

Barley partit d'un grand éclat de rire, à l'amusement de tous sauf Clive.

— Grand Dieu! Ne collez pas l'étiquette « pacifiste » à ces deux-là, Bob. Maxi était communiste jusqu'à la racine des cheveux. Il aurait fait sauter le Parlement s'il avait eu une bombe, et Bert lui aurait tenu la main.

— J'ai cru comprendre qu'ils étaient homosexuels? fit Bob avec un sourire entendu.

— Pédés comme des phoques, répliqua Barley amusé.

Sur quoi Bob replia sa feuille avec un soulagement évident et lança un coup d'œil à Clive, signifiant qu'il avait fini son interrogatoire. Ned proposa alors à Barley d'aller prendre un peu l'air. Walter se dirigea d'un pas engageant vers la porte et l'ouvrit. Ned avait sûrement demandé à Walter de jouer les faire-valoir, sinon ce dernier n'aurait jamais osé se joindre à eux. Après un instant d'hésitation, Barley saisit une bouteille de scotch et un verre qu'il enfouit dans les poches de sa saharienne, geste qui visait à nous choquer, je pense. Ainsi pourvu de ses munitions, il sortit derrière les deux autres, nous laissant tous trois silencieux.

— C'étaient les questions de Russell Sheriton que vous lui posiez? demandai-je aimablement à Bob.

— Russell est au-dessus de ce genre de fadaises maintenant, Harry, répliqua Bob avec une aversion évidente. Russell a fait son chemin.

Les luttes d'influence à Langley demeuraient un mystère même pour ceux qui y étaient mêlés, et plus encore pour nos seigneurs et maîtres du douzième étage, malgré notre refus de l'avouer. Mais au milieu des remous et des intrigues, le nom de Sheriton revenait souvent parmi les favoris pour la première place.

— Alors qui a donné le feu vert pour poser ces questions? insistai-je. Qui les a rédigées, Bob?

— Peut-être Russell.

— Vous venez de dire qu'il est au-dessus de ça.

— Il est peut-être obligé de rassurer ses supérieurs, répondit Bob l'air gêné, en allumant sa pipe avec une allumette qu'il agita pour l'éteindre.

Nous nous installâmes confortablement en attendant le retour de Ned.

*

L'arbre au feuillage ombreux se dresse dans un jardin public près des quais. Je me suis souvent assis dessous, à regarder l'aube se lever sur le port, tandis que la première rosée déposait ses pleurs sur mon imperméable gris. J'ai écouté sans le comprendre un vieux mystique au visage de saint, qui aime à réunir en ce lieu ses disciples ; ils sont de tous âges et l'appellent le Professeur. Le banc autour de l'arbre est divisé en sièges individuels par des accoudoirs de fer. Barley s'était assis entre Ned et Walter. Ils avaient parlé d'abord dans l'atmosphère assoupie d'un bar à matelots, puis en haut d'une colline, me raconta plus tard Barley, bien que Ned, sans raison apparente, refuse de se rappeler ce dernier épisode. Et puis ils étaient finalement redescendus dans la vallée. Brock, resté dans la voiture de louage, les surveillait par-delà l'étendue d'herbe. De l'autre côté de la route, où s'élevaient des entrepôts, leur parvenaient le grincement des grues, le ronflement des camions, et les appels des pêcheurs. Il était 5 heures du matin, mais le port s'éveille à 3 heures. Les nuages matinaux se formaient et se défaisaient comme à l'aube du premier jour.

— Choisissez quelqu'un d'autre, répéta Barley une nouvelle fois. Je ne suis pas votre homme.

— Ce n'est pas nous qui vous avons choisi. C'est Goethe. Si nous connaissions le moyen de le joindre sans passer par votre intermédiaire, nous le ferions sans hésiter. Mais il semble s'être entiché de vous. Cela fait sans doute dix ans qu'il attend quelqu'un comme vous.

— Il m'a choisi justement parce que je ne suis pas un espion, dit Barley. Parce que j'y suis allé de mon petit couplet révolutionnaire.

— Mais vous ne serez pas plus un espion maintenant, déclara Ned. Vous resterez un éditeur... le sien. Tout ce qu'on vous demandera, c'est de collaborer à la fois avec votre auteur et avec nous. Quel mal à cela ?

— Vous avez tiré le bon numéro et vous êtes très malin, ajouta Walter. Pas étonnant que vous buviez, ça fait vingt ans qu'on n'utilise pas le quart de vos talents. Voici enfin votre chance de briller, petit veinard.

— J'ai brillé à Peredelkino. Mais chaque fois que je brille, les lumières s'éteignent.

— Vous deviendrez peut-être même solvable, intervint Ned. Trois semaines de préparation à Londres en attendant votre visa, suivies d'une merveilleuse semaine à Moscou, et vous serez tiré d'affaire à jamais.

Avec la prudence qui le caractérisait, Ned avait évité d'employer le mot « entraînement ».

Walter revint à la charge, un coup d'aiguillon par-ci, une once de flatterie par-là, avec un rien d'excès dans les deux cas, mais Ned le laissa faire.

— Ce n'est pas une question d'argent, Ned. Barley est bien au-dessus de cela. Il s'agit plutôt d'un geste pour la nation. Il y a tant de gens qui n'ont jamais cette chance. Ils en rêvent, ils postulent par écrit, mais ne sont jamais choisis. Après, quand on a rempli son rôle, on peut jouir tranquillement des avantages d'être anglais en sachant qu'on l'a bien mérité, même si apparemment on s'en moque, ce qui est parfaitement légitime; c'est un droit qu'il faut défendre comme tant d'autres.

Ned avait vu juste, car Barley éclata de rire et dit à Walter : « Oh, arrêtez ! » ou quelque chose du même genre.

— Un beau geste aussi pour votre auteur, si vous y réfléchissez, coupa Ned avec son franc-parler. Vous lui sauvez la vie. S'il est décidé à livrer des secrets d'État, le moins que vous puissiez faire pour lui est de le mettre en contact avec les personnes compétentes. Vous êtes de Harrow, non ? demanda-t-il, comme pris d'une inspiration subite. J'ai bien lu quelque part que vous avez fait vos études à Harrow ?

— Je suis juste allé à l'école, c'est tout, répliqua Barley.

Walter partit d'un de ses grands éclats de rire, que Barley accompagna par politesse.

— Pourquoi avez-vous postulé chez nous, il y a vingt ans ? Vous souvenez-vous de vos motifs ? demanda Ned. Un certain sens du devoir, c'est ça ?

— Je ne voulais pas travailler dans la société de mon père. Mon conseiller d'études me suggérait d'enseigner en primaire, et mon cousin Lionel, de devenir espion. Et vous avez rejeté ma demande.

— Exact, mais vous n'aurez pas deux fois cette veine, plaisanta Ned.

Comme de vieux camarades, les trois hommes regardèrent les quais en silence. Une flottille de bateaux barrait l'entrée du port, leurs gréements se balançant au vent telles des guirlandes lumineuses.

— Vous savez que j'ai toujours rêvé d'un miracle de ce genre ?

fit soudain Walter tourné vers l'océan. Je crois en Dieu, c'est ma conviction. Ou alors je suis un marxiste raté. J'ai toujours pensé que tôt ou tard leur Histoire engendrerait un type comme lui. Quel est votre niveau en sciences ? Nul ? C'est normal. Vous faites partie de la dernière génération de littéraires purs et durs. Si je vous demande ce que c'est que le taux de combustion, vous penserez sans doute que je fais allusion à la cuisson d'un gâteau.

— Sans doute, reconnut Barley riant malgré lui.

— Et CI ? Pas la moindre idée ?

— J'ai horreur des initiales. Désolé.

— Cercle d'Incertitude. Ça vous dit quelque chose ?

— C'est du chinois, lança sèchement Barley dans un de ses imprévisibles accès d'humeur.

— Recalibrer ? Qui ou quoi puis-je recalibrer, et à l'aide de quoi ?

Barley ne prit même pas la peine de répondre.

— Bon. Qu'est-ce que la Grosse Salope, GS pour les intimes ? Je pense que cela ne saurait offenser votre amour de la belle langue anglaise. Des jolis mots anglo-saxons...

Barley se contenta de hausser les épaules.

— La GS était la super-fusée soviétique SS9, expliqua Walter. Elle a été exhibée lors d'un défilé du 1er Mai aux temps lointains de la guerre froide. Elle avait des dimensions effarantes, et par la suite on lui a attribué une empreinte tristement célèbre. Pas d'idées là-dessus non plus ? Une empreinte ? Ce n'est pas grave. Vous apprendrez. En l'occurrence, il s'agissait de trois immenses cratères dans les étendues désertiques russes, qui correspondaient à la configuration du groupe de silos des missiles Minuteman avec son centre de contrôle. Le problème était de savoir si l'empreinte provenait d'ogives à cibles indépendantes, et si donc les Soviétiques pouvaient détruire trois silos américains d'un seul coup. Ceux qui refusaient d'y croire ne voyaient là que pure coïncidence. Ceux qui voulaient y croire allèrent jusqu'à prétendre que les ogives étaient destinées à détruire des villes et non des silos. Les pessimistes l'emportèrent et se virent accorder le feu vert pour le programme de missiles anti-balistiques. Que leur théorie ait été réfutée trois ans plus tard n'y change rien. Ils ont atteint leur but. Je vois que vous ne me suivez plus.

— Vous m'avez semé dès le départ, remarqua Barley.

— Mais il apprendra vite, c'est évident, déclara Walter à Ned d'un air satisfait, par-dessus la tête de Barley. Les éditeurs retombent toujours sur leurs trois pattes.

— Tout ce qu'on vous demande, c'est des renseignements. Quel mal à cela? protesta Ned d'un ton sincèrement dérouté. Je ne comprendrai jamais. On ne vous demande pas de les construire, ces foutues fusées, ni d'appuyer sur le bouton, mais seulement de nous aider à mieux connaître l'ennemi. Si vous êtes hostile au nucléaire, tant mieux. Et si l'ennemi se révèle être un ami, où est le problème?

— Je croyais qu'on en avait fini avec la guerre froide, dit Barley.

A quoi Ned, l'air réellement alarmé, marmonna « Mon Dieu, mon Dieu! »

Walter, lui, ne fit pas preuve de pareille retenue. Il se montra indigné, peut-être en toute sincérité. Son visage pouvait refléter n'importe quel sentiment sur commande, voire plusieurs en même temps.

— Tout ça c'est des clowneries politiques, et des amitiés trompeuses, lança-t-il, l'air méprisant. Nous voilà au cœur du plus grand affrontement idéologique de l'Histoire, et vous venez me dire que l'alerte est finie parce qu'une poignée d'hommes d'État jugent opportun de se serrer la main en public et d'envoyer à la casse quelques joujoux démodés? Le funeste empire est à terre, ben voyons! Son économie est catastrophique, son idéologie s'en va en fumée, et ses républiques lui explosent en pleine figure! Ne me dites pas que ce sont des raisons suffisantes pour déposer les armes, je n'en croirai pas un mot. C'est plutôt une bonne raison de les espionner vingt-cinq heures sur vingt-quatre, et de leur foutre un coup de pied au cul s'ils font mine de se relever. Dieu seul sait pour qui ils se prendront dans dix ans!

— Vous devez vous rendre compte qu'en laissant tomber Goethe vous le livrez aux Américains? fit remarquer Ned avec son sens pratique. Bob ne le laissera pas filer comme ça. Et il aura bien raison! Ne vous fiez pas à ses bonnes manières d'ancien de Yale. Et comment oserez-vous vous regarder en face après ça?

— Je n'ai pas envie de me regarder en face, rétorqua Barley. Ce n'est un cadeau pour personne.

Un nuage ardoisé flotta devant le soleil rougeoyant, avant de s'effilocher.

— Bon, résumons la situation, dit Ned. Je vais être brutal et sans courtoisie britannique, mais tant pis : Voulez-vous être un spectateur passif ou jouer un rôle actif dans la défense de votre pays ?

Barley méditait encore sa réponse lorsque Walter la lui fournit sur un ton définitif, excluant toute contradiction :

— Vous vivez dans une société libre. Donc vous n'avez pas le choix !

Le bruit s'amplifiait dans le port à mesure que montait la lumière du jour. Barley se leva lentement et se massa le bas du dos, juste au-dessus de la ceinture, où il semblait avoir un point douloureux en permanence, qui expliquait peut-être son allure déjetée.

— Au Moyen Age on vous aurait brûlés sur un bûcher, bande de vauriens, déclara-t-il d'un ton las.

Puis se tournant vers Ned, qu'il scruta à travers ses lunettes trop petites sur le bout de son nez :

— Je vous ai prévenu, je ne suis pas l'homme de la situation, et vous avez tort de m'embaucher.

— Aucun de nous ne l'est jamais. D'ailleurs, les situations sont toujours faussées au départ.

Barley traversa la pelouse, tapotant ses poches pour y trouver ses clés. Il s'engagea dans une rue transversale et disparut de leur champ de vision, discrètement suivi par Brock. Arrivé devant une maison en angle, plus étroite sur la façade qu'à l'arrière, Barley ouvrit la porte puis la referma derrière lui. Il appuya sur la minuterie et monta l'escalier d'un pas régulier, sachant qu'il n'était pas au bout de ses peines.

C'était une femme bien, à laquelle on ne pouvait rien reprocher. De toute façon, il avait toujours eu des femmes bien, qui se croyaient chargées d'une mission auprès de lui, comme jadis Hannah auprès de moi. En l'occurrence, le sauver, l'aider à se ressaisir, à canaliser ses nombreux talents dans une seule voie et prendre un nouveau départ qui lui ferait oublier tous les précédents. Barley l'y avait d'ailleurs encouragée, elle et toutes les autres. Il s'était tenu avec elles à son propre chevet, comme s'il faisait partie de l'équipe médicale : « Que peut-on faire pour aider ce pauvre vieux à se relever et à reprendre une vie normale ? » La seule différence, c'est qu'il n'avait jamais cru au remède, pas plus que moi.

Elle était allongée sur le ventre, épuisée, peut-être endormie. Elle avait nettoyé tout l'appartement comme les prisonniers leur cellule, ou comme la famille entretient les tombes de ses défunts : elle avait briqué la surface d'un monde qu'elle ne pouvait modifier. D'aucuns auraient pu faire remarquer à Barley qu'il était trop sévère avec lui-même, qu'il ne devait pas se sentir responsable pour les deux partenaires d'une relation en train de se détériorer. Ses femmes le lui disaient souvent, mais Barley n'en croyait rien. Il savait qu'il mettait une distance entre lui et le reste du monde. A cette époque, il était encore l'expert numéro un sur son mal incurable.

Il lui toucha l'épaule, mais elle ne bougea pas, d'où il conclut qu'elle ne dormait pas.

— J'ai dû aller à l'ambassade, expliqua-t-il. Il y a des gens à Londres qui veulent ma peau. Je suis obligé d'y retourner et de filer doux, sinon ils me retireront mon passeport.

Il sortit sa valise de sous le lit et entreprit d'y ranger les chemises qu'elle lui avait repassées.

— Tu avais dit que cette fois tu n'y retournerais plus, lui rappela-t-elle. Que tu n'avais plus d'obligations envers l'Angleterre. Tu avais payé ton dû.

— Ils m'ont réservé une place sur le premier vol. Je n'y peux rien. Une voiture vient me prendre dans quelques instants.

Il alla dans la salle de bains chercher sa brosse à dents et son nécessaire de rasage.

— Ils m'ont sorti le grand jeu, reprit-il. Je ne peux vraiment rien y faire.

— Et moi, je retourne chez mon mari.

— Tu n'as qu'à rester ici, dans l'appartement. Fais ce qui t'arrange. Je n'en ai que pour quelques semaines. Après je serai tranquille.

— Si tu ne m'avais pas dit tant de choses, ça serait plus simple maintenant. Je me serais contentée d'une liaison. Relis donc tes lettres, et souviens-toi de ce que tu m'as dit.

Penché sur sa valise, Barley évitait de la regarder.

— Tâche de ne pas refaire ce coup-là à une autre.

A bout de nerfs, elle se mit à sangloter. Elle sanglotait toujours quand il quitta l'appartement, et même le lendemain matin quand, sous un prétexte fallacieux, je lui tendis un formulaire en lui demandant de me révéler ce que Barley lui avait dit de l'opération. Absolument rien. Elle me raconta toute l'histoire en pleurant, mais le défendit farouchement. Hannah aurait agi de la même manière. Elle le fait d'ailleurs encore par un surcroît de fidélité, même si ses belles illusions se sont envolées.

Ned et son équipe de la Maison Russie disposaient seulement de trois semaines pour l'entraînement intensif de Barley : trois week-ends, plus quinze jours ouvrables qui ne commençaient qu'à partir de 17 heures, lorsque Barley s'échappait enfin de son bureau.

Mais Ned mena l'affaire rondement, comme lui seul en était capable. Il aurait volontiers mobilisé les instructeurs toute la nuit, et lui-même jour et nuit s'il avait pu. Malgré sa versatilité naturelle de chaque instant, Barley finit par se stabiliser et se composer un visage sérieux à mesure que le jour de son départ approchait. Souvent il semblait saisir d'emblée toute l'éthique de notre profession. Après tout, déclara-t-il un jour à Walter, l'apparence n'était-elle pas la seule réalité de l'être ? Mais comment donc ! s'écria Walter, ravi. Et pas seulement dans notre métier ! La personnalité d'un être n'était-elle pas une simple couverture ? renchérit Barley. Et le seul monde où il faisait bon vivre n'était-il pas notre monde secret ? Walter lui donna raison, et lui conseilla d'y élire domicile avant que les prix n'augmentent.

Walter avait plu à Barley dès l'abord, à cause d'une certaine fragilité en lui et, je le comprends aujourd'hui, de la précarité de sa destinée. Depuis le premier jour, Barley avait sans doute eu l'impression de tenir la main d'un homme condamné à la casse. Parfois, curieusement, le visage de Barley semblait une tombe béante. Mais Barley n'aurait pas été Barley sans ces humeurs changeantes.

Il fut surtout séduit par l'atmosphère familiale que Ned entretenait soigneusement, grâce à sa compréhension intuitive du *Joe* encore dépaysé : les joyeux bavardages autour des repas, l'esprit de communauté, le sentiment d'être l'enfant prodige de la famille, et les parties d'échecs contre ce vieux Palfrey, que Ned avait astucieusement rapproché de Barley pour contrebalancer la fâcheuse instabilité de Walter.

« Venez nous voir quand vous en aurez envie », m'avait dit Ned avec une petite tape amicale.

116

C'est ainsi que je devins « ce vieux Harry » pour Barley. « Harry, mon vieux, si on faisait une partie d'échecs, nom de Dieu ! Harry, mon vieux, pourquoi ne restez-vous pas pour dîner ? Harry, où est donc votre verre, mon vieux ? »

Ned invitait rarement Bob, et jamais Clive. Il tenait à rester maître de la situation, maître de *son Joe*, et veillait à éviter tout sujet d'irritation pour Barley.

Ned avait choisi comme planque une charmante maison édouardienne dans Knightsbridge, quartier de Londres où Barley n'avait pas de relations. Clive trouva le prix exorbitant, mais dans la mesure où les Américains payaient, sa critique était déplacée. La maison se trouvait dans un cul-de-sac à moins de cinq minutes à pied du grand magasin Harrods, et je l'avais louée au nom du Groupe de Recherches et d'Activités Éthiques, association charitable dont j'avais déposé la raison sociale des années auparavant en prévision d'une semblable occasion. Miss Coad, brave gouvernante appartenant au Service, s'en vit confier l'entretien, après que je lui eus fait signer sous serment son engagement dans l'opération Bluebird. La chambre d'enfants du dernier étage fut convertie en petite salle de réunions, et truffée de micros espions comme toutes les autres pièces, confortables et élégamment meublées.

— Ce sera votre résidence secondaire pour la durée de l'opération, dit Ned à Barley en lui faisant visiter les lieux. Voici votre chambre, si vous désirez vous en servir, et votre clé. Utilisez le téléphone à votre guise, mais je dois vous prévenir que nous serons à l'écoute. Alors, s'il s'agit de conversations personnelles, je vous conseille d'appeler de la cabine d'en face.

Par mesure de précaution, j'avais obtenu du ministère de l'Intérieur l'autorisation de mettre également sur écoute ladite cabine, l'intérêt intense des Américains me servant d'argument de poids.

Comme Barley et moi-même n'avions guère besoin de sommeil, nous faisions des parties d'échecs quand les autres dormaient. C'était un adversaire impulsif, souvent brillant, mais j'ai un don de prévision qui lui faisait défaut, et je connaissais mieux ses points faibles que lui les miens. Après tout, j'avais étudié son dossier. Pourtant, je me souviens encore de certaines parties où il devinait ma tactique en un clin d'œil, et où en trois ou quatre coups accompagnés d'un bel éclat de rire il m'obligeait à abandonner.

— Je vous ai eu, Harry... Ça vous ennuie, hein ? Allez, sortez votre mouchoir.

Mais quand nous remettions les pièces en place, je sentais sa patience s'émousser. Alors il se levait, faisait les cent pas en gesticulant, et laissait son esprit vagabonder.

— Vous êtes marié, Harry ?

— De loin.

— Ce qui veut dire ?

— Ma femme vit à la campagne. J'habite en ville.

— Ça fait longtemps ?

— Une éternité, répliquai-je négligemment, regrettant aussitôt ma réponse.

— Et vous l'aimez ?

— Mon cher ami, quelle question ! De loin, disons. Oui, ajoutai-je à contrecœur, voyant qu'il attendait une réponse précise.

— Et elle ?

— Oui, j'imagine. Cela fait assez longtemps que je ne le lui ai pas demandé.

— Des gosses ?

— Un garçon. La trentaine.

— Vous le voyez de temps en temps ?

— Aux enterrements et aux mariages. Et il m'envoie une carte à Noël. Nous nous entendons bien, à notre manière.

— Que fait-il ?

— Il a tâté du droit. Maintenant il fait de l'argent.

— Il est heureux ?

Je sentais la colère m'envahir, ce qui aujourd'hui ne m'arrive plus guère. Le bonheur, l'amour, leur sens et leur valeur ne le regardaient pas. Après tout ce n'était qu'un *Joe*. Moi, j'avais le droit de le connaître, pas lui. Mais c'était inhabituel chez moi de laisser paraître ma colère, et j'ai pourtant dû le faire car j'ai remarqué qu'il me regardait avec une sincère inquiétude, se demandant sûrement s'il n'avait pas malencontreusement mis le doigt sur quelque drame familial. Il rougit et me tourna le dos, cherchant une diversion bienvenue pour nous deux.

— On ne peut pas dire qu'il soit réfractaire, monsieur, expliqua à Ned un certain M. Candyman, spécialiste des nouveautés dans les micros de contact. Ce n'est sûrement pas un espion-né, mais au moins il écoute ce qu'on lui dit, et il a une mémoire stupéfiante.

— C'est un vrai gentleman, monsieur Ned, comme je les aime,

confia une de nos guetteuses chargée d'inculquer à Barley les rudiments de la filature. Il est très intelligent et il a le sens de l'humour, ce qui de mon point de vue fait presque l'étoffe d'un espion.

Par la suite elle reconnut qu'elle avait dû refuser ses avances pour se conformer au règlement du Service, mais qu'il lui avait fait découvrir avec bonheur l'œuvre de Scott Fitzgerald.

— Tout ça, c'est de la foutaise ! dit Barley d'une voix rauque à la fin d'une épuisante séance sur les diverses techniques d'écriture secrète, qui semblaient néanmoins beaucoup l'amuser.

A mesure que le jour de vérité approchait, il faisait preuve d'une soumission croissante. Même lorsque je vins accompagné du comptable du Service, un type sinistre nommé Christopher, qui avait consacré cinq jours à vérifier les registres d'Abercrombie & Blair, Barley ne montra pas l'hostilité à laquelle je m'attendais.

— On sait bien que tous ces enfoirés d'éditeurs sont fauchés, mon vieux Chris, s'écria-t-il en arpentant l'élégant salon à longues enjambées souples au rythme de ses propres commentaires, tenant son verre de whisky loin de lui. Les grosses légumes comme Jumbo ne nous laissent que les rogatons. Vous zâfez fos méthodes, et nous zâfons les nôtres, conclut-il, imitant l'accent allemand.

Mais ni Ned ni moi n'avions cure de ces enfoirés d'éditeurs, pas plus que Chris d'ailleurs. Seule nous importait l'opération en cours, et notre hantise était que Barley ne fasse faillite en plein milieu et ne gâche tout.

— Mais je ne veux pas d'une putain de conseiller littéraire ! explosa Barley en agitant d'un geste menaçant ses lunettes fatiguées. Je ne peux pas m'offrir une putain de conseiller. Mes saintes tantes d'Ely feraient une jaunisse si j'engageais une putain de conseiller.

En fait, j'avais déjà soudoyé les chères tantes. Lors d'un déjeuner chez Rules, j'avais fait une cour pressante à lady Pandora Weir-Scott, que Barley avait baptisée la Vache Sacrée, en référence à ses profondes croyances anglicanes. Me faisant passer pour un grand ponte du Foreign Office, je lui avais expliqué sous le sceau du secret que la firme Abercrombie & Blair allait bénéficier d'une donation Rockefeller en dessous-de-table pour la promotion des relations culturelles anglo-soviétiques. Mais chut !, pas un mot, sinon l'argent serait aussitôt repris et accordé à une autre maison d'édition également méritante.

— Mais je suis plus méritante que n'importe qui dans ce métier, nom d'une pipe ! avait décrété lady Pandora, s'acharnant, coudes écartés, sur les dernières miettes de son homard. Essayez donc de diriger Ammerford avec trente mille livres par an!

Je lui demandai insidieusement si je pouvais en parler à son neveu en toute sécurité.

— Gardez-vous-en bien, surtout. Je m'en charge. Il ne connaît rien aux affaires, et ne sait même pas mentir.

La nécessité d'adjoindre un ange gardien à Barley se révéla dès lors urgente.

— Vous avez passé une petite annonce, expliqua Ned à Barley en brandissant sous son nez une coupure d'un numéro récent d'un journal culturel :

Vieille maison d'édition anglaise cherche lecteur russe qualifié pour poste de conseiller littéraire. 25-45 ans. Fiction et technique. Envoyer CV.

Le lendemain après-midi, Leonard Carl Wicklow se présenta pour un entretien à la maison Abercrombie & Blair de Norfolk Street dans le Strand, maintes fois hypothéquée.

— J'ai un ange qui vous demande, monsieur Barley, cria la voix avinée de Mrs. Dunbar par l'antique interphone. Dois-je lui dire de voler vous voir ?

Un ange avec des pinces à bicyclette et une sacoche de toile en bandoulière. Un haut front angélique, il est vrai, sans la moindre ride soucieuse, des cheveux blonds frisés de séraphin, des yeux bleus qui ignoraient le mal. Un nez d'ange, mais tellement de travers qu'on avait l'irrésistible envie de le prendre et de le remettre en place. Posez-lui les questions habituelles, avait dit Ned à Barley. Leonard Carl Wicklow, né en 1964 à Brighton, licencié avec mention, Institut d'études slaves et d'Europe de l'Est, Université de Londres.

— Ah oui, c'est vous. Parfait. Asseyez-vous, grommela Barley. Qu'est-ce qui peut bien vous attirer dans l'édition ? C'est un métier pourri.

Il avait déjeuné avec l'une de ses romancières les plus caractérielles, et n'était pas encore remis de cette épreuve.

— Oh, c'est une idée qui me branche depuis des années, monsieur, répondit Wicklow avec un sourire d'enthousiasme angélique.

— Eh bien, si vous venez chez nous, ça ne va sûrement pas vous

120

« brancher », l'avertit Barley se hérissant devant cet outrage fait à la langue. L'idée peut vous intéresser, vous captiver, voire vous hanter, mais elle ne vous « branchera » pas, en tout cas, pas tant que je resterai aux commandes.

— Je ne sais pas si cet imbécile montre les dents ou fait patte de velours, confia-t-il à Ned d'un ton agressif ce même soir à Knightsbridge, tandis que nous montions ensemble l'étroit escalier pour notre rendez-vous nocturne avec Walter.

— Il fait très bien les deux, répondit Ned.

Les séminaires de Walter fascinaient Barley. Succès complet à chaque fois. Barley avait un faible pour les gens fragiles dont la vie ne tenait qu'à un fil, et Walter semblait en équilibre au bord d'un gouffre dès qu'il se levait de son siège. Ils parlaient boutique, ils parlaient de casuistique nucléaire, et de l'abomination de la science en URSS, dont Bluebird, quelle que fût son identité, était l'impuissant légataire. Walter était un instructeur bien trop malin pour dévoiler le sujet réel, et Barley bien trop fasciné pour le lui demander.

— Le contrôle, par exemple! lançait avec indignation Walter en parfait Faucon. Honnêtement, êtes-vous vraiment incapable de faire la différence entre le contrôle et le désarmement, pauvre imbécile? Désamorcer la crise mondiale, dites-vous? Ce sont des sornettes du *Guardian*, ça! Nos dirigeants adorent les crises. Ils se repaissent des crises. Ils passent leur vie à scruter le globe en quête de crises qui leur permettraient de défouler un peu leur libido en perte de vitesse!

Et Barley, bien loin de s'offenser, s'avançait sur le bord de son siège, l'air passionné, grognait d'aise, applaudissait et en redemandait. Il aiguillonnait Walter, se levait d'un bond, arpentait la pièce en criant : « Mais enfin, attendez un peu, nom de Dieu, enfin tout de même! ». Il avait la mémoire et les qualifications, comme l'avait pressenti Walter. Et son inculture scientifique avait cédé à la première attaque, lorsque Walter avait fait son cours préliminaire sur l'équilibre de la terreur, qu'il avait réussi à transformer en un inventaire complet des folies meurtrières du genre humain.

— C'est sans issue, annonça-t-il avec satisfaction. Et l'utopie n'apportera pas la solution. Le diable ne rentrera pas tout seul dans sa boîte, l'affrontement ne cessera jamais, l'étau se resserre et les joujoux meurtriers deviennent plus sophistiqués à chaque génération. Il n'existe aucune mesure de sécurité, ni d'un côté ni de l'autre. Ni pour les gros joueurs, ni pour les sales petits nouveaux venus avec leur bombinette en poche, qui deviennent membres du club. Bien sûr, on en a assez de croire tout cela parce qu'on est humains. On peut même se persuader que la menace a disparu. Mais c'est faux. Elle planera toujours. Toujours. Toujours.

— Alors qui nous sauvera, Walt? demanda Barley. Vous et Nedski?

— Si quelque chose peut nous sauver, ce dont je doute, ce sera la vanité, répliqua Walter. Aucun chef d'État ne souhaite passer à la postérité comme étant le taré qui a anéanti son pays en un après-midi. Et puis la trouille, peut-être. Dieu soit loué! la plupart de nos beaux politiciens ont une aversion narcissique pour l'auto-destruction.

— Sinon, aucun espoir?

— Aucun pour l'homme sans croyance, répliqua Walter avec un certain plaisir, car plus d'une fois il avait sérieusement envisagé d'entrer dans les ordres plutôt que dans le Service.

— Bon, alors, qu'est-ce que Goethe essaie de faire? demanda Barley avec une pointe d'exaspération lors d'une autre séance.

— Oh, il veut sauver le monde, sûrement, comme nous aimerions tous le faire.

— Mais comment? C'est quoi, son message?

— C'est à vous de le découvrir, non?

— Que nous a-t-il confié jusque-là? Pourquoi ne me dit-on rien?

— Mon cher ami, ne soyez pas aussi naïf! s'écria Walter avec humeur.

— Vous savez déjà tout ce que vous devez savoir, intervint aussitôt Ned d'un ton ferme et apaisant. Vous êtes le messager. On vous prépare à ce rôle, et c'est ce que lui attend de vous. Il nous a confié que tout ne tourne pas rond en URSS. Il a brossé un tableau des défaillances diverses à tous les échelons, inexactitude, incompétence, mauvaise gestion et, pour couronner le tout, falsification des résultats des tests envoyés à Moscou. C'est peut-être vrai, mais il peut aussi avoir tout inventé, lui ou quelqu'un d'autre. C'est une affaire bien déroutante de toute façon.

— Mais est-ce que nous, dans le Service, on y croit? s'entêta Barley.

122

– Je ne vous répondrai pas.

– Pourquoi ?

– Parce que soumis à un interrogatoire, n'importe qui parle. Les héros n'existent plus. Vous parleriez, je parlerais, Walter parlerait, Goethe parlerait, la fille parlerait. Donc si on vous dit ce que l'on sait d'eux, on risque de compromettre nos chances de les espionner. Connaît-on des secrets précis les concernant ? Si la réponse est non, alors ils sauront qu'il nous manque la logistique, l'équipement, la formule, ou la station locale supersecrète pour les découvrir. Et si la réponse est oui, ils prendront des contre-mesures adéquates pour que nous ne puissions plus les espionner et les écouter par ce procédé.

Barley et moi faisions une partie d'échecs.

– Alors vous pensez que le mariage ne peut marcher que si on est séparés ? me demanda-t-il, reprenant notre conversation antérieure où elle en était restée.

– J'en suis certain pour l'amour en tout cas, répondis-je avec un haussement d'épaules exagéré, puis je passai aussitôt à un sujet moins personnel.

Pour le dernier soir de Barley dans cette maison, Miss Coad avait préparé une truite saumonée, et astiqué l'argenterie. Bob apporta un whisky au malt très rare et deux bouteilles de sancerre. Mais ces réjouissances n'arrachèrent pas Barley à son humeur introspective. Seul le fougueux sermon final de Walter réussit à le sortir de son marasme.

– La clé de l'énigme, c'est le pourquoi, s'écria Walter, son étrange voix de fausset s'envolant aux quatre coins de la pièce tandis qu'il buvait distraitement dans mon verre de sancerre. C'est ce que nous cherchons à savoir. Pas le contenu, mais le motif. *Pourquoi ?* Si le motif nous semble crédible, nous pourrons faire confiance à cet homme, et en conséquence, à ses documents. Au début ne fut pas le Verbe, ni l'acte, ni cet imbécile de serpent. Au début fut la question : pourquoi ? Pourquoi a-t-elle cueilli la pomme ? Par ennui ? Par curiosité ? L'avait-on payée pour ce faire ? Adam l'y a-t-il poussée ? Et sinon, quelqu'un d'autre ? Le diable sert toujours d'alibi aux femmes. Oublions-le. Est-ce qu'elle servait de prête-nom à quelqu'un ? C'est trop facile de dire : « Parce que la pomme était là... ». Ça passe pour le mont Everest, à la rigueur pour le Paradis. Mais ça n'est certainement pas une raison suffisante pour Goethe, ni pour nous, et encore moins pour nos distingués alliés américains, n'est-ce pas, Bobby ?

Et comme nous éclations de rire, il ferma les yeux et reprit un ton au-dessus :

– Prenez par exemple la ravissante Katia. Pourquoi Goethe l'a-t-il choisie, elle ? Pourquoi met-il la vie de cette jeune femme en danger ? Et pourquoi accepte-t-elle ? Nous l'ignorons. Mais il faut que nous le sachions. Nous devons obtenir tous les renseignements possibles sur elle, car dans notre profession, les messagers sont le message. Si Goethe est sincère, la tête de cette jeune femme est déjà sur le billot. C'est certain. S'il ne l'est pas, quel jeu joue-t-elle ? A-t-elle inventé les documents de toutes pièces ? Est-elle réellement en contact avec lui ? Ou avec quelqu'un d'autre ? Et qui ? Et puis, il y a vous, mon cher, fit-il en pointant un index indolent vers Barley. Est-ce que Goethe vous prend pour un espion ? Lui a-t-on dit que vous en étiez un ? Jouez la fourmi. Entassez toutes les provisions que vous pourrez récolter. Et que Dieu vous bénisse, ainsi que tous ceux qui sont embarqués sur le même bateau.

Je me remplis discrètement un autre verre, et nous bûmes. Je me souviens que dans ce calme profond nous entendîmes distinctement le carillon de Big Ben s'égrener au fil de la Tamise, depuis Westminster.

Ce fut seulement très tôt le lendemain matin, à quelques heures de son départ, que Barley eut le droit de jeter un bref coup d'œil sur les documents qu'il avait si énergiquement réclamés à Lisbonne – les carnets de Goethe, reproduits en fac-similé à Langley sous le sceau du secret le plus absolu, jusqu'aux couvertures en épais carton russe, ornées de dessins en lignes brisées de joyeux écoliers soviétiques.

Barley les prit religieusement dans ses mains, et se métamorphosa instantanément sous nos yeux en éditeur averti. Il ouvrit le premier carnet, en examina la nervure, en jaugea le poids, le feuilleta jusqu'à la fin, comme s'il estimait le temps qu'il mettrait à le lire. Il prit le deuxième, l'ouvrit au hasard et, voyant l'écriture en pattes de mouche, fit une grimace exprimant clairement son regret que les lignes fussent aussi serrées et rédigées à la main.

Après quoi il procéda à un survol des trois carnets à la file, pas-

124

sant d'un air intrigué des illustrations au texte, du texte aux débordements littéraires, la tête rigide, rejetée en arrière et légèrement de côté, apparemment résolu à réserver son jugement.

Mais je remarquai, lorsqu'il leva enfin les yeux, que son regard était ailleurs, et semblait fixé sur une lointaine montagne connue de lui seul.

Une perquisition de routine menée par Ned et Brock dans l'appartement de Barley à Hampstead après son départ ne nous donna aucun indice tangible quant à son état d'esprit. Un vieux calepin où il jetait des idées fut découvert au milieu du fouillis de son bureau. Ses dernières notes semblaient récentes, la plus adaptée aux circonstances étant sans doute deux vers qu'il avait empruntés à l'œuvre tardive de Stevie Smith.

> *La nuit obscure me fait moins peur*
> *Que les amis de dernière heure.*

Ned la classa consciencieusement dans le dossier, mais se refusa à en tirer la moindre conclusion. Quel *Joe* n'éprouvait pas les jetons à la veille de sa première mission !

Au dos d'une vieille facture dans la corbeille, Brock trouva une citation dont il identifia par la suite l'auteur : Roethke, et qu'il nous rapporta seulement des semaines plus tard, sans que nous sachions pourquoi.

> *J'apprends où je dois aller en y allant.*

6.

Katia se réveilla en sursaut avec la prescience, du moins s'en persuada-t-elle après coup, que c'était aujourd'hui le jour J. Il y avait encore en cette jeune femme soviétique, pourtant émancipée, des superstitions bien ancrées.

« C'était écrit », se dit-elle par la suite.

Par-delà les rideaux élimés, un soleil blafard éclairait les esplanades cimentées de ce faubourg nord de Moscou. Tout alentour, les immeubles de brique délabrés, aux fenêtres desquels séchait du linge, se dressaient tels des géants roses dans un ciel sans nuage.

C'est lundi, songea-t-elle. Je suis dans mon lit. Je me suis enfin échappée de cette rue. Elle repensait à son rêve.

Elle resta un moment immobile, tout occupée de son monde intérieur, et cherchant à chasser ses idées noires, mais en vain. Alors, avec son impétuosité habituelle, elle sauta du lit et se faufila habilement entre le linge qui séchait et l'équipement vétuste de la salle de bains, pour prendre sa douche.

Comme Landau l'avait remarqué, elle était belle. Grande, avec des formes pleines mais sans excès, la taille bien dessinée, les jambes musclées. Sa luxuriante chevelure noire lui donnait un air de sauvageonne lorsqu'elle n'était pas d'humeur à la discipliner. Son visage malicieux et intelligent semblait prêter vie aux choses qui l'entouraient. Qu'elle fût vêtue ou non, chacun de ses gestes était la grâce même.

Ayant fini de se doucher, elle ferma les robinets à fond et leur assena un ultime coup de maillet en bois, l'air de dire : « Et vlan! Prenez ça! ». Tout en chantonnant elle prit le miroir à main et

126

alla s'habiller dans sa chambre. Cette rue, de nouveau. Mais où donc ? A Leningrad, à Moscou ? L'eau de la douche n'avait pas lavé le souvenir de son rêve.

Sa chambre, quasiment une alcôve abritant un lit et un placard, était la plus exiguë des trois pièces de son minuscule appartement. Mais Katia avait l'habitude du manque d'espace, et ses gestes rapides pour se brosser les cheveux, les enrouler et les relever en chignon avant d'aller au bureau avaient une légèreté naturellement sensuelle. Elle aurait dû avoir un appartement encore plus petit si son travail ne l'avait fait bénéficier de vingt mètres carrés supplémentaires. L'oncle Matveï, qu'elle logeait, lui en avait valu neuf de plus. Les jumeaux et sa propre ingéniosité justifiaient le reste. Katia n'avait donc rien à reprocher à son appartement.

Cette rue se trouve peut-être à Kiev, songeait-elle, se rappelant une récente visite dans cette ville. Non. Les rues de Kiev sont larges ; celle-là était étroite.

Tandis qu'elle s'habillait, l'immeuble commença de s'éveiller, et Katia nota la rassurante succession des rites quotidiens du monde réel.

D'abord le réveil des Goglidze sonna 6 h 30 à travers la cloison, accompagné par les hurlements de leur barzoï déchaîné qui voulait sortir. Les pauvres Goglidze, il faut que je leur fasse un cadeau, se dit-elle. Le mois dernier, Natacha avait perdu sa mère, et vendredi on avait emmené d'urgence à l'hôpital le père d'Otar, atteint d'une tumeur au cerveau. Je leur offrirai du miel, décidat-elle, et au même instant elle sourit tristement au souvenir d'un ex-amant, un peintre refusnik qui, contre toutes les lois de la nature, élevait illégalement un essaim d'abeilles sur un toit près de l'Arbat. D'après les amis de Katia, il s'était conduit avec elle d'une manière scandaleuse. Mais elle lui trouvait toujours des excuses. C'était un artiste, après tout, voire un génie. Un excellent amant, aussi, qui la faisait rire entre ses crises de fureur. Elle l'avait aimé essentiellement parce qu'il avait réussi l'impossible.

Puis lui parvinrent les pleurnicheries du bébé des Volkhov qui perçait ses dents, et quelques instants plus tard, à travers le plancher, le vacarme de leur nouvelle chaîne stéréo japonaise martelant le dernier rock américain. Comment font-ils pour s'offrir de tels luxes ? se demanda Katia dans un élan d'empathie. Elisabeth toujours enceinte et Sacha avec seulement cent soixante roubles par mois... Après les Volkhov vint le tour des Karpov, des gens toujours maussades, qui eux n'écoutaient que radio Moscou. Une semaine auparavant, leur balcon s'était effondré, tuant un policier et un chien. Les petits malins de l'immeuble avaient proposé de faire une collecte pour le chien.

Katia se préparait maintenant à jouer son rôle de pourvoyeuse. Le lundi, il était parfois possible d'acheter des poulets et des légumes frais apportés clandestinement de la campagne pendant le week-end. Un cousin de son amie Tania servait d'intermédiaire à de petits exploitants. Appeler Tania.

Cette idée lui rappela les billets pour le concert. Sa décision était prise. Dès son arrivée au bureau, elle accepterait les billets pour le Philharmonique que lui avait promis l'éditeur Barzine afin de se faire pardonner ses avances d'ivrogne à la soirée de la fête du Travail, qu'elle n'avait même pas remarquées. Mais Barzine trouvait toujours une bonne raison de se tourmenter, et pourquoi le priverait-elle de ses remords, surtout s'ils se traduisaient par des places de concert?

Après avoir fait ses courses à l'heure du déjeuner, elle donnerait les billets au portier Morozov, qui lui avait promis vingt-quatre savonnettes importées enveloppées dans du papier fantaisie. Avec le savon de luxe, elle achèterait la coupe de tissu à carreaux verts en pure laine que le gérant du magasin d'habillement lui avait mise de côté pour une raison qu'elle préférait ignorer. Dans la soirée, après la réception en l'honneur des Hongrois, elle confierait le tissu à Olga Stanislavski, qui en échange de certains services à débattre en ferait deux chemises de cow-boy sur sa machine à coudre est-allemande récemment troquée contre sa vieille Singer familiale. Juste à temps pour l'anniversaire des jumeaux. Il resterait peut-être même assez de tissu pour leur obtenir un contrôle dentaire dans un cabinet privé.

Et voilà. Adieu, le concert.

Le téléphone se trouvait dans le salon, où couchait l'oncle Matveï. Un téléphone rouge, de luxe, fabriqué en Pologne, que Volodia avait rapporté en fraude de son usine. Il avait eu la délicatesse de ne pas le reprendre quand il avait quitté Katia. Elle passa sur la pointe des pieds près de Matveï endormi, lui adressant un regard affectueux. Matveï était le frère préféré du père de Katia. Elle tira le long câble du téléphone jusqu'à sa chambre, de l'autre côté du couloir, posa l'appareil sur son lit et composa le début d'un numéro avant même d'avoir décidé à qui elle allait parler en premier.

Pendant vingt minutes elle téléphona à ses amis, échangeant des petites nouvelles, cherchant généralement à savoir où se procurer telle ou telle chose, et abordant parfois des sujets plus intimes. A deux reprises, au moment où elle reposait le combiné, la sonnerie retentit. Alexandra avait trouvé fabuleux le réalisateur du dernier film tchèque, qui était chez Zoïa la veille, et aujourd'hui elle allait tenter sa chance, lui téléphoner. Mais quel prétexte trouver ? Katia se creusa la cervelle et lui fit une suggestion : trois sculpteurs d'avant-garde, interdits jusqu'à maintenant, exposaient dans les locaux du syndicat des cheminots. Pourquoi ne pas l'inviter à l'y accompagner ? Alexandra se montra ravie. Katia avait toujours des idées géniales.

On peut acheter du bœuf au marché noir tous les jeudis soir à l'arrière d'un camion réfrigérant sur la route de Cheremetievo, lui raconta Liouba : demande un Tartare nommé Yan, mais ne le laisse pas s'approcher de toi ! Des ananas cubains sont en vente dans une boutique derrière la rue Kropotkine, lui apprit Olga : glisse le nom de Dimitri et paye le double de ce qu'ils demandent.

Sa série de coups de fil terminée, Katia s'aperçut qu'elle était tracassée par le livre américain sur le désarmement, avec une couverture bleue ornée de lettres romaines, que lui avait prêté Nazayan, le nouveau responsable du catalogue « essais » chez Octobre. Personne ne l'aimait, personne ne comprenait comment il avait obtenu ce poste. Mais il fut vite remarqué qu'il gardait sur lui la clé de l'unique photocopieuse, ce qui le plaçait à coup sûr dans les rangs inquiétants des officiels. Chez Katia, les étagères se trouvaient dans le couloir, surchargées de livres du plancher au plafond. Elle se mit à la recherche du livre, voulant se débarrasser de ce cheval de Troie que Nazayan avait introduit chez elle.

– Quelqu'un va le traduire, j'imagine ? lui avait-elle demandé sèchement un jour où il traînait dans son bureau, louchant sur son courrier, et compulsant la pile de manuscrits en lecture. C'est pour cela que vous voulez que je le lise ?

– J'ai pensé que cela vous intéresserait, avait-il répondu. Vous êtes mère de famille, et libérale, pour autant que ce mot ait un sens. Vous êtes montée sur vos grands chevaux à propos de Tchernobyl, des fleuves et des Arméniens. Mais si vous ne voulez pas emprunter ce livre, c'est votre droit.

Elle retrouva le maudit ouvrage coincé entre Hugh Walpole et Thomas Hardy, l'enveloppa dans un journal et le fourra dans son filet, qu'elle accrocha à la poignée de la porte d'entrée car ces temps-ci elle pouvait aussi bien se souvenir de tout que tout oublier.

Cette poignée de porte que nous avions achetée ensemble aux puces! songea-t-elle dans un soudain élan de tendresse. Volodia, mon cher et insupportable mari, condamné à nourrir ta nostalgie du passé dans l'atmosphère fétide d'un appartement communautaire avec cinq autres célibataires malgré eux. Mon pauvre!

Elle arrosa rapidement ses plantes puis alla réveiller les jumeaux, qui dormaient tête-bêche dans le même petit lit. Katia se pencha pour les regarder avec adoration, n'ayant pas le cœur de les secouer tout de suite. Puis elle sourit, pour qu'ils aient cette vision d'elle en ouvrant les yeux.

Elle se consacra ensuite à eux pendant une heure, comme chaque jour. Elle fit cuire leur *kacha*, leur pela des oranges, et chanta des chansons idiotes avec eux, terminant par leur air préféré, la « Marche des enthousiastes », qu'ils reprirent à l'unisson, le menton collé à la poitrine, tels des héros de la Révolution, ignorant, contrairement à Katia qui s'en amusait beaucoup à chaque fois, que l'air était celui d'une marche nazie. Pendant qu'ils buvaient leur thé, elle empaqueta leur déjeuner : du pain blanc pour Sergueï, du pain noir pour Anna, et un beignet à la viande chacun. Puis elle boutonna le col de Sergueï, arrangea le foulard rouge d'Anna, et les embrassa tous les deux avant de leur brosser une dernière fois les cheveux, car le directeur de l'école était un panslaviste pour lequel la bonne tenue était un hommage rendu à l'État.

Après quoi, elle s'accroupit et étreignit les jumeaux, comme tous les lundis depuis un mois.

— Bon. Que faites-vous si maman ne rentre pas un soir, parce qu'elle a été obligée de courir à une conférence, ou de rendre visite à un ami malade? demanda-t-elle d'un ton léger.

— Je téléphone à papa et je lui dis de venir ici, répondit Sergueï se dégageant des bras de sa mère.

— Et moi je prends soin de l'oncle Matveï, ajouta Anna.

— Et si papa n'est pas là lui non plus, que faites-vous?

Ils gloussèrent en chœur, Sergueï parce que l'idée l'inquiétait, et Anna parce que la perspective d'un drame l'excitait.

— On va chez tante Olga, s'écria Anna. Et on remonte le canari mécanique pour qu'il chante!

— Et quel est le numéro de téléphone de tante Olga ? Vous pouvez me le chanter, comme le coucou ?

Ce qu'ils firent, riant aux éclats tous les trois. Les jumeaux riaient encore en descendant bruyamment les premiers l'escalier malodorant qui servait de nid d'amour aux adolescents, de bar aux ivrognes, et apparemment de toilettes à tout le monde, eux exceptés. Ils sortirent à la lumière du soleil, tenant chacun Katia par la main, et traversèrent le parc jusqu'à l'école.

— Quel est le but objectif de votre vie aujourd'hui, camarade ? demanda Katia à Serguéï avec une feinte sévérité, en lui redressant son col une fois de plus.

— Servir le peuple et le Parti de toutes mes forces.

— Et ?

— Et ne pas laisser Vitali Karpov me faucher mon déjeuner !

Toujours riant, les jumeaux montèrent seuls les marches en pierre, et Katia agita la main jusqu'à ce qu'ils aient disparu.

Dans le métro il lui sembla qu'elle voyait tout avec trop de netteté et de recul. Comme un observateur extérieur, elle remarqua l'air lugubre des passagers, et le fait qu'ils lisaient des journaux moscovites, chose impensable un an auparavant quand ceux-ci n'étaient bons qu'à servir de papier hygiénique, ou arrêter les courants d'air. Un autre jour, Katia aurait peut-être lu un journal elle aussi, ou un livre, ou bien un manuscrit pour son travail. Mais aujourd'hui, malgré ses efforts pour oublier son rêve ridicule, elle revivait trop d'instants différents en même temps. Elle préparait une soupe de poisson pour son père afin de se faire pardonner un caprice ; elle souffrait pendant une leçon de piano chez la vieille Tatiana Serguéïévna, qui la réprimandait pour son manque d'application ; elle courait dans la rue, incapable de se réveiller. Ou plutôt, la rue la poursuivait. Elle faillit rater son changement.

En arrivant au bureau, une construction prétendument moderne en bois écaillé et en béton suintant qui selon Katia eût mieux convenu à une piscine qu'à une maison d'édition d'État, elle fut surprise de voir des ouvriers armés de marteaux et de scies dans le vestibule. L'espace d'un instant elle eut l'impression terrifiante qu'ils construisaient un échafaud pour sa propre exécution publique.

— C'est notre subvention, expliqua de sa voix rauque le vieux Morozov, qui s'arrangeait toujours pour échanger quelques mots avec elle. L'argent nous a été accordé il y a six ans, et aujourd'hui, un bureaucrate a consenti à signer le bon pour travaux.

En Russie, les ascenseurs et les églises sont toujours en réfection, songea-t-elle. Elle emprunta l'escalier, se hâtant sans savoir pourquoi, en adressant au passage un joyeux « bonjour » à ceux dont le moral en avait besoin. En y repensant plus tard, elle se demanda si ce n'était pas son téléphone dans le lointain qui lui avait inconsciemment fait presser le pas, car la sonnerie retentissait désespérément comme elle entrait dans son bureau.

Katia saisit le combiné en disant « *Da?* » d'une voix essoufflée, mais regretta aussitôt d'avoir parlé si vite car elle entendit une voix masculine demander Mme Orlova en anglais.

— C'est elle-même, répondit-elle également en anglais.

— Madame Ekaterina Orlova?

— Qui êtes-vous, je vous prie? s'enquit-elle en souriant. Serait-ce lord Peter Wimsey? Qui est-ce?

Encore un de mes amis qui me fait une blague, se dit-elle. Ou le mari de Liouba, une fois de plus. Mais soudain elle se sentit la bouche sèche.

— Voilà. Vous ne me connaissez pas. Je m'appelle Scott Blair. Barley Scott Blair, des éditions Abercrombie & Blair à Londres. Je suis ici en voyage d'affaires. Nous avons un ami commun, il me semble, Niki Landau. Niki a beaucoup insisté pour que je vous appelle. Je suis ravi de vous parler.

— Moi de même, s'entendit-elle dire, se sentant soudain brûlante, et prise d'une douleur au creux de l'estomac.

Au même instant Nazayan entra, les mains dans les poches, pas rasé, sa manière à lui de jouer les intellectuels. La voyant au téléphone, il haussa les épaules et une moue de reproche se peignit sur son visage repoussant. Il souhaitait qu'elle raccroche.

— Bonjour, Katia Borissovna! lança-t-il d'un ton sarcastique.

Mais à l'autre bout du fil son interlocuteur avait repris le dialogue avec insistance. Une voix forte – celle d'un homme de haute stature, supposa-t-elle; une voix assurée – celle d'un homme fier, ce type d'Anglais qui porte des vêtements coûteux, n'a aucune culture, et marche les mains derrière le dos.

— Voici la raison de mon appel, disait-il. Niki vous a apparemment promis de chercher des éditions anciennes de Jane Austen, avec les gravures originales, exact?

Et sans lui laisser le temps de répondre, il enchaîna :

— J'en ai apporté deux, assez intéressantes je dois dire, et je voudrais savoir si on pourrait se rencontrer en un lieu qui nous arrangerait l'un et l'autre, pour que je vous les remette.

Las de lui adresser des regards furieux, Nazayan se mit à fouiller dans la corbeille d'arrivée, suivant sa bonne habitude.

— C'est très aimable à vous, dit-elle dans le combiné de sa voix la plus neutre.

Elle s'était composé un visage fermé, inexpressif et officiel pour Nazayan et, dans son propre intérêt, elle avait fermé son esprit.

— Niki vous envoie aussi une tonne de thé Jackson par mon intermédiaire, poursuivit la voix.

— Une tonne ? s'écria Katia. Que voulez-vous dire exactement ?

— Pour être franc, j'ignorais moi-même que Jackson avait toujours pignon sur rue. Dans le temps ils avaient une boutique superbe sur Piccadilly, à quelques maisons de chez Hatchard. Bref, j'ai trois sortes différentes de leur thé là, sous les yeux...

Il y eut un silence. Ça y est, ils l'ont arrêté, pensa-t-elle. Ce coup de fil n'a jamais eu lieu, c'est encore mon rêve. Que dois-je faire, mon Dieu ?

— ... Assam, Darjeeling et Orange Pekoe. Qu'est-ce que c'est donc du « pekoe » ? Pour moi, ce serait plutôt un oiseau exotique.

— Je l'ignore. J'imagine qu'il s'agit d'une plante.

— Et j'imagine que vous avez raison. Quoi qu'il en soit, il faut décider comment je vous remets le tout. Je vous l'apporte quelque part ? Ou pouvez-vous passer à l'hôtel prendre un verre, et nous ferions connaissance ?

Elle commençait à apprécier son verbiage, destiné à lui laisser le temps de se ressaisir. Elle se passa la main dans les cheveux, surprise de les trouver bien coiffés.

— Vous ne m'avez pas dit à quel hôtel vous étiez, lança-t-elle sèchement.

Nazayan tourna vivement la tête vers elle, en signe de désapprobation.

— Ma foi, c'est pourtant vrai. C'est idiot de ma part. Je suis à l'Odessa. Vous connaissez ? C'est au bout de la rue des anciens bains publics. J'aime beaucoup cet hôtel. Je demande toujours une chambre là, mais ça ne marche pas à chaque fois. Mes journées sont généralement prises par des réunions. C'est comme ça, les visites éclair. Mais mes soirées sont relativement libres. Donc si cela vous convient... pourquoi pas ce soir? Il ne faut jamais remettre au lendemain... Ça vous irait, ce soir?

Nazayan alluma une de ses immondes cigarettes, alors que tout le bureau savait que Katia détestait le tabac, et tira dessus en la tenant bien droite devant sa bouche efféminée. Katia lui adressa une grimace de dégoût qu'il ignora.

— Cela me convient tout à fait, répondit-elle de son ton le plus strict. Je dois aller ce soir à une réception officielle dans votre quartier. En l'honneur d'une délégation hongroise, ajouta-t-elle pour faire impression, sans bien savoir sur qui. Cette rencontre est prévue depuis des semaines.

— Parfait. Splendide. Quelle heure? 18 heures? 20 heures? Ce qui vous convient.

— La réception est à 18 heures. Je pourrais vous retrouver à... peut-être 20 h 15.

— « Peut-être 20 h 15 » sera parfait. Vous avez bien noté? Scott Blair. Scott comme celui de l'Antarctique et Blair comme le nez. Je suis grand et malingre, j'ai deux cents ans d'âge, et je porte des lunettes avec lesquelles je ne vois rien. Comme Niki m'a dit que vous étiez la réplique soviétique de la Vénus de Milo, je n'aurai pas de mal à vous reconnaître.

— C'est parfaitement ridicule, s'écria-t-elle sans pouvoir s'empêcher de rire.

— Je vous attendrai dans le hall de l'hôtel. Mais je vous donne quand même mon numéro de chambre, à tout hasard. Vous avez un crayon?

Elle le nota avant de raccrocher, et laissa alors libre cours aux sentiments contradictoires qui l'avaient envahie. Elle se tourna vers Nazayan, hors d'elle.

— Grigori Tigranovitch, quelle que soit votre fonction vous n'avez pas le droit de traîner dans mon bureau, de fouiner dans mon courrier et d'écouter mes conversations téléphoniques. Voici votre livre. Si vous avez quelque chose à me dire, repassez plus tard.

Elle prit le manuscrit d'une traduction sur les réalisations des coopératives agricoles à Cuba et le feuilleta de ses mains glacées, feignant d'en compter les pages. Au bout d'une heure elle téléphona à Nazayan.

— Je vous prie d'excuser ma colère, dit-elle. Un de mes proches amis est mort ce week-end. Je ne suis plus moi-même.

A l'heure du déjeuner elle avait déjà modifié ses projets. Morozov pouvait toujours attendre ses billets, le marchand ses savonnettes de luxe, et Olga Stanislavski son tissu. Katia marcha un peu, prit un bus de préférence à un taxi, marcha de nouveau, traversa une cour après l'autre jusqu'au pâté d'immeubles délabrés qu'elle cherchait, et enfila la ruelle qui le longeait.

« C'est le seul moyen de me joindre quand c'est urgent, avait-il dit. Le concierge est un de mes amis. Il ne saura même pas qui a fait le signal. »

Il faut croire en ce que l'on fait, se rappela-t-elle. Et j'y crois. Complètement.

Elle avait la carte postale à la main, un Rembrandt rapporté de l'Ermitage à Leningrad. « Amitiés à tous », disait l'auteur, qui signait « Alina » suivi d'un cœur dessiné.

Katia avait trouvé la rue. Elle la suivait. Et c'était la rue de son cauchemar. Elle sonna trois fois, puis glissa la carte sous la porte.

Un matin à Moscou, idéal, radieux, prometteur, un air sain de haute montagne, un jour où l'on pardonne tout. Après son coup de téléphone, Barley sortit de l'hôtel et se retrouva sur le trottoir ensoleillé. Il se décontracta les poignets, les épaules et le cou, puis ouvrit son esprit au flot de bruits et d'odeurs de la ville pour y noyer ses angoisses. Salut, la puanteur russe de l'essence, du tabac, des parfums à bon marché, de l'eau du fleuve! Encore deux jours, et je n'aurai même plus l'impression de vous respirer. Salut, les vagues irrégulières des voitures de banlieusards! Les camions marron pétaradants qui se poursuivent en rugissant au long des avenues défoncées, entre deux plages de silence. Salut, les limousines aux vitres fumées, les immeubles anonymes qui s'écroulent trop vite... Bureaux, caserne, école? Salut, les garçons au visage blafard qui attendent en fumant dans le renfoncement d'un porche, les chauffeurs qui attendent en lisant le journal au volant de leur voiture garée, et le groupe silencieux d'hommes en chapeau qui attendent, l'air solennel, devant une porte close.

Pourquoi cette ville m'a-t-elle toujours attiré? se demanda-t-il, conjuguant sa vie au passé selon une habitude récemment contractée. Pourquoi y suis-je toujours revenu? Il ne pouvait s'empêcher de se sentir de très bonne humeur. Il ignorait ce qu'est la peur.

Peut-être parce que ces gens font contre mauvaise fortune bon cœur, se répondit-il. Parce qu'ils savent mieux que nous vivre à la dure. Ou à cause du paradoxe entre leur amour pour l'anarchie et leur terreur du chaos.

Parce que Dieu s'est toujours trouvé de bonnes excuses pour ne pas venir ici.

A cause de leur ignorance généralisée qu'éclairent des étincelles de génie. A cause de leur sens de l'humour, aussi bon que le nôtre, et même meilleur.

Parce qu'il s'agit des derniers espaces à découvrir dans un monde trop exploré. Parce qu'ils essaient désespérément de nous imiter alors qu'ils ont tant de retard à rattraper.

Parce que c'est un cœur gigantesque qui bat à l'intérieur d'un gigantesque chaos. Parce que ce chaos, c'est le mien.

Je viendrai à « peut-être 20 h 15 », avait-elle dit. Qu'avait-il deviné dans cette voix ? Une certaine prudence ? Pour protéger qui ? Elle-même ? Lui ? Moi ? Dans notre profession, les messagers sont le message.

Tourne ton regard vers l'extérieur, se dit Barley. C'est le seul endroit sûr.

Du métro sortit un groupe d'adolescentes en robe de coton, et d'adolescents en blouson de jean, allant à leur travail ou à l'école, leur visage morose s'éclairant d'un rire pour un rien. Ayant repéré l'étranger, ils l'étudièrent d'un regard froid : ses lunettes rondes aux verres convexes, ses chaussures usées fabriquées main, son vieux complet d'impérialiste. A Moscou, en tout cas, Barley Blair respectait les convenances bourgeoises de l'habillement.

Il se laissa entraîner par le flot des passants, sans se soucier de savoir où il allait. Sa bonne humeur inébranlable contrastait avec l'air nerveux et inquiet des gens qui faisaient déjà la queue devant les magasins d'alimentation. Parmi la foule, les héros du travail et les vétérans de guerre vêtus de couleurs ternes, leur panoplie de médailles scintillant au soleil, semblaient éternellement en retard. Même leur oisiveté avait un air de protestation. Dans la nouvelle atmosphère, ne rien faire était en soi un acte d'opposition, car l'inaction n'entraîne pas le changement, et sans changement on s'accroche à ce que l'on connaît, même si ce sont les barreaux de sa propre prison.

A « peut-être 20 h 15 ».

En arrivant au large fleuve, Barley se sentit à nouveau une âme de badaud. Sur l'autre rive, les dômes de contes de fées du Kremlin se dressaient dans des cieux sans nuage. Une Jérusalem à la langue arrachée. Tant de tours, et si peu de cloches. Tant d'églises, et à peine une prière murmurée.

Entendant une voix près de lui, il se tourna vivement et vit un couple âgé, en habit du dimanche, qui lui demandait le chemin. Malgré sa mémoire infaillible, Barley ne connaissait que quelques mots de russe. C'était une musique qu'il avait souvent écoutée, sans jamais avoir le courage d'en pénétrer les mystères. Il sourit, l'air contrit.

— Je ne parle pas, mon cher vieux. Je suis une hyène impérialiste... Moi, anglais !

L'homme lui étreignit amicalement le poignet.

Dans toutes les villes étrangères où il était allé, des inconnus lui avaient demandé comment se rendre à tel ou tel endroit qu'il ne connaissait pas, dans des langues qu'il ne connaissait pas non plus. Mais seulement à Moscou le remerciait-on de son ignorance.

Revenant sur ses pas, il s'attarda devant des vitrines sales, et feignit de regarder ce qu'elles avaient à offrir. Des poupées en bois peint. Pour qui ? Des fruits ou du poisson en boîtes de conserve poussiéreuses. Des paquets défraîchis au contenu mystérieux suspendus à une cordelette rouge. Peut-être des pekoes. Des bocaux d'échantillons médicaux au vinaigre, éclairés par des ampoules de dix watts. Il revenait vers son hôtel. Une paysanne au regard d'ivrogne lui mit dans la main un bouquet de tulipes fanées enveloppées dans du papier journal.

— C'est très gentil, s'écria-t-il en fouillant dans ses poches, où il trouva un billet d'un rouble.

Une Lada verte était garée devant l'hôtel, le radiateur enfoncé. Un carton rédigé à la main coincé sur le pare-brise indiquait VAAP. Le chauffeur, penché sur le capot, enlevait les balais des essuie-glaces par crainte de vol.

— Vous attendez peut-être Scott Blair ? dit Barley. C'est moi !

Mais le chauffeur poursuivit sa tâche sans lui accorder la moindre attention.

— Blair ? Scott ? insista Barley.

— Ces fleurs sont pour moi, mon grand ? plaisanta Wicklow dans son dos. Vous vous en tirez très bien, ajouta-t-il à voix basse. Impeccable.

Wicklow surveillera toujours vos arrières, avait dit Ned à Barley. Il saura donc mieux que quiconque si vous êtes suivi. Wicklow et qui d'autre ? se demandait Barley. Dès leur arrivée à l'hôtel la veille au soir, Wicklow avait disparu jusqu'à minuit passé, et au moment de se mettre au lit, Barley l'avait aperçu de sa fenêtre, dans la rue, en conversation avec deux jeunes gens en jean.

Ils montèrent dans la voiture, et Barley jeta les tulipes sur la plage arrière. Wicklow occupait le siège avant et bavardait avec le chauffeur dans un russe irréprochable. L'autre partit d'un grand éclat de rire, auquel Wicklow fit écho.

— On pourrait participer ? demanda Barley.

Wicklow s'empressa de le mettre au courant.

— Je lui ai demandé s'il aimerait être le chauffeur de la reine en visite officielle. Ils ont un dicton ici : « Si tu voles, vole un million. Si tu baises, baise une reine. »

Barley baissa sa vitre et pianota un air sur le rebord métallique. La vie était une partie de plaisir jusqu'à « peut-être 20 h 15 ».

— Barley ! Bienvenue en Barbarie, mon vieux. Pour l'amour de Dieu, ne me serrez pas la main sur le seuil ; nous avons déjà assez d'ennuis comme ça ! Mais vous avez l'air en pleine forme ? s'écria avec inquiétude Alik Zapadny après un premier échange de regards. Comment se fait-il que vous n'ayez pas la gueule de bois, dites-moi ? Vous êtes amoureux, Barley ? Vous avez divorcé, une fois de plus ? Qu'est-ce que vous avez fait d'affreux ? Allez, avouez tout.

Le visage émacié, les joues creuses marquées à jamais par le souvenir de la réclusion, Zapadny l'étudiait avidement d'un œil perspicace. Quand Barley l'avait rencontré, Zapadny travaillait plus ou moins sous divers noms comme traducteur en disgrâce. Aujourd'hui, il était plus ou moins un héros de la reconstruction, vêtu d'un complet noir trop grand pour lui, et d'un col de chemise blanc trop large.

— J'ai entendu la Voix, Alik, expliqua Barley avec un élan d'affectueuse amitié en lui glissant dans les mains un paquet de vieux numéros du *Times* enveloppés dans du papier brun. Je suis au lit tous les soirs à 10 heures avec un bon bouquin. Voici Len Wicklow, notre spécialiste du russe. Il en sait plus sur vous que vous-même, n'est-ce pas, Leonard Carl ?

— Eh bien, heureusement qu'il y en a des comme ça ! s'exclama

Zapadny, prenant soin de ne pas remercier Barley pour le cadeau. On a tellement de doutes sur nous-mêmes, maintenant que le grand mystère russe est révélé au grand jour. A propos, que savez-vous de votre nouveau patron, monsieur Wicklow ? Avez-vous entendu dire, entre autres, qu'il avait voulu rééduquer l'Union soviétique à lui tout seul ? Mais oui. Il avait une vision enchanteresse de cent millions de travailleurs soviétiques sous-éduqués rêvant de combler leurs lacunes pendant leurs loisirs. Il pensait leur vendre un grand catalogue de livres pour apprendre le grec par soi-même, la trigonométrie ou les tâches ménagères. Il nous a fallu lui expliquer qu'en URSS l'homme de la rue connaît ses limites, et occupe ses loisirs à se saouler. Et vous savez ce qu'on lui a acheté à la place, pour lui faire plaisir ? Un livre sur le golf ! Vous ne pouvez pas savoir combien nos honorables citoyens sont fascinés par votre sport de capitalistes ! Non que nous ayons des capitalistes chez nous, quelle horreur ! ajouta-t-il rapidement, car la plaisanterie était encore risquée.

Ils étaient dix, assis autour d'une table jaune sous une icône de Lénine plaquée sur bois. Zapadny parlait, les autres écoutaient en fumant. A la connaissance de Barley, aucun d'eux n'avait les compétences requises pour signer un contrat ou entériner une transaction.

– Alors Barley, qu'est-ce que c'est que cette histoire insensée ? Vous dites que vous êtes venu acheter des livres soviétiques ? attaqua Zapadny en guise d'ouverture, levant ses sourcils arqués et joignant le bout de ses doigts à la manière de Sherlock Holmes. Vous autres Anglais n'achetez jamais nos livres. Mais vous savez nous faire acheter les vôtres. En outre, vous, vous êtes fauché, c'est du moins ce que nos amis de Londres prétendent. Les éditions A & B vivent de l'air du temps et de whisky. Voilà ce qu'ils disent. Personnellement, je trouve ce régime excellent. Mais alors, pourquoi êtes-vous venu ? A mon avis vous cherchiez un prétexte pour revenir nous voir, non ?

L'heure avançait. La table jaune semblait flotter dans les rayons du soleil, enveloppée d'un nuage de fumée. Des photographies en noir et blanc de Katia défilaient dans la tête de Barley. Le diable sert toujours d'alibi aux femmes. Ils burent du thé dans de jolies tasses de Leningrad. Zapadny récitait son habituelle mise en garde contre le fait de traiter directement avec des éditeurs soviétiques, s'adressant à Wicklow : de toute évidence, l'éternelle guerre entre la VAAP et le reste du monde faisait toujours rage. Deux hommes au visage blafard entrèrent un moment pour écouter, et ressortirent d'un air aussi désinvolte. Wicklow s'attirait les faveurs de tous en faisant circuler des Gauloises bleues.

— Nous avons reçu des capitaux, Alik, s'entendit expliquer Barley d'une voix lointaine. Les temps ont changé. L'Union soviétique fait un tabac en ce moment. Il me suffit de dire à messieurs-les-gros-sous que je prépare un catalogue d'auteurs russes, et ils me courent après de toute la vitesse de leurs petites jambes grassouillettes.

— Mais Barley, ces gros-sous, comme vous dites, ne resteront pas forcément des gros-plein-de-soupe, remarqua Zapadny, toujours aussi spirituel, soulevant des rires complaisants. Surtout s'ils veulent récupérer leur mise, ajouterais-je.

— Alik, je vous l'ai déjà expliqué dans mon télex. Mais vous n'avez peut-être pas eu le temps de le lire, lança Barley avec une pointe d'agressivité. Si tout marche comme prévu, A & B lancera dans l'année une nouvelle collection entièrement composée d'ouvrages russes. Romans, essais, poésie, livres pour enfants, science. Nous avons aussi une nouvelle collection en broché de vulgarisation médicale. Comme les sujets passent les frontières, ainsi que la réputation des auteurs, nous aimerions obtenir la participation de vrais médecins et chercheurs soviétiques. Nous ne sommes pas intéressés par l'élevage du mouton en Mongolie extérieure, ni celui du poisson en Antarctique, mais si vous avez des sujets valables à nous proposer, nous sommes prêts à vous écouter et à acheter. Nous présenterons ce catalogue à la prochaine foire de Moscou et, si tout va bien, nous sortirons les six premiers titres au printemps prochain.

— Pardonnez cette question, Barley, mais avez-vous enfin votre propre force de vente ? Ou comptez-vous encore sur une intervention divine comme avant ? demanda Zapadny avec son tact habituel.

Se retenant de lui dire de surveiller ses manières, Barley poursuivit :

— Nous négocions un contrat de distribution avec plusieurs grands éditeurs et nous ferons bientôt une déclaration officielle. Sauf pour les romans. Dans ce domaine, nous ferons appel à notre propre réseau élargi, dit-il, totalement incapable de se souvenir pourquoi ils avaient statué sur cet arrangement bizarre, et même s'ils l'avaient vraiment fait.

140

— Le roman a toujours été le plus beau fleuron de A & B, monsieur, expliqua Wicklow avec ferveur, pour aider Barley.

— Le roman devrait toujours être le plus beau fleuron de tout le monde, rectifia Zapadny. Je pense que c'est le plus magnifique des défis. Mais cela n'engage que moi. C'est la plus noble forme d'art. Plus encore que la poésie et la nouvelle. Cela reste entre nous, bien sûr.

— Disons en tout cas que nous autres, supercerveaux littéraires, nous en rendons bien compte, monsieur, déclara Wicklow flagorneur.

Très flatté, Zapadny se tourna vers Barley.

— Pour les romans, nous souhaiterions en l'occurrence utiliser notre propre traducteur et prendre cinq pour cent supplémentaires sur la traduction, dit-il.

— Pas de problème, approuva Barley à demi somnolent. Actuellement, A & B peut largement se le permettre.

Mais à la surprise de Barley, Wicklow intervint vivement :

— Je vous prie de m'excuser, monsieur, mais cela implique des royalties doubles. Or nous ne pouvons survivre avec ce genre d'arrangement. Vous devez avoir mal entendu ce qu'a dit M. Zapadny.

— C'est vrai, il a raison ! s'écria Barley se redressant brusquement sur son siège. Comment nous y retrouver avec cinq pour cent supplémentaires ?

Se sentant l'âme du prestidigitateur qui prépare son prochain numéro, Barley sortit un dossier de son attaché-case et étala dans les rayons du soleil une demi-douzaine d'exemplaires d'une brochure en papier glacé.

— Vous trouverez le descriptif de notre filière américaine en page deux, dit-il. Potomac Boston est notre associé dans ce projet : A & B achète en exclusivité les droits de la traduction anglaise de n'importe quel ouvrage russe, et cède ceux sur l'Amérique du Nord à Potomac. Comme ils ont des associés à Toronto, nous pourrons couvrir le Canada. N'est-ce pas, Wickers ?

— Exact, monsieur.

Comment diable Wicklow a-t-il fait pour se familiariser si vite avec tous ces détails ? se demandait Barley. Zapadny étudiait la brochure, tournant l'une après l'autre les belles pages toutes neuves.

— C'est vraiment vous qui avez imprimé cette merde, Barley ? demanda-t-il poliment.

— C'est Potomac, répliqua Barley.

— Mais le Potomac coule pourtant bien loin de la ville de Boston, objecta Zapadny, affichant ses connaissances de la géographie des USA pour les rares personnes capables d'apprécier. A moins qu'ils ne l'aient récemment déplacé, il passe à Washington. Quel peut bien être le lien entre Boston et ce fleuve ? S'agit-il d'une ancienne compagnie ou d'une nouvelle, Barley ?

— Nouvelle dans ce secteur, ancienne dans les affaires. Ce sont des commerçants, jadis établis à Washington, maintenant à Boston. Capital-risque, diversification du portefeuille, production de films, parkings, machines à sous, call-girls et cocaïne. Le topo habituel, quoi ! L'édition n'est qu'un de leurs à-côtés.

Mais au milieu des rires, il entendait la voix de Ned dans sa tête : « Félicitations, Barley. Bob nous a déniché un riche ami de Boston qui accepte de vous prendre comme associé. Vous n'aurez qu'à dépenser son argent. » Et Bob, avec ses pieds plats et sa veste en tweed, arborait un sourire d'entremetteur.

11 h 30. Encore huit heures quarante-cinq avant « peut-être 20 h 15 ».

— Le chauffeur veut avoir des détails sur la reine avant de la rencontrer, cria Wicklow tout excité par-dessus le dossier de son siège. Ça le travaille vraiment. Est-ce qu'elle accepte les pots-de-vin ? Est-ce qu'elle fait exécuter les gens pour des délits mineurs ? Quel effet cela fait de vivre dans un pays sous la férule de deux maîtresses femmes ?

— Dites-lui que c'est épuisant, mais que nous sommes à la hauteur, répondit Barley dans un bâillement, avant de boire une revigorante gorgée de sa flasque, et de s'enfoncer dans les coussins moelleux de son siège.

Il se réveille marchant derrière Wicklow dans le couloir d'une prison. Mais au lieu des cris des prisonniers, c'est le sifflet d'une bouilloire où chauffe l'eau du thé qu'il entend, et le cliquetis d'un boulier dans la pénombre environnante. Un instant plus tard, Wicklow et Barley se trouvent dans les bureaux d'une compagnie de chemin de fer britannique, cru 1935. Des ampoules couvertes de chiures de mouches et des ventilateurs électriques hors d'usage pendent tristement des poutrelles en fer forgé. Un foulard sur les cheveux, des amazones commandent une armée d'antiques machines à écrire de taille monstrueuse, à clavier cyrillique. Des registres encombrent les étagères poussiéreuses, et des piles de boîtes à chaussures remplies de dossiers couleur chamois s'élèvent jusqu'à hauteur de fenêtres.

— Barley, grand Dieu! Bienvenue au pays de Prométhée délivré. On m'a dit que vous aviez enfin déniché de l'argent. Qui est le financier? clame un personnage entre deux âges, attifé à la Fidel Castro, qui se précipite vers eux à travers le fouillis de la pièce. On va traiter sans intermédiaire, O.K.? Au diable ces imbéciles de la VAAP!

— Youri! Ça fait plaisir de vous revoir. Voici Len Wicklow, notre conseiller littéraire. Il parle couramment le russe.

— Vous êtes un espion? lui demande Youri.

— Seulement à mes moments perdus, monsieur.

— Excellent! Charmant garçon. Il me rappelle mon jeune frère.

On se croirait à Madison Avenue. Des stores vénitiens, des graphiques affichés aux murs, et des fauteuils profonds. Youri est un gros Juif exubérant. Barley lui a apporté une bouteille de Black Label, et des bas pour sa jolie et nouvelle épouse. Youri dévisse la capsule et verse un peu de whisky dans des tasses à thé. Ils abordent les hautes sphères de la société russe, parlent de Boulgakov, Platonov, Akhmatova. Les ouvrages de Soljenitsyne seront-ils autorisés? Et ceux de Brodski? On parle aussi d'auteurs anglais actuels complètement nuls qui jouissent arbitrairement des faveurs officielles en URSS, et par conséquent, de la célébrité. Il y en a certains que Barley ne connaît même pas, d'autres qu'il déteste. On éclate de rire, on porte des toasts, on demande des nouvelles d'amis anglais, et on maudit ces enfoirés de la VAAP. L'Union soviétique se transforme à vue d'œil. Barley le sait-il? A-t-il lu cet article dans *Les Nouvelles de Moscou* jeudi dernier sur les tarés néo-fascistes du Pamyat, nationalistes à outrance, antisémites et anti-tout-le-monde, eux-mêmes exceptés? Et cet article sur Sigmund Freud dans *Ogoniok*? Et la prise de position de *Noviy Myr* sur Nabokov? Les directeurs littéraires, les maquettistes, les traducteurs font un incroyable va-et-vient dans la pièce. Mais pas de Katia... Tout le monde est saoul, même ceux qui n'ont pas bu. On présente un grand auteur du nom de Micha, et on l'installe bien en vue de son auditoire.

— Micha n'a pas encore fait de prison, s'excuse Youri dans l'hilarité générale. Mais avec un peu de chance, on l'y enverra avant qu'il ne soit trop tard, et comme ça, il pourra se faire publier à l'Ouest.

On parle des derniers chefs-d'œuvre du roman russe. Youri a choisi huit titres dans son catalogue, dont chacun est à coup sûr un best-seller, mon cher Barley. Si vous les publiez, vous pourrez ouvrir un compte en Suisse pour moi. On cherche partout un sac plastique avant que Wicklow ramasse les copies carbone de huit manuscrits impubliables. C'est un monde où la photocopieuse et la machine à écrire électrique sont encore les instruments interdits de la sédition.

On parle de théâtre, on parle de l'Afghanistan. Bientôt nous nous retrouverons tous à Londres! crie Youri comme un joueur dément qui tente son va-tout.

— Je vous enverrai mon fils, O.K.? Envoyez-moi le vôtre. Écoutez, on fait un échange d'otages, comme ça on ne se balancera pas de bombes à la figure.

Tout le monde se tait quand Barley prend la parole, puis on observe un silence respectueux devant Micha le grand auteur. Wicklow traduit tandis que Youri et trois autres contestent des points de sa traduction, et que Micha conteste à son tour leurs objections. Tout commence à s'enliser.

Quelqu'un exige de savoir pourquoi la Grande-Bretagne est encore gouvernée par le parti conservateur fasciste. Pourquoi le prolétariat ne fout-il pas ces salauds dehors à coups de pied au cul? Barley donne une explication peu originale sur la démocratie, qui est le pire des régimes, sauf chez le voisin. Personne ne rit. Peut-être ont-ils déjà entendu cette plaisanterie, ou bien ils ne l'apprécient pas. Il est temps de partir dans les effluves du whisky, tant que les sourires n'ont pas tout à fait disparu. Comment les Anglais osent-ils prêcher pour les droits de l'homme, demande quelqu'un l'air sinistre, alors qu'ils asservissent les Irlandais et les Écossais? Pourquoi soutenez-vous cet odieux gouvernement d'Afrique du Sud? s'écrie une blonde de quatre-vingt-dix ans en robe de bal. Je ne le soutiens pas, dit Barley. Pas moi, je vous l'assure.

— Un conseil, crie Youri sur le pas de la porte, méfiez-vous de ce salaud de Zapadny. Compris? Je ne dis pas qu'il soit du KGB, mais je prétends qu'il lui a fallu de sacrées relations pour se remettre dans le circuit. Vous, vous êtes un type bien. Vous me comprenez?

Ils se sont déjà donné l'accolade trente-six fois.

– Youri, dit Barley. Ma vieille mère m'a appris à croire que vous étiez tous du KGB.

– Même moi ?

– Surtout vous. Elle m'a dit que vous étiez le pire de tous.

– Barley, je vous aime. Alors d'accord ? Vous m'envoyez votre fils bientôt. Comment s'appelle-t-il ?

13 h 30. Ils sont une heure en retard pour leur prochaine étape sur la longue route qui mène à « peut-être 20 h 15 ».

Boiseries sombres, mets délicieux, serveurs respectueux, atmosphère de relais de chasse seigneurial. Ils sont assis autour de la longue table sous le balcon, à l'Union des écrivains. Une fois de plus, Alik Zapadny préside. Plusieurs jeunes auteurs prometteurs d'environ soixante ans entrent, écoutent un instant et ressortent, emportant avec eux leurs profondes réflexions. Zapadny désigne ceux qui sont récemment sortis de prison, et ceux qui les y remplaceront bientôt, espère-t-il. Des bureaucrates littéraires prennent des chaises et mettent leur anglais en pratique. Wicklow sert d'interprète, Barley brille. On boit seulement des jus de fruits, et le fond de Black Label. Le monde va devenir meilleur, dit Barley à Zapadny comme s'il était expert en la matière.

Il cite impulsivement Zinoviev.

– Quand tout cela finira-t-il ? Quand les gens cesseront de faire la queue devant la Tombe, c'est ça ?

Une référence au mausolée de Lénine.

Mais cette fois les applaudissements manquent de vigueur.

A 14 heures, en accord avec les nouveaux décrets sur l'alcool, et à point nommé, le serveur apporte un carafon de vin. En l'honneur de Barley, Zapadny sort une bouteille de vodka au poivre de son attaché-case éculé.

– Youri vous a dit que je faisais partie du KGB, je suppose ? demande-t-il l'air chagrin.

– Bien sûr que non, réplique Barley avec assurance.

– Surtout, ne vous considérez pas comme privilégié. Il raconte ça à tous les Occidentaux. A vrai dire, il m'inquiète un peu. Il est charmant, mais tout le monde le considère comme un éditeur minable, alors comment ce Juif est-il arrivé au poste qu'il a ? Son petit garçon a été baptisé à Zagorsk la semaine dernière. Comment expliquez-vous cela ?

– Ça ne me regarde pas, Alik. Il faut vivre et laisser vivre. Un point c'est tout. Wicklow, sortez-moi vite d'ici, je suis en train de dessaouler, ajoute-t-il entre ses dents.

A 18 heures, après deux autres réunions extrêmement bavardes, et après avoir miraculeusement réussi à refuser une demi-douzaine d'invitations pour le soir, Barley, de retour dans sa chambre d'hôtel, se bat avec la douche pour se rafraîchir les idées, tandis que Wicklow lui tient des propos enjoués sur l'édition, au profit des micros cachés. Sur les ordres de Ned en effet, Wicklow doit rester auprès de Barley jusqu'à la dernière minute au cas où le trac le paralyserait, au cas où il oublierait son texte.

7.

En l'an III de la grande Reconstruction soviétique, l'hôtel Odessa, sans être l'atout majeur de l'industrie touristique toujours embryonnaire à Moscou, ne comptait pas pour autant parmi ses plus mauvaises cartes. Vétuste et délabré, il accueillait toutefois une clientèle triée sur le volet, fonctionnait en roubles plutôt qu'en dollars, et manquait donc d'éléments de standing comme un bar acceptant les devises, ou des groupes de touristes épuisés du Minnesota réclamant avec désespoir leurs bagages égarés. Il était si mal éclairé que les lampes en cuivre, les négrillons et l'encorbellement du restaurant au premier étage évoquaient plus le sombre passé à l'époque de son agonie que le phénix socialiste renaissant de ses cendres. En sortant de l'ascenseur bringuebalant, lorsque l'on bravait le regard noir de la concierge d'étage tapie dans sa guérite au milieu de clés rouillées et d'antiques téléphones, on aurait pu se croire revenu aux plus sinistres institutions d'antan.

Certes, la Reconstruction ne privilégiait pas les sensations visuelles, mais en restait encore au stade de l'audio.

Malgré tout, pour l'observateur avisé, l'Odessa avait alors une âme, qu'il a su conserver, Dieu merci. Les braves réceptionnistes cachent un cœur généreux derrière leur regard d'acier, et il arrive que les portiers vous autorisent d'un clin d'œil à prendre l'ascenseur sans exiger votre laissez-passer pour la cinquième fois de la journée. Si l'on sait y faire, le gérant du restaurant vous conduira de bonne grâce vers votre box pour le prix d'un sourire. Et de 6 à 9 heures du soir, le vestibule devient soudain le carrefour des cent nations de L'Empire. Venus rendre hommage à cette nouvelle

Rome, d'élégants bureaucrates de Tachkent, des instituteurs estoniens aux cheveux filasse, d'ardents fonctionnaires du Parti originaires du Turkménistan et de Géorgie, des directeurs d'usine de Kiev, des ingénieurs navals d'Arkhangelsk, sans parler des Cubains, des Afghans, des Polonais, des Roumains et du peloton d'Allemands de l'Est à l'arrogance caricaturale, descendent par fournées des navettes de l'aéroport, quittent la lumière de la rue pour la pénombre oppressante du vestibule, et poussent leurs bagages mètre par mètre vers la réception.

Et ce soir-là Barley, émissaire malgré lui, quoique d'un autre empire, prit place parmi eux.

Il commença par s'asseoir, mais se fit taper sur l'épaule par une vieille dame qui réclamait sa place. Il se réfugia alors dans une alcôve près de l'ascenseur, où il faillit rapidement se retrouver emmuré derrière un rempart de valises en carton et de paquets en papier kraft. Prodiguant des excuses au passage, il finit par battre en retraite près du pilier central, d'où il pouvait surveiller la porte vitrée à tambour. Il quittait de temps à autre l'ombre protectrice de son pilier, tenant bien en vue contre sa poitrine un exemplaire d'*Emma* de Jane Austen, et de l'autre main un affreux sac en plastique de l'aéroport d'Heathrow.

Fort heureusement, il fut sauvé par l'arrivée de Katia.

Leur rencontre n'avait rien de secret, leur comportement rien de mystérieux. Leurs regards se croisèrent alors que Katia était encore coincée dans la bousculade du tourniquet. Barley agita son Jane Austen au-dessus de la foule.

– Bonjour, c'est moi, Blair. Impeccable! cria-t-il.

Katia disparut, puis émergea victorieuse de l'obstacle. L'avait-elle entendu? Elle sourit et leva les yeux au ciel en une mimique expressive pour s'excuser de son retard. Elle rejeta en arrière une mèche de cheveux noirs, et Barley aperçut la bague de fiançailles et l'alliance dont Landau avait parlé.

« Si vous saviez le mal que j'ai eu à me libérer », traduisait son geste par-dessus les têtes. Ou encore : « Impossible de trouver un taxi. »

« Aucune importance », répondit Barley par gestes lui aussi.

Elle interrompit cet échange pour fouiller dans son sac d'un air irrité, à la recherche de sa carte d'identité que lui réclamait le policier en civil auquel incombait ce soir-là l'agréable tâche de contrôler toutes les jolies femmes qui entraient dans l'hôtel. Elle brandit une carte rouge, que Barley devina être celle de l'Union des Écrivains.

Barley dut lui aussi détourner son attention pour tenter de faire comprendre à un grand Palestinien dans un français correct mais laborieux que non, désolé mon vieux, il n'était pas membre du Mouvement pacifiste, ni malheureusement directeur de l'hôtel, si tant est qu'il y en eût un.

Wicklow, posté à mi-hauteur dans l'escalier, avait observé la scène depuis le début, et déclara plus tard qu'il n'avait jamais vu rencontre « officielle » mieux menée.

Par leurs vêtements, Barley et Katia semblaient les comédiens de deux pièces différentes : Katia en héroïne de tragédie, dans la robe bleue à col de dentelle qui avait tant séduit Landau ; et Barley en acteur de petit vaudeville anglais, dans le complet à rayures de son père aux manches trop courtes, avec des bottes en daim élimé de chez Ducker à Oxford, que seul un collectionneur eût encore trouvées splendides.

La surprise de la découverte marqua leur premier contact. Au fond, ils étaient encore des inconnus, que seul rapprochait leur attachement réciproque aux artisans de cette rencontre. Barley réprima le réflexe de lui donner un petit baiser sur la joue, et se surprit à contempler ses yeux, sombres et lumineux à la fois, frangés de cils tellement fournis qu'on aurait pu les croire faux.

Comme Barley affichait cette expression ridiculement détachée qu'ont certains Anglais en présence d'une belle femme, Katia vit confirmée la première impression d'arrogance qu'elle avait eue de lui au téléphone.

Ils se tenaient si près l'un de l'autre qu'ils sentaient la chaleur de leurs deux corps, et Barley le maquillage parfumé de la jeune femme. Autour d'eux, les conversations se poursuivaient dans les multiples langues de cette tour de Babel.

– Vous êtes bien Monsieur Barley ? dit-elle tout essoufflée, posant une main sur son avant-bras, sa façon à elle de s'assurer de la réalité des gens.

– Oui, oui, soi-même. Bonjour. Et vous êtes Katia Orlova, l'amie de Niki. Je suis ravi que vous ayez pu venir. Le timing était parfait. Comment allez-vous ?

Les photographies ne mentent pas, mais elles ne révèlent pas non plus toute la vérité, pensait Barley, regardant la poitrine de Katia se soulever et s'abaisser au rythme de sa respiration. Elles ne captent pas l'aura d'une femme qui semble avoir été témoin d'un miracle, et vous avoir choisi pour vous en confier la primeur.

La foule agitée le rappela à la réalité. Même avec beaucoup de choses à se dire, deux personnes ne peuvent rester longtemps à bavarder au cœur d'un tel brouhaha.

— Et si je vous offrais un gâteau ? lança-t-il comme sous le coup d'une inspiration subite. Niki m'a bien recommandé d'être aux petits soins pour vous. Vous vous êtes rencontrés à la foire, d'après ce qu'il m'a dit. Quel type, ce Niki ! Un cœur en or, continua-t-il plaisamment en conduisant Katia vers l'escalier, au pied duquel un écriteau indiquait « Buffet ». La crème des hommes. Bien sûr, il peut être sacrément emmerdant quand il veut, mais qui ne l'est pas ?

— Oh, M. Landau est un homme très gentil, dit-elle, parlant comme Barley pour les oreilles indiscrètes, avec beaucoup de conviction néanmoins.

— Et on peut toujours compter sur lui, renchérit Barley curieusement essoufflé à son tour en arrivant au premier étage. On lui demande n'importe quoi, il le fait. A sa manière, c'est vrai, mais sans poser de questions. J'ai toujours dit que c'est à cela qu'on reconnaît les vrais amis, qu'en pensez-vous ?

— Pour moi, sans discrétion il ne peut y avoir d'amitié. L'amitié vraie doit reposer sur la confiance mutuelle, récita-t-elle comme une leçon de morale.

Tout en approuvant avec enthousiasme une vérité si profonde, Barley ne manqua pas d'y reconnaître le ton des aphorismes de Goethe.

Dans un périmètre délimité par un rideau se trouvait un comptoir de près de dix mètres de long, sur lequel trônait un seul et unique plateau de gâteaux secs, et derrière lequel trois dames opulentes en uniforme blanc et casque de plastique transparent montaient la garde autour d'un énorme samovar, tout en échangeant des propos animés.

— Et à sa manière, ce bon vieux Niki sait juger un livre, remarqua Barley, s'étendant sur le sujet comme ils attendaient docilement devant une barrière en corde. Une vraie bête intellectuelle, comme disent les Français. Du thé, mesdames, s'il vous plaît. Ce sera parfait.

Les dames continuaient de s'invectiver. Katia les fixait d'un regard vide. Et soudain, au grand étonnement de Barley, elle sor-

150

tit sa carte rouge avec un rugissement – c'est le mot –, qui obligea l'une des trois femmes à quitter ses compagnes pour décrocher deux tasses du râtelier, et les poser sur deux soucoupes d'un geste agressif, comme si elle chargeait un vieux fusil. Toujours furieuse, elle remplit une énorme bouilloire, saisit d'une main rageuse une boîte d'allumettes fantaisie, alluma un réchaud à gaz, et posa brutalement la bouilloire dessus avant de s'en retourner auprès de ses camarades.

– Vous voulez un biscuit ? demanda Barley. Du foie gras ?

– Non merci. J'ai déjà mangé du gâteau à la réception.

– Mon Dieu ! Il était bon ?

– Pas extraordinaire.

– Mais les Hongrois étaient sympathiques ?

– Les discours m'ont paru inintéressants, et plutôt banals. Mais c'est notre faute à nous les Soviétiques. Nous ne sommes pas suffisamment détendus avec les étrangers, même ceux qui viennent d'autres pays socialistes.

Pendant un moment ils restèrent à court de répliques. Barley se rappelait une fille de général qu'il avait connue à l'université. Elle avait un teint de rose, et s'était consacrée à la défense des animaux jusqu'au jour où elle avait épousé en hâte un chasseur du coin. Katia fixait d'un œil morne l'autre extrémité de la pièce, où s'alignaient une douzaine de tables hautes sans sièges. Debout à l'une d'elles, Wicklow racontait une blague à un jeune homme de son âge, tandis qu'à une autre, un vieux *Rittmeister* en bottes d'équitation buvait une limonade avec une jeune fille en jean, et semblait décrire par de larges gestes l'immensité de ses terres perdues.

– Je ne comprends pas pourquoi je ne vous ai pas invitée à dîner, dit Barley, croisant à nouveau le regard de Katia avec l'impression de s'y noyer. A croire que l'on n'ose jamais se montrer hardi quand on n'est pas sûr de réussir.

– Cela n'aurait pas été opportun, répliqua-t-elle avec un froncement de sourcils.

La bouilloire se mit à siffler, mais les sergents-majors du buffet gardaient le dos tourné.

– C'est toujours difficile de communiquer par téléphone, vous ne trouvez pas ? dit Barley, continuant l'échange poli de banalités. Enfin, on ne parle pas à un visage humain, mais à une espèce de fleur en plastique. Personnellement j'ai horreur de ça.

– Pardon, horreur de quoi ?

– Du téléphone. De parler à distance.

La bouilloire commença à cracher sur le feu.

– On se fait une idée complètement fausse des gens quand on ne les voit pas.

Vas-y, jette-toi à l'eau, se dit-il. Maintenant.

– C'est justement ce que j'expliquais l'autre jour à un de mes amis éditeur, continua-t-il sur le même ton léger et détaché. On discutait d'un nouveau roman que quelqu'un m'a envoyé. Je le lui avais fait lire sous le sceau du secret, et ça l'avait renversé. Il m'a dit que c'était ce qu'il avait lu de mieux depuis des années. De la dynamite.

Elle avait les yeux rivés aux siens, un regard troublant tant il était direct.

– Mais ça fait vraiment bizarre de ne pas avoir la moindre image de l'auteur, reprit-il nonchalamment. Je ne connais même pas son nom. Alors *a fortiori* j'ignore d'où il tire ses informations, où il a appris son art, et cætera. Vous voyez ce que je veux dire ? C'est comme si on entendait de la musique sans savoir si c'est du Brahms ou du Cole Porter.

L'air préoccupé, elle pinça les lèvres pour les humecter de salive, et son visage se rembrunit.

– Je ne considère pas que ces détails intimes soient pertinents lorsqu'il s'agit d'un artiste. Certains auteurs ne peuvent travailler que dans l'ombre. Le talent est le talent. Il n'a pas besoin d'être expliqué.

– En fait, je ne parlais pas tant d'explication que d'authenticité, rectifia Barley.

Une trace de duvet blond comme l'or, tranchant sur sa chevelure noire, ombrait la ligne de sa pommette.

– Enfin, vous vous y connaissez dans l'édition, vous aussi. Quand un type écrit un roman sur les tribus des collines de Birmanie du Nord, par exemple, il est légitime de se demander s'il a déjà voyagé plus au sud que Minsk. Surtout si c'est un roman vraiment important, comme celui-ci ; un best-seller en puissance dans le monde entier, d'après mon copain. Alors dans un cas pareil, je suppose qu'on a le droit d'insister pour que l'auteur se montre et fasse état de ses qualifications.

Plus courageuse que les autres, la plus âgée des dames versait l'eau bouillante dans le samovar. La deuxième ouvrait la cagnotte du régiment, et la troisième déposait quelques cuillerées de thé sur

152

le plateau d'une balance. Barley sortit de sa poche un billet de trois roubles, dont la vue inspira une tirade désespérée à la dame de la caisse.

— Je suppose qu'elle veut l'appoint? s'enquit Barley l'air dérouté. L'appoint, c'est tout! plaisanta-t-il.

Katia posa trente kopecks sur le comptoir en souriant, et il remarqua ses deux minuscules fossettes. Il prit les livres et le sac tandis qu'elle le suivait avec les tasses sur un plateau. Arrivés à leur table, elle lui lança sur un ton de défi :

— Si un auteur est obligé de prouver qu'il dit la vérité, il doit en aller de même pour son éditeur.

— Mais oui, moi je suis pour l'honnêteté des deux côtés. Plus les gens jouent cartes sur table, mieux c'est.

— Je sais que l'auteur s'est inspiré d'un poète russe.

— Petcherine, répondit Barley. J'ai fait des recherches. Né en 1807 à Dymerka, près de Kiev.

Elle avait les yeux baissés sur sa tasse, dont ses lèvres effleuraient presque le bord, et Barley, malgré d'autres sujets de préoccupation, remarqua la blancheur diaphane de son oreille droite à la lumière du soir qui filtrait par la fenêtre.

— L'auteur s'est également inspiré des opinions d'un Anglais sur la paix dans le monde, reprit-elle d'un ton très sévère.

— Croyez-vous qu'il aimerait rencontrer cet Anglais à nouveau ?

— Cela reste à découvrir.

— En tout cas, l'Anglais aimerait bien le rencontrer, dit Barley. Ils ont énormément de choses à se dire tous les deux. Où habitez-vous ?

— Avec mes enfants.

— Et où sont vos enfants ?

Il y eut une pause, pendant laquelle Barley eut une nouvelle fois la déplaisante impression d'avoir enfreint quelque règle morale inconnue.

— Nous habitons près de la station de métro Aéroport. Il n'y a plus d'aéroport aujourd'hui, seulement des appartements. Combien de temps comptez-vous rester à Moscou, monsieur Barley ?

— Une semaine. Il a une adresse, votre appartement ?

— Ce n'est pas une question opportune. Et vous allez rester tout le temps à l'hôtel Odessa ?

– Oui, sauf si on me jette à la rue. Que fait votre mari ?

– C'est sans importance.

– Il est aussi dans l'édition ?

– Non.

– Il est écrivain ?

– Non.

– Alors qu'est-ce qu'il fait ? Il est compositeur ? Garde frontière ? Cuisinier ? Comment peut-il soutenir le train de vie auquel vous avez été habituée ?

Il réussit à la faire rire de nouveau, ce qui parut la ravir autant que lui.

– Il était directeur d'une usine de bois.

– Et il est directeur de quoi maintenant ?

– Son usine produit des maisons préfabriquées pour les régions rurales. Nous sommes divorcés, comme tout le monde à Moscou.

– Les enfants, c'est quoi ? Garçon ? Fille ? Quel âge ?

Ce qui mit fin au rire, et Barley crut même un instant qu'elle allait partir sans un mot. Elle leva la tête, son visage se crispa, et son regard de braise exprima la colère.

– J'ai une fille et un fils. Des jumeaux. Ils ont huit ans. Votre question est incongrue.

– Vous parlez un anglais superbe. Meilleur que le mien. Aussi pur que du cristal.

– Merci. Je suis douée pour les langues.

– C'est plus que ça. C'est divin. En vous écoutant, on dirait que l'anglais s'est arrêté à Jane Austen. Où l'avez-vous appris ?

– A Leningrad. J'étais à l'école là-bas. L'anglais est aussi ma passion.

– Où étiez-vous à l'université ?

– A Leningrad également.

– Quand êtes-vous venue à Moscou ?

– Quand je me suis mariée.

– Comment l'avez-vous rencontré ?

– Nous nous connaissions depuis l'enfance. Quand nous étions à l'école, nous allions en colonie de vacances ensemble.

– Vous attrapiez des poissons ?

– Et des lapins, répondit-elle avec un nouveau sourire qui illumina la pièce entière. Volodia est originaire de Sibérie. Il sait dormir dans la neige, écorcher un lapin et attraper des poissons à travers la glace. A l'époque où je l'ai épousé, j'avais pris du recul par

154

rapport aux valeurs intellectuelles. A mes yeux, la qualité la plus importante chez un homme était de savoir écorcher un lapin.

– Ce que je voulais dire, c'est comment avez-vous rencontré l'auteur ?

Il devina alors son combat intérieur, saisissant dans ses yeux le reflet de ses émotions contradictoires, qui tantôt la rapprochaient de lui, tantôt l'en éloignaient. Puis elle lui échappa complètement. Elle rejeta en arrière sa chevelure dénouée, et se baissa pour ramasser son sac à main sous la table.

– Remerciez M. Landau de ma part pour les livres et le thé, s'il vous plaît. Je le remercierai personnellement la prochaine fois qu'il viendra à Moscou.

– Ne partez pas, je vous en prie. J'ai besoin de vos conseils, dit-il en baissant la voix, soudain très sérieux. Je dois avoir vos instructions sur ce qu'il faut que je fasse de ce manuscrit délirant. Je ne peux pas m'en sortir tout seul. Qui l'a écrit ? Qui est Goethe ?

– Je suis désolée, mais je dois rejoindre mes enfants.

– Personne ne les garde ?

– Bien sûr que si.

– Alors téléphonez. Dites que vous serez en retard. Dites que vous avez rencontré un homme fascinant qui veut vous parler littérature toute la nuit. Nous venons juste de faire connaissance. J'ai besoin de temps. J'ai des tonnes de questions à vous poser.

Elle prit les exemplaires de Jane Austen sous le bras et se dirigea vers la porte, Barley sur ses talons comme un vendeur obstiné.

– Je vous en prie, supplia-t-il. Ecoutez-moi. Je suis un mauvais éditeur anglais qui voudrait discuter de dix mille choses très sérieuses avec une beauté russe. Je ne mords pas, je ne mens pas. Dînez avec moi, voulez-vous ?

– Ce ne serait pas opportun.

– Et un autre soir, ce serait plus opportun ? Qu'est-ce que je dois faire ? Brûler de l'encens ? Allumer un cierge ? C'est pour vous que je suis venu ici. Aidez-moi à vous aider.

Elle sembla ébranlée par cette supplique.

– Je ne pourrais pas avoir votre numéro de téléphone personnel ? insista-t-il.

– Inopportun, murmura-t-elle.

Ils descendaient le large escalier. Au milieu de la marée humaine, Barley aperçut Wicklow et son ami. Il prit doucement le bras de Katia, avec toutefois assez de fermeté pour l'obliger à s'arrêter.

– Quand? demanda-t-il, lui tenant toujours le bras là où il était le plus ferme et le plus rond, juste au-dessus de la pliure du coude.

– Peut-être vous appellerai-je tard ce soir, céda-t-elle enfin.

– Pas peut-être.

– Je vous appellerai.

Toujours sur l'escalier, il la regarda prendre une longue respiration avant de plonger dans la foule et de se frayer un chemin vers la porte. Il transpirait, il sentait une sueur moite lui coller au dos et aux épaules. Il avait envie d'un verre, mais voulait surtout se débarrasser du harnachement enregistreur, le casser en petits morceaux, qu'il piétinerait, et dont il enverrait les restes à Ned en recommandé.

Wicklow montait les escaliers quatre à quatre vers lui avec un sourire de conspirateur, racontant des sornettes sur une biographie soviétique de Bernard Shaw.

Elle marchait vite à travers les larges rues pour trouver un taxi, mais aussi par besoin de se dégourdir les jambes. Les nuages amoncelés masquaient les étoiles, et seuls brillaient les néons de la Petrovka. Katia cherchait à mettre de la distance entre elle et lui, entre elle et elle-même aussi. La panique, engendrée par une haine farouche et non par la peur, menaçait de s'emparer d'elle. Il n'aurait pas dû parler des jumeaux. Il n'avait pas le droit de détruire les minces cloisons séparant une vie de l'autre. Il n'aurait pas dû la tourmenter avec ses questions de bureaucrate. Elle lui avait fait confiance : pourquoi n'avait-il pas agi de même ?

Elle tourna un coin de rue et poursuivit son chemin. C'est le type même de l'impérialiste, hypocrite, importun et méfiant. Un taxi la dépassa sans s'arrêter, un deuxième ralentit le temps qu'elle indique sa destination, puis fila aussitôt vers une course plus lucrative, par exemple charger des prostituées, déménager des meubles, livrer des légumes, de la viande ou de la vodka au marché noir, ou bien faire la tournée des pièges à touristes. Il commençait à pleuvoir de grosses gouttes.

Son humour déplacé, ses questions impertinentes... Je ne veux plus jamais le revoir. Elle aurait dû prendre le métro, mais craignait de s'y sentir confinée. Attirant, bien sûr, comme tant d'Anglais. Cette charmante maladresse. Plein d'esprit, et sensible sans aucun doute. Elle n'avait pas pensé qu'il se rapprocherait autant d'elle. Ou était-ce elle qui s'était trop rapprochée de lui?

Elle marchait toujours, essayant de se ressaisir, cherchant un taxi. La pluie redoubla de violence. Katia sortit de son sac un parapluie pliant rapporté d'Allemagne de l'Est par un amant éphémère dont elle préférait ne pas se vanter. Arrivée à un croisement, elle se préparait à traverser quand un jeune homme en Lada bleue s'arrêta près d'elle, alors qu'elle ne l'avait pas hélé.

– Comment vont les affaires, ma grande?

Taxi, ou voiture en maraude? Elle monta et lui indiqua l'adresse. Il se mit à discuter. La pluie tambourinait sur le toit de la voiture.

– C'est urgent, dit-elle en lui tendant deux billets de trois roubles. Très urgent, répéta-t-elle avec un coup d'œil à sa montre, se demandant toutefois si des gens pressés de se rendre à l'hôpital avaient ce réflexe.

Le jeune homme, qui semblait avoir épousé sa cause, conduisait et parlait à toute allure tandis que la pluie déferlait par sa vitre ouverte. Sa mère malade à Novgorod avait perdu connaissance alors qu'elle cueillait des pommes debout sur une échelle, racontait-il, et s'était réveillée les deux jambes dans le plâtre. Des torrents d'eau ruisselaient sur le pare-brise, car le jeune homme ne s'était pas arrêté pour fixer les essuie-glaces.

– Comment va-t-elle, maintenant? demanda Katia en nouant un foulard sur ses cheveux.

Une femme qui se rend d'urgence à l'hôpital ne fait pas la conversation sur les malheurs des autres, pensait-elle en même temps.

Le jeune homme arrêta la voiture. Katia aperçut les grilles. Le ciel était à nouveau serein, la nuit chaude et lourde de parfums, à se demander même s'il avait vraiment plu.

– Tenez, dit le garçon en lui rendant ses billets de trois roubles. La prochaine fois, d'accord? Comment vous vous appelez? Vous aimez les fruits frais, le café, la vodka?

– Gardez tout, répliqua-t-elle en repoussant l'argent.

Les grilles s'ouvraient sur un complexe qui ressemblait à un immeuble de bureaux avec quelques fenêtres faiblement éclairées. Une volée de marches en pierre, à moitié recouvertes de boue et de

157

détritus, conduisaient à une passerelle surplombant une rampe d'accès. Baissant les yeux, Katia vit des ambulances garées en contrebas, leur gyrophare bleu tournant lentement, et un groupe de chauffeurs et d'ambulanciers en train de fumer. A leurs pieds gisait une femme sur un brancard, son visage écrasé tourné sur le côté comme pour esquiver un deuxième coup.

Il était plein de prévenances à mon égard, songea-t-elle en évoquant un instant Barley.

Elle se hâta vers l'immeuble gris qui se dressait devant elle. Une clinique conçue par Dante et construite par Franz Kafka, se rappela-t-elle. Les employés vont y voler des médicaments, qu'ils revendent au marché noir. Les médecins font tous du trafic pour nourrir leur famille. Un hôpital réservé à la canaille et la racaille de notre empire, au prolétariat malchanceux qui n'a ni l'influence ni les relations des privilégiés. Le rythme de cette voix dans sa tête s'accordait à celui de son pas, et elle franchit les doubles portes avec assurance. Une femme aboya après elle, et Katia lui donna un rouble plutôt que de lui montrer sa carte. Le hall résonnait comme une piscine. Derrière un comptoir en marbre, d'autres femmes ne prêtaient attention qu'à elles-mêmes. Dans un fauteuil somnolait un vieil homme en uniforme, les yeux ouverts, devant une télévision hors d'usage. Katia passa près de lui et prit un couloir encombré de lits qui ne s'y trouvaient pas lors de sa dernière visite. Peut-être les avait-on sortis pour faire de la place à quelqu'un d'important ? Un interne épuisé faisait une transfusion à une vieille femme, aidé d'une infirmière en jean et blouse ouverte. Personne ne gémissait, personne ne se plaignait, personne ne demandait pourquoi ils devaient mourir dans un couloir. Katia se dirigea vers un écriteau lumineux sur lequel s'éclairaient les premières lettres du mot « Urgences ». Il faut que tu aies l'aisance naturelle d'une habituée des lieux, lui avait-il conseillé la première fois. Cette tactique avait marché, et marchait toujours.

Un auditorium désaffecté à l'éclairage en veilleuse tenait lieu de salle d'attente. Sur l'estrade, une infirmière-chef au visage de madone était assise devant une file de malades, aussi longue qu'une armée en déroute, qui demandaient l'admission. Dans la pénombre de la salle, les parias de la terre gémissaient, murmuraient, ou consolaient leurs enfants. Sur les bancs étaient affalés des hommes aux blessures pansées à la va-vite, et des ivrognes mal embouchés. Il flottait dans l'air une âcre odeur d'antiseptique, de vin et de sang séché.

Dix minutes à attendre. Une fois de plus, ses pensées allèrent à Barley. Son regard franc et chaleureux, son air à la fois courageux et sans espoir. Pourquoi ne lui ai-je pas donné mon numéro personnel ? Sa main sur mon bras comme si elle avait toujours été là. « C'est pour vous que je suis venu. » Elle repéra un banc cassé près de la porte du fond, où une pancarte indiquait « Toilettes », s'assit et regarda autour d'elle. On peut mourir là sans même qu'on vous demande votre nom, avait dit Yakov. Là c'est la porte, derrière c'est l'alcôve du vestiaire, puis il y a les toilettes, se récitait-elle. Le téléphone est dans le vestiaire, mais personne ne s'en sert, parce que personne ne sait qu'il s'y trouve. Normalement, on ne peut pas appeler l'hôpital sur la ligne directe, mais celle-là a été installée pour un médecin, un grand patron qui voulait que sa clientèle privée et sa maîtresse puissent le joindre, jusqu'au jour où on l'a déporté. Un pauvre type a installé le téléphone hors de vue derrière un pilier, et il y est toujours resté depuis.

Mais comment connais-tu des endroits pareils ? lui avait-elle demandé. Cette entrée, cette aile, ce téléphone, où il faut s'asseoir et attendre... Comment sais-tu tout cela ?

Je marche, avait-il répondu, et elle l'avait imaginé se promenant dans les rues de Moscou, sans sommeil, sans nourriture et sans elle, marchant inlassablement. Je suis le Gentil errant, lui avait-il dit. Je marche pour tenir compagnie à mon esprit, je bois pour me dérober à lui. Quand je marche, tu es à mon côté, ton visage tout près de mon épaule.

Il marchera jusqu'à ce qu'il tombe, songea-t-elle. Et je le suivrai.

Sur le banc voisin, une paysanne portant sur la tête un foulard jaune safran priait en ukrainien. Elle tenait dans ses mains une petite icône, sur laquelle elle penchait de plus en plus bas son front dégarni, jusqu'à ce qu'il heurte le cadre en métal. Ses yeux se mirent à briller, elle les ferma, et Katia vit des larmes s'échapper d'entre ses paupières closes. Bientôt je te ressemblerai, pensat-elle.

Elle se souvint qu'il lui avait raconté sa visite d'une morgue en Sibérie, une usine pour les morts, dans l'une des villes fantômes où il travaillait. Les cadavres, hommes et femmes pêle-mêle, glissaient le long d'un plan incliné pour atterrir sur un carrousel, où ils étaient passés au jet, étiquetés, et dépouillés de leur or par les vieilles femmes de la nuit. La mort est un secret comme un autre, lui avait-il dit ; et un secret ne se révèle qu'à une personne à la fois.

Pourquoi cherches-tu toujours à m'enseigner le sens de la mort ? lui avait-elle demandé, écœurée. Parce que tu m'as enseigné le sens de la vie, avait-il répondu.

Ce téléphone est le plus sûr de toute la Russie, avait-il dit. Même les tarés des *Organes de sécurité* ne penseraient pas à mettre sur écoute un téléphone inutilisé dans un service d'urgences.

Elle se souvint de leur dernière rencontre à Moscou, au plus profond de l'hiver. Il avait pris un omnibus en marche dans une gare anonyme, perdue au milieu de nulle part. Il avait voyagé sans billet en classe tous risques, et glissé dix roubles dans la main du chef de train, comme tout le monde. Nos dignes *Organes compétents* sont si bourgeois de nos jours qu'ils ne savent même plus se mêler aux travailleurs, avait-il dit. Elle l'imagina, pauvre orphelin vêtu d'épais sous-vêtements, allongé sur le porte-bagages, écoutant dans la pénombre la toux des fumeurs et les grognements des ivrognes, incommodé par la puanteur humaine et les fuites de vapeur du chauffage, songeant à ces choses épouvantables qu'il connaissait, mais dont il ne parlait jamais. Quelle sorte d'enfer était-ce donc, se demanda-t-elle, de se sentir tourmenté par ses propres créations ? De savoir que le sommet de sa carrière entraînera la chute de l'humanité ?

Elle se revit attendant son arrivée à la gare de Kazan, bivouaquant sous les néons sinistres parmi des milliers d'autres rongés par l'angoisse. Le train a du retard, il est annulé, il a déraillé, disaient les rumeurs. De très sévères chutes de neige tout le long de la route jusqu'à Moscou. Le train arrive, il n'est jamais parti, je n'aurais jamais dû me donner la peine de dire tous ces mensonges. Les employés de la gare avaient versé du formol dans les toilettes, et tout le quai empestait. Elle portait la toque en fourrure de Volodia, qui lui cachait une grande partie du visage. Son écharpe en mohair lui couvrait le menton, et son manteau en peau de mouton le reste du corps. Elle n'avait jamais éprouvé autant de désir pour quelqu'un. C'était en même temps la flamme et la faim qui la dévoraient sous la fourrure.

Quand il descendit du train et marcha vers elle dans la gadoue, Katia se sentit l'allure raide et empruntée d'un jeune garçon. Debout près de lui dans le métro bondé, elle faillit hurler au milieu de la foule silencieuse quand il se rapprocha d'elle. Elle avait emprunté l'appartement d'Alexandra, partie pour l'Ukraine avec son mari. Elle ouvrit la porte d'entrée et le fit passer devant. Parfois, il semblait ne pas savoir où il se trouvait, ni même y attacher d'importance, malgré tout le mal qu'elle s'était donné. Parfois, il paraissait si fragile qu'elle avait peur de le toucher, mais ce jour-là elle se rua sur lui, s'accrocha à lui de toutes ses forces, et l'attira vers elle maladroitement et brutalement, pour le punir des mois et des nuits d'attente déçue.

Et lui? Il la prit dans ses bras comme son père le faisait jadis, la tenant à distance, les épaules droites. Lorsqu'elle s'écarta de lui, elle savait révolue l'époque où il pouvait enterrer ses tourments dans son corps de femme.

Tu es ma seule religion, murmura-t-il en déposant un baiser pudique sur son front. Écoute-moi Katia, que je te raconte ce que j'ai décidé de faire.

La paysanne s'était agenouillée, et pressait avec ferveur son icône tour à tour contre son cœur et ses lèvres. Katia dut l'enjamber pour atteindre le couloir. Un jeune homme blafard en blouson de cuir s'était assis à l'autre bout du banc, un bras glissé dans sa chemise, sans doute le poignet cassé, pensa-t-elle. Il avait la tête baissée, et en passant devant lui elle remarqua son nez, qui visiblement avait dû être cassé dans sa jeunesse.

L'alcôve était plongée dans l'obscurité, et une ampoule cassée pendait inutilement du plafond. Un énorme comptoir en bois lui barrait le chemin vers le vestiaire. Elle essaya d'en soulever l'abattant, mais il était trop lourd, et elle dut se faufiler par-dessous. Elle se trouvait au milieu de portemanteaux, de cintres vides, et de chapeaux oubliés. Le pilier se dressait à un mètre. A la lumière d'une porte battante, elle vit une pancarte écrite à la main qui indiquait : « CET APPAREIL NE REND PAS LA MONNAIE. » Le téléphone était à sa place habituelle, de l'autre côté, mais elle le distinguait à peine dans la pénombre, même une fois devant.

Elle le fixait des yeux, espérant en déclencher la sonnerie. Sa panique maintenant passée, elle se sentait forte à nouveau. Où es-tu? se demanda-t-elle. A l'une de tes boîtes postales, un de tes petits points sur la carte? Au Kazakhstan? Dans la moyenne Volga? Dans l'Oural? Elle savait qu'il s'était rendu à tous ces endroits. A une époque, elle voyait à son teint qu'il avait travaillé en plein air, et parfois au contraire, il avait l'air d'avoir vécu sous terre pendant des mois. Où es-tu, toi et ton effrayante culpabilité ? se demanda-t-elle. Où es-tu, toi et ta terrible décision ? Dans un endroit sombre comme celui-ci ? Dans une petite ville, au bureau du télégraphe ouvert vingt-quatre heures sur vingt-quatre ? Elle se l'imaginait en prison, ou comme elle le rêvait parfois, dans une cabane, le visage livide, ligoté à un chevalet de torture, ne réagissant presque plus tandis que les coups continuaient de pleuvoir. Le téléphone sonnait. Elle souleva l'appareil et entendit une voix sans timbre.

— Allô, c'est Piotr, dit-il.

Un code de protection mutuelle ; si je tombe entre leurs mains et qu'ils me forcent à t'appeler, je leur donnerai un autre nom pour que tu puisses aller te cacher.

— Bonjour, c'est Alina, répondit-elle, étonnée de s'entendre parler.

La suite importait peu. Il est vivant. On ne l'a pas arrêté. On n'est pas en train de le tabasser. On ne l'a pas attaché à un chevalet. Elle se sentait abattue et lasse. Il était vivant, il lui parlait. Des faits, pas une trace d'émotion dans cette voix d'abord lointaine et à peine familière. Des faits, rien que des faits, encore et toujours. Fais ceci. Il a dit ci. J'ai dit ça. Dis-lui que je le remercie d'être venu à Moscou. Dis-lui qu'il se comporte en homme sensé. Je vais bien. Comment vas-tu ?

Trop faible pour parler plus longtemps, elle raccrocha, retourna à l'auditorium et s'assit sur un banc avec les autres pour reprendre son souffle, sachant que personne ne lui prêterait attention.

Le garçon en blouson de cuir était toujours affalé sur le banc. Elle remarqua de nouveau son nez impeccable mais de travers. Puis elle repensa à Barley, heureuse de savoir qu'il existait.

Il était allongé en bras de chemise sur son lit. Sa chambre, un réduit étouffant aménagé dans ce qui avait été jadis une suite grandiose, résonnait de l'habituel concert aquatique des hôtels russes : crachotements des robinets, clapotis de la chasse d'eau dans la minuscule salle de bains, borborygmes de l'énorme radiateur noir, gargouillis du réfrigérateur à chaque nouveau cycle. Barley sirotait un whisky dans son verre à dents, essayant de lire à la lumière trop faible de la lampe de chevet. Le téléphone reposait près de son coude, et à côté son petit calepin pour noter les messages ou les idées géniales. Les téléphones sont parfois « vivants », même quand ils ne sont pas décrochés, l'avait prévenu Ned. Pas celui-là, en tout cas, il n'a rien de vivant, pensa Barley. Il est bien mort et enterré, jusqu'à ce qu'elle appelle. Il lisait un livre merveilleux de Marquez, mais les lettres se hérissaient sous ses yeux comme des barbelés ; il ne cessait de s'arrêter pour revenir en arrière.

Il entendit une voiture passer dans la rue, puis un piéton, et enfin la pluie, crépitant sur les carreaux comme de la grenaille. Sans un cri, sans un rire, sans une protestation, Moscou avait réintégré l'immensité de son désert nocturne.

Il se souvint de ses yeux. Qu'ont-ils bien pu voir en moi ? Une antiquité, se répondit-il. Vêtu comme je l'étais du complet de mon père. Un mauvais acteur qui se cache derrière son numéro, et qui n'est rien sous son maquillage. Elle cherchait en moi une conviction profonde, mais n'a trouvé que la débâcle morale des Anglais de ma classe et de mon temps. Elle cherchait l'assurance d'un espoir futur et n'a trouvé que les vestiges d'une époque révolue. Elle cherchait une relation humaine et n'a trouvé sur moi que l'étiquette « réservé ». Un seul regard et elle s'est enfuie.

Réservé pour qui ? Pour quel grand jour, pour quelle passion me suis-je réservé ?

Il essaya d'imaginer son corps de femme. Avec un visage comme le sien, pourquoi même se soucier du corps ?

Il but une gorgée. Elle incarne le courage... et des tas d'ennuis. Il but à nouveau. Katia, si tu es tout cela, je te suis réservé. A toi seule.

Si...

Il se demanda quelles autres choses il devait savoir d'elle. Rien hormis la vérité. En un âge depuis longtemps révolu, il avait confondu beauté et intelligence, mais Katia était à l'évidence tellement intelligente qu'il n'y avait aucun risque de confusion. A une autre époque, Dieu le pardonne, il avait aussi confondu beauté et vertu. Mais une telle aura de vertu émanait de Katia que si elle avait passé la tête par la porte à l'instant même en s'accusant du meurtre de ses enfants, il aurait instantanément trouvé six façons de lui prouver son innocence.

Si...

Il se resservit une rasade de scotch, et se souvint tout d'un coup d'Andy.

Le trompettiste Andy Macready gisait sur un lit d'hôpital, à demi décapité. La thyroïde, avait vaguement dit sa femme à Barley. Quand on lui avait révélé sa maladie, Andy avait refusé l'opération, préférant faire le grand plongeon et ne jamais revenir. Barley et lui s'étaient saoulés ensemble et avaient échafaudé un projet de voyage à Capri : un dernier bon repas, un tonneau de vin rouge, et la longue nage vers le néant dans les eaux souillées de la Tyrrhénienne. Mais quand sa thyroïde l'avait vraiment torturé, Andy s'était aperçu qu'il préférait vivre, et avait accepté l'opération. On lui avait tranché la tête, tout sauf les vertèbres, et on le maintenait en vie par des tuyaux. Alors Andy était toujours en vie, mais sans raison de vivre et sans moyen de mourir, se maudissant de n'avoir pas fait le saut de l'ange quand il en était encore temps, et essayant de trouver un sens à son être que la mort ne pourrait lui enlever.

Appelle la femme d'Andy, se dit Barley. Demande-lui comment il va. Il jeta un coup d'œil à sa montre et calcula l'heure qu'il était dans le monde réel ou irréel de Mme Macready. Sa main se dirigea vers le téléphone, mais ne souleva pas le combiné au cas où il sonnerait.

Il pensa à sa fille Anthea. Cette brave Ant.

Il pensa à son fils Hal, qui travaillait dans la City. Désolé d'avoir foutu ta vie en l'air, Hal, mais il te reste encore un bon bout de temps pour tout arranger.

Il pensa à son appartement de Lisbonne et à la femme qui pleurait toutes les larmes de son corps, se demandant avec inquiétude ce qu'il était advenu d'elle. Il pensa à ses autres maîtresses, mais son sentiment de culpabilité n'était pas aussi fort que d'habitude, et il s'en étonna. Tournant de nouveau ses pensées vers Katia, il se rendit compte qu'il n'avait pas cessé de penser à elle.

On frappa à la porte. Elle est venue à moi, nue sous une robe de chambre toute simple. Barley, murmure-t-elle, mon chéri. M'aimeras-tu encore après cette nuit ?

Non, elle ne ferait jamais ce genre de chose. Elle est sans pareille. Elle n'est pas faite pour ces histoires banales tant ressassées.

C'était Wicklow, son ange gardien, qui vérifiait si le protégé allait bien.

— Entrez donc, Wickers. Un petit verre ?

Wicklow leva les sourcils, l'air de demander : « A-t-elle téléphoné ? » Il portait un blouson de cuir sur lequel luisaient quelques gouttes de pluie. Barley fit non de la tête. Wicklow se servit un verre d'eau minérale.

– J'ai regardé un peu les livres qu'ils nous ont fourgués aujourd'hui, monsieur, dit-il du ton conventionnel qu'ils adoptaient tous deux à l'intention des micros. Je me demandais si vous souhaiteriez un petit topo sur les essais.

– Faites-moi votre rapport, Wickers, dit Barley affable, se rallongeant sur le lit tandis que Wicklow prenait la chaise.

– Eh bien, je voudrais surtout vous parler d'un des bouquins qu'ils nous ont proposés, monsieur. C'est ce guide du bien-être par la diététique et les exercices. Je crois qu'on pourrait y penser pour un de nos coups de coédition. Je me disais que si on engageait un de leurs meilleurs illustrateurs, on accentuerait l'impact russe.

– Accentuez, accentuez au maximum.

– Mais il faudra que je demande à Youri d'abord.

– Eh bien, demandez-lui.

Un blanc. Repassons-nous la bande, pensa Barley.

– Ah, au fait, monsieur, vous vouliez savoir pourquoi tant de russes emploient le mot « opportun ».

– Ah oui, c'est vrai, répondit Barley, qui n'avait jamais rien demandé de la sorte.

– C'est qu'en fait ils traduisent le mot *oudobno*, qui veut dire commode, opportun, mais aussi convenable. Je reconnais que c'est un peu troublant de temps en temps. C'est une chose de ne pas être opportun, c'en est une autre de ne pas être convenable.

– Vous avez tout à fait raison, acquiesça Barley après mûre réflexion tandis qu'il sirotait son scotch.

Puis il dut s'assoupir, car l'instant d'après il était assis tout droit sur le lit, le téléphone collé à l'oreille, et Wicklow debout près de lui. On était en Russie, donc elle ne dit pas son nom.

– Venez me voir, proposa-t-il.

– Je suis désolée d'appeler si tard. Je vous dérange ?

– Bien sûr que vous me dérangez, puisque je pense à vous tout le temps. C'était formidable le thé. Si seulement ça avait pu durer plus longtemps ! Où êtes-vous ?

– Vous m'avez invitée à dîner demain, je crois ?

– A déjeuner, à goûter, à dîner, tout ce que vous voulez, répondit-il en consultant le carnet que Wicklow lui avait tendu. Où est-ce que j'envoie le carrosse de verre ?

165

Il nota une adresse.

— Au fait, c'est quoi votre numéro personnel, au cas où l'un de nous deux se perdrait?

Elle le lui donna également, à contrecœur car c'était une entorse aux règles. Wicklow observa Barley pendant qu'il écrivait, puis quitta discrètement la pièce pour les laisser parler.

On ne peut jamais savoir, pensa Barley, reprenant ses esprits grâce à une autre rasade de scotch après qu'elle eut raccroché. Les femmes belles, intelligentes et vertueuses, on ne peut jamais vraiment savoir ce qu'elles pensent. Est-ce qu'elle en pince pour moi, ou ne suis-je qu'un visage parmi tant d'autres?

Puis soudain, la peur moscovite déferla sur lui avec la force d'un raz de marée au moment où il s'y attendait le moins, alors qu'il l'avait combattue toute la journée. Les terreurs sourdes de la ville éclatèrent comme un coup de tonnerre à ses oreilles, juste avant la voix chantante de Walter.

« A-t-elle inventé tout ça elle-même? Est-elle réellement en contact avec lui? Ou avec quelqu'un d'autre? Mais alors, qui? »

8.

Au sous-sol de la Maison Russie régnait en permanence dans la salle des opérations la tension d'une alerte aérienne de nuit. Assis à la console devant une armée de téléphones, Ned soulevait le combiné au moindre signal lumineux et répondait laconiquement. Deux assistantes faisaient discrètement circuler les télégrammes et emportaient le courrier à expédier. Une horloge lumineuse à l'heure de Londres et une autre à celle de Moscou brillaient sur le mur du fond comme deux lunes jumelles. Il était minuit à Moscou, 21 heures à Londres. Ned leva à peine les yeux quand le gardien-chef me laissa entrer.

Je n'avais pu me libérer plus tôt, car après une matinée passée avec les juristes du ministère des Finances, et un après-midi avec des avocats de Cheltenham, j'avais dû inviter à dîner une délégation d'espiocrates suédois, avant de les expédier au théâtre voir une comédie musicale, selon la coutume.

Walter et Bob étaient penchés sur un plan de Moscou, Brock, au téléphone sur la ligne intérieure avec la salle du chiffre, et Ned, plongé dans un inventaire apparemment interminable. Il me fit signe de m'asseoir, et poussa vers moi une pile de messages transcrits en provenance du front.

9 h 54. Barley téléphone à Katia aux éditions Octobre. Ils ont rendez-vous à 20 h 15 à l'Odessa. A suivre.

13 h 20. Des occasionnels filent Katia jusqu'à une maison apparemment inhabitée au 14 de la rue machin. Elle met une lettre dans la boîte. Photographies suivent en express par valise. A suivre.

20 h 18. Katia arrive à l'hôtel Odessa. Barley et Katia se parlent à la cafétéria. Wicklow et un occasionnel les surveillent. A suivre.

21 h 5. Katia quitte l'Odessa. Résumé conversation suit. Enregistrement arrive en express par valise. A suivre.

22 heures. Intérim. Katia promet de téléphoner à Barley ce soir. A suivre.

22 h 50. Katia prise en filature jusqu'à l'hôpital machin-chose par Wicklow et un occasionnel. A suivre.

23 h 25. Katia reçoit un coup de fil sur un téléphone désaffecté de l'hôpital. Parle trois minutes et vingt secondes. A suivre.

Et soudain, plus rien ne suit.

Espionner, c'est disséquer la banalité du quotidien. Espionner, c'est attendre.

— Est-ce que Clive reçoit ce soir ? demanda Ned comme si ma présence lui rappelait subitement quelque chose.

Je répondis que Clive serait dans son bureau toute la soirée. Il avait passé la journée à l'ambassade américaine, et s'était proposé pour rester de garde cette nuit.

J'emmenai Ned en voiture à la Centrale.

— Vous avez vu ce foutu document ? me demanda-t-il en frappant du plat de la main le dossier posé sur ses genoux.

— De quel foutu document s'agit-il ?

— La liste de circulation Bluebird. Les gens qui ont accès au dossier et leurs satrapes.

Je restai sur une prudente réserve, car la mauvaise humeur de Ned pendant une opération était légendaire. Au-dessus de la porte du bureau de Clive, une lampe verte invitait à entrer si l'on osait. La plaque de cuivre, dont l'éclat eût fait pâlir les pièces d'or de l'Hôtel de la Monnaie, indiquait « Directeur adjoint ».

— Clive, qu'est-ce qui se passe, nom de Dieu ? demanda Ned dès notre arrivée en lui agitant la liste sous le nez. On refile à Langley un paquet d'informations explosives de source non authentifiée, et du jour au lendemain ils engagent toute une armée complètement inutile. Qu'est-ce que ça veut dire, à la fin ! On se croirait à Hollywood. On a un *Joe* qui risque sa peau là-bas. On a aussi un transfuge qu'on ne connaît même pas.

Clive marcha autour du tapis doré, et fit une brusque volteface, comme souvent au cours de ses affrontements avec Ned.

— Vous pensez que la liste de circulation Bluebird est trop longue ? s'enquit-il, tel un procureur.

168

– Absolument. Vous devriez partager ce point de vue, et Russell Sheriton aussi. Mais enfin, c'est quoi ce Comité de liaison scientifique du Pentagone, bon Dieu ? Et l'Équipe universitaire de Conseil à la Maison-Blanche ?

– Donc il faudrait le prendre de haut et insister pour que Bluebird soit réservé au Comité interagence ? Seulement les chefs et pas le personnel, ni les auxiliaires ? C'est bien ce que vous attendez de moi ?

– Si vous pensez pouvoir encore reprendre vos billes, oui.

Clive feignit d'y réfléchir en toute objectivité, mais je savais comme Ned qu'il ne réfléchissait jamais en toute objectivité. Il considérait les partisans et les adversaires d'un projet, puis se rangeait du côté de l'allié le plus avantageux.

– Premièrement, aucun de ces grands messieurs que j'ai cités ne comprend quoi que ce soit aux documents Bluebird sans l'aide d'experts, reprit Clive de sa voix blanche. Soit nous les laissons patauger dans leur ignorance, soit nous acceptons leurs auxiliaires, et nous en payons le prix. Même chose pour le Service de renseignement de la Défense, leurs experts de la marine, de l'armée, de l'aviation...

– C'est Russell Sheriton qui parle, là, où c'est vous ? demanda Ned.

– Comment leur dire de ne pas impliquer leurs équipes scientifiques, alors que nous leur fournissons un document extrêmement complexe ? insista Clive, éludant la question de Ned. Si Bluebird n'est pas un leurre, ils auront besoin de toute l'aide possible.

– *Si*, releva Ned exaspéré. *Si* ce n'est pas un leurre. Bon Dieu, Clive, vous êtes encore pire qu'eux ! Il y a deux cent quarante individus sur cette liste, dont chacun a une épouse, une maîtresse et quinze amis intimes.

– Deuxièmement, poursuivit Clive alors que nous avions déjà oublié son « premièrement », ces documents ne nous appartiennent pas à nous. Ils sont à Langley.

Il se tourna vers moi, sans laisser à Ned le temps de répliquer.

– Palfrey, veuillez confirmer. Au vu de notre traité de collaboration avec les Américains, il nous faut bien donner à Langley la primeur de toutes les informations stratégiques ?

– En matière de stratégie, nous dépendons entièrement de Langley, reconnus-je. Ils nous confient ce que bon leur semble, mais nous, nous devons leur faire part de toutes nos découvertes, aussi maigres soient-elles en général. Tel est l'accord.

Clive écouta attentivement mon explication, et approuva. Il y avait dans sa froideur une cruauté inhabituelle, dont je cherchais en vain la raison. Eût-il possédé une conscience que je l'eusse qualifiée de mauvaise. Qu'avait-il donc manigancé à l'ambassade toute la journée ? Qu'avait-il confié, à qui, et pourquoi ?

— C'est une méprise courante dans ce service, poursuivit Clive, s'adressant maintenant directement à Ned, de croire que les Américains et nous sommes dans le même bateau. C'est faux, du moins dans le domaine de la stratégie. Il n'y a pas un seul analyste de la défense chez nous capable de tenir la dragée haute à son homologue américain. En stratégie, nous sommes un frêle esquif ridicule face au *Queen Elizabeth*. Ce n'est donc pas à nous de leur dire comment mener leur barque.

Nous étions encore abasourdis par la virulence de cette diatribe quand son téléphone rouge sonna, et Clive décrocha rapidement, car il adorait répondre sur cette ligne en présence de ses subordonnés. Manque de chance, c'était Brock, qui voulait parler à Ned.

Il lui apprit que Katia venait d'appeler Barley à l'hôtel Odessa pour lui fixer rendez-vous le lendemain soir, et que la station de Moscou demandait d'urgence l'accord de Ned sur le dispositif de surveillance. Ned nous quitta en hâte.

— Mais qu'est-ce que vous mijotez avec les Américains ? demandai-je à Clive, qui ne daigna pas répondre.

Je passai la journée du lendemain en réunion avec mes Suédois. Il ne se produisit rien d'intéressant non plus à la Maison Russie. Espionner, c'est attendre. Vers 16 heures je regagnai mon bureau et téléphonai à Hannah chez elle, comme je le fais parfois après son mi-temps à l'Institut de cancérologie, car son époux ne rentre qu'à 19 heures passées. Je l'écoutai d'une oreille distraite me raconter sa journée, et moi je lui parlai de mon fils Alan, embringué dans une sombre histoire avec une infirmière de Birmingham, une fille bien brave, mais pas du tout de sa classe.

— Je te rappellerai peut-être plus tard, lança-t-elle.

Elle le disait parfois, mais ne le faisait jamais.

Barley marchait au côté de Katia, dont il entendait les petits pas serrés faire écho aux siens. Un triste crépuscule baignait les demeures délabrées de ce quartier dickensien de Moscou. La première cour était sombre, la seconde, très obscure. Sur les tas d'ordures, des chats les fixaient de leurs yeux perçants. Deux jeunes à cheveux longs, peut-être des étudiants, jouaient au tennis avec une rangée de cartons en guise de filet, sous le regard d'un troisième adossé au mur. Il y avait une porte un peu plus loin, couverte de graffitis et ornée d'un croissant de lune vermillon. « Suivez les signes rouges », avait recommandé Wicklow. Katia paraissait très pâle, et Barley se demanda s'il l'était également, ce qui ne l'eût guère surpris. Certains hommes ne seront jamais des héros, et certains héros ne seront jamais des hommes, se dit-il, avec de sincères remerciements à Joseph Conrad. Et Barley Blair ne sera jamais ni l'un ni l'autre. Il saisit la poignée et la secoua énergiquement. Katia, derrière lui, portait un fichu sur les cheveux, et un imperméable. La poignée tourna, mais la porte ne céda pas. Il la poussa à deux mains, de plus en plus fort. Les joueurs de tennis l'apostrophèrent en russe. Il s'arrêta aussitôt, le dos en sueur.

— Ils disent que vous devriez l'ouvrir à coups de pied, traduisit Katia qui souriait, à la surprise de Barley.

— Si vous arrivez à sourire en ce moment, qu'est-ce que cela doit être en plein bonheur !

Mais en fait il avait dû le penser, et non le dire, car elle ne lui répondit pas. Il donna de grands coups de pied dans le battant, qui s'ouvrit avec un grincement. Les garçons retournèrent à leur match en riant, et Barley entra dans la pénombre, suivi de Katia. Il appuya sur un commutateur, sans résultat. Lorsque la porte se referma brutalement derrière eux, il chercha la poignée à tâtons, mais ne la trouva pas. Ils restèrent ainsi dans une obscurité totale, assaillis par une odeur d'urine de chat, des relents d'oignons et de friture, à écouter des bribes de musique ou des disputes venant de chez les locataires. Barley craqua une allumette, dont la flamme leur révéla trois marches, l'arrière d'une bicyclette, et un ascenseur sordide, avant qu'il se brûle les doigts. Wicklow lui avait dit : « Montez au quatrième et suivez les marques rouges. » Et comment je fais pour les voir dans le noir ? Dieu lui envoya la réponse sous la forme d'une vague clarté venant de l'étage au-dessus.

— Où sommes-nous, je vous prie ? demanda poliment Katia.

— Chez un de mes amis peintre.

Il tira la porte de l'ascenseur, puis la grille, et dit : « Après vous », mais elle était déjà dans la cabine, les yeux levés, impatiente de monter.

— Il est absent pour quelques jours, reprit Barley. Comme ça nous pourrons parler tranquillement.

Il remarqua de nouveau ses cils et son regard humide, pris d'un soudain désir de la consoler mais ne la sentant pas encore assez triste.

— Il est peintre, répéta-t-il comme si cela expliquait leur amitié.

— Officiel ?

— Non, je ne crois pas. Enfin, je n'en sais rien.

Pourquoi diable Wicklow ne l'avait-il pas mieux renseigné sur ce fichu peintre ?

Au moment où il allait appuyer sur le bouton, une petite fille avec des lunettes à monture d'écaille et un ours en plastique entra en sautillant dans la cabine, et leur dit bonjour. Le visage de Katia s'éclaira en lui rendant son salut. L'ascenseur s'ébranla par secousses, les boutons vibrant à chaque étage avec des claquements de pistolet à amorces. Au troisième, la fillette dit poliment au revoir à Barley et Katia, qui lui répondirent en chœur. Au quatrième, l'appareil s'arrêta brutalement comme s'il avait heurté le plafond, ce qui était peut-être le cas. Barley poussa Katia dehors et bondit derrière elle. Un couloir s'ouvrait devant eux, qui empestait les couches souillées de nombreux bébés. A l'autre bout, sur un mur aveugle, une flèche rouge pointait vers la gauche, et ils arrivèrent à un étroit escalier de bois. Affalé sur la première marche tel un gnome, Wicklow lisait un gros livre à la lueur d'une torche électrique. Il ne releva pas la tête quand ils le dépassèrent en montant, mais Barley remarqua que Katia le dévisageait.

— Qu'est-ce qu'il y a ? Vous avez vu un fantôme ? lui demanda-t-il.

L'entendait-elle ? S'entendait-il lui-même ? Avait-il seulement parlé ? Ils se trouvaient dans un grenier tout en longueur, d'où ils apercevaient des coins de ciel entre les ardoises disjointes, et dont les chevrons étaient maculés de fiente de chauve-souris. On avait posé une passerelle en planches sur les solives. Barley prit la main de Katia, à la paume large, ferme et sèche. Le contact de cette main nue contre la sienne lui sembla comme l'abandon total du corps de Katia.

Il avançait avec précaution. Une odeur de térébenthine et de linettes flottait dans l'air, et des rafales subites de vent martelaient la toiture. Barley se glissa entre deux cuves en fer et vit une mouette en papier grandeur nature, ailes déployées, tournoyer au bout d'un fil accroché à une poutre. Barley entraîna Katia à sa suite. Un peu plus loin, un tissu à rayures pendait d'une tringle à rideaux. S'il n'y a pas de mouette, abandonnez, lui avait dit Wicklow. Pas de mouette égale pas de mission. Voici mon épitaphe, songea Barley, « Comme il n'y avait pas de mouette, il dut abandonner. » Barley écarta le rideau et entra dans un atelier d'artiste, tenant toujours Katia par la main. Au centre trônaient un chevalet et une estrade capitonnée pour les modèles. Un antique canapé sans pieds reposait à même le plancher. C'est une planque à n'utiliser qu'une fois, avait expliqué Wicklow. Comme moi, mon vieux Wickers, comme moi. Une lucarne bricolée dans la déclive du toit portait une marque rouge sur son cadre. Pour les Russes, les murs ont des oreilles, avait dit Wicklow. Elle parlera plus facilement à l'air libre.

La lucarne s'ouvrit, au grand désespoir d'une colonie de pigeons et de moineaux. Barley invita Katia à passer la première, remarquant la grâce naturelle de son corps quand elle se coula dans l'ouverture. Il la suivit gauchement, se cognant le dos au passage et laissant échapper un juron comme à son habitude. Ils se trouvaient entre deux pignons dans une sorte de goulet en plomb, tout juste assez large pour leurs pieds. Des rues invisibles en contrebas montait la pulsation du trafic. Ils étaient face à face, tout proches. Et si nous vivions ici, rêva-t-il. Rien que tes yeux, le ciel et moi. Il se massa le dos, plissant le front de douleur.

— Vous êtes blessé ?

— Oh, juste une fracture de la colonne vertébrale, plaisanta-t-il.

— Qui est l'homme que nous avons croisé dans l'escalier ?

— Il travaille avec moi. C'est mon conseiller littéraire. Je lui ai demandé de faire le guet pendant que nous parlons tous les deux.

— Je l'ai vu à l'hôpital hier soir.

— Quel hôpital ?

— Hier soir, après vous avoir quitté, j'ai dû me rendre à l'hôpital.

— Vous êtes souffrante ? Pourquoi l'hôpital ? s'enquit Barley qui avait cessé de se masser.

— C'est sans importance. Mais lui était là-bas avec un bras cassé, apparemment.

— Impossible, mentit effrontément Barley. Il est resté avec moi toute la soirée après votre départ. Nous avons parlé de livres russes.

Il vit les soupçons disparaître lentement de son regard.

— Je suis fatiguée. Il ne faut pas m'en vouloir.

— Voici ce que je vous propose, vous me direz si c'est une bonne idée. Nous bavardons ici, et après je vous emmène dîner. Si les gardiens du peuple ont écouté notre coup de fil hier soir, ils ne seront pas surpris. Le studio appartient à un peintre, un ami dingue de jazz comme moi. Je ne vous ai pas dit son nom, parce que je ne m'en souviens pas; je ne l'ai peut-être même jamais su. Je me suis dit qu'on pourrait prendre un verre avec lui en regardant ses tableaux. Mais il n'est pas là, donc nous décidons d'aller dîner ensemble, pour parler de littérature et de la paix dans le monde. Malgré ma réputation, je ne vous fait pas de propositions malhonnêtes, parce que votre beauté m'impressionne trop. Que pensez-vous du scénario?

— C'est opportun.

Il s'accroupit, sortit une demi-bouteille de scotch et en dévissa la capsule.

— Vous buvez ce genre de chose? lui demanda-t-il.

— Non.

— Moi non plus, en principe.

Il espérait qu'elle s'installerait près de lui, mais elle resta debout, tandis qu'il versait un doigt d'alcool dans la capsule et posait la bouteille à ses pieds.

— Comment s'appelle-t-il, cet auteur? Enfin, Goethe, qui est-ce?

— C'est sans importance.

— Quel est son service? Sa firme? Son numéro de boîte postale? Où travaille-t-il? Dans un ministère? un laboratoire? Nous n'avons pas le temps de finasser.

— Je l'ignore.

— Où habite-t-il? Vous n'allez pas me le dire non plus, n'est-ce pas?

— Oh, un peu partout, cela dépend de son travail.

— Comment l'avez-vous rencontré?

— Je ne sais pas. Enfin, je ne sais pas ce que j'ai le droit de vous dire.

— Que vous a-t-il autorisée à me raconter?

Prise de court, elle sembla hésiter.

174

— Le strict nécessaire, répondit-elle le front soucieux. Il m'a dit que je devais vous faire confiance. Il s'est montré chaleureux à votre sujet. C'est dans sa nature.

— Alors qu'est-ce qui vous retient ?

Silence.

— Pour quelle raison croyez-vous que je suis ici ?

Silence.

— Vous pensez peut-être que ça m'amuse de jouer aux gendarmes et aux voleurs à Moscou ?

— Je ne sais pas.

— Pourquoi m'avoir envoyé le livre, si vous ne me faites pas confiance ?

— Parce qu'il me l'a demandé. Ce n'est pas moi **qui** vous ai choisi, c'est lui, répliqua-t-elle avec humeur.

— Où se trouve-t-il actuellement ? A l'hôpital ? Comment entrez-vous en contact ? fit-il en levant les yeux vers elle dans l'attente d'une réponse. Pourquoi ne pas vous décider à parler pour voir ce que ça donne ? Dites-moi qui il est, qui vous êtes, et ce qu'il fait dans la vie.

— Je n'en sais rien.

— Qui se cachait dans la remise à bois, la nuit du crime à 3 heures du matin ? plaisanta-t-il.

Même silence.

— Dites-moi au moins pourquoi vous m'avez entraîné dans cette galère. C'est vous qui avez commencé, pas moi. Katia ? Regardez-moi... Vous vous souvenez ? Barley Blair... Je raconte des blagues, j'imite les cris d'oiseaux, et je bois. Je suis votre ami.

Il aimait ses silences réfléchis tandis qu'elle le regardait, son expression intense quand elle l'écoutait, et cette impression de camaraderie retrouvée quand elle finissait par lui parler.

— Il n'y a pas eu de crime, dit-elle. C'est mon ami. Son nom et ses occupations sont sans intérêt.

Barley avala une gorgée en réfléchissant à ce qu'elle venait de dire.

— Et c'est toujours comme ça avec vos amis ? Vous faites passer à l'Ouest leurs manuscrits subversifs ?

La réflexion se lit dans son regard, songea-t-il.

— Vous a-t-il parlé du contenu de son manuscrit ?

— Bien sûr. Il ne me ferait pas prendre de risques sans mon accord.

Barley nota avec dépit son ton protecteur.

— Alors que vous en a-t-il dit ?

— Le manuscrit retrace l'engagement de mon pays dans la fabrication d'armes anti-humanitaires de destruction massive depuis de longues années. Il dresse également un tableau de la corruption et de l'incompétence, qui touchent tous les domaines de la défense et de l'industrie, de la gestion désastreuse et du manque d'éthique.

— Joli programme ! Des détails supplémentaires ?

— Je ne connais rien aux affaires militaires.

— Il ferait donc partie de l'armée ?

— Non.

— Mais alors que fait-il ?

Silence.

— Dans l'ensemble vous approuvez ? Le fait de livrer ces documents à l'Ouest ?

— Il ne fait rien passer à l'Ouest ni ailleurs. Il a un profond respect pour les Anglais, mais ce n'est pas ce qui compte. Son geste entraînera une ouverture réelle entre les savants de toutes les nations. Cela permettra d'arrêter la course aux armements.

Elle se tenait encore sur ses gardes avec Barley, et semblait réciter d'une voix monocorde une leçon apprise par cœur.

— Il pense que le temps presse, qu'il faut dénoncer les abus de la science, et les systèmes politiques qui en sont responsables. Quand il parle philosophie, il s'exprime en anglais, ajouta-t-elle.

Et toi tu l'écoutes..., songeait Barley. Le regard fasciné... En anglais... Alors que tu te demandes si tu peux me faire confiance à moi.

— C'est un savant ? s'enquit-il.

— Oui.

— Je déteste les savants. Quel domaine ? Physique ?

— Peut-être. Je n'en sais rien.

— Ses renseignements concernent tous les domaines. Précision de tir, point de mire, commande et contrôle, propulseurs. Est-ce une seule personne ? D'où tient-il ses informations ? Comment en sait-il autant ?

— Je l'ignore. Mais il agit seul, c'est certain. Je n'ai pas tant d'amis que ça. Il ne représente pas un groupe. Peut-être supervise-t-il le travail d'autres personnes. Vraiment je n'en sais rien.

— Est-il haut placé ? Est-ce un chef ? Travaille-t-il à Moscou même ? Fait-il partie du QG ? Enfin, qui est-ce ?

176

Elle secoua la tête négativement après chaque question.

— Il ne travaille pas à Moscou. Pour le reste, je ne lui ai rien demandé et il ne m'a rien dit.

— Il effectue des tests ?

— Je n'en sais rien. Il se rend un peu partout en Union soviétique. Tantôt il revient du chaud, tantôt du froid, ou bien des deux.

— A-t-il mentionné son service ?

— Non.

— Son numéro de boîte postale ? Le nom de ses patrons ? Celui d'un collègue ou d'un subordonné ?

— Il ne juge pas utile de me raconter ces détails.

Le pire c'est qu'il la croyait. Elle aurait parfaitement pu le convaincre que le nord était le sud, et que les bébés naissaient dans les choux. Elle l'observait, attendant la question suivante.

— A-t-il réfléchi aux conséquences qu'entraînera la publication de ces notes ? demanda-t-il. Je veux dire : les conséquences pour lui. Est-ce qu'il sait qu'il joue avec le feu, au moins ?

— D'après lui, il arrive un moment où il faut agir sans songer tout de suite aux conséquences.

Elle semblait attendre la suite, mais il ralentissait délibérément le rythme.

— Si l'on vise un but précis, on peut faire un pas en avant, reprit-elle. Si l'on vise tous les buts en même temps, on n'avance jamais.

— Et a-t-il songé aux conséquences en ce qui vous concerne, si cette histoire transpire ?

— Il s'y est résigné.

— Et vous ?

— Bien évidemment. J'ai pris la même décision. Pourquoi le soutiendrais-je, sinon ?

— Et vos enfants ?

— C'est pour leur bien et celui de leur génération, répliqua-t-elle avec une fermeté frisant la colère.

— Et les conséquences sur la mère patrie ?

— Nous préférons la destruction de la Russie à celle de l'humanité entière. La plus lourde entrave, c'est le passé... pour tous les pays, pas seulement la Russie. Nous nous considérons comme les justiciers du passé. Si nous ne parvenons pas à le détruire, comment construire l'avenir ? C'est sa grande théorie. Nous ne bâtirons pas un monde nouveau sans avoir supprimé les modes de pensée de l'ancien. Pour exprimer la vérité, il faut se faire les apôtres du négativisme. Il cite Tourgueniev. Un nihiliste est celui qui ne prend rien pour acquis, aussi respecté que soit ce principe.

— Et vous ?

— Je ne suis pas nihiliste, mais humaniste. S'il nous est offert de jouer un rôle dans l'avenir, nous devons l'accepter.

Il chercha en vain à déceler une nuance de scepticisme dans sa voix. Elle sonnait vrai.

— Depuis combien de temps tient-il ce genre de discours ? Depuis longtemps ou c'est récent ?

— Il a toujours été idéaliste, c'est sa nature. Et il s'est toujours montré extrêmement critique, mais de manière constructive. Il fut un temps où il se persuada que le pouvoir redoutable des armes destructrices était la meilleure force de dissuasion, qu'elles modifieraient le point de vue des autorités militaires en place. Il adhérait à ce paradoxe que les armes les plus meurtrières portent en elles les germes de la paix. En ce sens, il approuvait la stratégie des USA.

Elle commençait à baisser un peu sa garde, il le sentait. Il devinait en elle un besoin à fleur de peau. Elle s'animait petit à petit, et se rapprochait de lui. Sous le ciel de Moscou, elle se dépouillait lentement de sa méfiance, après trop de solitude et de frustration.

— Alors, qu'est-ce qui l'a fait changer ?

— Pendant de longues années, il a été confronté à l'incompétence et l'arrogance de nos autorités militaires et bureaucratiques. Il a constaté que le progrès a pieds et poings liés, selon son expression. Il s'enflamme pour la perestroïka et la perspective de paix mondiale. Mais il n'est pas pour autant utopiste, il ne reste pas inactif. Il comprend parfaitement que rien ne se fera tout seul. Il sait que l'on mystifie notre peuple, auquel il manque l'union qui fait la force. La nouvelle révolution doit venir de plus haut. Des intellectuels, des artistes, des dirigeants, des savants. Il souhaite apporter sa propre contribution irréversible sous l'égide des chefs de ce mouvement. Il cite un dicton russe : « Quand la glace est mince, il faut marcher très vite. » Il déclare que nous avons vécu trop longtemps dans une époque désormais révolue. Le progrès ne peut s'accomplir qu'une fois cette époque enterrée.

— Vous êtes du même avis ?

— Bien sûr, et vous aussi.

Elle s'enflamme soudain. Ses yeux étincellent. Son anglais est trop parfait, un anglais académique, appris dans les grands classiques autorisés.

— Il dit qu'il vous a entendu critiquer votre propre pays dans des termes semblables.

— Il n'a pas de pensées simples, comme tout le monde ? Par exemple, aime-t-il le cinéma ? Quelle voiture conduit-il ?

Elle avait tourné la tête, et il la voyait maintenant de profil sur fond de ciel dégagé. Il but une autre rasade de scotch.

— Vous disiez qu'il était peut-être physicien, lui rappela-t-il.

— Il en a suivi l'enseignement. Je crois qu'il a aussi des diplômes d'ingénieur. Mais dans le domaine où il travaille, je pense que l'on ne fait pas grand cas des diplômes.

— Où a-t-il étudié ?

— A l'école, on le considérait déjà comme un prodige. A quatorze ans, il a gagné des olympiades de mathématiques. La presse de Leningrad en a même parlé. Puis il est allé au Litmo, et il a fait de la recherche. C'est quelqu'un d'extrêmement brillant.

— Quand je faisais mes études, je détestais ce genre d'élève, avoua Barley, aussitôt inquiet de lui voir prendre un air renfrogné.

— Mais Goethe, lui, vous ne l'avez pas détesté. Vous l'avez fasciné. Il cite souvent son ami Scott Blair : « Au nom de l'espoir, nous devons tous trahir nos pays. » Vous avez vraiment dit cela ?

— Qu'est-ce que c'est le Litmo ? demanda-t-il.

— L'institut des sciences mécaniques et optiques de Leningrad. Après l'université, on l'a envoyé à Novossibirsk étudier à Akademgorodok, la ville des savants. Il a tout réussi : maîtrise en sciences, doctorat ès sciences. Il obtenait tout ce qu'il voulait.

Barley l'aurait bien questionnée davantage sur le « tout ce qu'il voulait », mais craignant de l'effaroucher, il la laissa poursuivre, et parler librement.

— Racontez-moi comment vous l'avez connu.

— Quand j'étais encore toute jeune.

— Quel âge ?

Il la sentit de nouveau sur la défensive, puis elle se détendit, sans doute après s'être rappelé qu'elle était en sécurité avec lui... ou au contraire si peu en sécurité que rien n'avait plus d'importance.

— J'étais une grande intellectuelle de seize ans, dit-elle avec un sourire grave.

— Et quel âge avait le génie ?

— Trente ans.

— En quelle année ?

— 1968. Il croyait encore à son idéal de paix, et disait qu'on n'enverrait pas les chars. « Les Tchèques sont nos amis, répétait-il. Comme les Serbes et les Bulgares. S'il s'agissait de Varsovie, là peut-être qu'on enverrait les chars. Mais pas contre les Tchèques. Jamais. Jamais. »

Elle lui tournait complètement le dos à présent. Elle était trop de femmes réunies en une seule. Elle parlait au ciel, mais en même temps attirait Barley dans sa vie privée et en faisait son confident.

C'était à Leningrad en août, raconta-t-elle. Elle avait seize ans, elle étudiait le français et l'allemand en dernière année d'école. Élève exceptionnelle, pacifiste dans l'âme, et révolutionnaire romantique, elle se sentait devenir femme. Elle ironisait en parlant d'elle-même. Elle avait lu Erich Fromm, Ortega y Gasset et Kafka. Elle avait vu *Docteur Folamour*. Elle trouvait justes les idées de Sakharov, mais sa méthode mauvaise. Le problème des Juifs russes la préoccupait, mais elle reconnaissait, comme son père, qu'ils avaient engendré leur propre malheur. Son père enseignait les sciences humaines à l'université, et elle fréquentait une école réservée aux enfants de la nomenklatura de Leningrad. C'était en août 1968, pourtant Katia et ses amis avaient encore certaines espérances politiques. Barley essaya de se souvenir s'il en avait jamais eu, mais conclut que cela ne lui ressemblait guère. Il semblait que rien ne pouvait plus arrêter Katia de parler. Barley avait envie de lui prendre la main comme dans l'escalier. Il avait envie de l'étreindre, de prendre son visage entre ses mains, et de l'embrasser, au lieu d'écouter le récit de son idylle avec un autre.

— Nous croyions que l'Est et l'Ouest se rapprochaient. Quand les étudiants américains ont manifesté contre la guerre au Viêtnam, on s'est sentis fiers d'eux, on les a considérés comme des camarades. Et quand les étudiants parisiens se sont révoltés, on aurait voulu être à leurs côtés sur les barricades, bien habillés à la française.

Elle tourna la tête vers lui en souriant. Un croissant de lune apparut au-dessus des étoiles à la gauche de Katia, et Barley eut alors une vague réminiscence littéraire à propos de mauvais présages. Une bande de mouettes s'était posée sur le toit d'en face. Je ne te quitterai jamais, songea-t-il.

— Dans notre immeuble, il y a un homme qui a disparu pendant neuf ans, disait-elle, et un beau matin il a réapparu, affirmant qu'il n'était jamais parti. Mon père l'a invité à dîner et a passé de la musique toute la soirée. C'était la première fois que je rencontrais quelqu'un qui venait de subir des persécutions, et naturellement j'espérais qu'il parlerait des horreurs dans les camps. Mais tout ce qu'il voulait, c'était écouter du Chostakovitch. A l'époque, je ne comprenais pas que certaines souffrances sont indicibles. De Tchécoslovaquie nous est parvenue la nouvelle de réformes extraordinaires. Nous espérions qu'elles s'étendraient bientôt à l'Union soviétique, que nous aurions une monnaie forte, et serions libres de voyager à notre guise.

— Où était votre mère à l'époque?

— Elle était morte.

— De quoi?

— De tuberculose. Elle était déjà atteinte à ma naissance. Le 20 août, il y avait une projection privée d'un film de Godard au Club des Savants.

Sa voix avait pris un ton austère malgré elle.

— Les invitations étaient valables pour deux personnes. Renseignements pris sur l'aspect moral du film, mon père ne voulait pas m'emmener, mais j'ai longuement insisté. Au bout du compte, il a décidé que je l'accompagnerais pour perfectionner mon français. Vous connaissez le Club des Savants à Leningrad?

— Ma foi, non, répondit-il, se calant en arrière.

— Avez-vous vu *A bout de souffle*?

— Évidemment, c'était moi le héros! plaisanta-t-il, la faisant éclater de rire tandis qu'il sirotait son scotch.

— Alors vous vous rappelez à quel point la situation est tendue?

— En effet.

— C'est le film le plus fort que j'aie vu. Tout le monde était très impressionné, mais pour moi, ce fut comme un coup de poing dans l'estomac. Le Club des Savants se trouve sur les berges de la Neva, auréolé de la gloire du passé. Il y a des escaliers en marbre et des sofas profonds où il est malaisé de s'asseoir quand on porte une jupe serrée.

Elle s'était remise de profil, les yeux droit devant elle.

— Il y a aussi un magnifique jardin d'hiver et une salle qui ressemble à une mosquée, avec de lourdes draperies et des tapis moelleux. Mon père m'adorait, il s'inquiétait toujours à mon sujet et se montrait donc très strict. Après le film, nous sommes passés dans la superbe salle à manger lambrissée de bois. Nous étions assis autour de longues tables. C'est là que j'ai rencontré Yakov. Mon père me l'a présenté : « Voici un nouveau génie du monde de la physique. » Il avait la fâcheuse tendance d'user d'ironie envers les hommes plus jeunes. Yakov était très beau. J'avais déjà entendu parler de lui, mais personne ne m'avait dit que pour un scientifique, il avait une belle sensibilité d'artiste. Je lui ai demandé ce qu'il faisait, et il m'a répondu qu'il était à Leningrad pour y retrouver son innocence. J'ai ri, bien sûr, et je lui ai répondu de façon brillante pour une gamine de seize ans : je trouvais curieux qu'un scientifique prétende à l'innocence. Il m'a expliqué que ses prouesses à Akademgorodok dans certains domaines avaient attiré l'attention des militaires. Apparemment en physique, la frontière entre recherche fondamentale et recherche à fins militaires est minime. On lui a fait un pont d'or, mais il a refusé les privilèges et les subsides, car il voulait se réserver pour des découvertes inoffensives, ce qui eut le don d'exaspérer les militaires habitués à recruter la crème de nos chercheurs sans essuyer de refus. Aussi était-il revenu dans sa vieille université pour retrouver sa candeur intellectuelle.

« Au début il se proposait d'étudier la physique théorique, et cherchait à rencontrer des gens influents pour le financer, mais ceux-ci se montraient réticents à cause de l'attitude de Yakov. Il n'avait pas de permis de résident à Leningrad, il tenait des propos très libres, comme tous nos chercheurs, et il disait sa fascination pour Akademgorodok : les étrangers qui y faisaient des séjours à l'époque, les jeunes et brillants Américains de Stanford et du MIT, ainsi que les Anglais ; les peintres frappés d'interdit à Moscou, mais autorisés à exposer là-bas ; les séminaires, l'intensité de la vie, le libre-échange des idées et, comme je m'y attendais, de l'amour. " Dans quel autre pays verrait-on Richter et Rostropovitch venir jouer devant un public de chercheurs, Okoudjava chanter et Voznessenski dire ses poèmes ? C'est ce monde que nous autres chercheurs devons bâtir pour les autres ! " Il faisait des plaisanteries auxquelles je riais comme une femme mûre. Il était très brillant, mais aussi vulnérable qu'aujourd'hui. Il y a une partie de lui-même qui refuse de grandir. L'artiste et le perfectionniste, je pense.

« Il dénonçait déjà ouvertement l'incompétence des autorités, en ce temps-là. Selon lui, il y avait tellement d'œufs et de saucisses dans le supermarché d'Akademgorodok que les chalands débarquaient par bus entiers de Novossibirsk et laissaient les rayons vides dès 10 heures du matin. Pourquoi les œufs ne faisaient-ils pas le trajet à la place des gens ? Ce serait bien mieux ! Il m'a raconté aussi que personne ne ramassait les ordures, et qu'il y avait sans cesse des coupures de courant. Parfois les tas d'ordures dans les rues montaient à hauteur de genou. Et ils appellent ça le paradis des savants ! J'ai fait un autre commentaire subtil qui a beaucoup amusé l'assistance : " C'est bien l'ennui du paradis. Il n'y a personne pour ramasser les ordures ! " Je me suis taillé un franc succès. Ensuite Yakov a expliqué que la vieille garde, confrontée aux idées des jeunes chercheurs, repartait en hochant la tête comme des paysans qui voient un tracteur pour la première fois. Aucune importance, a-t-il lancé, le progrès l'emportera ! Il a dit que la locomotive de la Révolution, que Staline avait fait dérailler, s'ébranlait à nouveau ; prochain arrêt : Mars. Mon père l'a interrompu avec une de ses remarques cinglantes, car il trouvait Yakov trop virulent : " Mais Yakov Yefremovitch, Mars n'était-il pas le dieu de la guerre ? " Sur quoi Yakov est devenu pensif. Je n'aurais jamais cru quelqu'un capable de changer si soudainement. Arrogant l'instant d'avant, et aussitôt après terriblement seul et déconcerté. J'en ai voulu à mon père. J'étais furieuse. Yakov a essayé de se ressaisir, mais mon père l'avait vraiment plongé dans le désespoir. Est-ce que Yakov vous a parlé de son père à lui ?

Elle était assise de l'autre côté du goulet, adossée à la déclive du toit d'ardoises, ses longues jambes allongées, sa robe lui moulant le corps. A mesure que le ciel s'assombrissait derrière elle, la lune et les étoiles brillaient d'un plus bel éclat.

— Il m'a dit que son père était mort d'une overdose d'intelligence, répondit Barley.

— Il a participé à une révolte dans un camp, par désespoir. Yakov n'a appris sa mort que des années plus tard. Un vieillard s'est présenté un jour chez lui pour lui avouer qu'il avait tué son père. Il était garde dans ce camp, et avait dû faire partie du peloton d'exécution des mutins. On les avait abattus par dizaines à la mitrailleuse près de la gare terminus de Vorkouta. Le garde pleurait en racontant cela. Yakov n'avait que quatorze ans, il lui a accordé son pardon et lui a offert un verre de vodka.

Je ne serai jamais à la hauteur, songea Barley. Je n'arrive pas à la cheville de ces gens-là.

— En quelle année son père a-t-il été fusillé ? demanda-t-il.

Engrange comme la fourmi, c'est le seul rôle que tu puisses jouer, se dit-il.

— Au printemps 1952, si j'ai bonne mémoire. Bref, Yakov resta silencieux, et à la table tout le monde reprit avec véhémence la conversation sur la Tchécoslovaquie, enchaîna-t-elle dans son anglais irréprochable et suranné. Certains, dont mon père, affirmaient que la bande des dirigeants enverrait les chars, et parmi eux, un groupe soutenait que ce serait un acte justifié. Mon père disait que, justifiée ou pas, la décision serait prise. Les tsars rouges feraient ce que bon leur semblerait, imitant en cela les tsars blancs. Le système gagnerait, comme toujours, et c'était la croix que nous devrions porter. Yakov fit sienne par la suite cette conviction de mon père, mais à l'époque, il défendait encore la Révolution avec ferveur, espérant que la mort de son père n'avait pas été vaine. Il écouta attentivement mon père, mais se montra très vite agressif. « Ils n'enverront jamais les chars », affirma-t-il. « La Révolution survivra ! » s'écria-t-il en tapant du poing sur la table. Avez-vous remarqué ses mains ? Des mains de pianiste, minces et diaphanes. Il avait trop bu. Mon père aussi, ce qui le rendait coléreux. Il voulait qu'on le laisse tranquille, lui et son pessimisme. En tant qu'humaniste distingué, il n'appréciait guère d'être contredit par un jeune savant qu'il considérait comme un arriviste. Et peut-être aussi était-il jaloux, car pendant qu'ils se querellaient, je suis tombée follement amoureuse de Yakov.

Barley avala une autre gorgée de scotch.

— Vous ne trouvez pas cela choquant ? s'écria-t-elle d'un ton indigné alors qu'un sourire éclairait à nouveau son visage. Une gamine de seize ans avec un homme expérimenté de trente ans ?

Barley ne trouva pas de repartie sur le moment, mais il sentait que Katia avait besoin d'être rassurée.

— J'en reste sans voix, mais somme toute je dirais qu'ils ont eu tous les deux beaucoup de chance.

— A la fin de la soirée, j'ai demandé trois roubles à mon père pour aller manger des glaces au café Sever avec mes amies. Il y avait plusieurs filles d'universitaires à cette réception, dont certaines étaient des camarades d'école. J'ai invité Yakov à se joindre à nous. En chemin, j'ai voulu savoir où il habitait, et il m'a répondu : dans la rue du professeur Popov, me demandant aussitôt qui était Popov. Tout le monde le sait, répliquai-je en riant. Le grand inventeur de la radio, celui qui a transmis un message sans fil avant Marconi. Yakov n'en semblait pas convaincu. « Si ça se trouve, Popov n'a jamais existé, reprit-il. Le Parti l'a peut-être inventé pour combler notre vieux rêve russe d'être les premiers dans tous les domaines. » Je fus alors certaine qu'il se posait toujours des questions sur le sort de la Tchécoslovaquie.

N'entendant rien à cette remarque, Barley hocha la tête d'un air entendu.

— Je lui ai demandé s'il logeait seul ou dans un appartement communautaire. Il partageait une pièce avec un ancien camarade du Litmo qui travaillait de nuit dans un laboratoire, et le croisait donc rarement. Je lui ai alors demandé de m'emmener chez lui pour voir si son logement était confortable. Et il a été mon premier amant, dit-elle simplement. Il a fait preuve d'une infinie délicatesse, comme je m'y attendais, mais aussi d'une grande passion.

— Bravo..., murmura Barley, si bas qu'elle n'entendit sans doute pas.

— Je suis restée trois heures avec lui avant de prendre le dernier métro. Mon père m'attendait, et je lui ai parlé comme une étrangère de passage. Je n'ai pas dormi de la nuit. Le lendemain, j'ai entendu les informations en anglais à la BBC. Les chars avaient envahi Prague. Mon père, qui l'avait prévu, était désespéré, mais je ne m'en souciais pas. Au lieu d'aller en cours, je suis partie à la recherche de Yakov. Son colocataire m'a dit que je le trouverais au Saigon, le surnom d'une cafétéria sur la perspective Nevski où se retrouvaient les poètes, les trafiquants de drogue, les spéculateurs..., jamais les filles de professeurs. Yakov buvait un café quand je suis arrivée, mais il était saoul. Il avait bu de la vodka depuis qu'il avait entendu la nouvelle. « Ton père avait raison, dit-il. Le système gagnera toujours. Nous parlons bien haut de liberté, mais nous sommes des oppresseurs. » Trois mois plus tard il est reparti pour Novossibirsk. Il s'en voulait terriblement, mais il y est quand même retourné. « Il faut savoir si l'on veut mourir d'obscurantisme ou de compromission, me dit-il. Quitte à choisir entre deux morts, autant choisir la plus agréable. »

— Et comment avez-vous réagi ? demanda Barley.

— Il me faisait honte. Je lui ai dit qu'il me décevait, après avoir représenté un idéal à mes yeux. J'avais lu des romans de Stendhal, et je lui ai parlé sur le ton d'une de ces grandes héroïnes françaises. Quoi qu'il en soit, j'étais convaincue de l'immoralité de sa décision. Il agissait à l'inverse des idées qu'il professait, et je lui ai rappelé qu'en Union soviétique, c'était hélas pratique trop courante. Je l'ai aussi prévenu que je ne lui parlerais plus jusqu'à ce qu'il revienne sur son choix. Je lui ai cité E.M. Forster, que nous admirions tous les deux. Je lui ai dit qu'il devait être cohérent, et harmoniser ses pensées avec ses actes. Évidemment j'ai cédé très vite, et nous avons repris notre liaison pendant quelque temps, mais elle n'était plus empreinte du même romantisme, et quand il eut commencé son nouveau travail, nous avons échangé une correspondance sans passion. J'avais honte de lui, et de moi aussi, sans doute.

— Alors vous avez épousé Volodia ? dit Barley.

— Exact.

— Mais Yakov est resté votre amant ! lança-t-il comme si la chose était des plus normales.

Une légère rougeur monta aux joues de Katia, et son front se plissa.

— Pendant un temps, oui, j'ai entretenu une liaison extra-conjugale très irrégulière avec Yakov. Il nous disait les héros d'un roman inachevé, chacun attendant de l'autre qu'il l'aide à accomplir sa destinée. Il était dans le vrai, mais j'avais sous-estimé la force de son influence sur moi, et de la mienne sur lui. Je croyais que des rencontres plus fréquentes émousseraient notre dépendance réciproque. Je me trompais, et lorsque je l'ai compris, j'ai mis fin à notre liaison. Je l'aimais vraiment, mais j'ai cessé toute relation. Et puis... j'étais enceinte de Volodia.

— Alors quand vous êtes-vous revus finalement, Yakov et vous ?

— Après la dernière foire du livre de Moscou. Vous avez agi sur lui comme un catalyseur. Il avait pris des vacances et buvait beaucoup. Il avait rédigé de nombreux rapports internes et enregistré de nombreuses plaintes officielles, mais rien de tout cela n'avait apparemment fait impression sur le système, bien que, selon moi, il eût réussi à irriter les autorités. Vos propos lui étaient allés droit au cœur. Vos paroles avaient concrétisé ses pensées à un moment crucial de son existence, car vous aviez fait le lien entre la parole et les actes, ce qui n'est pas facile pour Yakov. Le lendemain il m'a téléphoné au bureau sous un prétexte quelconque. Il avait emprunté l'appartement d'un ami. Mes rapports avec Volodia s'étaient détériorés à l'époque, mais nous vivions toujours ensemble, car il attendait un logement. J'ai retrouvé Yakov chez son ami, et c'est là qu'il m'a longuement parlé de vous. Vous aviez rendu les choses claires à ses yeux. C'est exactement ce qu'il m'a dit : « Cet Anglais m'a apporté la solution. Désormais seuls les actes et l'esprit de sacrifice comptent. La parole est la malédiction de notre société russe, car elle remplace les actes. » Yakov me sachant en relation avec des maisons d'édition occidentales, il m'a demandé de chercher votre nom sur les listes des visiteurs étrangers attendus à la foire. Et il a aussitôt entrepris d'écrire un manuscrit, que je devais vous remettre. Mais il buvait énormément, ce qui m'inquiétait beaucoup. « Comment peux-tu écrire en étant ivre ? » Il me répondait qu'il lui fallait boire pour arriver à survivre.

Barley prit une autre gorgée de whisky.

— Vous avez parlé de Yakov à Volodia ?

— Non.

— Volodia a découvert votre liaison ?

— Non.

— Alors qui est au courant ?

Elle avait dû se poser la même question, car elle répondit immédiatement :

— Yakov ne raconte rien à ses amis, j'en suis certaine. Quand c'est moi qui emprunte un appartement, je dis que c'est pour des affaires privées. En Russie, nous savons ce que sont la discrétion ou la solitude, mais nous n'avons pas de mot pour l'intimité.

— Et vos amies à vous ? Pas la moindre confidence ?

— Nous ne sommes pas des anges. Si je leur demande certaines faveurs, elles font sûrement des suppositions. Mais des fois c'est moi qui leur rends service. Un point c'est tout.

— Et personne n'a aidé Yakov à rédiger son manuscrit ?

— Non.

— Pas même un de ses compagnons de beuveries ?

— Non.

— Comment pouvez-vous en être sûre ?

— Parce que je sais qu'il vit seul en compagnie de ses pensées.

— Vous êtes heureuse avec lui ?

– Pardon ?

– Il vous plaît ? Vous l'aimez d'amour ? Est-ce qu'il vous fait rire ?

– Je crois que Yakov est un grand esprit très vulnérable, qui ne peut pas vivre sans moi. Vous savez, être perfectionniste c'est être encore un enfant. C'est aussi ne pas avoir de sens pratique. Je pense que sans moi il s'écroulerait.

– Vous pensez qu'il s'est écroulé, là ?

– Yakov dirait : « Entre celui qui projette l'extermination de la race humaine et celui qui tente de l'en empêcher, lequel est sain d'esprit ? »

– Et celui qui fait les deux ?

Elle ne répondit pas, car elle avait compris que Barley, jaloux et désireux de saper sa foi, cherchait à l'exaspérer.

– Il est marié ?

Une ombre de colère passa sur le visage de la jeune femme.

– Je ne pense pas, et cela n'a aucune importance.

– Il a des enfants ?

– Ces questions deviennent ridicules.

– Mais la situation est plutôt ridicule.

– Yakov prétend que les hommes sont les seules créatures qui font de leurs enfants des victimes. Et il ne veut pas fournir de victimes à notre société.

Sauf tes enfants à toi, songea Barley, qui se retint de le dire à voix haute.

– Vous avez donc suivi sa carrière avec intérêt ? lança-t-il d'un ton brusque, cherchant toujours à découvrir le statut de Goethe.

– Oui, mais de loin. Pas dans les détails.

– Et tout ce temps-là vous ignoriez sur quoi il travaillait, c'est bien cela ?

– Je savais seulement ce que je déduisais de nos discussions sur des problèmes d'éthique. « Quel pourcentage de la race humaine faut-il exterminer pour sauvegarder la race humaine ? Comment prôner le combat pour la paix quand nous projetons de terribles guerres ? Comment pouvons-nous parler d'une sélection des objectifs alors que la précision pour les toucher nous fait défaut ? » En discutant ces questions, j'ai pris conscience de son engagement, évidemment. Quand il affirme que le plus grand danger pour l'humanité n'est pas l'existence du pouvoir soviétique mais le fait qu'il soit illusoire, je ne mets pas ses propos en doute. Je l'encourage, je le pousse à être logique, voire courageux, mais je ne le contredis jamais.

— Et Rogov ? Il n'a pas mentionné un certain Rogov ? Professeur Arkadi Rogov ?

— Je vous ai déjà expliqué qu'il ne me parle jamais de ses collègues.

— Mais qui vous dit que Rogov en est un ?

— Votre question le laissait entendre, rétorqua-t-elle vivement.

— Comment vous arrangez-vous pour communiquer avec Yakov ? demanda-t-il d'un ton plus aimable.

— C'est sans importance. Quand un de ses amis reçoit un certain message, il en informe Yakov, qui me téléphone.

— Est-ce que cet « ami » sait qui est l'expéditeur du message ?

— Il n'a aucune raison de connaître ce détail. Il sait seulement que c'est une femme.

— Yakov a-t-il peur ?

— Comme il parle beaucoup de courage, j'imagine qu'il a peur. Il cite Nietzsche, « le bien suprême est de ne pas avoir peur », et Pasternak, « La racine de la beauté... »

— Et vous, vous avez peur ?

Elle détourna le regard. En face, les fenêtres des maisons s'éclairaient.

— Je dois éviter de penser à mes enfants pour pouvoir penser à tous les enfants du monde, dit-elle.

Et il remarqua deux larmes qui s'attardaient sur ses joues. Il but une gorgée de whisky et fredonna quelques mesures de Count Basie. Quand il la regarda de nouveau, les larmes s'étaient évaporées.

— Il parle aussi du grand mensonge, reprit-elle comme si elle s'en souvenait subitement.

— Ce qui veut dire ?

— Tout fait partie d'un même et unique grand mensonge, jusqu'à la plus petite pièce de rechange de la plus petite armée. Même les résultats envoyés à Moscou sont un élément du grand mensonge.

— Les résultats ? Quels résultats ? Les résultats de quoi ?

— Je ne sais pas.

— Des résultats de tests ?

— Oui, je crois, répondit-elle en oubliant sa précédente réponse négative. À mon avis, il veut dire que les résultats des tests sont falsifiés pour satisfaire aux ordres des généraux, et aux exigences de production des bureaucrates. C'est peut-être lui en personne qui les falsifie, d'ailleurs. Il a une personnalité très complexe. Parfois il parle de ses nombreux privilèges qui maintenant lui font honte.

Walter avait baptisé le questionnaire la « liste des courses ». Avec un sens modéré du devoir, Barley en biffa les derniers articles.

— A-t-il parlé de projets particuliers ?

— Non.

— De se trouver impliqué dans des systèmes de commande-ment ? De la façon dont le commandant en chef est contrôlé ?

— Non.

— Vous a-t-il dit quelles mesures devaient être prises afin de prévenir les erreurs de lancement ?

— Non.

— A-t-il fait quelque allusion au fait de travailler sur l'informa-tique ?

— Non, répliqua-t-elle d'un ton las.

— Est-ce qu'il monte en grade de temps en temps ? Reçoit-il des médailles ? Donne-t-on des réceptions en son honneur quand il prend du galon ?

— Il ne parle jamais de promotion, sauf pour dire qu'elle est liée à la corruption. Comme je vous l'ai déjà dit, il s'est montré trop virulent dans ses critiques du système. Je n'en sais pas plus.

Elle s'éloignait de lui à nouveau, le visage à demi caché derrière l'écran de sa chevelure.

— Vous feriez mieux de lui poser vos questions directement, conseilla-t-elle sur le ton de quelqu'un qui va prendre congé. Il désire vous rencontrer vendredi à Leningrad. Il doit assister à une importante conférence dans l'une des institutions scientifico-militaires.

Le ciel sembla basculer d'un coup. Puis Barley sentit la fraî-cheur du soir l'envelopper tel un nuage glacé, alors que la nou-velle lune, de nouveau immobile à ses yeux, diffusait une lumière dorée dans un firmament sombre et dégagé.

— Il propose trois lieux et trois horaires différents, poursuivit-elle sur le même ton neutre. Vous vous rendrez à chaque rendez-vous jusqu'à ce que vous le trouviez, s'il réussit à venir. Il vous adresse ses salutations et ses remerciements. Il vous aime beau-coup.

Elle lui dicta trois adresses, qu'il nota sous ses yeux dans un semblant de code sur son calepin. Puis il fut pris d'une crise d'éternuements, dont Katia attendit patiemment la fin tandis qu'il était secoué de soubresauts et maudissait son Créateur.

Ils soupèrent comme deux amoureux épuisés, dans un restaurant en sous-sol où traînaient un vieux chien à poil gris et une gitane qui chantait le blues accompagnée par une guitare. Qui était le patron ? Qui permettait l'existence de ce lieu, et pourquoi ? Autant de mystères que Barley n'avait jamais pris la peine d'élucider. Tout ce qu'il savait, c'est que dans une vie antérieure, lors d'une quelconque foire du livre, il était arrivé complètement ivre avec un groupe d'éditeurs polonais farfelus, et avait joué *Bless This House* sur un saxo emprunté à quelqu'un.

Ils se parlaient avec une certaine raideur, et à mesure que la soirée avançait, un fossé se creusait entre eux, au point que Barley eut l'impression qu'il engloutissait sa propre insignifiance. Il la regarda avec insistance, conscient de n'avoir rien à lui offrir qu'elle ne possédât déjà au centuple. D'ordinaire, il lui eût fait une déclaration d'amour passionnée. S'abîmer dans l'excès eût été essentiel pour briser la tension d'une relation naissante. Mais en présence de Katia, il ne trouvait pas d'absolus à confronter aux siens. Sa vie lui apparaissait soudain comme une série de résurrections vides de sens, après des échecs tous plus sérieux les uns que les autres. Il songea avec horreur qu'il appartenait à une société matérialiste, bien peu préoccupée par ses grands problèmes. Mais il ne pouvait avouer cela à Katia – lui dire quoi que ce soit l'entraînait à attaquer l'image qu'elle avait de lui, et il n'en avait aucune autre en réserve.

Tandis qu'ils parlaient littérature, il remarqua qu'elle s'éloignait peu à peu de lui. Son visage prit une expression distraite, sa voix se fit impersonnelle. Il chercha par tous les moyens à la ramener vers lui, mais elle était déjà ailleurs. Elle le gratifiait de ces mêmes commentaires insipides qu'il avait dû écouter toute la journée en attendant de la retrouver. Dans une minute je vais lui raconter Potomac Boston, et lui expliquer que le fleuve et la ville n'ont rien à voir. Et il s'aperçut avec épouvante qu'il était en train de le faire !

Vers 11 heures, lorsque la direction eut éteint les lumières,

Barley accompagna Katia jusqu'à la station de métro par la rue déserte, et c'est alors qu'une pensée totalement insensée lui traversa l'esprit : et s'il avait fait sur Katia une impression comparable, ou presque, à celle qu'elle avait faite sur lui ? Elle lui avait pris le bras, et il sentait la pression de ses longs doigts fins, tandis qu'elle faisait de plus grandes enjambées pour marcher au même pas que lui. La cage blanche et béante de l'ascenseur attendait sa passagère. Les lustres scintillaient au-dessus de leurs têtes comme des sapins de Noël renversés. Barley prit Katia dans ses bras pour les adieux traditionnels à la russe : un baiser sur la joue gauche, un sur la droite, encore un sur la gauche. Bonne nuit.

– Monsieur Blair ! Monsieur Blair ! Il me semblait bien vous avoir aperçu. Quelle coïncidence ! Montez donc. Nous allons vous ramener.

Barley obéit, et Wicklow, avec l'agilité d'un acrobate, passa de l'avant à l'arrière de la voiture, où il entreprit aussitôt d'enlever l'enregistreur dissimulé dans le bas du dos de Barley.

Ils le déposèrent à l'Odessa et continuèrent leur route. Du travail les attendait. Le nall de l'hôtel ressemblait à un terminal d'aéroport par temps d'épais brouillard. Dans les sofas et les fauteuils, des clients clandestins, en survêtement ou en tenue plus habillée, sommeillaient dans la pénombre après avoir payé le prix convenu. Barley leur jeta un regard compatissant, en plissant le nez.

– Un dernier petit verre ? cria-t-il à la cantonade.

Pas de réponse.

– Personne ne veut un verre de whisky ? Vraiment ?

Il prit dans la grande poche intérieure de son imperméable sa bouteille encore pleine aux deux tiers, et la fit passer à la ronde après avoir avalé une longue rasade pour donner l'exemple.

Wicklow le retrouva deux heures plus tard dans le hall de l'hôtel, installé au milieu d'un groupe de noctambules reconnaissants, et buvant un dernier verre avant d'aller se coucher.

9.

— Mais qui sont donc les nouveaux Américains de Clive ? chuchotai-je à Ned comme nous faisions religieusement cercle autour du magnétophone de Brock dans la salle des opérations.

L'horloge de Londres marquait 6 heures, et Victoria Street ne résonnait pas encore de son brouhaha matinal. Le crissement de la bobine sur laquelle Brock positionnait la bande évoquait un gazouillis d'oiseaux. Elle était arrivée par porteur une demi-heure auparavant, après avoir voyagé jusqu'à Helsinki par la valise diplomatique, puis à Northolt par vol spécial. Nous aurions pu éviter tout ce coûteux processus si Ned avait consenti à écouter le boniment des adeptes de la technologie, car les grands manitous de Langley ne juraient que par un nouveau système qui véhiculait la parole en toute sécurité. Mais Ned ne changerait jamais, et il préférait ses vieilles méthodes éprouvées.

Assis à son bureau, il apposait sa signature au bas d'un document qu'il cachait d'une main. Il plia la feuille de papier, la glissa dans une enveloppe dont il colla le rabat, avant de la confier à la grande Emma, une de ses assistantes. N'espérant plus de réponse à ma question, je fus surpris quand Ned lança d'un ton véhément :

— Ces salauds de parachutés qui mettent le nez dans nos affaires !

— Des envoyés de Langley ?

— Qui sait ! Service de Sécurité.

— Mais qui les envoie ? insistai-je.

Il secoua la tête, trop furieux pour répondre. A cause du document qu'il venait de signer, ou de la présence des intrus américains ? Ils étaient deux, escortés par Johnny, de leur antenne à Londres. Avec leurs blazers bleu marine et leurs cheveux courts, ils respiraient l'hygiène aseptisée des Mormons, que personnellement je trouve plutôt rebutante. Clive se tenait entre eux, tandis que Bob avait délibérément pris place à l'autre bout de la salle, près de Walter, qui semblait très abattu – à cause de l'heure matinale, supposai-je d'abord. Même Johnny semblait contrarié par leur présence, et j'eus aussitôt la même réaction. Ces visages inconnus et maussades n'avaient pas leur place au sein de notre opération, surtout à un moment aussi crucial. On aurait dit des pleureuses réunies dans l'anticipation d'un décès. Mais qui était le futur défunt ? Je regardai de nouveau Walter, et mes soupçons inquiets se cristallisèrent sur lui.

Je tournai mes regards vers les nouveaux venus, inodores, incolores et sans saveur. Service de Sécurité, avait dit Ned. Mais pourquoi ? Et pourquoi maintenant ? Pourquoi dévisageaient-ils tout le monde sauf Walter, et Walter, tout le monde sauf eux ? Pourquoi Bob s'était-il assis loin d'eux ? Pourquoi Johnny gardait-il les yeux baissés sur ses mains ? Dieu merci, mes pensées furent alors interrompues.

Sur le magnétophone que Brock venait d'enclencher, nous entendîmes des bruits de pas montant un escalier de bois, des claquements de portes, puis le juron de Barley qui venait de s'érafler le dos à la lucarne. A nouveau des bruits de pas, au moment où ils grimpaient sur le toit.

On dirait une séance de spiritisme, pensai-je en entendant les premières paroles échangées. Barley et Katia s'adressaient à nous depuis l'au-delà. Du coup, j'en oubliai les deux intrus immobiles au visage de bourreau.

Ned était le seul à disposer d'un casque d'écoute, ce qui faisait une grande différence, comme je le constatai en l'essayant à mon tour : on entendait alors les colombes de Moscou voleter sur les pignons du toit, la respiration rapide de Katia qui parlait, et les battements du cœur de notre *Joe* par les micros de contact.

Brock nous passa toute la scène sur le toit avant que Ned décide de faire une pause. Seuls nos visiteurs américains semblaient indifférents. Leurs regards sombres allaient de l'un à l'autre sans se fixer. Le visage de Walter s'empourpra.

Brock nous fit ensuite écouter la scène du dîner. Personne ne réagit. Pas un soupir, pas un craquement de chaise, pas un applaudissement, même lorsqu'il arrêta la bande pour la rembobiner. Ned ôta son casque.

— Yakov Yefremovitch, nom de famille inconnu, physicien, âgé de trente ans en 1968, donc né en 1938, annonça-t-il en prenant un formulaire rose de recherches sur la pile devant lui pour y noter quelque chose. Walter, d'autres suggestions ?

Walter dut se ressaisir. Il semblait perturbé, et sa voix avait perdu de sa légèreté coutumière.

— Yefrem, chercheur soviétique, autres noms inconnus, père de Yakov Yefremovitch, fusillé à Vorkouta au printemps 1952 à la suite d'une mutinerie, récita-t-il sans même regarder son mémo. Il ne doit pas y avoir beaucoup de Yefrem, chercheurs de profession, exécutés pour une overdose d'intelligence, même à l'époque de ce cher vieux Staline ! ajouta-t-il sur un ton pitoyable.

Aussi absurde que cela puisse paraître, je crus voir des larmes dans ses yeux. Peut-être quelqu'un est-il vraiment mort, après tout, me dis-je en jetant un coup d'œil à nos deux Mormons.

— Et vous, Johnny ? questionna Ned tout en écrivant.

— Ned, je vote pour Boris, autres noms inconnus, veuf, professeur de sciences humaines à l'université de Leningrad, environ soixante-dix ans, une fille : Ekaterina, dit Johnny, les yeux toujours fixés sur ses mains.

Ned remplit une autre fiche, et la lança dans la corbeille de départ d'un geste négligent.

— Palfrey, vous voulez jouer ?

— Pour moi, ce sera les journaux de Leningrad, Ned, s'il vous plaît, répondis-je d'un air aussi détaché que possible en sentant sur moi le regard sombre des Américains de Clive. J'aimerais connaître les concurrents, les partants et les vainqueurs des olympiades de mathématiques en 1952, dis-je, soulevant quelques rires. Par sécurité, ajoutez ceux de 1951 et 1953. Et ses palmes académiques, au passage. « Il a tout réussi : maîtrise en sciences, doctorat ès sciences. Il obtenait tout ce qu'il voulait », a dit Katia. Peut-on se renseigner là-dessus ? Merci d'avance.

A l'issue de ce tour de table, Ned chercha Emma d'un regard courroucé, pour la charger de descendre les formulaires aux Archives. Mais cela ne satisfaisait pas Walter, soudain décidé à se donner de l'importance. Il bondit sur ses pieds et, de toute la hauteur de son mètre cinquante-cinq, s'approcha du bureau de Ned en agitant ses frêles poignets avec indignation.

— Je me charge personnellement de tout le travail de recherche, déclara-t-il d'un ton grandiloquent, s'emparant du paquet de feuilles roses. Cette bataille est bien trop importante pour être confiée à nos cheftaines des Archives, aussi irrésistibles soient-elles avec leurs cheveux aux reflets bleus.

Je me souviens encore de nos deux Mormons le suivant des yeux jusqu'à la porte, puis échangeant un regard entendu, tandis qu'il s'éloignait dans le couloir d'un pas allègre. Et mon sang se glaça aussitôt dans mes veines, sans que j'en comprisse à l'époque la cause.

— Un peu d'air pur de la campagne, me proposa Ned sur la ligne intérieure une heure plus tard, alors que je venais d'arriver à mon bureau de la Centrale. Dites à Clive que j'ai besoin de vous.

— Eh bien allez-y donc! me lança Clive toujours enfermé avec ses Mormons.

Nous avions emprunté au garage du Service une Ford rapide, et tout en conduisant, Ned me tendit un dossier à lire, sans réagir à mes tentatives de conversation. Il s'obstinait dans son silence tandis que la voiture filait à travers la campagne du Berkshire. Et lorsque Brock appela sur le téléphone de bord pour lui donner brièvement une confirmation qu'il attendait, il se contenta de grommeler : « Alors prévenez-le », avant de se replonger dans ses réflexions.

Nous étions à soixante-cinq kilomètres de Londres sur la planète la plus hideuse découverte par l'homme. Nous roulions dans le ghetto de la science moderne, où le gazon est toujours impeccablement tondu. Des lions de pierre maintenant érodée gardaient les antiques piliers du portail. Un homme en veste de sport marron ouvrit courtoisement la portière de Ned. Son collègue glissa un détecteur sous le châssis, et ils nous palpèrent très civilement de haut en bas.

— Vous prenez la serviette avec vous, messieurs ?

— Oui, répondit Ned.

— Vous souhaitez l'ouvrir vous-même, monsieur ?

— Non.

— Alors on va la passer dans l'appareil, messieurs, si ça ne vous dérange pas. Je ne pense pas qu'elle contienne des négatifs, monsieur ?

– Non. Allez-y, passez-la dans l'appareil.

Ils plongèrent la serviette dans une sorte de coffre à charbon vert, et l'en ressortirent aussitôt.

– Merci, dis-je en la reprenant.

– Tout le plaisir est pour moi.

La fourgonnette bleue portait une pancarte « SUIVEZ-MOI »; un berger allemand nous regardait d'un air patibulaire par la vitre arrière renforcée de barreaux. Au-delà du portail, qui s'ouvrit électroniquement, moutonnaient des talus d'herbe rase comme autant de tumulus funéraires. Nous entrâmes dans le parc, où des collines vert olive s'étiraient en direction du soleil couchant. Un nuage-champignon n'aurait pas déparé ce lieu. Quelques charognards tournoyaient dans un ciel sans nuage. Une haute clôture en fer entourait des champs de foin. Des édifices en brique aux cheminées sans fumée se nichaient dans des vallons artificiels. Une pancarte imposait le port de tenues protectrices dans les zônes D à K, et une tête de mort reposant sur deux tibias semblait dire « On vous aura prévenus ». Le fourgon que nous suivions avançait à une allure de corbillard. Au détour d'un virage s'offrirent à nos yeux des courts de tennis et des tours d'aluminium. Une enfilade de tuyaux colorés longeait l'allée, nous menant à un groupe de hangars peints en vert. A leur centre, au sommet d'une colline, se dressait le dernier vestige de l'ère prénucléaire : un cottage du Berkshire en brique et silex, dont la porte s'ornait du panneau « Administrateur ». Un homme robuste portant un blazer vert gazon, une cravate décorée de raquettes de squash dorées, et un mouchoir glissé dans sa manche, vint à notre rencontre, trébuchant sur les pavés inégaux du chemin.

– Vous êtes de la Firme ? Très bien. Je m'appelle O'Mara. Qui est qui ? Je lui ai dit d'attendre au labo qu'on le sonne.

– Parfait, fit Ned.

O'Mara avait des cheveux blond cendré, une voix naturellement autoritaire cassée par l'alcool, un cou renflé et des doigts boudinés tachés de nicotine. « O'Mara surveille les chercheurs, m'avait confié Ned lors d'un de nos rares échanges pendant le trajet. Il fait partie pour moitié du personnel, et pour moitié de la Sécurité. Au total, c'est un emmerdeur. »

On aurait pu croire le salon tenu par des prisonniers des guerres napoléoniennes : on avait même astiqué les briques de la cheminée, et joliment réchampi en blanc leurs rainures de plâtre.

Nous prîmes place dans des fauteuils en tissu à fleurs pour déguster un gin-tonic avec beaucoup de glaçons. Des pièces de harnais en cuivre pendaient des poutres d'un noir brillant.

— Je reviens des USA, nous dit O'Mara comme s'il avait à justifier son absence.

Il leva son verre, et baissa la tête pour y tremper ses lèvres.

— Vous y allez souvent, vous ? demanda-t-il.

— A l'occasion, répondit Ned.

— De temps en temps, dis-je. Quand le devoir nous y appelle.

— On envoie pas mal de nos chercheurs là-bas. Temporairement, bien sûr. Dans l'Oklahoma, le Nevada, l'Utah. La plupart s'y plaisent bien, mais certains ont le mal du pays.

Il dégusta lentement une gorgée de son cocktail.

— J'ai visité leur laboratoire d'armement à Livermore, en Californie. Un endroit sympathique, avec une belle maison d'accueil pour les visiteurs. Ils sont bourrés de fric là-bas. Ils nous ont conviés à une semaine sur la mort. Foutrement macabre, quand on y réfléchit, mais les psys étaient convaincus que ça ferait du bien à tout le monde. Et en plus, il y avait des vins délicieux, alors... J'imagine que si on projette de faire cramer une bonne portion de la race humaine, mieux vaut savoir comment ça marche.

Il but à nouveau, sans se presser. A cette heure-là, le sommet de la colline était très calme.

— C'est étonnant de voir combien de gens n'avaient jamais réfléchi à la question, poursuivit-il. Surtout les jeunes. Leurs aînés se montraient plus réticents, parce qu'ils se rappelaient l'âge de l'innocence, si tant est qu'il existe. Quand on crève sur le coup, on est un mort rapide, et si on y met le temps, un mort lent. Je n'y avais jamais pensé. Ça donne sans doute une vision différente quand on se trouve au cœur de l'action. Enfin, on en est à la quatrième génération, maintenant. Ça émousse les remords. Vous jouez au golf, les amis ?

— Non, fit Ned.

— Moi non plus, dis-je. J'ai pris des leçons dans le temps, mais elles ne m'ont guère servi.

— On a des terrains superbes, ici. Mais on nous a obligés à louer des foutus carts Neddy. Je préfère mourir que d'être vu là-dedans.

Il but à nouveau, avec la même lenteur rituelle, puis nous expliqua :

— Wintle est un drôle de zigoto. Ce sont tous des drôles de zigotos, mais Wintle encore plus que les autres. Il s'est passionné pour le socialisme, après, pour Jésus, et maintenant il s'est lancé dans la méditation transcendantale et le Tai Chi. Dieu merci, il est marié! Il a arrêté ses études après le lycée, mais il parle correctement. Il lui reste trois ans à tirer ici.

— Que lui avez-vous dit exactement? s'enquit Ned.

— Ils croient toujours qu'on les soupçonne. Je lui ai affirmé que ce n'était pas le cas, et je lui ai dit de fermer sa grande gueule quand tout sera terminé.

— Et vous croyez qu'il le fera? demandai-je.

— Malgré tous nos efforts, ils ne savent pas tenir leur langue, pour la plupart, dit O'Mara en secouant la tête.

On frappa à la porte, et Wintle entra. Un éternel étudiant de cinquante-sept ans, grand, voûté, sa tête toujours penchée de côté couronnée de boucles grises, une expression d'intelligence quasi éteinte. Il portait un débardeur jacquard en shetland, un pantalon large et des mocassins. Il s'était assis genoux serrés, et tenait son verre de whisky à bout de bras, comme une cornue d'une inquiétante fragilité.

Ned était redevenu le professionnel qui fait abstraction de ses propres soucis.

— Nous faisons des recherches sur certains savants soviétiques, commença-t-il d'un ton volontairement neutre. Nous examinons leur système de défense dans les moindres détails. Rien de très excitant, croyez-moi.

— Vous travaillez pour le Renseignement, affirma Wintle. Je m'en doutais, sans vouloir le dire.

Il m'apparut soudain comme un être très solitaire.

— Foutez-vous dans le crâne que c'est pas vos oignons, nom de Dieu! lui conseilla O'Mara toujours aimable. Ils sont anglais, et ils ont leur boulot à faire, comme vous.

Ned sortit d'une chemise quelques feuillets dactylographiés, et les tendit à Wintle, qui posa son verre pour les prendre. Il finissait chaque geste les mains retournées paumes en l'air, les doigts recroquevillés, comme un prisonnier suppliant qu'on le libère.

— Nous essayons de maximiser certains vieux documents oubliés, dit Ned, utilisant un jargon qu'il aurait évité en d'autres circonstances. Voici par exemple un compte rendu de votre debriefing, à votre retour d'Akademgorodok, en août 1963. Vous rappelez-vous un certain major Vauxhall ? Ce rapport n'est certes pas un chef-d'œuvre littéraire, mais vous y mentionnez les noms de deux ou trois savants soviétiques dont nous aimerions mettre les fiches à jour, s'ils existent toujours et que vous vous souveniez d'eux.

Wintle chaussa d'horribles lunettes à monture d'acier comme il aurait mis un masque à gaz.

— Autant que je me rappelle ce debriefing, le major Vauxhall m'avait donné sa parole d'honneur que tout ce que je choisissais de dire resterait entièrement confidentiel, déclara-t-il avec une raideur formelle. Je suis par conséquent *très* surpris de retrouver mon nom et mes propos parfaitement accessibles dans les archives ministérielles, vingt-cinq ans après.

— C'est sûrement votre seule occasion de connaître l'immortalité, vieux, alors si j'étais vous, je la bouclerais et j'en profiterais, conseilla O'Mara.

Je m'interposai comme entre deux adversaires dans une querelle de famille, suggérant à Wintle d'étoffer le rapport d'interrogatoire plutôt dépouillé, entre autres de décrire plus précisément les savants soviétiques mentionnés à la dernière page, et de donner par la même occasion quelques renseignements sur l'équipe de Cambridge. Accepterait-il de répondre à une ou deux questions qui pourraient faire pencher la balance ?

— Il me semble qu'« équipe » n'est pas le mot approprié dans ce contexte, veuillez en prendre note, répliqua Wintle, se jetant sur ce terme *comme* un prédateur affamé. En tout cas, pas du côté britannique. *Équipe* implique un but commun. Nous étions un *groupe* de Cambridge, ça d'accord. Une équipe, non. Certains faisaient ça pour le plaisir, d'autres pour le prestige. En particulier le professeur Callow, qui avait une bien trop haute opinion de ses travaux sur les accélérateurs, d'ailleurs réfutée depuis.

Son accent de Birmingham ressortait enfin.

— Seule une très petite minorité était véritablement mue par des motifs idéologiques. Ils croyaient à la science sans frontières, au libre-échange des connaissances pour le bien de l'humanité entière.

— Des branleurs en chambre, commenta O'Mara.

— Il y avait des Français, de nombreux Américains, des Suédois, des Hollandais, et même un ou deux Allemands, continua Wintle, ignorant la pique d'O'Mara. Tous pleins d'espoir, à mon avis, mais les Russes encore plus que les autres. En fait les traînards, c'étaient nous, les Anglais, et encore aujourd'hui d'ailleurs.

O'Mara grommela, et se servit une rasade de gin revigorante. Mais Ned encouragea Wintle à poursuivre, d'un sourire quelque peu dépité, il est vrai.

— C'était l'apogée de l'ère Khrouchtchev, comme vous vous en souvenez sûrement. Kennedy d'un côté, Khrouchtchev de l'autre. Un âge d'or s'annonçait, selon certains. Dans ce temps-là les gens parlaient de Khrouchtchev comme aujourd'hui de Gorbatchev. Mais je dois vous avouer que notre enthousiasme à l'époque était à mon avis plus authentique et spontané que le prétendu enthousiasme actuel.

O'Mara émit un bâillement, et tourna vers moi ses yeux bouffis, l'air dérouté.

— Nous leur avons dit ce que nous savions, et eux de même, continuait Wintle d'une voix plus assurée à présent. Nous avons lu nos thèses, et eux les leurs. Callow n'a pas fait sensation, je dois l'avouer. Ils n'ont pas été dupes. Mais on avait Panson en cybernétique, et lui il a bien défendu nos couleurs. Et puis il y avait moi. Ma modeste communication fut un succès, je dois dire. Je n'ai pas reçu pareille ovation depuis, pour être franc. Je ne serais pas surpris d'apprendre qu'on en parle encore là-bas. Les barrières tombaient si vite qu'on les entendait *littéralement* s'effondrer dans la salle de conférences. « Libre circulation, pas de frontières. » Tel était notre slogan. « Libre circulation » était un euphémisme, quand on songe aux flots de vodka qui coulèrent au cours des soirées tardives. Et aux filles aussi ! Et aux conversations ! Le KGB était à l'écoute, bien sûr. On le savait d'ailleurs. On avait eu droit au petit laïus habituel avant notre départ, qui avait déplu à certains. Pas à moi, je suis patriote. De toute façon, personne ne pouvait rien y faire, ni leur KGB, ni le nôtre.

A l'évidence, il avait enfourché son dada, et il se carra dans son siège pour nous gratifier d'un discours tout prêt :

— J'aimerais ajouter que l'on a une fausse opinion de leur KGB. Je tiens de source sûre que le KGB a très fréquemment abrité en son sein certains éléments extrêmement tolérants de l'intelligentsia soviétique.

— Bon sang, ne me dites pas que ce n'est pas le cas chez nous ! s'écria O'Mara.

— En outre, je suis absolument convaincu que les autorités

soviétiques estimaient à juste titre avoir plus à gagner qu'à perdre dans un échange de connaissances scientifiques avec l'Ouest.

La tête légèrement inclinée de Wintle allait de l'un à l'autre comme durant un match de tennis, et sa main, tournée paume en l'air à son habitude, reposait sur sa cuisse en un geste inquiet.

— Ils étaient cultivés, en plus. Chez eux, pas de frontière lettres/sciences, Dieu soit loué! Ils avaient et ont toujours pour idéal l'homme accompli de la Renaissance. Je ne suis pas excessivement cultivé, vu mon peu de temps libre. Mais là-bas il y avait tout à la disposition de ceux que cela intéressait, et pour pas cher. Certaines manifestations étaient même gratuites.

Wintle eut envie de se moucher, et pour ce faire, il lui fallut d'abord étendre son mouchoir sur un genou, puis y former le creux nécessaire du bout des doigts. Ned profita de l'occasion :

— Nous pourrions peut-être jeter un coup d'œil au dossier de ces savants soviétiques que vous avez aimablement mentionnés au major Vauxhall, suggéra-t-il en prenant la liasse de papiers que je lui tendais.

Le moment que nous attendions depuis le début était enfin arrivé, et sur les quatre personnes réunies dans cette pièce, seul Wintle l'ignorait. En revanche, O'Mara leva vivement ses yeux jaunâtres vers Ned, avec une lueur de curiosité malsaine.

Comme je l'eusse fait moi-même, Ned commença par les dossiers sans intérêt, qu'il avait marqués d'une petite croix verte. Deux de ces savants étaient morts, un troisième en disgrâce. Ned testait ainsi la mémoire de Wintle, qu'il préparait pour la véritable épreuve. Sergueï? lança Wintle. Mon Dieu! Mais oui, Sergueï! Comment s'appelait-il, déjà? Voyons... Popov? Popovitch? Non, ça y est : Protopopov! Sergueï Protopopov, spécialiste en carburants.

Ned l'encouragea patiemment. Trois noms, un quatrième. Il guidait sa mémoire, la faisait travailler.

— Réfléchissez encore une seconde sur celui-là avant de l'écarter. Vraiment, c'est non? Bon d'accord, alors essayons celui-là, Saveleïev.

— Vous voulez bien répéter?

J'avais remarqué que, comme beaucoup d'Anglais, Wintle avait du mal à retenir les noms de famille russes, alors que les prénoms le gênaient moins, parce qu'il pouvait en général les angliciser.

— Saveleïev, répéta Ned.

Je surpris à nouveau le regard d'O'Mara posé sur Ned, qui jeta un coup d'œil un peu trop désinvolte sur le rapport qu'il tenait.

– C'est bien ça, Saveleïev. (Il épela le nom.) « Jeune, idéaliste, loquace, se qualifiant lui-même d'humaniste. Travaux sur les particules. Élevé à Leningrad. » Ce sont vos propres termes, selon le major Vauxhall il y a des lustres! Y a-t-il autre chose à ajouter ? Vous n'êtes pas resté en relation, par exemple ? Avec ce Saveleïev, je veux dire...

Wintle souriait, l'air béat.

– C'était donc son nom ? Saveleïev ? Je n'en reviens pas. Eh oui, voilà, j'avais oublié. Pour moi, voyez-vous, il restera toujours Yakov.

– Parfait, Yakov Saveleïev. Vous vous rappelez son patronyme ?

Wintle secoua négativement la tête, toujours souriant.

– Rien à ajouter à votre première description ?

Il y eut un temps d'attente. Wintle ne marchait pas au même rythme que nous... Ni au même sens de l'humour, si l'on en juge par son sourire encore béat.

– Un type très sensible, ce Yakov. Il n'osait pas poser de questions durant les réunions. Il traînait à la fin, et vous tirait par la manche en vous demandant : « Excusez-moi, monsieur, j'aimerais savoir ce que vous pensez de telle question. » Attention, il s'agissait toujours de questions pertinentes. Un homme très cultivé, à ce qu'on en disait. J'ai su qu'il s'était taillé un franc succès à des séminaires de poésie et des expositions de peinture.

La voix de Wintle se fit soudain lointaine, et je craignis un instant qu'il ne se mette à fabuler, comme souvent les gens à court de renseignements et désireux de conserver leur ascendant. Mais à mon grand soulagement, il faisait l'inventaire de ses souvenirs – ou plus exactement, il les arrachait un à un aux limbes du passé de ses doigts tendus.

– Yakov circulait toujours d'un groupe à l'autre, reprit-il avec ce même sourire de supériorité irritant. Il écoutait avec sérieux toutes les discussions, sans y prendre part, perché sur le bord d'une chaise. Il y avait un mystère à propos de son père, mais je n'ai jamais rien su à ce sujet. Un savant lui aussi, et on disait qu'il avait été exécuté, comme beaucoup d'autres. J'ai lu quelque part qu'on les tuait comme des mouches. Et quand on ne les tuait pas, on les emprisonnait. Toupolev, Petliakov, Korolev... Certains de leurs plus célèbres techniciens aéronautiques ont conçu leurs inventions majeures en prison. Ramzine a inventé dans sa cellule un nouveau générateur pour les moteurs thermiques. Leur premier groupe de recherche sur les fusées a été constitué en prison sous la direction de Korolev.

— Bien vu, mon vieux, commenta O'Mara qui semblait s'ennuyer à nouveau.

— Il m'a donné un caillou, poursuivit Wintle.

Et je vis sa main paume en l'air sur son genou s'ouvrir et se refermer autour d'un objet imaginaire.

— Un caillou ? fit Ned surpris. Yakov ? Vous voulez dire un échantillon géologique ?

— Quand nous avons quitté Akâdemgorodok, reprit Wintle qui sembla soudain vouloir nous entraîner dans une nouvelle histoire, nous avons laissé tout ce que nous possédions. Littéralement. Vous ne pouvez pas imaginer notre groupe le dernier jour. Nos hôtes pleuraient à chaudes larmes, nous étreignaient, nous embrassaient. Les autocars étaient couverts de fleurs. Même Callow y est allé de sa petite larme, c'est vous dire ! Et nous, on donnait tout ce qu'on avait : livres, journaux, stylos, montres, rasoirs, pâte dentifrice... jusqu'à nos brosses à dents ! Les disques aussi, ceux qui en avaient apporté. Sous-vêtements, cravates, chaussures, chemises, chaussettes, tout quoi, sauf le minimum nécessaire pour rentrer chez nous dans une tenue décente. Et nous ne nous étions pas concertés, nous n'en avions même pas discuté. C'était un geste spontané. Il y en a qui ont fait mieux encore, surtout les Américains, qui sont plus démonstratifs. J'en ai entendu un proposer un mariage blanc à une jeune fille décidée à sortir du pays par tous les moyens. Moi, je ne l'ai pas fait. Je n'aurais pas pu. Je suis patriote.

— Et vous avez donné des objets personnels à Yakov ? lança Ned tout en feignant de prendre consciencieusement des notes dans un carnet.

— Oui, quelques-uns. Vous savez, c'est un peu comme quand on nourrit des oiseaux dans un parc : on choisit toujours le petit chétif qui reste à l'écart. Et puis le jeune Yakov avait attiré mon intérêt et ma sympathie. Rien de plus normal. Avec son âme slave.

Sa main restait crispée sur l'objet invisible, cherchant à se refermer dessus tandis que de l'autre il se pinçait le front.

— « Tiens, Yakov, lui ai-je dit. Et n'hésite pas à te mettre en avant. Tu es bien trop timide, c'est dommage. » J'avais un rasoir électrique à l'époque, avec des piles et un transfo, le tout dans un joli coffret. Mais ça n'a pas semblé lui faire tellement plaisir. Il les a mis de côté et il a continué de me tourner autour d'un air indécis. Alors j'ai compris que lui aussi voulait me donner quelque chose : la pierre enveloppée dans un journal. Il n'y avait pas de papier fantaisie là-bas, bien sûr. « C'est un morceau de mon pays, me dit-il. En remerciement de votre conférence. » Il voulait que j'aime ce qu'il y avait de bien dans son pays, même si on en avait plutôt une mauvaise impression de l'extérieur. Il parlait un anglais excellent, meilleur que le nôtre en général. Moi j'étais plutôt gêné, je dois avouer. J'ai gardé la pierre pendant très longtemps. Et puis ma femme l'a jetée au cours d'un de ses grands nettoyages de printemps. J'ai bien pensé à lui écrire, des fois, mais je ne l'ai jamais fait. Il était orgueilleux, à sa manière, comme beaucoup d'autres, d'ailleurs. Et nous aussi, en un sens, il faut le reconnaître. Nous croyions tous que la science régirait le monde. Ce qui se passe aujourd'hui, mais certainement pas comme nous l'entendions alors.

— Yakov vous a-t-il écrit ? demanda Ned.

— Que vous répondre ? fit Wintle après mûre réflexion. On ignore quelles lettres passent, quelles lettres sont saisies, et par qui.

Je sortis de la serviette un paquet de photos et les tendis à Ned, qui les passa à Wintle sous l'œil intéressé d'O'Mara. Wintle les étudia l'une après l'autre, et soudain s'écria :

— C'est lui ! C'est Yakov ! Celui qui m'a donné la pierre.

Il rendit la photo à Ned.

— Tenez, regardez vous-même. Regardez bien ces yeux. Et après ça, osez me dire que ce n'est pas un rêveur !

Prise dans le journal du soir de Leningrad, du 5 janvier 1954, et reconstituée par notre section photographique, la photo montrait bien Yakov Yefremovitch Saveleïev, le génie précoce.

Il y avait d'autres noms, et Ned s'employa patiemment à les soumettre à Wintle, le lançant sur de fausses pistes, et l'embrouillant jusqu'à ce qu'il fût certain que dans l'esprit de Wintle, Saveleïev n'était qu'un nom parmi tant d'autres.

— Très malin de votre part de cacher votre atout au milieu du tas de cartes, fit remarquer O'Mara, son verre à la main, en nous reconduisant à notre voiture un peu plus tard. La dernière fois que j'ai entendu parler de Saveleïev, il dirigeait une rampe d'essais au fin fond du Kazakhstan. Il cherchait le moyen de lire leur propre télémesure sans que tout le monde en fasse autant par-dessus son épaule. Il fait quoi maintenant ? Il a fermé boutique ?

Je prends rarement du plaisir dans mon travail, mais cette fois-là j'étais complètement écœuré par le lieu et l'entretien, et surtout par O'Mara. Il est également rare que je saisisse quelqu'un par le bras, pour reculer immédiatement et desserrer mon étreinte.

— Vous avez sûrement signé un exemplaire de la Législation sur la conservation du secret ? lui demandai-je sans hausser le ton.

— Je l'ai pratiquement rédigé ! répliqua-t-il, l'air très surpris.

— Alors vous devez savoir que toute information qui vous parvient officiellement, et toute hypothèse bâtie sur cette information restent à jamais la propriété de la Couronne.

C'était une légère déformation de la loi, mais peu m'importait. Je lui lâchai le bras avant de poursuivre :

— Alors si vous tenez à votre place, si vous espérez une promotion, et si vous songez avec joie à votre retraite, je vous conseille d'oublier sur-le-champ l'entretien d'aujourd'hui et tous les noms mentionnés à cette occasion. Merci pour le gin. Bonne journée.

Après avoir confirmé en code par le téléphone de bord l'identification de Bluebird à la Maison Russie, Ned resta silencieux pendant le trajet du retour. Mais une fois dans Victoria Street, il décida soudain de me garder à ses côtés.

— Restez avec nous, m'ordonna-t-il en me faisant passer devant dans l'escalier qui mène au sous-sol.

A première vue, il régnait une ambiance de joie sans mélange dans la salle des opérations. Le personnage principal était Walter, qui prenait l'attitude d'un artiste devant un tableau blanc aussi grand que lui, sur lequel il retraçait dans le détail la vie de Saveleïev avec des marqueurs de couleur. S'il avait porté un chapeau à larges bords et une lavallière, il n'aurait pas eu l'air plus bohème. C'est seulement au second coup d'œil que me revint mon étrange appréhension du matin.

Faisant cercle autour de Walter – plus exactement derrière lui car le tableau était appuyé contre le mur entre les deux horloges –, une coupe de champagne à la main, Brock et Bob, Jack, notre secrétaire au chiffre, Emma, l'assistante de Ned, et une dame plus âgée du nom de Pat, pilier des Archives soviétiques, souriaient chacun à sa manière. Le sourire de Bob ressemblait plutôt à un rictus de douleur contenue.

— Un cavalier solitaire! clamait Walter, qui s'arrêta un instant en nous entendant arriver, mais poursuivit sans tourner la tête. Un créateur de cinquante ans qui secoue les barreaux de sa cage d'homme mûr en contemplant la mort, et sa vie gâchée. N'en sommes-nous pas tous là?

Il s'écarta du tableau puis s'en rapprocha pour ajouter une date, et but une gorgée de champagne. Je sentis alors en lui quelque chose de macabre et de terrifiant, comme le maquillage sur le visage d'un moribond.

— Il a passé toute sa vie d'adulte dans leur antre secret sans jamais rien dire, continua-t-il gaiement. Il prenait ses décisions tout seul dans l'ombre, le pauvre, en tournant le dos à la grande histoire, quitte à en mourir, ce qui arrivera sans doute.

Une autre date rajoutée et le mot OLYMPIADES.

— Il appartient à la bonne cuvée. Plus jeune, il aurait eu droit au lavage de cerveau; plus âgé, il se chercherait maintenant une sinécure pour vieux croûton.

Walter reprit une gorgée, le dos toujours tourné. Je jetai un coup d'œil à Bob pour essayer de comprendre, mais il regardait obstinément par terre. Quant à Ned, il ne quittait pas Walter des yeux et son visage restait impassible. Revenant à Walter, je remarquai sa respiration saccadée.

— Je l'ai conçu, j'en suis certain, déclara-t-il sans se soucier de l'étonnement suscité. J'ai prédit son avènement depuis des années.

Il écrivit les mots : PÈRE EXÉCUTÉ.

— Même après qu'ils l'eurent enrôlé, le pauvre petit agneau a essayé très fort d'être bien sage. Il n'était ni servile ni rancunier. Il avait des doutes, mais c'était une recrue loyale en tant que scientifique. Jusqu'au jour où il se réveille, et eurêka! s'aperçoit que tout ça c'est de la connerie, qu'il a gâché son génie en le mettant à la solde d'un tas de gangsters incompétents, et qu'il a entraîné le monde au bord de la catastrophe, par-dessus le marché.

Walter écrivait à grands coups de marqueur, des gouttes de sueur perlant sur ses tempes : TRAVAILLE SOUS ROGOV AU SITE DE LANCEMENT 109, KAZAKHSTAN.

— Sans le savoir, il fait partie de la grande révolte des années quatre-vingt de l'homme russe en pleine andropause. Il a connu les mensonges, Staline, la petite lueur d'espoir de l'ère khrouchtchévienne, et les longues ténèbres de l'ère brejnévienne. Mais il a encore un dernier sursaut d'énergie, une ultime occasion ménopausique de passer à la postérité. Et à ses oreilles retentit l'écho des nouveaux slogans : la révolution par le haut, l'ouverture, la paix, le changement, le courage, la reconstruction. On l'*encourage* même à se révolter.

Malgré son souffle court, il écrivait de plus en plus vite : TÉLÉMESURE. PRÉCISION DE TIR.

— Où atterriront-ils ? demanda-t-il d'un point de vue réthorique entre deux respirations haletantes. Combien arriveront à proximité des cibles ? A quelle distance exacte ? Et quand ? Quelles sont l'élasticité et la température de la peau ? Et que deviendra la gravité ? Autant de questions cruciales, dont Bluebird connaît les réponses. Et il les connaît parce qu'il est chargé de faire parler les missiles au long de leur trajectoire, sans que les Américains entendent, c'est sa spécialité. Parce qu'il a conçu les systèmes d'encodage qui échappent aux superécoutes des Américains en Turquie et en Chine continentale. Il lit toutes les réponses en clair avant que le petit père Rogov les transmette en les déformant aux seigneurs et maîtres à Moscou – sa grande spécialité, selon Bluebird. « Le professeur Arkadi Rogov est un sale lèche-cul », nous apprend-il dans son carnet numéro deux. Une honnête appréciation, car c'est bien ce qu'est Arkadi Rogov. Un sale lèche-cul certifié et payé pour l'être, une chiffe molle, fidèle à ses principes, et qui gagne ainsi ses médailles et ses privilèges. Et qui nous rappelle-t-il ? Personne. Certainement pas notre cher vieux Clive. Alors Bluebird prend son coup de sang, il fait part de ses angoisses à Katia, qui lui suggère : « Cesse donc de pleurnicher et agis. » Et voilà qu'il se décide. Il nous confie toutes les informations à sa disposition. Les joyaux de la Couronne au centuple. L'encodage décodé, la télémesure en clair, d'anciennes clés de code pour faciliter nos vérifications, la vérité vraie de toute première main, avant qu'elle soit maquillée pour Moscou. D'accord, il est un peu cinglé. Qui ne l'est pas ? Qui est parfait ?

Il but une dernière gorgée de champagne et je remarquai sur son visage congestionné la gêne et l'indignation.

— La vie, c'est une vraie saloperie, fit-il en me fourrant son verre dans la main.

Et avant que j'aie pu réagir, il était déjà dans l'escalier. Nous entendîmes les portes d'acier s'ouvrir et se refermer sur son passage jusqu'à sa sortie dans la rue.

– Walter était un élément instable, m'expliqua brièvement Clive le lendemain matin quand je le mis au pied du mur. A nos yeux, il pouvait passer simplement pour un excentrique, mais pour d'autres...

Il n'avait jamais évoqué d'aussi près le problème sexuel devant moi. Mais il se ressaisit aussitôt et reprit, de son ton le plus glacial :

– Je l'ai transféré à la Section de formation. Il causait trop d'inquiétudes de l'autre côté.

Il voulait dire de l'autre côté de l'Atlantique, bien sûr.

C'est ainsi que Walter, notre merveilleux Walter, disparut. Comme je l'avais pressenti, nous ne revîmes plus les Mormons, auxquels d'ailleurs Clive ne fit plus jamais allusion. Étaient-ils des envoyés de Langley ? Avaient-ils rendu leur verdict et appliqué la sanction requise ? Appartenaient-ils à Langley ou à l'un de ces nombreux groupes d'initiales auxquels Ned faisait objection le jour où il avait reproché à Clive la trop longue liste de circulation Bluebird ? Ou encore, incarnaient-ils la principale phobie de Ned : les pseudo-psychiatres ?

Quoi qu'il en soit, les effets de leur passage se firent ressentir dans toute la Maison Russie, où la place désormais vide de Walter évoquait un trou d'obus creusé par le canon de notre plus sûr allié. Bob en était conscient et honteux. Même Johnny, toujours sévère, se sentait gêné.

– Je vais avoir encore plus besoin de vous au cœur de l'opération, me dit Ned.

Ce qui me parut une maigre compensation pour la disparition de Walter.

– Tu es encore à cran, me dit Hannah marchant à mes côtés.

C'était l'heure du déjeuner. Elle travaillait dans un bureau proche de Regent's Park. Parfois, quand le temps était doux, nous mangions un sandwich ensemble. D'autres fois, nous nous promenions dans le zoo. Et parfois même, elle décidait de voler quelques heures à l'Institut de cancérologie, et nous finissions au lit.

Je prenais des nouvelles de Derek, son mari, un des rares sujets que nous avions en commun. Avait-il encore piqué une colère ? L'avait-il battue ? A l'époque de notre liaison, je me demandais parfois si Derek n'en était pas le ciment. Mais ce jour-là elle ne souhaitait pas parler de lui, elle voulait savoir pourquoi moi j'étais aussi nerveux.

— Ils ont renvoyé un type que j'aimais bien, lui dis-je. Enfin, pas vraiment renvoyé, mais mis sur une voie de garage.

— Qu'est-ce qu'on lui reprochait ?

— Rien. Ils ont décidé de le voir sous un autre jour.

— Pourquoi ?

— Parce que ça les arrangeait. Ils ont cessé de l'accepter tel qu'il était pour satisfaire à certaines exigences.

Elle réfléchit un instant.

— Tu veux dire que les convenances ont triomphé ?

Comme pour toi, pensait-elle. Comme pour nous.

Pourquoi est-ce que je continue à la voir ? me demandai-je. Pour revenir sur les lieux du crime ? Pour chercher son absolution une énième fois ? Ou bien comme on fait le circuit de ses anciennes écoles, pour essayer de comprendre ce qui est arrivé à notre jeunesse ?

Hannah est encore une très belle femme, à mon grand réconfort. Elle n'a pas encore atteint le temps des cheveux gris et du corps épaissi. Quand je vois son visage à contre-jour et capte son sourire courageux et vulnérable, je la retrouve telle qu'il y a vingt-cinq ans, et je me dis qu'après tout je ne l'ai pas détruite. Elle est très bien. Regarde-la donc. Elle sourit, elle est intacte. C'est Derek qui la maltraite, pas toi.

Mais je n'en suis pas certain. Pas du tout.

Le drapeau britannique, qui rendait si furieux le dictateur Staline quand il l'apercevait depuis les remparts du Kremlin, pendait tristement sur sa hampe dans l'avant-cour de l'ambassade d'Angleterre. Derrière lui, le palais couleur crème ressemblait à un vieux gâteau de mariage attendant d'être coupé. Le fleuve semblait indifférent au déluge matinal qui cinglait sa surface huileuse. A la grille d'entrée, deux policiers russes examinèrent le passeport de Barley, dont la pluie détrempait l'encre. Le plus jeune recopia le nom, tandis que son collègue comparait d'un air perplexe la photo avec le visage aux traits tirés. Barley portait un imperméable marron ruisselant de pluie. Ses cheveux étaient plaqués sur son crâne. Il semblait légèrement plus petit que sa taille normale.

— Quel temps épouvantable! s'écria la jeune personne bien élevée, portant une jolie jupe écossaise, qui l'attendait dans le vestibule. Bonjour. Je m'appelle Felicity. Et vous... vous êtes bien qui je pense, n'est-ce pas? Un Scott Blair trempé! Le conseiller économique vous attend.

— Je croyais que le personnel économique se trouvait dans l'autre bâtiment.

— Non, ça c'est le commercial. Rien à voir.

Barley suivit sa jupe ondulante dans l'escalier ancestral. Comme toujours lorsqu'il pénétrait dans une mission britannique, une impression de déjà vu s'emparait de lui, et ce matin plus que jamais. Le sifflotement insouciant était celui de son vendeur de journaux à Hampstead. Le martèlement poussif de la cireuse électrique venait de la camionnette du laitier de la coopérative. Il était 8 heures du matin, et la Grande-Bretagne officielle n'était pas encore officiellement réveillée. Le conseiller économique, un Écossais trapu aux cheveux argentés, s'appelait Craig.

— Monsieur Blair! Comment allez-vous? Asseyez-vous. Vous prenez du thé ou du café? Ils ont le même goût de toute façon. Nous essayons d'y remédier, lentement mais sûrement.

Il prit l'imperméable de Blair et l'accrocha à un perroquet du ministère du Travail. Au-dessus de son bureau, une photographie encadrée montrait la reine en tenue de cheval. Juste à côté, une affichette rappelait que les conversations dans cette pièce ne restaient pas confidentielles. Felicity apporta le thé et des biscuits. Craig parlait avec véhémence, comme s'il avait hâte de se débarrasser des nouvelles qu'il détenait. Son visage rougeaud luisait encore du rasage.

— J'ai entendu dire que ces gangsters de la VAAP vous ont donné du fil à retordre! Vous avez compris ce qu'ils voulaient ou pas? Vous arrivez à quelque chose, ou ils vous font marcher à la russe, comme d'habitude? Ici c'est l'esbroufe qui compte. On arrive rarement, mais vraiment très rarement, à une vraie transaction. L'idée de profit est un concept qu'ils ne connaissent pas, un peu comme la rapidité. Tout marche aux bons points et au lèche-ce-que-je-pense. L'impossible association, me plais-je à dire, d'une paresse incurable et de projets utopiques. L'ambassadeur a utilisé ma propre formule récemment dans un discours... sans citer l'auteur, qui ne l'en avait d'ailleurs pas prié. Comment réussissent-ils à s'en sortir, je vous le demande, avec une économie fondée sur la paresse, le grégarisme, et le chômage dissimulé ? Réponse : ils ne s'en sortent pas. Quand se décideront-ils à s'en sortir ? Et qu'adviendra-t-il alors ? Réponse : Dieu seul le sait. Je vois le monde des livres ici comme un microcosme à l'image de leur problème majeur. Vous me suivez ?

Il continua de tonitruer jusqu'à ce qu'il juge sans doute que Barley et les micros en avaient eu pour leur compte.

— Je suis ravi de cette petite conversation matinale. Vous m'avez procuré ma dose de réflexion spirituelle, croyez-moi. Le risque qu'on court dans ce métier, c'est de se retrouver coupé de ses sources. Voulez-vous me permettre de vous présenter un peu à tout le monde ici ? Sinon ils ne me le pardonneraient jamais à la Chancellerie.

Sur un signe de tête autoritaire, il l'entraîna le long d'un couloir jusqu'à une porte en métal munie d'un vilain œilleton. Elle s'ouvrit à leur arrivée et se referma derrière Barley.

Craig est votre agent de liaison, avait dit Ned. Il est insupportable, mais il vous conduira à votre officier traitant.

Barley eut d'abord l'impression de se trouver dans une cellule enténébrée, puis que cette cellule était un sauna, car la seule clarté venait d'un coin du plancher, et il flottait dans l'air une odeur de résine. Après quoi, sentant un mouvement de roulis sous ses pieds, il se dit que le sauna était sur pilotis.

Il s'assit avec précaution sur une chaise, et distingua deux silhouettes derrière une table. Au-dessus de la première était accroché un poster écorné représentant un hallebardier de service devant London Bridge. Au-dessus de la seconde, le lac Windermere s'étendait languissamment sous un coucher de soleil signé chemins de fer britanniques.

— Bien joué, Barley ! s'écria sous le hallebardier une voix d'Anglais énergique qui rappelait celle de Ned. Je m'appelle Paddy, mais mon vrai nom est Patrick, et voici Cy, mon collègue américain.

— Salut, Barley, dit Cy.

— Nous ne sommes que des garçons de courses ici, reprit Paddy, et plutôt limités dans nos activités, naturellement. Notre tâche principale est d'apporter les cigarettes et les repas chauds. Au fait, Ned vous envoie son meilleur souvenir, et Clive aussi. S'ils n'étaient pas aussi abattus, ils seraient venus se faire des cheveux ici avec nous. Ce sont les risques du métier. Ça peut nous arriver à tous, malheureusement.

Tandis qu'il parlait, il se détacha sur le faible fond de clarté. Il avait un corps souple, des cheveux ébouriffés, des sourcils broussailleux, et le regard perdu d'un explorateur. Cy, lui, était tiré à quatre épingles, distingué, et devait avoir une dizaine d'années de moins. Les manchettes de Paddy étaient élimées, celles de Cy impeccables, et tous deux avaient les mains posées sur un plan de Leningrad.

— Je suis chargé de vous demander si vous souhaitez poursuivre l'aventure, annonça Paddy comme s'il s'agissait d'une bonne blague. Mais si vous voulez quitter le navire, c'est votre droit le plus strict, et ce sera sans rancune. Alors, vous abandonnez ou vous restez ?

— Zapadny va me tuer, murmura Barley.

— Pourquoi ?

— Je suis son invité. Il paye mes notes de frais, et il établit mon programme.

Barley porta la main à son front et le frotta consciencieusement, comme pour rétablir le courant avec son cerveau.

— Qu'est-ce que je lui dis ? lança-t-il. Je ne peux quand même pas filer à l'anglaise. Bye-bye, je pars pour Leningrad ! Il pensera que je suis timbré.

— Vous dites bien Leningrad ? Pas Londres ? insista Paddy, aimable.

— Je n'ai pas de visa. J'en ai un pour Moscou, mais pas pour Leningrad.

— Bon, mais si vous en aviez un ?

— Il faut que je lui parle, décréta Barley après un instant de réflexion, comme si c'était là une explication suffisante.

— A Zapadny ?

— Non, à Goethe. Je dois absolument lui parler.

Il se passa le dos de la main sur la bouche, un de ses gestes familiers, l'air étonné de ne pas y voir du sang.

— Je ne lui mentirai pas, marmonna-t-il.

— Mais il n'en est pas question. Ned veut une coopération, pas un traquenard.

— Nous aussi, confirma Cy.

— Je ne veux pas ruser avec lui. Je lui parlerai en toute franchise, ou pas du tout.

— C'est exactement ce que souhaite Ned, assura Paddy. Nous désirons donner à Goethe tout ce qu'il désire.

— Nous aussi, renchérit Cy.

— Potomac Boston est votre nouvel associé américain, Barley, annonça Paddy en regardant une feuille placée devant lui. Le chef de leurs activités dans l'édition est un certain M. Henziger. Exact ?

— J. P., précisa Barley.

— Vous le connaissez ?

— C'est juste un nom sur le contrat, dit-il en secouant la tête avec une grimace.

— C'est tout ce que vous connaissez de lui ?

— On a parlé une ou deux fois par téléphone. Ned jugeait bon qu'on nous entende sur la ligne transatlantique. Comme couverture.

— Mais vous n'avez pas d'image nette du personnage ? insista Paddy avec sa façon d'exiger des réponses très précises, au risque de pontifier. Il ne correspond physiquement à rien pour vous ?

— Seulement un nom, un compte en banque confortable, des bureaux à Boston, et une voix au bout du fil. C'est vraiment tout.

— Et au cours de vos conversations ici avec des tiers, Zapadny par exemple, vous n'avez pas décrit J. P. Henziger comme une sorte de monstre ? Vous ne l'avez pas affublé d'une fausse barbe, d'une jambe de bois ou d'une sexualité torride ? Rien dont il faudrait impérativement tenir compte si on en faisait un être en chair et en os ?

Barley réfléchit un instant, mais sembla ne pas vraiment saisir la question.

— Non ? insista Paddy.

— Non, répondit Barley, hochant de nouveau la tête d'un air impuissant.

— Dans ce cas, voici le scénario : M. J. P. Henziger de Potomac Boston, jeune, dynamique, ambitieux, se trouve passer des vacances en Europe avec sa femme. C'est la saison. Ils sont descendus, disons, à l'hôtel Marski à Helsinki. Vous connaissez le Marski ?

— J'y ai déjà pris un verre, avoua Barley presque honteux.

— Et avec l'enthousiasme caractéristique des Américains, les Henziger se sont mis en tête de faire un voyage éclair à Leningrad. A vous, Cy.

Cy afficha son sourire de commande et enchaîna. Il avait un visage intelligent quand il parlait, et il s'exprimait élégamment quoique d'un ton sec.

— Les Henziger vont choisir une visite guidée de trois jours, Barley. Ils auront leurs visas à la frontière finlandaise, ainsi que le guide, le car, et tout le tremblement. Ce sont des gens très simples et honnêtes. C'est leur premier voyage en Russie. La glasnost est une grande nouveauté chez eux, à Boston. Lui a investi de l'argent dans votre maison. Sachant que vous vous trouvez à Moscou en train de le dépenser, il vous prie de le rejoindre toutes affaires cessantes à Leningrad, pour porter ses bagages et lui faire part du progrès de vos affaires. C'est pratique courante, surtout chez un jeune nabab. Vous voyez une objection quelconque ? Un point qui ne colle pas ?

L'esprit de Barley s'éclaircissait peu à peu, et sa vision également.

— Non, non, ça me va. Tout devrait coller pour moi, si ça colle pour vous.

— Bon. Tôt ce matin, à la première heure anglaise, J. P. appelle votre bureau de Londres du Marski, mais vous êtes sur répondeur, et J. P. ne parle pas à ces engins-là. Donc dans une heure, il vous envoie un télex aux bons soins de Zapadny à la VAAP, avec copie pour Craig, ici à l'ambassade britannique de Moscou, dans lequel il vous demande de le retrouver à l'hôtel Evropeïskaïa, c'est-à-dire l'Europe, à Leningrad, où est descendu tout le groupe. Zapadny va regimber, voire vociférer. Mais comme c'est J.P. qui vous finance, nous sommes d'avance persuadés que Zapadny devra s'incliner devant les impératifs du marché. Logique, non ?

— Logique, admit Barley.

Paddy reprit la suite du scénario.

— S'il a deux sous de bon sens, il vous aidera même à changer votre visa. Et s'il fait sa mauvaise tête, Wicklow filera tout de suite à l'OVIR où on les changera sur-le-champ. Dans ce cas, à notre avis, vous refusez d'en faire toute une histoire auprès de Zapadny, vous ne voulez pas vous humilier ni vous excuser, pas avec Zapadny, vous en faites un point d'honneur. Dites-lui seulement que c'est ça la vie aujourd'hui, quand on veut aller de l'avant.

– J. P. Henziger est un des nôtres, expliqua Cy. C'est un excellent officier. Sa femme également.

Il s'arrêta net, car Barley pointait un doigt accusateur sur la poitrine de Paddy, comme un arbitre qui vient de remarquer une faute.

– Eh là, vous deux. Minute! De quelle utilité seront-ils l'un et l'autre, aussi excellents officiers soient-ils, s'ils font le tour de Leningrad à longueur de journée avec leur putain de visite guidée?

Paddy se remit presque instantanément de cet éclat inattendu.

– Expliquez-lui, Cy.

– Dès leur arrivée à l'hôtel Europe jeudi soir, Mrs Henziger va subitement souffrir de coliques. Vous savez, Leningrad, le changement de nourriture... Et J. P. n'aura pas le cœur de visiter la ville en laissant sa charmante femme alitée avec la diarrhée. Il lui tiendra compagnie à l'hôtel. Pas de problème.

Paddy avança la lampe et la batterie près du plan de Leningrad. Les trois adresses données par Katia étaient cerclées de rouge.

Barley se décida à appeler la jeune femme en fin de journée, vers l'heure où il l'estima être en train de mettre ses trombones sous clé. Après une sieste, il s'était offert quelques scotches pour être à la hauteur, mais dès le début de la conversation, il remarqua qu'il avait la voix haut perchée, et s'appliqua à la rendre grave.

– Bonsoir. Vous êtes bien rentrée? dit-il, surpris de sa propre voix. Le métro ne s'est pas changé en citrouille?

– Non. Tout s'est bien passé.

– Parfait. En fait j'appelais pour être rassuré. Oui, oui. Et puis vous remercier de cette merveilleuse soirée. Heu... Eh bien, au revoir, alors.

– Merci à vous aussi. Ce fut une soirée très fructueuse.

– J'espérais que nous aurions peut-être l'occasion de nous revoir. L'ennui, c'est que je dois partir à Leningrad. Un problème idiot de travail qui m'oblige à changer mes projets.

Silence prolongé.

– Alors vous devez vous asseoir, dit-elle.

Barley se demanda lequel des deux était devenu subitement fou.

– Pourquoi?

– C'est la coutume chez nous. Quand on se prépare à faire un long voyage, on commence par s'asseoir. Vous êtes bien assis?

Il remarqua la gaieté de sa voix, qui le remplit de bonheur.

— En fait, je suis allongé. Ça suffit ?

— Je n'en sais rien. Normalement, on doit s'asseoir sur ses bagages ou sur un banc, pousser un petit soupir, et faire le signe de croix. Mais j'imagine que l'effet sera le même sur un lit.

— C'est confirmé.

— Vous reviendrez à Moscou après Leningrad ?

— Ben... pas cette fois-ci. Je crois que nous prendrons directement l'avion pour retourner à l'école.

— A l'école ?

— En Angleterre... Une de mes stupides plaisanteries.

— Qui signifie quoi, au juste ?

— Les obligations, l'immaturité, l'ignorance... Les défauts anglais habituels.

— Vous avez de nombreuses obligations ?

— Des tonnes. Mais j'apprends à faire un tri. J'ai réussi à formuler un « non » hier, et j'ai surpris tout le monde.

— Pourquoi devez-vous dire non ? Pourquoi pas oui ? Ils seraient peut-être encore plus étonnés.

— Peut-être. Ce fut le drame d'hier soir, n'est-ce pas ? Je n'ai pas réussi à parler de moi. On a parlé de vous, des grands poètes à travers les siècles, de M. Gorbatchev, de l'édition, mais on a laissé de côté l'essentiel : moi. Il faudra que je fasse un voyage spécialement pour venir vous ennuyer à ce sujet.

— Je suis sûre que vous ne m'ennuierez pas.

— Je peux vous rapporter quelque chose ?

— Pardon ?

— A mon prochain voyage. Pas de commande spéciale ? Une brosse à dents électrique ? Des bigoudis ? D'autres œuvres de Jane Austen ?

Un long silence délicieux.

— Je vous souhaite bon voyage, Barley.

Le dernier déjeuner avec Zapadny fut aussi folichon qu'une veillée mortuaire. Ils étaient quatorze messieurs, les seuls convives dans le gigantesque restaurant au premier étage d'un nouvel hôtel encore en travaux. Des serveurs apportèrent les plats et se retirèrent discrètement aux confins de la salle, où Zapadny dut envoyer des éclaireurs les chercher un peu plus tard. Il n'y avait rien à boire, et la conversation languissait, sauf entre Barley et Zapadny, sur fond de musique exhumée des années cinquante, agrémentée de multiples coups de marteau.

— Mais on a organisé une grande réception en votre honneur, Barley! s'indigna Zapadny. Vassili apportera sa batterie, Victor vous prêtera son saxophone, et un ami qui fabrique lui-même son alcool nous en a promis six bouteilles. Il y aura des peintres et des écrivains fous. Tous les ingrédients indispensables à une bringue mémorable, et vous aurez le week-end pour récupérer. Dites à votre enfoiré de chez Potomac qu'il aille au diable. On n'aime pas vous voir aussi sérieux.

— Nos nababs sont l'équivalent de vos bureaucrates, Alik. Si on les traite par-dessous la jambe, c'est à nos risques et périls. Comme vous.

Zapadny eut un sourire sans chaleur ni indulgence.

— On vous a même cru amoureux d'une de nos célèbres beautés moscovites. L'exquise Katia ne pourrait-elle vous persuader de rester?

— Quelle Katia? s'entendit répondre Barley, craignant de voir le plafond lui tomber sur la tête.

Un murmure d'intense amusement parcourut l'assistance.

— On est à Moscou, Barley, lui rappela Zapadny avec un malin plaisir. Rien ne se passe qui ne se sache. L'intelligentsia est un microcosme. Nous sommes tous fauchés, et les appels téléphoniques à l'intérieur d'une même ville sont gratuits. Personne ne peut dîner avec Katia Orlova dans un restaurant plutôt intime et pittoresque sans que quinze d'entre nous au moins l'apprennent dès le lendemain matin.

— C'était un simple repas d'affaires, affirma Barley.

— Alors pourquoi n'avez-vous pas invité M. Wicklow à se joindre à vous?

— Il est bien trop jeune! répliqua Barley, qui déclencha une autre explosion de joie chez les Russes.

Le train de nuit pour Leningrad quitte Moscou quelques minutes avant minuit, de façon que d'innombrables bureaucrates soviétiques puissent réclamer officiellement une seconde journée de défraiement pour le trajet. Le compartiment comprenait quatre couchettes. Wicklow et Barley prirent les deux du bas, mais une énorme dame blonde pria Barley d'échanger la sienne avec elle. La quatrième couchette était occupée par un monsieur très discret, l'air cossu, qui parlait un anglais raffiné et dégageait une impression de grande tristesse. Il portait un complet sombre d'avocat, qu'il ôta pour enfiler un pyjama aux rayures voyantes qui n'aurait pas déparé la garde-robe d'un clown, mais ne sembla pas pour autant lui remonter le moral. Il y eut une certaine animation lorsque la dame blonde refusa d'ôter même son chapeau tant que ces messieurs n'iraient pas quelques instants dans le couloir. Le calme fut restauré quand elle leur permit de réintégrer le compartiment et, maintenant affublée d'un survêtement rose avec des pompons aux épaules, leur offrit des gâteaux faits maison en remerciement de leur galanterie. Lorsque Barley sortit sa bouteille de whisky, la dame fut tellement impressionnée qu'elle leur offrit également du saucisson, et insista pour porter plusieurs toasts à la santé de Mrs. Thatcher.

— D'où venez-vous ? demanda l'homme au visage triste à Barley au moment où ils s'installaient pour la nuit.

— De Londres.

— Londres, en Angleterre ? Pas de la lune, ni des étoiles ? De Londres en Angleterre, vraiment ? répéta l'homme triste.

Et il sembla sombrer aussitôt dans le sommeil, contrairement à Barley. Mais quelques heures plus tard, au moment où le train s'arrêtait à une gare, il reprit la conversation sans même se soucier de savoir si Barley était éveillé.

— Savez-vous où nous sommes maintenant ?

— Non, je ne vois pas, dit Barley.

— Eh bien, si Anna Karénine voyageait cette nuit dans ce train et avait sa tête à elle, c'est en ce lieu qu'elle quitterait son décevant Vronsky.

— Formidable ! s'écria Barley très intrigué.

Il n'y avait plus de whisky, mais l'homme avait du cognac de Géorgie.

— C'était un marécage jadis, et c'en est toujours un, reprit l'homme. Pour étudier le mal russe, il faut vivre dans le marécage russe.

Il parlait de Leningrad.

10.

Un ciel pommelé pesait comme une chape sur les palais à l'architecture importée, ternissant l'éclat de leurs façades d'apparat. Les parcs résonnaient de musiques estivales, mais l'été se dissimulait derrière les nuages, et une brume nordique déroulait capricieusement ses volutes crayeuses sur les canaux à la vénitienne. Barley marchait, avec comme toujours à Leningrad l'impression de se trouver dans d'autres villes, tantôt Prague, tantôt Vienne, parfois Paris ou un coin de Regent's Park. A sa connaissance, aucune autre ville ne cachait sa honte derrière tant de charmantes façades, ni tant de questions angoissantes sous son sourire trompeur. Qui adorait quel Dieu dans ces églises irréelles aux portes closes ? Combien de corps gelés ces ravissants canaux avaient-ils charriés jusqu'à la mer ? Où la barbarie s'était-elle construit de si beaux monuments ailleurs dans le monde ? Même les gens de la rue, avec leur élocution si lente et leur apparence digne et réservée, semblaient tous complices d'une seule et monstrueuse hypocrisie. Et Barley, qui flânait avec le regard curieux de n'importe quel touriste, tout en comptant les minutes comme n'importe quel espion, avait le sentiment de partager avec eux cette duplicité.

Il avait serré la main d'un nabab américain qui n'en était pas un, et s'était inquiété de la mauvaise santé de sa femme, qui n'était ni malade ni même sans doute sa femme.

Il avait ordonné à un subordonné qui n'en était pas un de lui rendre un service urgent qui ne l'était pas davantage.

Il allait à un rendez-vous avec un auteur qui n'en était pas un, mais qui cherchait la palme du martyre dans une ville où elle était distribuée gratuitement, que l'on soit ou non dans la bonne file d'attente.

Il était mort de peur, et pour le quatrième jour d'affilée avait la gueule de bois.

Il était enfin devenu citoyen de Leningrad.

Une fois sur la perspective Nevski, il se surprit à chercher la cafétéria familièrement appelée le Saigon, repaire des poètes, des revendeurs de drogue et des spéculateurs, mais pas des filles de professeur. « Votre père a raison, l'entendait-il dire. Le système gagnera toujours. »

Paddy lui avait fourni un plan allemand de la ville avec légendes multilingues, et Cy, un exemplaire fatigué de *Crime et châtiment* en édition de poche Penguin, dans une traduction affligeante. Sur la demande insistante de Wicklow, il avait mis le tout dans un sac plastique. Mais pas n'importe quel sac. Celui-ci, reconnaissable à cinq cents mètres, faisait de la réclame pour une infecte cigarette américaine. Le seul but de Barley dans la vie étant maintenant de suivre à la trace Raskolnikov sur la route fatidique du meurtre de la vieille dame, il cherchait une cour donnant sur le canal Griboïedov. Une grille en fermait l'accès, et un arbre aux larges branches y dispensait son ombrage. Barley entra lentement, consultant son Penguin, et scrutant d'un œil inquiet les fenêtres aux vitres crasseuses comme s'il s'attendait à voir couler sur la peinture jaunie le sang de l'usurière. Son regard évitait de se fixer dans cette zone intermédiaire du .champ de vision, domaine privilégié des aristocrates anglais un peu distants, où se trouvent des objets aussi hétéroclites que des passants, des oisifs, ou en l'occurrence la grille donnant sur la rue Plekhanova, seule connue des riverains, selon Paddy, et de certains savants ayant fait leurs études au Litmo juste derrière, mais qui, pour autant que Barley pût en juger d'un coup d'œil circulaire, ne semblaient pas décidés à y revenir.

Il avait le souffle court, et des spasmes nauséeux au creux de l'estomac. Il poussa la grille, traversa un vestibule, monta la volée de marches jusqu'à la rue, regarda des deux côtés et consulta encore ostensiblement son livre, le dos scié par l'odieux harnachement enregistreur de Wicklow. Il fit demi-tour, repassa nonchalamment dans la cour et sous l'arbre, pour se retrouver à nouveau près du canal. Il s'assit sur un banc et déplia son plan des rues.

Dix minutes, lui avait dit Paddy en lui donnant un chronomètre éraflé mais plus fiable que sa vieille montre de famille. Cinq avant, cinq après, et laissez tomber.

— Vous êtes perdu? demanda avec un accent mi-américain, mi-russe un homme au teint pâle, l'air trop âgé pour être un rabatteur, qui portait des lunettes italiennes de pilote de course et des baskets Nike.

— Je suis toujours perdu, mon vieux, merci, répondit poliment Barley. Et je me sens bien comme ça.

— Vous avez quelque chose à me vendre? Des cigarettes? Du whisky? Un stylo plume? Vous voulez négocier de la drogue, des devises ou autre chose?

— Non merci, je n'ai besoin de rien, répliqua Barley, soulagé de s'entendre parler normalement. Si vous pouviez éviter de me cacher le soleil, ce serait parfait.

— Ça vous plairait de rencontrer un groupe cosmopolite avec des filles? Je peux vous montrer la vraie Russie, celle que personne ne voit jamais.

— Mon cher ami, pour être tout à fait honnête, je pense que vous ne connaissez pas plus la vieille Russie que mes fesses, lâcha Barley en se replongeant dans l'étude de son plan.

L'homme s'éloigna.

Le vendredi, même les grands savants feront comme tout le monde, avait affirmé Paddy. Ils iront se saouler pour fêter la fin de la semaine après leur séminaire de trois jours, où ils se seront fait part de leurs réussites et des progrès de leurs recherches. Leurs hôtes de Leningrad leur offriront un déjeuner somptueux, mais leur laisseront le temps de faire du lèche-vitrines avant de retourner à leurs numéros de boîte postale. Ce sera la première occasion pour votre ami de s'éclipser s'il le souhaite.

Mon ami. *Mon* ami Raskolnikov. Pas le sien, le mien. Au cas où ça tournerait mal.

Un rendez-vous avorté, il en restait deux.

Barley se leva, se massa le dos, et choisit de poursuivre son excursion du Leningrad littéraire pour tuer le temps. Il retraversa la perspective Nevski, et, dans un élan de sympathie envers ces gens au visage harassé qui faisaient leurs courses, leur adressa une prière silencieuse pour être accepté dans leurs rangs : « Je suis des vôtres! Je partage vos doutes! Acceptez-moi! Cachez-moi! Oubliez-moi! » Il se reprit. Regarde autour de toi. Prends l'air idiot d'un badaud.

Derrière lui se dressait la collégiale Notre-Dame de Kazan, et en face de lui la Maison du Livre, devant laquelle, en bon éditeur, Barley s'attarda un instant, examinant les vitrines puis levant les yeux pour regarder la tour surmontée de son hideux globe terrestre. Mais il ne resta pas longtemps, craignant d'être reconnu par un employé des maisons d'édition dans l'immeuble. Par la rue Géliabova, il se rendit à l'un des gigantesques grands magasins de Leningrad, dont les vitrines exposaient des vêtements à la mode en Angleterre pendant la guerre et des toques de fourrure hors saison. Il se plaça bien en vue devant l'entrée principale, son sac plastique accroché à son majeur, et déplia son plan pour donner le change.

Pas ici, pensa-t-il. Par pitié, pas ici. Accorde-nous un peu d'intimité, Goethe, je t'en prie. Pas ici.

« S'il choisit le magasin, c'est qu'il veut une rencontre très publique, avait expliqué Paddy. Il va faire des grands gestes et crier : " Scott Blair, ça c'est une surprise ! " »

Pendant les dix minutes suivantes, Barley ne pensa à rien. Il étudiait son plan, et levait la tête pour admirer les édifices. Il lorgnait les filles, et en ce jour d'été à Leningrad, elles lui rendaient ses regards. Mais leur audace ne le rassurait aucunement, et il replongeait aussitôt le nez dans son plan. La sueur ruisselait le long de sa poitrine, et il se prit à imaginer avec effroi un court-circuit des microphones. Par deux fois il se racla la gorge, craignant qu'il n'en sorte aucun son, et quand il voulut s'humecter les lèvres, il s'aperçut qu'il avait la langue desséchée.

Les dix minutes étaient écoulées, mais il en laissa passer deux autres, estimant les devoir à lui-même, à Katia et à Goethe. Il replia son plan, sans plus réussir que d'habitude à reformer les plis d'origine, et le fourra dans son sac. Il se mêla de nouveau à la foule, et se rendit compte qu'il pouvait marcher normalement, sans sursauter, sans se rompre le cou en s'étalant de tout son long sur le trottoir.

Il descendit la perspective Nevski vers le pont Anitchkov, à la recherche du trolleybus numéro sept en direction de Smolny, pour sa troisième et dernière apparition aux yeux de la congrégation des espions réunis de Leningrad.

Deux adolescents en jeans se trouvaient devant lui dans la file d'attente, et trois *babouchkas* derrière. Le trolleybus arriva, et les garçons montèrent en discutant bruyamment, Barley à leur suite.

Un vieil homme céda sa place à l'une des *babouchkas*. Voilà une foule sympathique, songea Barley dans un nouvel élan de solidarité avec ceux qu'il trompait ; passons la journée ensemble pour mieux faire connaissance ! Un gamin le dévisageait, les sourcils froncés, en lui demandant quelque chose. Pris d'une inspiration subite, Barley releva sa manche et lui montra le chronomètre en acier de Paddy. Le garçon l'examina et poussa un soupir exaspéré. Une clochette annonça l'arrêt du trolleybus.

Il a eu les foies, pensa Barley soulagé en entrant dans le parc comme le soleil sortait de derrière les nuages. Il s'est défilé, et personne ne peut lui en vouloir.

Mais c'est alors qu'il vit Goethe à l'endroit prévu. Goethe, le grand amant et le grand penseur, assis sur le troisième banc à gauche dans l'allée de gravillons, le nihiliste qui ne prend rien pour acquis.

Goethe lisait son journal, tassé sur lui-même et apparemment à jeun, vêtu d'un complet noir qui le faisait ressembler à son frère aîné modèle réduit. La vue de ce personnage si banal attrista d'abord Barley, puis le rassura. L'ombre du grand poète s'était évaporée. Des rides sillonnaient le visage jadis lisse. Il ne restait apparemment rien du grand génie chez ce Russe barbu aux allures de petit fonctionnaire qui prenait l'air sur le banc d'un parc à l'heure du déjeuner.

C'était pourtant bien Goethe, au milieu d'un cercle sacré de symboles rivaux : à moins d'un coup de fusil des imposantes statues de Marx, Engels et Lénine, qui le surveillaient d'un œil de bronze chacune du haut de son piédestal ; à moins d'un coup de mousquet de la sainte chambre soixante-sept, où Lénine avait établi ses quartiers révolutionnaires dans un pensionnat pour jeunes filles de la noblesse de Saint-Pétersbourg ; à moins d'une marche funèbre de la cathédrale bleue de style baroque, construite par Rastrelli pour adoucir les dernières années d'une impératrice ; à moins d'une marche les yeux bandés de la section locale du Parti, où des policiers géants foudroyaient du regard les masses libérées.

Smola signifie goudron, se rappela Barley sans raison, alors que se prolongeait en lui cette sensation d'incroyable banalité. C'est à Smolny que Pierre le Grand entreposait le goudron pour la première flotte russe.

224

Les promeneurs autour de Goethe semblaient aussi ordinaires que lui. Le soleil maintenant rayonnant avait miraculeusement transformé le ciel couvert du début de journée, et ces bons citoyens se dévêtaient avec une même allégresse. Des garçons torse nu, des filles alanguies comme des fleurs fanées et des matrones en soutien-gorge de satin étaient étendus sur la pelouse, écoutant leurs transistors, mangeant des sandwiches, et discutant de sujets qui les faisaient grimacer, réfléchir ou rire.

Barley emprunta le chemin caillouteux qui passait devant le banc, l'air absorbé dans les *Informations* au dos de son plan. Sur le terrain, avait expliqué Ned au cours d'une séance consacrée à l'impitoyable étiquette du métier, la source est la vedette, et c'est la vedette qui décide d'entrer en contact ou non.

Cinquante mètres séparaient Barley de sa vedette sur ce chemin qui les reliait comme une ligne tracée au cordeau. Marchait-il trop vite ou trop lentement ? Un instant, il était sur les talons du couple devant lui, et l'instant d'après, il se faisait bousculer par des gens qui le dépassaient. S'il vous ignore, attendez cinq minutes et tentez une seconde approche, avait recommandé Paddy. Les yeux sur son plan, Barley aperçut néanmoins Goethe qui levait instinctivement la tête à son passage. Il vit ses joues blafardes, ses yeux éteints et enfoncés, et la blancheur du journal quand il le replia avec soin. Il remarqua la raideur mécanique de ses gestes saccadés, qui lui évoqua aussitôt l'automate d'une horloge à la précision suisse : maintenant je vais lever mon visage blême, maintenant je sonne midi en agitant mon drapeau blanc, maintenant je me lève et je marche. Goethe glissa son journal dans sa poche, consulta gravement sa montre, et, toujours comme un robot, prit place dans les rangs de la foule qui se dirigeait vers la rivière.

Barley pouvait à présent régler son allure sur celle de Goethe, qui emprunta l'allée jusqu'à une rangée de voitures garées. Le regard et l'esprit vigilants, Barley le suivit et l'aperçut plus loin se profiler sur la Neva au courant rapide, la brise gonflant sa veste. Un vapeur de plaisance qui ne semblait guère inspirer de plaisir à ses plaisanciers passa devant lui, suivi d'un charbonnier à la coque tachetée de minium, dont la cheminée laissait s'échapper des fumées fuligineuses du plus bel effet dans la lumière dansante du fleuve. Penché par-dessus le garde-fou, Goethe semblait calculer la vitesse du courant. Barley se dirigea vers lui d'un pas hésitant, s'orientant d'après son plan en redoublant d'attention. Même lorsqu'il s'entendit apostropher dans cet anglais irréprochable qui l'avait réveillé sur la véranda à Peredelkino, il ne répondit pas immédiatement.

— Monsieur ? Excusez-moi, monsieur, je crois que nous nous sommes déjà rencontrés.

Sur le coup, Barley refusa d'entendre. La voix était trop nerveuse et mal assurée. Il continua de s'absorber dans ses *Informations*. Encore un de ces rabatteurs, songea-t-il. Sûrement un dealer ou un maquereau.

— Monsieur ? répéta Goethe, comme si lui-même doutait à présent.

Alors seulement, devant l'insistance de l'inconnu, Barley leva la tête presque à contrecœur.

— N'êtes-vous pas M. Scott Blair, l'éminent éditeur anglais ?

Ces paroles décidèrent enfin Barley, après un dernier instant d'hésitation, à reconnaître son interlocuteur avec un plaisir sincère mais discret.

— Ça alors ! fit-il d'un ton égal en lui tendant la main. Bon Dieu ! Le grand Goethe, aussi vrai que je m'appelle Barley. On s'était rencontrés à cette épouvantable soirée littéraire... les deux seuls à ne pas être ivres ! Comment allez-vous ?

— Oh, je vais très bien, répondit Goethe, dont la voix tendue devenait plus assurée, alors que sa main était moite. Je ne vois pas comment je pourrais aller mieux à l'heure actuelle. Bienvenue à Leningrad, monsieur Barley. Quel dommage que j'aie un rendez-vous cet après-midi. Vous avez le temps de faire quelques pas ? Nous pourrions bavarder.

Il baissa légèrement le ton pour ajouter :

— Il vaut mieux ne pas rester sur place.

Il prit Barley par le bras et l'entraîna rapidement le long de la berge. Cette hâte fébrile enleva à Barley toute pensée d'ordre stratégique. Il jeta un coup d'œil sur la silhouette à ses côtés, frappé de nouveau par le visage hâve où se creusaient des sillons de douleur, de peur et d'angoisse. Il remarqua que ses yeux de bête traquée se posaient nerveusement sur chaque visage qu'ils croisaient. Et son unique instinct fut de le protéger : par amour pour lui et pour Katia.

— Si nous avions une demi-heure à perdre, nous pourrions marcher jusqu'au croiseur *Aurore*, celui qui tira un coup à blanc

226

pour donner le signal de la Révolution. La prochaine révolution, elle, commencera sur quelques belles mesures de Bach. Il est temps, non ?

— Et sans chef d'orchestre, ajouta Barley avec un sourire.

— Ou peut-être avec un peu de jazz, comme vous en jouez si bien. Oui, c'est ça! Vous annoncerez notre révolution en jouant des thèmes de Lester Young au saxophone. Vous avez lu le nouveau roman de Rybakov ? Forcément un grand chef-d'œuvre russe puisqu'il a été interdit pendant vingt ans! C'est un viol temporel, à mon avis.

— Il n'est pas encore sorti en Angleterre.

— Vous avez lu le mien ?

Sa main fine avait accentué sa pression sur son bras, et la voix déjà contenue n'était plus qu'un murmure.

— Ce que j'ai pu en comprendre, oui.

— Qu'en pensez-vous ?

— C'est courageux.

— Pas plus ?

— C'est sensationnel. Enfin, ce que j'ai pu en saisir. Génial.

— Nous nous sommes reconnus, ce soir-là. C'était magique. Vous avez déjà entendu ce proverbe russe : « Un pêcheur en reconnaît toujours un autre à distance » ? Nous sommes deux pêcheurs. Nous nourrirons des milliers de bouches de notre vérité.

— Peut-être bien, concéda Barley, apercevant du coin de l'œil le visage décharné de Goethe qui se tournait vivement vers lui. Il faut qu'on en parle un petit peu ensemble, Goethe. Il y a un ou deux problèmes.

— C'est pour cela que nous sommes ici vous et moi. Merci de vous être déplacé jusqu'à Leningrad. Quand allez-vous le publier ? Il faut le faire rapidement. Dans ce pays, les écrivains attendent trois ou cinq ans avant d'être publiés, sans parler de gens comme Rybakov. Je ne peux pas me le permettre. La Russie n'en a pas le temps. Et moi non plus.

Une file de remorqueurs arrivait à leur hauteur, et un double-scull glissait audacieusement dans leur sillage. Deux amoureux s'enlaçaient près du parapet. Dans l'ombre de la cathédrale, une jeune femme debout berçait d'une main son bébé dans un landau, et de l'autre tenait un livre qu'elle lisait.

— Comme je ne suis pas venu à la foire de l'audio à Moscou, Katia a remis votre manuscrit à un de mes collègues, commença prudemment Barley.

— Je sais. Il fallait bien qu'elle prenne ce risque.

— Ce que vous ignorez, c'est que mon collègue n'a pas pu me mettre la main dessus quand il est retourné en Angleterre. Alors il a confié les carnets aux autorités. Des gens de toute discrétion, des experts.

Goethe, alarmé, se tourna brusquement vers Barley, et une intense déception se peignit sur ses traits fatigués.

— Je n'aime pas les experts, dit-il. Ce sont eux nos geôliers. Je méprise les experts plus que tout au monde.

— Mais vous en êtes un vous-même, non ?

— Justement, je sais de quoi je parle ! Les experts sont des fanatiques. Ils ne résolvent rien ! Ils sont à la solde du système qui les emploie. Ils le perpétuent. Quand nous nous ferons torturer, ce sera par des experts. Quand nous serons pendus, ce sera par des experts. Vous n'avez donc pas lu ce que j'ai écrit ? Quand le monde sera détruit, ce ne sera pas par des fous, mais par de sages experts et par l'ignorance incommensurable des bureaucrates. Vous m'avez trahi.

— Personne ne vous a trahi, répliqua Barley avec humeur. Le manuscrit s'est égaré, voilà tout. Nos bureaucrates, qui n'ont rien à voir avec les vôtres, l'ont lu et l'admirent, mais ils ont besoin d'en savoir davantage. Ils ne peuvent pas croire au message tant qu'ils ne peuvent croire à la source.

— Est-ce qu'ils sont d'accord pour le publier, au moins ?

— Ils veulent d'abord être sûrs que vous n'êtes pas un leurre. Et le meilleur moyen pour les en convaincre, c'est qu'ils puissent discuter avec vous.

Goethe marchait trop vite, entraînant Barley à son allure, les yeux perdus dans le vague, et les tempes mouillées de sueur.

— Je suis un littéraire, Goethe, dit Barley essoufflé, sans pouvoir croiser son regard. Je ne connais guère que *Beowulf*, les filles, et la bière tiède. La physique, ce n'est pas du tout mon rayon, ni celui de Katia. Si vous voulez continuer sur cette voie, faites appel aux experts et laissez-nous tranquilles. C'est ça que je suis venu vous dire.

Ils traversèrent une allée et s'engagèrent sur une autre pelouse. Un groupe d'écoliers dut rompre les rangs pour les laisser passer.

— Vous êtes venu me dire que vous refusez de me publier ?

— Mais comment voulez-vous que je vous publie ? répliqua Barley, exaspéré par le désespoir excessif de Goethe. Et même si on arrivait à mettre vos documents en forme, il y a Katia! C'est votre messager, vous vous rappelez? Elle a livré des renseignements sur la défense soviétique à une puissance étrangère. C'est pas franchement de la rigolade, ici. Si jamais on découvre vos activités à tous les deux, elle sera morte avant même que le premier exemplaire soit mis en rayon. Ce n'est pas un rôle à jouer pour un éditeur, ça! Vous croyez que je vais attendre tranquillement à Londres et appuyer sur le bouton qui vous fera sauter tous les deux?

Goethe haletait, et ses yeux s'étaient détournés de la foule pour se fixer sur Barley.

– Écoutez-moi, plaida Barley. Attendez une minute. Je comprends. Je crois vraiment que je vous comprends. Vous aviez un don, mais on l'a utilisé à des fins répréhensibles. Vous connaissez tous les côtés pourris du système, et vous voulez purifier votre âme. Mais vous n'êtes pas le Christ, ni Petcherine. On ne vous juge pas! Si vous voulez vous tuer, c'est votre affaire. Seulement vous la tuerez aussi. Et si vous ne vous souciez pas de qui vous tuez, pourquoi vous soucier de qui vous sauvez?

Ils se dirigeaient vers une aire de pique-nique avec des chaises et des tables en rondins. Ils s'assirent côte à côte devant l'une d'elles, sur laquelle Barley étala son plan qu'ils feignirent d'étudier de près tous les deux. Goethe mesurait la portée des arguments de Barley en regard de ses propres objectifs.

– Seul le *présent* existe, finit-il par affirmer dans un murmure. Il n'y a pas d'autre dimension que le *présent*. Dans le passé, nous avons tout compromis au nom de l'avenir. Maintenant, il nous faut tout réussir au nom du présent. Perdre du temps, c'est tout perdre. L'histoire russe n'offre jamais de seconde chance. Quand on saute par-dessus un gouffre, elle ne permet aucun faux pas. Et elle donne ce qu'ils méritent à ceux qui échouent : un autre Staline, un autre Brejnev, une autre purge, une autre ère glaciaire de passivité terrorisée. Si la tendance actuelle se poursuit, j'aurai été à l'avant-garde. Si elle s'arrête ou fait machine arrière, je serai couché sur une statistique parmi tant d'autres de notre histoire post-révolutionnaire.

– Et Katia avec vous, remarqua Barley.

Le doigt de Goethe parcourait nerveusement le plan. Il jeta un coup d'œil alentour avant de reprendre :

– Nous sommes à Leningrad, Barley, le berceau de notre

grande Révolution. Personne ne triomphe ici sans sacrifices. Vous m'avez dit que nous avions besoin d'une recherche sur la nature humaine. Pourquoi êtes-vous si choqué quand je mets vos paroles en pratique ?

— Vous m'avez mal compris cette fois-là. Vous vous êtes mépris sur mon compte. Je suis le type même de la grande gueule inutile. J'étais dans un de mes bons jours, voilà tout.

Avec une effrayante maîtrise de soi, Goethe ouvrit les mains et les posa à plat sur le plan.

— Vous n'avez nul besoin de me rappeler que l'homme n'est pas à la hauteur de sa réthorique, dit-il. Notre nouveau peuple parle d'ouverture, de désarmement, de paix... Qu'on leur donne leur ouverture, leur désarmement et leur paix ! Qu'on les prenne au mot et qu'on exauce leurs souhaits ! Mais qu'on s'assure bien cette fois qu'ils ne feront pas machine arrière.

Il se leva, incapable de rester plus longtemps immobile à la table. Barley l'imita.

— Goethe, pour l'amour de Dieu, gardez votre calme.

— Au diable le calme ! C'est le calme qui tue.

Il se remit à marcher tout en parlant.

— Ce n'est pas en nous échangeant nos secrets de la main à la main comme des voleurs que nous romprons la malédiction du secret. J'ai vécu le grand mensonge, et vous me dites d'en garder le secret ! Mais comment ce mensonge a-t-il survécu ? Grâce au secret. Comment notre utopie est-elle devenue un misérable bourbier ? Grâce au secret. Comment peut-on cacher à ses propres concitoyens les projets de guerre qu'on échafaude ? Grâce au secret. En restant dans l'ombre. Montrez mon travail à vos espions si c'est votre devoir, mais que cela ne vous empêche pas de me publier. C'est ce que vous m'avez promis, et j'ai confiance en votre parole. J'ai glissé dans votre sac un carnet contenant de nouveaux chapitres. Il répond sans aucun doute à de nombreuses questions que ces idiots voulaient me poser.

La brise de la rivière effleurait les joues brûlantes de Barley. Tout en marchant, il observait à la dérobée le visage luisant de Goethe, et crut y voir les traces de cette candeur blessée qui semblait la source de son indignation.

— Je ne veux rien que des lettres sur la jaquette, annonça-t-il. Pas d'illustration, pas de maquette à sensation. Vous m'entendez ?

— Nous n'avons même pas de titre, objecta Barley.

— Vous utiliserez mon propre nom, je vous prie. Pas de faux-semblants, pas de pseudonyme. Utiliser un pseudonyme, c'est encore inventer un secret.

— Mais je ne le connais même pas, votre nom !

— Ils le découvriront bien. Après ce que vous a dit Katia, et avec les nouveaux chapitres, cela ne posera aucun problème. Tenez des comptes très clairs, et tous les six mois, envoyez les droits d'auteur à une cause humanitaire quelconque. Personne ne pourra dire que j'ai fait ça pour mon profit personnel.

A travers les arbres maintenant proches leur parvenaient les accords pompeux d'une musique militaire rivalisant avec le tintamarre de tramways invisibles.

— Goethe..., commença Barley.

— Qu'est-ce qu'il y a ? Vous avez peur ?

— Venez en Angleterre. Ils vous feront passer la frontière discrètement. Ils sont malins. Ensuite vous pourrez révéler tout ce que vous voudrez au monde entier. On louera l'Albert Hall pour vous. On vous fera passer à la télévision, à la radio, on se pliera à vos exigences. Et quand ce sera fini, on vous donnera un passeport, de l'argent, et vous pourrez couler des jours heureux en Australie.

Ils s'étaient arrêtés de nouveau. Goethe avait-il entendu ? Avait-il compris ? Fixé sur Barley comme sur un point à l'horizon, son regard impassible ne trahissait pas la moindre émotion.

— Je ne suis pas un transfuge, Barley. Je suis russe, et mon avenir est ici, même s'il est de courte durée. Me publierez-vous, oui ou non ? J'ai besoin de savoir.

Pour gagner du temps, Barley plongea la main dans la poche de sa veste et en sortit le livre de Cy.

— Je dois vous remettre ceci, dit-il. Un souvenir de notre rencontre. Leurs questions sont insérées dans le texte, ainsi qu'une adresse en Finlande où vous pouvez écrire et un numéro de téléphone à Moscou avec les instructions sur ce que vous devez dire quand vous appellerez. Si vous acceptez de traiter directement avec eux, ils vous donneront toutes sortes de joujoux très astucieux pour faciliter les communications.

Il posa le livre dans la main tendue de Goethe.

— Me publierez-vous, oui ou non ?

— Ils voudraient savoir comment vous joindre.

— Dites-leur de passer par mon éditeur.

— Ne mêlez plus Katia à cette histoire. Tenez-vous-en aux espions et laissez-la tranquille.

Le regard de Goethe s'arrêta un moment sur le complet de Barley, qui semblait le mettre mal à l'aise. Il avait le sourire triste d'un enfant, le dernier jour des vacances.

— Vous êtes en gris aujourd'hui, Barley. Ce sont des hommes en gris qui ont envoyé mon père en prison. C'est un vieil homme en uniforme gris qui l'a abattu. Ce sont des hommes en gris qui ont détruit ma belle profession. Prenez garde, sinon ils détruiront la vôtre également. Me publierez-vous, ou dois-je recommencer ma quête d'un être humain digne de ce nom ?

A court d'échappatoires, Barley ne sut d'abord que répondre.

— Si je peux reprendre possession des documents et réussir à en faire un livre, je vous publierai.

— Je vous ai demandé une réponse précise. Oui ou non ?

Promettez-lui tout ce qu'il veut dans les limites du raisonnable, avait dit Paddy. Mais où s'arrêtait le raisonnable ?

— D'accord, répliqua-t-il. C'est oui.

Goethe rendit le livre à Barley, qui le remit dans sa poche, l'air hébété. Quand ils se donnèrent l'accolade, Barley fut incommodé par l'odeur de sueur et de tabac refroidi, mais sentit dans cette étreinte une force aussi désespérée que lors de leurs adieux à Peredelkino. Aussi brusquement qu'il l'avait embrassé, Goethe le relâcha et, avec un dernier coup d'œil circulaire qui trahissait sa nervosité, s'éloigna rapidement vers l'arrêt du trolleybus. Comme Barley le suivait des yeux, il remarqua l'intérêt que lui portait également le vieux couple debout à la terrasse du café, sous l'ombrage bleu sombre des arbres.

Barley éternua, éternua plus fort, et fut pris d'une vraie crise. Il retourna vers le parc, le visage enfoui dans son mouchoir, les épaules agitées de soubresauts entre chaque accès.

— Scott ! Quelle surprise ! s'écria J.P. Henziger avec l'enthousiasme exagéré d'un homme occupé que l'on a fait attendre, tout en ouvrant la porte sur la plus grande chambre de l'hôtel Europe. Scott, c'est en de pareilles occasions qu'on reconnaît ses amis. Entrez, je vous en prie. Qu'est-ce qui vous a retenu ? Venez donc dire bonjour à Maisie.

La quarantaine musclée et alerte, il avait ce genre de visage laid et amical qui attirait généralement la sympathie de Barley. Il portait un bracelet en poil d'éléphant à un poignet, et une gourmette en or à l'autre. Des auréoles de sueur tachaient sa chemise en jean sous les aisselles. Wicklow apparut derrière lui et ferma vivement la porte.

Des lits jumeaux recouverts de courtepointes vert olive occupaient le milieu de la pièce. Sur l'un d'eux gisait Mrs. Henziger, une charmante petite chose de trente-cinq ans, sans maquillage, ses tresses dénouées théâtralement épandues sur ses épaules parsemées de taches de rousseur. Un homme en complet noir avec des lunettes aux verres jaunâtres se tenait à ses côtés, l'air mal à l'aise. Une trousse de médecin était posée ouverte sur le lit. Henziger continua son numéro pour les micros.

— Scott, je vous présente le Dr Pete Bernstorf du consulat général américain à Leningrad. Un excellent médecin. Nous lui devons beaucoup. Maisie se remet très vite. Nous devons également beaucoup à M. Wicklow. Leonard s'est occupé de la chambre d'hôtel, des organisateurs du tour, et des médicaments. Vous avez passé une bonne journée ?

— Une affreuse comédie, lança Barley, manquant un instant de saboter le scénario.

Barley jeta le sac plastique sur le lit, ainsi que le livre qu'il avait sorti de sa poche. Les mains tremblantes, il ôta sa veste, extirpa de sous sa chemise le harnachement enregistreur, et l'envoya rejoindre le sac et le livre. Puis, refusant l'aide de Wicklow, il retira la boîte grise de l'enregistreur logée au creux de ses reins et la laissa également tomber sur le lit, arrachant un « merde » étouffé à Maisie, qui recula vivement ses jambes. Il alla ensuite vers le lavabo, vida sa flasque dans un verre à dents, un bras contre sa poitrine comme s'il avait été touché par une balle. Il but et but encore, sans prêter attention aux grandes manœuvres qui avaient débuté dans la pièce.

Souple comme un chat malgré sa corpulence, Henziger saisit le sac plastique, en sortit le carnet et le lança à Bernstorf, qui le fit disparaître avec la dextérité d'un magicien parmi les fioles et les instruments de sa trousse. Henziger lui passa ensuite le livre, qui suivit le même chemin. Enfin, Wicklow récupéra l'enregistreur et le harnachement, qui finirent également dans la trousse avant que Bernstorf ne la referme en prodiguant ses dernières recommandations à sa patiente : pas de nourriture solide pendant quarante-huit heures, madame Henziger, du thé, une tranche de pain complet si nécessaire, et finissez le traitement antibiotique, même si vous vous sentez mieux. A peine avait-il fini qu'Henziger enchaînait.

— Docteur, si jamais vous venez à Boston et que vous ayez besoin de quoi que ce soit, mais vraiment tout ce que vous voulez, n'hésitez pas. Vous avez ma parole! Voici ma carte, et voici...

Son verre à la main, Barley restait face au lavabo, se jetant des regards furieux dans le miroir tandis que la trousse du bon samaritain s'envolait vers la porte.

De toutes les soirées qu'il avait passées en Russie, et en y réfléchissant bien, partout ailleurs, celle-là fut la pire pour Barley.

Henziger avait entendu dire qu'un restaurant en coopérative avait récemment ouvert à Leningrad, « coopérative » étant le nouveau nom de code pour « privé ». Wicklow avait fini par le trouver, mais complet. Pour Henziger toutefois, le refus était un défi. Après maints coups de téléphone et grâce à de généreux pourboires, on leur rajouta une table à environ un mètre de l'opéra gitan le plus bruyant et le plus mauvais que Barley ait jamais entendu, même dans ses pires cauchemars.

Et les voilà tous assis à fêter la miraculeuse guérison de Mrs Henziger. Les miaulements des chanteurs étaient amplifiés par des sortes de cornes de taureau électroniques, et les morceaux s'enchaînaient sans répit.

Autour d'eux était attablée la Russie que le puritain en veilleuse chez Barley avait toujours détestée sans l'avoir jamais vue : les soi-disant mystérieux tsars du capitalisme, les parvenus, les consommateurs éminents de l'industrie, les richards et les racketteurs du Parti, leurs femmes portant bijoux, empestant les parfums occidentaux et le déodorant russe, les serveurs obséquieux s'affairant autour des tables les plus riches. Les voix discordantes des chanteurs s'élevaient toujours plus fort pour essayer de couvrir la musique dont le volume augmentait de plus belle, et Henziger réussissait à se faire entendre malgré cette rude compétition.

— Scott, je veux que vous sachiez quelque chose, hurla-t-il à Barley en se penchant d'un air excité par-dessus la table. Ce petit pays est en train de bouger. Je flaire l'espoir ici, je flaire le changement, je flaire le commerce. Et nous, chez Potomac, on est en train de s'acheter une part de tout ça. J'en suis fier.

Mais comme le vacarme de l'orchestre noyait sa voix, ses lèvres formèrent silencieusement le mot « fier » sous le déluge d'un million de décibels gitans.

L'ennui, c'est qu'Henziger était un chic type, et Maisie une brave fille. Comme le supplice continuait, Barley atteignit le stade béni de la surdité, et au cœur de la cacophonie découvrit sa maison sûre, par les petites fenêtres de laquelle son moi secret contempla la nuit blanche de Leningrad. Où t'en es-tu allé, Goethe ? se demanda-t-il. Qui la remplace quand elle n'est pas là ? Qui reprise tes chaussettes noires et te fait réchauffer ton bouillon pendant que tu la traînes par les cheveux sur la route altruiste de ta noble auto-destruction ?

Ils avaient dû rentrer à l'hôtel sans qu'il s'en aperçoive, car il s'éveilla, appuyé sur l'épaule de Wicklow, au milieu des alcooliques finlandais qui faisaient le tour du vestibule en titubant, l'air honteux.

– Excellente soirée, disait-il à qui voulait bien l'entendre. L'orchestre était fantastique. Merci d'être venu à Leningrad.

Comme Wicklow l'aidait patiemment à regagner sa chambre, cette parcelle de Barley qui n'était pas complètement ivre jeta un coup d'œil par-dessus son épaule vers le pied de l'escalier, et aperçut Katia assise dans l'ombre près de l'entrée, les jambes croisées, son filet sur les genoux, vêtue d'une veste noire cintrée, un foulard en soie blanche noué autour du cou. Sur son visage tendu vers lui, il reconnut ce sourire crispé, à la fois triste et plein d'espoir, ouvert à l'amour.

Mais sa vision devenant plus nette, Barley remarqua qu'elle disait du coin des lèvres quelques mots provocants au portier, et comprit qu'elle n'était qu'une de ces traînées de Leningrad cherchant à faire une passe.

Le lendemain, au son des plus discrètes fanfares anglaises, notre héros rentra au pays.

Ned ne voulait pas de grande pompe, pas d'Américains, et encore moins de Clive, mais il souhaitait néanmoins faire à Barley un accueil chaleureux. Nous allâmes donc à Gatwick en voiture et, ayant laissé Brock de guet à la porte des Arrivées, muni d'une pancarte indiquant « Potomac », nous nous installâmes dans un salon d'attente que le Service partageait non sans heurts avec le Foreign Office, le point majeur de désaccord portant sur leur consommation réciproque de gin.

L'attente se prolongea car l'avion avait du retard. Clive téléphona de Grosvenor Square pour demander : « Est-ce qu'il est arrivé, Palfrey ? » comme s'il s'attendait un peu à ce qu'il fût resté en URSS.

Clive rappela une demi-heure plus tard, tombant cette fois sur Ned, qui avait à peine raccroché d'un geste rageur que la porte s'ouvrit, laissant passer Wicklow, dont le sourire d'enfant de chœur servait à masquer les regards d'avertissement qu'il nous lançait.

Quelques secondes plus tard, Barley fit son entrée, ressemblant en plus pâle aux photos de lui prises par nos guetteurs.

— Et ces imbéciles qui applaudissaient ! explosa-t-il avant même que Brock eût refermé la porte. Ce pédé de commandant avec son accent du Surrey ! Je l'aurais tué !

Pendant que Barley continuait de tempêter, Wicklow nous expliqua discrètement la raison de sa fureur : leur vol charter de Leningrad avait été envahi par une délégation de négociants anglais, que Barley avait arbitrairement qualifiés de jeunes cadres dynamiques de la pire espèce, ce qui, à les entendre brailler, s'était avéré juste. Plusieurs étaient déjà saouls en embarquant, et les autres ne mirent guère de temps à les rattraper. Quelques minutes à peine après le décollage, le commandant de bord, sur lequel Barley faisait porter l'entière responsabilité de l'incident, avait annoncé que l'avion avait quitté l'espace aérien soviétique. Un hurlement de joie s'était élevé, tandis que les hôtesses distribuaient du champagne dans les travées. Et alors, tout le monde avait entonné *Rule, Britannia !*

— Pour moi, ce sera Aeroflot à partir de maintenant ! enrageait Barley devant son auditoire. Je vais écrire à la compagnie aérienne, je vais...

— Vous ne ferez rien de la sorte, interrompit gentiment Ned. Vous allez nous laisser vous traiter comme un prince. Et après vous piquerez votre colère si vous voulez.

Tout en parlant, il serra longuement la main de Barley, qui finit par sourire.

— Où est Walt ? demanda-t-il en le cherchant des yeux.

— Il a malheureusement dû partir en mission, expliqua Ned, mais Barley se désintéressait déjà de la réponse.

Sa main tremblait violemment tandis qu'il buvait en versant une larme, ce qui, me dit Ned plus tard, est tout à fait normal pour un *Joe* qui revient du terrain.

11.

Les événements des trois jours suivants furent examinés par la suite avec autant de minutie que l'épave d'un avion, mais on ne découvrit guère de défaillances techniques.

Après son scandale à l'aéroport, Barley entra dans une phase de bonne humeur. Durant le trajet en voiture, il se sourit souvent à lui-même, saluant au passage des endroits familiers d'un geste affectueux. Et il nous gratifia d'un accès d'éternuements.

Sitôt arrivé à la maison de Knightsbridge, où Ned voulait qu'il passe la nuit avant de réintégrer son propre appartement, Barley lâcha ses bagages dans le vestibule, enlaça Miss Coad en lui déclarant sa flamme éternelle, et lui fit cadeau d'une superbe chapka en lynx que personne, pas même Wicklow, ne se rappela par la suite l'avoir vu l'acheter.

Je m'éclipsai bientôt, Clive m'ayant convoqué au douzième étage pour ce qu'il appelait « une discussion cruciale », alors qu'il désirait tout simplement me sonder. Est-ce que je trouvais Scott Blair nerveux ? Etait-il gonflé à bloc ? Comment allait-il réellement, à mon avis ? Johnny écoutait mais ne parlait guère, se bornant à signaler qu'on avait rappelé Bob à Langley pour consultation. Je leur racontai ce dont j'avais été témoin, sans plus. Tous deux furent surpris par les larmes de Barley.

— Il a vraiment dit qu'il allait y retourner ? me demanda Clive.

Ce même soir, Ned dîna en tête à tête avec Barley. Il ne s'agissait pas encore du debriefing, mais simplement de la décompression. L'enregistrement révèle chez Barley des sautes d'humeur et une voix plus haut perchée que d'habitude. Quand je les rejoignis pour le café, il parlait de Goethe avec une objectivité qui sonnait faux.

Goethe avait vieilli, avait perdu de son allant.

Goethe était devenu une ruine.

Goethe avait apparemment arrêté de boire. Il était suffisamment excité pour se passer de remontants. « Si vous aviez vu ses mains, Harry ! Elles tremblaient en suivant le plan. »

Et vous, si vous aviez vu les vôtres quand vous buviez le champagne à l'aéroport ! songeai-je.

Il fit allusion à Katia une seule fois ce soir-là, également avec une désinvolture voulue. Il tenait sans doute à nous persuader qu'il n'éprouvait pas de sentiment susceptible d'échapper à notre contrôle. Il ne s'agissait pas de fourberie, car hormis les quelques artifices que nous lui avions enseignés, Barley en était incapable, mais d'une crainte de voir ses émotions prendre une ampleur démesurée si nous ne leur servions pas d'ancrage.

Katia était plus inquiète pour ses enfants que pour elle-même, nous expliqua-t-il, toujours négligemment. Toutes les mères le sont, non ? De plus, ses enfants représentaient la clé de ce monde qu'elle voulait sauver. En un sens, donc, son action atteignait à l'absolu de l'amour maternel. Vous ne trouvez pas, Nedski ?

Ned acquiesça.

— Rien n'est plus dur que de sacrifier ses propres enfants, Barley, dit-il.

— Mais c'est une femme merveilleuse, insista Barley, d'un ton maintenant protecteur. Un rien trop excessive à son goût, mais pour qui aime chez une femme la force d'âme d'une Jeanne d'Arc, Katia était idéale. Et personne ne pouvait nier sa grande beauté. Peut-être un peu trop originale pour qu'on la qualifie de classique, si vous voyez ce que je veux dire, mais vraiment saisissante.

Obligés de lui cacher que nous avions passé la semaine à admirer des photographies de Katia, nous feignîmes de le croire sur parole.

A 11 heures, accusant la fatigue du décalage horaire, Barley s'écroula, et monta se coucher sous notre œil vigilant.

— En tout cas, ça en valait la peine, hein ? lança-t-il avec un large sourire en nous regardant à travers ses petites lunettes rondes par-dessus la rampe. Le nouveau carnet qu'il nous a donné. Vous y avez bien jeté un œil ?

— Les cerveaux passent une nuit blanche dessus en ce moment, assura Ned, qui ne pouvait tout de même pas dire qu'ils se battaient comme des chiffonniers pour en avoir la primeur.

– Les experts sont des fanatiques, déclara Barley, toujours souriant.

Il hésita un moment sur le palier à mi-étage, comme s'il cherchait une dernière réplique avant sa sortie.

– On devrait revoir un peu ces micros de contact, Nedski. J'ai tout le dos meurtri par ces foutues sangles. Je souhaite au prochain d'avoir la peau plus dure que moi. Au fait, où est tonton Bob ?

– Il vous envoie ses amitiés, dit Ned. Les affaires sont en plein boom en ce moment. Il espère vous revoir bientôt.

– Il est en mission avec Walt ?

– Si je le savais, je ne vous le dirais pas, fit Ned, soulevant nos rires.

Ce soir-là, je m'en souviens, je reçus un coup de téléphone totalement absurde de Margaret, mon épouse, à propos d'une contravention récoltée à Basingstoke, injustement, à l'en croire.

– C'était ma place. J'avais déjà mis mon clignotant quand cet imbécile de type dans une Jaguar toute neuve, avec des cheveux noirs gominés...

Je commis l'erreur de rire, et lançai que les Jaguar à cheveux gominés payaient leur parcmètre comme tout le monde.

Mais l'humour n'était pas le fort de Margaret.

Le lendemain matin, un dimanche, Clive requit à nouveau ma présence pour m'interroger sur la soirée de la veille, puis me faire parler boutique avec Johnny sur un sujet aussi ésotérique que le statut juridique de Barley : pouvait-on le qualifier d'employé du Service, et si oui, en acceptant notre financement, avait-il renoncé à certains droits, entre autres celui d'avoir un avocat en cas de litige avec nous ? Je fis une réponse sibylline qui les agaça, mais qui revenait à dire oui. Oui, il avait renoncé à ses droits. Ou pour être plus exact, oui, nous pouvions l'amener à le croire, qu'il l'ait réellement fait aux yeux de la loi ou non.

Au cas où je ne l'aurais pas déjà signalé, Johnny est diplômé de l'école de droit de Harvard. Aussi, pour une fois, Langley n'avait pas eu à nous envoyer une armée de conseillers juridiques.

Dans l'après-midi, comme il faisait un beau soleil et que Barley semblait nerveux, je l'emmenai en voiture jusqu'à Maidenhead, où nous fîmes une petite promenade à pied sur le halage de la

Tamise. A notre retour, on peut considérer que le debriefing de Barley était terminé. En effet, nos analystes ne nous ayant pas inondés de questions complémentaires, et les rencontres sur le terrain s'étant déroulées sous constante surveillance technique, il restait très peu de détails à lui faire préciser.

Barley était-il sensible à nos inquiétudes? Nous nous montrions aussi joyeux que possible, mais je me demandais malgré tout s'il percevait lui aussi cette inquiétante atmosphère de marasme, ou s'il nous assimilait simplement au tourbillon chaotique de ses propres sentiments.

Le dimanche soir, nous dînâmes ensemble à Knightsbridge. Barley semblait si calme et détendu que Ned décida, comme je l'eusse fait, que l'on pouvait maintenant le renvoyer à Hampstead en toute sécurité.

Son appartement se trouvait dans un immeuble victorien près de East Heath Road, et le poste de surveillance permanent juste à l'étage au-dessous, occupé par un jeune couple très efficace du Service, les vrais locataires ayant été temporairement relogés. Vers 11 heures du soir, le couple nous signala que Barley était seul chez lui, mais semblait arpenter nerveusement son appartement. Ils l'entendaient sans le voir, car Ned avait décidé que la surveillance n'irait pas jusqu'à la vidéo. Ils nous dirent qu'il se parlait sans cesse à lui-même, et quand il ouvrit son courrier, les moniteurs retransmirent des grognements et des jurons.

Ned ne s'en soucia pas. Il avait déjà lu le courrier de Barley, et savait qu'il ne contenait rien de plus épouvantable que d'habitude.

Vers 1 heure du matin, Barley appela sa fille Anthea à Grantham.

— Quelle est la différence entre l'amour et les toilettes?

— L'amour est enfant de Bohème et les toilettes sont enfant du couloir à gauche. Comment ça s'est passé à Moscou?

— Pourquoi les rhinocéros se peignent-ils en vert?

— Raconte-moi Moscou.

— Pour mieux se dissimuler sur les tables de billard. Tu as déjà vu un rhinocéros sur une table de billard?

— Non. Ça fait trois fois que je te demande. C'était bien, Moscou?

— Ça prouve que c'est un excellent camouflage. Comment va ton sinistre mari?

— Il dort... enfin, il essaye. Qu'est devenue la nana que t'as emmenée à Lisbonne?

– Je l'ai larguée.

– Je croyais que c'était du solide.

– Pour elle oui, pas pour moi.

Barley appela ensuite une ex-épouse auprès de laquelle il s'était réservé un droit de visite, puis une femme que nous n'avions pas fichée, mais aucune ne pouvait satisfaire à sa requête dans un délai aussi bref, d'autant qu'elles étaient au lit avec leurs maris respectifs.

A 1 h 40, le couple signala que la lumière s'était éteinte dans la chambre de Barley. Soulagé, Ned put enfin rentrer se coucher, mais moi qui étais déjà dans mon petit appartement, je ne trouvais pas le sommeil. Des souvenirs d'Hannah se pressaient dans ma tête, mêlés à des images de Barley dans la maison de Knightsbrigde. Je me rappelai le ton faussement détaché sur lequel il avait parlé de Katia et de ses enfants, et je ne cessais de comparer cette attitude avec mon refus obstiné d'avouer que j'aimais Hannah à l'époque où cette liaison aurait compromis ma carrière. *Hannah semble un peu déprimée*, remarquait quelqu'un innocemment toutes les cinq minutes à longueur de journée. *C'est son mari qui lui donne du fil à retordre?* Et moi de sourire. *Je crois qu'il aime bien la tabasser de temps en temps*, disais-je de ce même ton superbement désinvolte que Barley avait employé, alors qu'un feu secret me rongeait lentement le cœur.

Le lendemain matin, Barley alla reprendre son travail au bureau, et nous étions convenus qu'il passerait à la maison de Knightsbridge en rentrant chez lui le soir, au cas où certains points devraient être éclaircis. Ce rendez-vous n'était pas aussi informel qu'il y paraît, car Ned se trouvait à présent en plein règlement de comptes avec le douzième étage, et il était probable qu'avant le soir il aurait à céder du terrain, ou à engager une bataille tous azimuts avec nos mandarins.

Mais voilà... le soir, Barley avait disparu.

Selon les guetteurs postés par Brock, Barley quitta son bureau de Norfolk Street à 16 h 43, un peu avant l'heure, son étui de saxophone à la main. Wicklow, qui tapait un rapport sur leur voyage à Moscou dans l'arrière-bureau d'Abercrombie & Blair, ne remarqua pas son départ. Mais deux garçons en jean filèrent Barley sur le Strand en direction de l'ouest, et quand il sembla soudain changer d'avis, le suivirent dans Soho, où il se terra dans une boîte minable fréquentée par des éditeurs et des agents littéraires. Il y resta vingt minutes, en ressortit l'air parfaitement sobre, portant toujours son saxophone. Il héla un taxi, et l'un des guetteurs put l'entendre donner l'adresse de la maison sûre. Le même garçon contacta Brock, qui appela Ned à Knightsbridge pour lui dire : « Attention, votre invité est en route. » Quant à moi, je me trouvais ailleurs avec d'autres chats à fouetter.

Jusque-là personne n'était fautif, sauf qu'aucun des deux guetteurs n'eut l'idée de relever le numéro du taxi, oubli qui devait leur coûter cher par la suite. A l'heure d'affluence, le trajet du Strand à Knightsbridge peut durer une éternité. Ce fut donc à 19 h 30 seulement que Ned renonça à attendre et réintégra la Maison Russie, soucieux mais pas encore inquiet.

A 21 heures, nous étions tous à court de suggestions sensées, et Ned déclara une alerte rouge interne, ce qui par définition excluait les Américains. Comme toujours, il fit preuve de calme et d'efficacité. Sans doute s'était-il inconsciemment préparé à une crise de ce genre, car selon Brock, il avait un plan préétabli. Il n'informa pas Clive, m'expliquant par la suite que dans cette ambiance empoisonnée, cela serait revenu à envoyer un télégramme à Langley.

Ned partit seul dans une de nos voitures, qu'il conduisit à tombeau ouvert jusqu'à Bloomsbury, où les Oreilles du Service étaient installées dans une enfilade de caves sous Russell Square. L'opératrice en chef s'appelait Mary, une vieille fille boulimique de quarante ans, au teint rose. Les seules amours qu'on lui connaissait se résumaient à des voix venues d'ailleurs. Ned lui tendit une liste des divers contacts de Barley dressée par Walter avant son éviction, à partir des interceptions et des rapports de filature. Mary pouvait-elle les mettre sur écoute au plus vite, enfin, tout de suite ?

Non, Mary ne pouvait vraiment pas.

— Contourner un peu le règlement est une chose, Ned, mais mettre sur écoute illégale une douzaine de lignes en est une autre. Vous le savez très bien, n'est-ce pas ?

Ned aurait pu lui rétorquer que l'autorisation précédemment accordée par l'Intérieur pour cette affaire couvrait ces lignes supplémentaires, mais il n'en prit même pas la peine. Il me téléphona chez moi à Pimlico au moment où je débouchais une bouteille de

Bourgogne pour me remonter le moral après une rude journée. Mon appartement est malheureusement très petit, et j'avais laissé la fenêtre ouverte pour éviter les odeurs de friture. Je me souviens l'avoir refermée pendant notre conversation.

Théoriquement, les autorisations d'écoute téléphonique sont signées par le ministre de l'Intérieur, ou à défaut par son secrétaire d'État. Mais il y a une combine, car le ministre a donné pouvoir au conseiller juridique uniquement en cas d'urgence, et à la condition qu'il justifie son acte dans les vingt-quatre heures. Je griffonnai l'autorisation, la signai, éteignis le gaz – je faisais bouillir des choux de Bruxelles –, m'engouffrai dans un taxi, et tendis l'autorisation à Mary vingt minutes plus tard. En une heure, les téléphones des douze contacts de Barley étaient sur écoute.

Que pensais-je, moi, pendant ce temps-là ? Que Barley s'était suicidé ? Certainement pas. Il aimait les gens. Loin de lui l'idée de les abandonner à leur sort.

Mais j'envisageai la possibilité qu'il ait déserté, et dans mon plus affreux cauchemar, je voyais Barley applaudir des deux mains quand le pilote d'Aeroflot annonçait que l'avion venait de rentrer dans l'espace aérien soviétique.

Entre-temps, sur les ordres de Ned, Brock avait convaincu la police de retrouver d'urgence le chauffeur de taxi londonien qui avait chargé vers 17 h 30 à l'angle de Old Compton Street un client de haute stature portant un saxophone, pour l'emmener à Knightsbridge, mais sans doute avec changement de direction en cours de route. Oui, un saxophone ténor – un baryton c'est deux fois plus gros. A 22 heures, ils tenaient leur homme. Le taxi avait démarré en direction de Knightsbridge, mais arrivé à Trafalgar Square, Barley avait demandé au chauffeur de l'emmener à Harley Street. La course avait coûté trois livres. Barley avait donné un billet de cinq livres au chauffeur et lui avait dit de garder la monnaie.

Par un petit miracle de réflexion rapide, aidé par les archives de notre Walter disparu, Ned trouva le chaînon manquant : Andrew George Macready, alias Andy, ancien trompettiste de jazz fiché comme contact de Barley, avait été admis trois semaines auparavant à l'hospice des Sœurs de la Charité, dans Harley Street. Voir lettre gribouillée au crayon par Mrs. Macready, interceptée à Hampstead, numéro d'ordre 47 A, et le commentaire lapidaire sur le rapport : *Macready est le gourou de Barley sur le problème ésotérique de la mort.*

Je me souviens encore que j'ai dû m'accrocher des deux mains à la poignée de la voiture de Ned. Quand nous arrivâmes à l'hospice, on nous informa que Macready était sous calmants. Barley était resté à ses côtés pendant une heure, et ils avaient réussi à échanger quelques mots. L'infirmière-chef de nuit, qui venait de prendre son service, avait porté à Barley une tasse de thé sans lait ni sucre, qu'il avait corsé d'une rasade de whisky de sa flasque. Il lui en avait même proposé une gorgée, qu'elle avait refusée, et lui avait ensuite demandé s'il pouvait « jouer au vieil Andy quelques-uns de ses morceaux préférés ». Il avait joué très feutré pendant les dix minutes qu'elle lui avait accordées. Plusieurs religieuses s'étaient réunies dans le couloir pour écouter, et l'une d'elles avait reconnu l'air, *Blue and Sentimental*, de Basie. Il avait laissé son numéro de téléphone et un chèque de cent livres « pour le croupier » sur un plat en cuivre prévu à cet usage à l'entrée. L'infirmière-chef lui avait dit qu'il pouvait revenir aussi souvent qu'il le voulait.

— Vous n'êtes pas de la police ? nous demanda-t-elle d'un air gêné quand nous nous dirigeâmes vers la porte.

— Grand Dieu non ! Qu'est-ce qui vous fait croire ça ?

Elle hocha la tête sans répondre, mais je crois savoir ce qu'elle avait vu en Barley : un fugitif qui fuyait ses propres actes.

Comme nous retournions à toute allure à la Maison Russie, Ned téléphona de la voiture à Brock, auquel il donna l'ordre de faire une liste de tous les clubs, salles de concert et pubs de Londres et des environs où l'on jouait du jazz ce soir-là. Il lui demanda aussi d'envoyer sur les lieux autant de guetteurs qu'il pouvait.

Pour faire bon poids bonne mesure, j'ajoutai le grain de sel de l'homme de loi. En aucun cas Brock ou l'un des guetteurs ne devait s'emparer de la personne physique de Barley ni en venir aux mains avec lui. Si Barley avait renoncé à certains droits, il n'avait pas abandonné celui de se défendre, et il était baraqué.

Nous nous préparions déjà à une longue attente lorsque Mary, la patronne des Oreilles, téléphona, cette fois-ci tout sucre tout miel.

— Ned, à mon avis, vous devriez venir très très vite. Certains de vos œufs ont éclos.

Et nous voilà donc repartis à toute allure vers Russell Square, Ned prenant des virages au ras du trottoir à cent à l'heure.

Mary nous accueillit dans son antre avec le sourire niais qu'elle arborait pour les grandes catastrophes. Une de ses assistantes préférées, Pepsi, était à ses côtés, vêtue d'une salopette verte. Un magnétophone tournait sur le bureau.

— Qui donc appelle à cette heure ? demanda une voix de stentor que j'identifiai immédiatement comme celle de l'imposante tante Pandora de Barley, la Vache Sacrée que j'avais invitée à déjeuner.

Un silence, pendant qu'il mettait des pièces dans l'appareil. Puis la voix affable de Barley.

— Je crois que j'ai mon compte, Pan. Je fais mes adieux à la compagnie.

— Oh, ne raconte pas de sornettes, répliqua tante Pandora. Encore une de ces jeunes écervelées qui t'a influencé, hein ?

— Non, c'est très sérieux, Pan. Cette fois c'est pour de bon, et je voulais te prévenir.

— Tu es toujours sérieux. Tu ne trompes personne avec ton air désinvolte.

— Je vais parler à Guy demain matin.

Guy Solomons, fiché comme notaire de famille.

— Wicklow, le nouveau, peut assurer le suivi. C'est un type qui en veut, et il apprend vite.

— Vous avez localisé l'appel ? demanda Ned à Mary, au moment où Barley raccrochait.

— En un clin d'œil, déclara fièrement Mary.

Sur la bande, on entendit à nouveau le téléphone sonner. Encore Barley :

— Reggie ? Je vais faire un bœuf ce soir. Tu viens ?

Mary nous tendit une fiche sur laquelle elle avait écrit : *Reginald Cowan, chanoine et batteur, au service des bonnes œuvres.*

— J'peux pas, fit Reggie. Je fais catéchisme. Merde !

— Laisse tomber, dit Barley.

— Impossible, ces sales gosses sont déjà là.

— On a besoin de toi, Reggie. Le vieil Andy est mourant.

— Comme nous tous. C'est notre lot quotidien.

La bande touchait à sa fin lorsque l'on entendit la voix de Brock en appel direct de la Maison Russie réclamant Ned de toute urgence. Une heure auparavant, ses guetteurs avaient repéré Barley dans son bar habituel de Soho, où il avait bu cinq whiskies avant de se rendre à l'Arche de Noé dans King's Cross.

— L'Arche de Noé ? Vous êtes sûr ? Connais pas.

— Oui, c'est une arche sous le métro aérien, et Noé est un Antillais de plus de deux mètres. Barley joue sur scène.

— Seul ?

— Jusque-là, oui.

— C'est quel genre de boîte ?

— On mange, on boit sec. Soixante tables, une estrade, des murs en brique, des putes. Classique.

Brock prenait toutes les jolies filles pour des putes.

— C'est complet ? demanda Ned.

— Aux deux tiers, et ça continue à se remplir.

— Qu'est-ce qu'il a joué ?

— *Lover Man* et des thèmes de Duke Ellington.

— Combien de sorties dans l'établissement ?

— Une seule.

— Réunissez trois hommes et installez-les à une table près de la porte. S'il part, encadrez-le, mais ne le touchez pas. Appelez les Accessoires pour qu'ils demandent de ma part à Ben Lugg d'amener son taxi illico à l'Arche de Noé, et d'attendre devant sans charger de client. Il saura ce qu'il doit faire.

Lugg était le chauffeur de taxi à la disposition du Service.

— Y a-t-il des cabines téléphoniques dans ce club ? poursuivit Ned.

— Deux, oui.

— Arrangez-vous pour qu'elles restent occupées jusqu'à mon arrivée. Vous a-t-il remarqué ?

— Non.

— Tâchez que ça continue. Qu'est-ce qu'il y a de l'autre côté de la rue ?

— Une laverie automatique.

— Ouverte ?

— Non.

— Attendez-moi devant.

Il se tourna vers Mary qui souriait toujours.

— Il y a deux cabines à l'Arche de Noé dans King's Cross, dit-il en détachant ses mots. Arrangez-vous pour les mettre en panne *sur-le-champ*. Si la direction du club a une ligne personnelle, même consigne. *Tout de suite !* Je me fiche qu'on manque de techniciens, je veux qu'on mette ces lignes hors circuit im-mé-dia-te-ment. S'il y a des cabines dans la rue, mettez-les toutes hors service. Et que ça saute !

Nous abandonnâmes la voiture du Service pour nous engouffrer dans un taxi. Brock nous attendait comme convenu devant la laverie. Ben Lugg était garé le long du trottoir. Les billets à l'entrée du club coûtaient cinq livres quatre-vingt-quinze. Ned me précéda, passant près de la table des guetteurs sans un regard, et se fraya un chemin jusqu'aux premiers rangs.

Personne ne dansait. Les solistes faisaient la pause. Barley se tenait au centre de l'estrade devant une chaise dorée, et jouait seul, soutenu avec discrétion par la contrebasse et la batterie. Une voûte en brique formait chambre d'écho au-dessus de lui. Il portait encore son complet de bureau et semblait avoir oublié de retirer sa veste. Des lumières colorées pivotaient au plafond, éclairant par moments son visage couvert de sueur, au regard perdu dans le vague. Il tenait ses notes, les prolongeait, et je savais qu'il jouait un requiem pour Andy et pour quiconque hantait ses pensées. Deux filles assises sur les sièges inoccupés des musiciens le regardaient d'un air provocant. Une rangée de bières attendait aussi qu'il s'en occupe. A ses côtés, le géant Noé l'écoutait, les bras croisés sur la poitrine, la tête penchée en avant. Le morceau se termina. Avec une tendresse attentionnée, comme s'il pansait la blessure d'un ami, Barley nettoya son saxophone et le replaça dans son étui. Noé ne permit pas les applaudissements, mais il y eut un bruit étouffé de claquements de doigts dans le public, et des cris de « Bis, bis ! » que Barley ignora. Il avala deux bières, salua de la main, et se glissa discrètement vers la sortie. Nous lui emboitâmes le pas jusque dans la rue, où le taxi de Ben Lugg arrivait devant le club.

— Chez Mo, indiqua Barley en se laissant tomber sur la banquette arrière.

Il sortit une autre flasque de scotch et en dévissait la capsule quand il nous aperçut.

— Salut, Harry. Comment ça marche, l'amour à distance ?

— Formidable, merci. Je suis pour !

— Où diable est-ce donc « chez Mo » ? demanda Ned en s'installant à ses côtés tandis que j'occupai un strapontin.

— Tufnell Park. Sous le Falmouth Arms.

— L'acoustique est bonne ?

— Excellente.

Ce n'était pas la fausse gaieté de Barley qui m'inquiétait, mais cet air lointain et ce regard absent, ainsi que sa manière de s'enfermer dans son armure de courtoisie britannique.

Mo était une blonde d'une cinquantaine d'années, qui embrassa chaleureusement Barley avant de nous inviter à sa table. Barley joua du blues, et je crois bien que Mo aurait voulu qu'il reste toute la nuit. Mais Barley ne restait jamais longtemps au même endroit, et nous repartîmes donc vers une pizzeria avec orchestre dans Islington, où il joua encore en solo. Ben Lugg se joignit à nous pour l'écouter et boire une tasse de thé. Il avait été boxeur en son temps, et parlait encore de ses combats. D'Islington, nous traversâmes la Tamise pour nous retrouver à Elephant and Castle en train d'écouter un groupe noir jouer de la musique soul dans un dépôt d'autobus. Il était 4 h 15, mais Barley ne semblait pas près d'aller se coucher, et buvait avec le groupe du chocolat corsé d'alcool dans des pichets en porcelaine d'une pinte. Quand nous réussîmes enfin à l'entraîner en douceur vers le taxi de Ben, les deux filles de chez Noé, sorties de nulle part, s'assirent de chaque côté de lui à l'arrière.

— Bon les filles, ça suffit, descendez! leur dit Ben tandis que Ned et moi attendions sur le trottoir.

— Je ne bougerais pas si j'étais vous, leur conseilla Barley.

— C'est pas votre taxi, les poulettes. C'est à ce type-là, fit Ben en désignant Ned. Alors soyez bien sages et barrez-vous.

Barley balança soudain son poing vers le crâne de Ben, qui s'ornait d'un feutre noir, mais Ben bloqua le coup comme s'il chassait une mouche, et dans le même geste il éjecta en douceur Barley du taxi et le remit à Ned, qui avec autant de précaution le maîtrisa en lui faisant une prise.

Puis, toujours coiffé de son feutre, Ben disparut dans les profondeurs de son taxi, d'où il ressortit en tenant les deux filles par la main.

— Si nous prenions un peu l'air, tous? suggéra Ned pendant que Ben donnait à chacune des filles un billet de dix livres pour s'en débarrasser.

— Bonne idée, reconnut Barley.

Nous traversâmes le fleuve en une lente procession, les guetteurs de Brock formant l'arrière-garde, et Ben nous suivant dans son taxi à une allure de tortue. Une aube sale se levait sur les quais.

— Je suis désolé, dit Barley au bout d'un moment. Je n'ai rien fait de grave, quand même, Nedski?

— Pas que je sache, répondit Ned.

— Soyez sur le qui-vive, conseilla Barley. Votre pays est presque sur le qui-meurt. Pas vrai, Nedski ? J'avais seulement envie d'aller souffler un peu dans mon saxo, expliqua-t-il. Vous aimez la musique, Harry ? Un de mes copains jouait des airs à sa petite amie par téléphone. Du piano, attention, pas du saxo. Et il disait que ça marchait très fort. Vous croyez que ça marcherait avec votre dame ?

— Nous partons demain pour l'Amérique, annonça Ned.

Barley prit la nouvelle comme une banalité de conversation.

— Je suis content pour vous. C'est la bonne saison. Le pays sera dans toute sa splendeur.

— Oui. Nous sommes aussi contents pour vous, fit Ned. Nous avons décidé de vous emmener.

— Tenue décontractée, je pense ? fit Barley. Ou dois-je mettre un smoking dans ma valise, au cas où ?

12.

Le petit avion qui nous emportait vers l'île, où nous allions atterrir dans la soirée, appartenait à un grand groupe américain, mais personne ne spécifia à qui appartenait l'île. Étroite, boisée, longue d'environ trois kilomètres, affaissée en son centre et surplombée à chaque extrémité par un pic aigu, elle évoquait, vue d'en haut, une tente de Bédouins s'effondrant dans l'Atlantique. Nous aperçûmes à un bout la demeure de style Nouvelle-Angleterre au milieu de ses terres, et à l'autre le minuscule appontement blanc. J'appris par la suite que la maison avait été construite au début du siècle par un riche Bostonien, quand ces gens-là s'intitulaient « rusticiens », et qu'on l'appelait la résidence d'été car personne n'y venait en hiver. Nous sentions vibrer les ailes de notre coucou, et humions l'air marin à travers les hublots de la cabine bringuebalante. Telles les torches d'une retraite aux flambeaux, des flaques de soleil jouaient sur les vagues, et les cormorans luttaient contre le vent. A l'ouest, sur le continent, se dressait la silhouette d'un phare. Nous suivions la côte du Maine depuis cinquante-huit minutes à ma montre lorsque soudain les arbres s'élevèrent de chaque côté, le ciel disparut, et notre appareil se posa en cahotant sur une piste herbeuse, au bout de laquelle Randy et son équipe nous attendaient près d'une jeep. Randy, qui portait un coupe-vent et une cravate, respirait la santé comme tous les Américains des classes privilégiées. J'avais l'impression d'avoir bien connu sa mère.

— Messieurs, je suis votre hôte en ces lieux pour toute la durée de votre séjour. Bienvenue sur notre île.

Il serra en premier la main de Barley, dont on avait dû lui montrer des photographies.

– Monsieur Brown, c'est un grand honneur pour moi. Ned, Harry.

– Très aimable à vous, fit Barley.

Notre jeep descendit à flanc de colline, où les pins profilaient leur silhouette sombre sur la mer. Le reste de l'équipe suivait dans une autre voiture.

– Alors, vous volez sur des lignes anglaises, messieurs? Mrs. Thatcher a vraiment su prendre les commandes!

– Il serait temps qu'elle coule avec le navire, fit Barley, et Randy se mit à rire comme si cela faisait partie de ses consignes.

Brown était le nom de Barley pendant le séjour, comme l'attestait son passeport que Ned gardait sur lui.

La voiture s'engagea sur une chaussée qui conduisait à la propriété, dont les grilles s'ouvrirent et se refermèrent derrière nous. Nous étions sur notre promontoire privé, au sommet duquel se trouvait la résidence, éclairée par des lampes à arc dissimulées dans les buissons, et entourée de pelouses et de taillis desséchés par le vent. Les piliers d'un appontement en ruine avançaient dangereusement dans la mer. Randy gara la jeep, prit les bagages de Barley, et nous conduisit le long d'une allée illuminée, entre des haies d'hortensias, jusqu'à un ancien hangar à bateaux reconverti en pavillon. Durant le vol vers Boston, Barley avait somnolé, bu et ronchonné en regardant distraitement le film; dans le petit avion, il avait contemplé d'un œil mélancolique le paysage de la Nouvelle-Angleterre comme si sa beauté le troublait; mais une fois au sol, il sembla avoir réintégré son univers personnel.

– Monsieur Brown, j'ai reçu l'ordre de vous installer dans la suite nuptiale, plaisanta Randy.

– Rien ne saurait mieux me plaire, vieille branche, dit poliment Barley.

– Ne me dites pas que vous employez encore l'expression vieille branche, monsieur Brown!

Randy nous fit traverser un vestibule dallé et entrer dans une cabine de capitaine sortie tout droit de chez le décorateur : une copie de lit en cuivre dans un coin, une copie d'écritoire en bois de pin devant la fenêtre, et des accessoires de bateau plus ou moins authentiques aux murs. L'alcôve abritait une cuisine américaine, où Barley repéra aussitôt le réfrigérateur, l'ouvrit et jeta à l'intérieur un œil intéressé.

— M. Brown aime avoir une bouteille de scotch dans sa chambre, Randy. Si vous avez ça en magasin, il appréciera beaucoup.

La résidence d'été semblait un véritable musée des enfances dorées. Sur la véranda, des maillets de croquet en bois blond étaient appuyés contre une carriole poussiéreuse chargée de bouées rouges ramassées sur la plage. L'air fleurait bon le cuir et la cire d'abeille. Dans le vestibule, des portraits de gentilshommes et de belles dames coiffés de larges chapeaux ornaient les murs, à côté de peintures naïves représentant des baleiniers. Nous montâmes derrière Randy le majestueux escalier en bois ciré, Barley formant l'arrière-garde. A chaque palier des fenêtres cintrées serties dans un cadre de vitrail, semblaient autant de chatoyantes échappées sur la mer. Nous suivîmes un couloir sur lequel donnaient des chambres bleues, dont la plus grande était réservée à Clive. Des balcons, on avait vue sur les jardins jusqu'au pavillon de l'appontement, sur la mer, et au-delà, sur le continent. Le crépuscule faisait maintenant place à l'obscurité.

Dans une salle à manger aux chevrons blancs, une vestale de Langley nous servit, en évitant de nous regarder, des homards du Maine arrosés de vin blanc. Pendant le dîner, Randy nous expliqua le règlement en vigueur :

— Messieurs, vous êtes priés de ne pas avoir de contacts avec le personnel, et de vous en tenir à un simple bonjour. Si vous avez une requête à formuler, venez m'en parler et je transmettrai. Les gardes sont là pour vous servir et veiller à votre sécurité. Je vous serai obligé de ne pas sortir de la propriété. Messieurs, je vous remercie.

Une fois le repas et les discours terminés, Randy emmena Ned à la salle des communications, et je raccompagnai Barley à son pavillon. Un vent violent balayait le jardin, et tout en marchant je remarquai le sourire insouciant de Barley, à la lueur des cônes lumineux entre deux zones d'ombre. Des gardes munis de talkie-walkies nous regardèrent passer.

— Une petite partie d'échecs ? proposai-je à Barley sur le seuil de sa porte.

J'aurais aimé discerner son visage plus nettement, mais il m'échappait à nouveau, tout comme son humeur du moment. Je sentis une pression amicale sur mon bras, accompagnant son «bonne nuit». La porte s'ouvrit et se referma, et j'eus le temps d'apercevoir la silhouette fantomatique d'une sentinelle figée dans l'obscurité, à moins de deux mètres de nous.

— Harry, vous êtes un homme de loi avisé et un bon officier, murmura avec respect Russell Sheriton le lendemain matin, sachant très bien que je n'étais ni l'un ni l'autre. Vraiment un grand monsieur, ajouta-t-il en serrant chaleureusement ma main dans les siennes. Comment vont les affaires ?

Excepté les poches sous les yeux, légèrement plus accusées, et son air un peu plus triste, avec son complet bleu une ou deux tailles au-dessus, il n'avait guère changé depuis son dernier séjour de travail à Londres. La panse bedonnante tendait toujours la chemise blanche, et la même lotion après-rasage écœurante parfumait depuis six ans le dernier chef en date des opérations soviétiques de l'Agence.

Un groupe de jeunes assistants se tenait respectueusement à l'écart, avec l'air de passagers égarés dans un aéroport, leur sac de voyage à la main. Clive et Bob escortaient Sheriton comme des gardes du corps. Bob semblait avoir vieilli de dix ans, et un sourire timoré avait remplacé son habituelle assurance. Il avait sans doute reçu la consigne de garder désormais ses distances et, pour compenser, nous accueillit avec une amabilité exagérée.

La Conférence de l'Île, comme on la baptisa plus tard par un bel euphémisme, allait commencer.

Une impression d'ambiance agréable reste attachée aux événements des jours suivants. Une atmosphère de travail, entre gens sérieux, que je suis tenté d'oublier aujourd'hui quand je repense au reste.

Le plus curieux — et pourtant je dois à Barley de l'expliquer de mon mieux — est qu'il n'en a jamais voulu à nos hôtes, ne leur a jamais tenu rigueur de tout ce qui lui arriva à dater de ce jour-là. Il maugréait bien contre les Américains en général, mais dès qu'il les eut connus individuellement, il en parla comme de très braves gens. Il aurait volontiers pris un verre avec n'importe lequel d'entre eux un soir au bar du coin, s'il y en avait eu un. Et il reconnaissait la force des arguments qu'on lui opposait, tout autant qu'il appréciait à sa juste valeur le travail consciencieux.

Et Dieu sait qu'ils étaient consciencieux! Si les chiffres, l'argent et les efforts déployés suffisaient à engendrer l'intelligence, l'Agence en aurait eu à revendre; mais hélas, la matière grise ne s'achète pas au kilo, et de toute façon, on ne lutte pas contre l'inintelligence.

Et comme ils désiraient qu'on les aime! Bien sûr, ce sentiment avait aussitôt touché Barley. Alors même qu'ils s'acharnaient sur lui, ils avaient besoin de se faire aimer, et par leur victime, évidemment! Encore aujourd'hui, malgré tous les putschs, déstabilisations, et opérations démentes qu'ils ont fomentés contre l'Ennemi-qui-Veille, ils veulent être aimés.

Pourtant, ce sont ces bons sentiments mis à nu qui, mystérieusement, distillèrent une sourde terreur durant notre semaine dans l'île.

Il y a des années, j'ai parlé à un homme que l'on avait flagellé, un mercenaire anglais qui nous rendait de menus services en Afrique, et voulait être dédommagé. Ce n'était pas le fouet dont il se souvenait surtout, mais le jus d'orange qu'on lui donna après. Il se rappelait qu'on l'avait soutenu pour le reconduire à sa hutte, et qu'on l'avait allongé sur le ventre dans la paille. Mais son souvenir le plus vif restait ce verre d'orange pressée que le gardien avait posé près de sa tête avant de s'installer à ses côtés en attendant patiemment qu'il ait repris assez de forces pour boire. Et pourtant, c'était ce même gardien qui l'avait fouetté.

Nous aussi nous eûmes droit à notre verre de jus d'orange, et à de braves gardiens, coiffés de casques d'écoute, ceux-là, et retranchés dans une hostilité superficielle qui fondit rapidement à la chaleur de Barley. Le lendemain de notre arrivée, ces gardes avec lesquels on nous avait interdit d'avoir des contacts entraient furtivement à leurs moments perdus chez Barley et en ressortaient après avoir bu un Coca ou un scotch, pour regagner discrètement leur poste. Ils sentaient d'instinct qu'ils pouvaient se le permettre avec lui et, comme tous les Américains, étaient fascinés par son importance.

Il y avait un vieux briscard nommé Edgar, un ancien marine, qui donna à Barley du fil à retordre aux échecs. Et j'appris plus tard que Barley lui avait soutiré son nom et son adresse, contre tous les principes du métier, pour qu'ils puissent engager un duel par correspondance « quand tout serait fini ».

Et les gardiens n'étaient pas des exceptions. Les jeunes assistants de Sheriton, ainsi d'ailleurs que ce dernier, faisaient preuve d'une pondération salutaire face aux accès d'hystérie de ceux que Sheriton avait lui-même qualifiés de maniaques égocentristes.

Mais là réside sans doute le drame de toutes les grandes nations : tant de talent impatient de servir, tant de bonne volonté avide de se manifester, mais si mal exploités qu'en l'occurrence nous avions parfois peine à croire que nous étions bien en Amérique.

Pourtant, nous y étions. Et le fouet était bien réel.

Les interrogatoires se déroulèrent dans la salle de billard. Un marqueur en ivoire et des étuis aux initiales de leurs propriétaires étaient encore alignés contre le mur, mais on avait repeint le plancher en rouge sombre pour les soirées dansantes, et remplacé le billard par un cercle de chaises. La lumière drue tombant du plafonnier formait un halo au centre de la pièce, où Barley dut prendre place après que Ned fut allé le chercher au pavillon.

— Monsieur Brown, je suis très honoré de vous serrer la main. Je viens de décider que mon nom serait Haggarty pour la durée de votre séjour ici, déclara Sheriton. Dès que je vous ai vu, j'ai senti dans mes veines mon sang irlandais, je ne sais pas pourquoi.

Il entraîna Barley à travers la salle.

— Avant tout, monsieur, je désire vous féliciter. Vous possédez toutes les qualités : la mémoire, le don d'observation, le cran britannique, et vous jouez même du saxophone...

Noyé sous ce flot de paroles hypnotiques, Barley s'assit à la place d'honneur, esquissant un sourire gêné.

Ned était déjà installé dans une posture rigide, les bras croisés, tandis que Clive, bien que faisant partie du cercle, s'était discrètement retiré au second plan en reculant sa chaise de manière à être caché par les assistants de Sheriton.

Celui-ci, debout devant Barley, parlait sans le quitter des yeux, même lorsque ses paroles s'adressaient à quelqu'un d'autre.

— Clive, vous me permettez de bombarder M. Brown de questions indiscrètes ? Ned, voudriez-vous expliquer à M. Brown qu'il se trouve maintenant aux États-Unis, et qu'il n'est pas obligé de répondre s'il ne le souhaite pas, mais que son silence sera considéré comme une preuve flagrante de sa culpabilité ?

— M. Brown est assez grand pour se débrouiller tout seul, dit

Barley avec le sourire, refusant encore de croire à la tension ambiante.

— C'est vraiment sûr? Formidable, monsieur Brown! Parce que pendant les jours à venir, c'est justement ce que nous espérons vous voir faire.

Sheriton se dirigea vers la desserte et se versa une tasse de café qu'il rapporta avant de reprendre d'une voix plus calme, la voix du bon sens.

— Monsieur Brown, disons que nous achetons un Picasso, d'accord? Tout le monde dans cette pièce veut acheter le même Picasso. Bleu, saignant, bien cuit, on s'en fout. Il doit y avoir trois personnes au monde qui en comprennent le sens. Mais si on va au fond des choses, une seule question compte : est-ce vraiment une œuvre de Picasso, ou est-ce qu'un certain J.P. Duchmol Junior, de South Bend dans l'Indiana, ou d'Omsk en URSS l'a bricolée dans sa grange? N'oubliez pas une chose, fit-il en se frappant mollement la poitrine d'une main, et tenant sa tasse de l'autre : on ne peut pas le revendre. On n'est pas à Londres, mais à Washington. Et à Washington, les renseignements doivent être utiles, ce qui signifie qu'ils doivent être utilisés et non contemplés avec un détachement socratique.

Il baissa la voix et prit un air de compassion respectueuse.

— Et dans le cas présent, c'est vous le vendeur, monsieur Brown. Que vous le vouliez ou non, vous êtes notre lien le plus proche avec la source, jusqu'au jour où on arrivera à persuader l'homme que vous appelez Goethe de changer de procédé et de traiter directement avec nous... si jamais on y arrive, ce qui me paraît peu probable. Très très peu probable.

Sheriton fit un tour à l'autre bout du cercle.

— Vous êtes le pilier de l'affaire, monsieur Brown. Vous êtes l'homme de la situation. Mais pour quelle part? Minime? Moyenne? Entière? Vous écrivez le scénario, vous jouez, vous produisez, et vous mettez en scène? Ou bien vous n'êtes qu'un figurant, comme vous le prétendez, le témoin innocent qu'il nous reste tous à découvrir?

Sheriton soupira comme si l'épreuve était trop rude pour sa sensibilité.

— Monsieur Brown, vous avez une maîtresse fixe en ce moment, ou vous baisez ce que vous trouvez?

Ned n'eut pas le temps de se lever que Barley avait déjà

répondu d'un ton qui n'avait rien de corrosif ni même d'hostile, mais qui semblait traduire son désir de ne pas gâcher la bonne ambiance générale :

— Et vous, mon grand ? Mrs. Haggarty s'acquitte du devoir conjugal ou on en est réduit à des pratiques de collégien ?

Sheriton ne releva même pas.

— Monsieur Brown, c'est votre Picasso qu'on achète, pas le mien. Washington n'aime pas voir ses valeurs sûres fréquenter les bars pour célibataires. Il faut jouer franc-jeu, sans tricher. Pas de réserve à l'anglaise, ni de persiflage vieux jeu. On est déjà tombés dans ce panneau, mais c'est fini. Plus jamais.

Je pensai que cette remarque visait Bob, qui contemplait de nouveau ses mains, tête baissée.

— M. Brown ne fait pas la tournée des bars pour célibataires, coupa vivement Ned. Et les documents ne sont pas de lui, mais de Goethe. Je ne vois pas du tout ce que sa vie privée vient faire là-dedans.

Gardez vos pensées pour vous, m'avait recommandé Clive, dont le regard transmettait maintenant le même message à Ned.

— Allons, allons, Ned ! Ne faites pas l'innocent, protesta Sheriton. Aujourd'hui à Washington, il faut être marié, croyant et pratiquant pour qu'on vous laisse monter dans un putain de bus ! Qu'est-ce qui vous pousse à aller en Russie toutes les cinq minutes, monsieur Brown ? Vous achetez du terrain, là-bas ?

Barley souriait toujours, quoique moins aimablement. Sheriton commençait à l'énerver, ce qui était d'ailleurs le but de l'opération.

— A vrai dire, mon cher, c'est une attitude dont j'ai hérité. Mon père a toujours préféré l'Union soviétique aux États-Unis, et il s'est donné beaucoup de mal pour publier leur littérature. Il appartenait à la *Fabian Society*, un peu comme vos *New-dealers*, quoi. Chez vous, on l'aurait mis vite fait sur la liste noire.

— Il aurait été démasqué, cuisiné et immortalisé. J'ai lu son dossier. C'est épouvantable ! Parlez-nous un peu plus de lui, monsieur Brown. Que vous a-t-il donc légué ?

— Mais qu'est-ce que ça peut bien foutre ? s'écria Ned.

Il avait raison. Après examen, l'histoire du père excentrique de Barley avait été jugée sans intérêt depuis longtemps par le douzième étage, mais de toute évidence, pas par l'Agence... du moins plus maintenant.

— Dans les années trente, comme vous devez le savoir, poursuivit Barley d'un ton plus calme, il a fondé un Club du livre soviétique qui n'a pas duré longtemps, mais enfin, il a essayé. Et pendant la guerre, quand il réussissait à trouver du papier, il imprimait de la propagande prosoviétique, principalement à la gloire de Staline.

— Et qu'a-t-il fait après la guerre ? Il allait passer ses weekends là-bas pour les aider à construire le mur de Berlin ?

— Il avait des espérances, et puis il a dû les remballer, répliqua Barley après réflexion, son côté contemplatif ayant repris le dessus. Il aurait pu pardonner beaucoup aux Russes, mais pas la terreur, pas les camps ni les déportations. Ça lui a brisé le cœur.

— Il aurait quand même eu le cœur brisé si les Soviets avaient employé des méthodes moins musclées ?

— Je ne pense pas. En tout cas, il serait mort heureux.

Sheriton s'essuya les paumes avec son mouchoir et, tel un Oliver Twist grassouillet, porta sa tasse de café à deux mains jusqu'à la table des boissons, dévissa le couvercle de la thermos, et en regarda le contenu, l'air désolé, avant de se servir.

— Des glands ! se plaignit-il. Ils ramassent des glands, ils les broient, et ils en font du café. C'est comme ça dans ce pays.

Il avisa une chaise vide près de Bob, et s'y laissa choir en soupirant.

— Monsieur Brown, il est temps que je vous mette au parfum. Aujourd'hui, on n'a plus le temps de juger chaque modeste membre de la grande famille humaine sur ses qualités, d'accord ? Alors on fiche tout le monde. Votre dossier à vous, le voici : votre père était un sympathisant communiste, déçu par la suite. Dans les huit années qui ont suivi sa mort, vous avez fait six séjours, pas moins, en Union soviétique. Vous avez vendu aux Soviets très exactement quatre très mauvais livres de votre catalogue, et vous avez publié très exactement trois des leurs : deux romans modernes lamentables qui ont fait un bide, et une ânerie sur l'acupuncture dont vous avez vendu dix-huit exemplaires. Vous êtes au bord de la faillite, mais on a estimé vos dépenses pour ces voyages en URSS à douze mille livres, et vos rentrées à mille neuf cents livres seulement. Vous êtes divorcé, sans attaches, et vous sortez d'une école privée anglaise. Vous buvez comme un trou, et vous vous faites des amis dans le milieu du jazz, dont la réputation ferait passer Jack l'éventreur pour un enfant de chœur. Vu de

Washington, vous êtes un doux dingue. Vu de près, vous êtes un type charmant, mais comment voulez-vous que j'explique ça au prochain sous-comité du Congrès formé d'une bande de singes puritains qui se sont fourré dans le crâne de condamner les documents de Goethe parce qu'ils mettent en danger la Forteresse Amérique ?

— Pourquoi en danger ? demanda Barley.

Son calme sembla surprendre tout le monde, en particulier Sheriton, qui s'était jusque-là adressé à lui par-dessus son épaule dans une attitude vaguement compatissante, pour lui exposer sa délicate position. Il se redressa aussitôt, fit face à Barley, et l'apostropha avec une ironie non dissimulée.

— Pardon, monsieur Brown, vous disiez ?

— Pourquoi les documents de Goethe leur font peur ? Si les Russes n'ont pas un bon axe de tir, la Forteresse Amérique devrait sauter de joie.

— Oh, mais on saute de joie, monsieur Brown ! Pensez donc ! On nage dans le bonheur ! Peu importe si le haut commandement militaire américain croit dur comme fer que l'armement lourd soviétique est d'une précision redoutable. Peu importe si tout le jeu repose sur notre connaissance de leur précision de tir : quand on a la précision, on peut éliminer par surprise les missiles balistiques intercontinentaux de l'ennemi pendant qu'il joue au golf, sans qu'il puisse vous rendre la pareille ; sinon, mieux vaut ne pas risquer le coup, parce qu'il vous ratisse vite fait bien fait vos vingt villes préférées. Peu importe si nos contribuables ont dépensé autant de milliards que nos hommes politiques de salive dans l'optique cauchemardesque d'une attaque-surprise des Russes, et sur la foi de la vulnérabilité manifeste de l'Amérique. Peu importe si encore aujourd'hui la suprématie soviétique reste le principal argument en faveur de la guerre des étoiles, et l'idée de base du jeu de stratégie le plus à la mode dans les cocktails de Washington.

A mon grand étonnement, Sheriton changea brusquement de voix et prit l'accent d'un paysan du Sud profond.

— S'rait temps qu'on fasse sauter tous ces enfoirés avant qu'ils nous fassent la même chose, m'sieur Brown. Not' bonne vieille planète est pas assez grande pour deux superpuissances, c'est moi qui vous l' dis, m'sieur Brown. Alors vous serez de quel côté, vous m'sieur Brown, quand tout va péter ?

Il s'interrompit un instant, son visage bouffi reflétant à nouveau sa réflexion sur les innombrables injustices de la vie.

— Le pire, c'est que je crois en Goethe, reprit-il, l'air surpris de se l'entendre dire. Je vous jure que j'ai cru en lui dès le jour où il est sorti de l'ombre. Je suis convaincu que Goethe est une source dont l'heure de gloire a sonné. Et vous savez ce que ça implique pour moi? Hein? Ça implique que je dois aussi croire en M. Brown ici présent, et que M. Brown doit se montrer parfaitement honnête avec moi, sinon je suis un homme mort.

Il posa solennellement sa main droite sur son cœur et déclara :

— Je crois en M. Brown, je crois en Goethe, je crois en ses documents. Et je suis mort de trouille.

Il y a des gens qui changent d'avis, songeai-je. D'autres changent de foi. Mais il n'y a que Russell Sheriton pour proclamer qu'il a vu la Lumière sur le chemin de Damas. Ned le regardait l'air incrédule, et Clive préférait admirer les étuis renfermant les queues de billard. Sheriton, quant à lui, contemplait son café avec une moue déconfite, méditant sur sa malchance. L'un de ses jeunes assistants avait les yeux obstinément fixés sur le bout de ses mocassins, le menton dans la main, tandis qu'un autre contemplait la mer par la fenêtre, comme si la vérité allait en sortir toute nue.

Mais personne n'osait apparemment regarder Barley, immobile sur sa chaise, l'air candide. Nous lui avions bien révélé quelques petits détails, mais rien de comparable au discours de Sheriton! Et surtout, nous nous étions bien gardés de lui dire que les documents Bluebird avaient fait s'entr'égorger les factions militaro-industrielles et soulevé un tollé général des lobbies sans scrupules de Washington.

Votre serviteur le vieux Palfrey prit alors la parole. Et, ce faisant, j'eus l'impression de jouer sur la scène du théâtre de l'absurde. Comme si le monde réel se dérobait soudain sous nos pieds.

— Voici ce que Haggarty veut savoir, dis-je à Barley. Acceptez-vous de vous soumettre à un interrogatoire des Américains, afin qu'ils se fassent une opinion sur la source une bonne fois pour toutes? Libre à vous de refuser. C'est votre droit. N'est-ce pas, Clive?

Clive m'en voulut de l'avoir ainsi apostrophé, mais acquiesça de mauvaise grâce avant de disparaître à nouveau du paysage.

Tous les visages s'étaient tournés vers Barley comme autant de fleurs vers le soleil.

– Alors, qu'en dites-vous ? lui demandai-je.

Il resta un moment silencieux, s'étira, se passa le dos de la main sur la bouche, l'air plutôt ennuyé, puis haussa les épaules. Son regard chercha en vain celui de Ned, et revint se poser sur moi en désespoir de cause. Quelles étaient ses pensées, si tant est qu'il en eût ? Qu'un « non » de sa part le séparerait définitivement de Goethe ? de Katia ? En était-il déjà à ce stade de réflexion ? Aujourd'hui encore, je n'en ai pas la moindre idée. Il sourit pour masquer son désarroi.

– Je voudrais votre avis, Harry. On se jette à l'eau ? Qu'en dit mon porte-parole ?

– La question est plutôt de savoir ce qu'en pense le client, répondis-je évasivement en lui rendant son sourire.

– Si on ne tente pas le coup, on ne saura jamais, non ?

– C'est aussi mon avis, fis-je.

Ce fut sa manière détournée de dire « j'accepte ».

– Il y a des sociétés secrètes à Yale, Harry, me racontait Bob. En fait, l'université en est infestée. Vous avez sans doute entendu parler de *Scull and Bones*, de *Scroll and Key*, mais ce n'est là que la partie visible de l'iceberg. Et ces sociétés prônent le travail en équipe. Alors qu'à Harvard c'est l'inverse, on mise sur la valeur individuelle. Donc l'Agence, qui part à la pêche aux recrues dans ces eaux universitaires, choisit ses gens d'équipe à Yale et ses cerveaux à Harvard. Sans aller jusqu'à dire que les étudiants de Harvard sont tous des divas capricieuses et ceux de Yale des moutons de Panurge, c'est quand même l'idée générale. Vous sortez de Yale, monsieur Quinn ?

– De West Point, répliqua Quinn.

C'était en fin de journée. La première délégation venait d'arriver en avion. Assis dans la même salle de billard au parquet rouge, sous le même éclairage de tripot, nous attendions Barley. Quinn présidait, entouré de Todd et Larry, deux membres de son équipe. Ils étaient bien découplés, charmants, et ridiculement jeunes aux yeux d'un homme de mon âge.

– Quinn navigue dans les hautes sphères, nous avait confié Sheriton. Quinn parle aux responsables de la Défense, il parle aux dirigeants, il parle à Dieu.

– Mais il est au service de qui ? avait demandé Ned.

Sheriton sembla sincèrement surpris par la question, et eut un soupir indulgent, comme à l'égard des fautes de grammaire d'un étranger.

– Eh bien, Ned, euh... de nous tous.

Quinn mesurait un mètre quatre-vingt-cinq, avait une forte carrure et de grandes oreilles. Il portait son complet telle une armure, mais n'y avait accroché ni médaille ni insigne de grade : son grade se lisait dans sa mâchoire volontaire, ses yeux enfoncés au regard vide, et son sourire d'infériorité rageur qu'il ne pouvait réprimer devant des civils.

Ned entra devant Barley sans que personne se lève. De sa modeste place dans la rangée des Américains, Sheriton fit rapidement les présentations. Quinn aime la simplicité, avait-il prévenu ; veillez à ce que votre homme ne fasse pas trop le malin. Sheriton suivait son propre conseil.

Ce fut Larry qui commença l'interrogatoire ; cela semblait normal vu son caractère extraverti. Si Todd était célibataire et réservé, Larry, lui, portait une énorme alliance, une cravate bariolée, et riait pour deux.

– Monsieur Brown, nous sommes obligés de nous mettre à la place de vos détracteurs, commença-t-il avec une remarquable mauvaise foi. Dans notre métier, il y a des renseignements authentifiés et des renseignements non authentifiés. Nous, on souhaite authentifier les vôtres. C'est notre travail, on nous paye pour ça. Alors, ne prenez pas ceci comme une attaque personnelle, monsieur Brown. L'analyse est une science à part entière, dont nous devons respecter les règles.

– On va donc considérer cette affaire comme un gigantesque coup monté, lança Todd d'un ton agressif. Du feu !

Amusement général. Larry expliqua en riant à Barley que Todd ne lui demandait pas d'allumer sa cigarette, mais que l'expression désignait dans leur jargon un « piège » auquel on ne voit que du feu.

– Monsieur Brown, qui a eu l'idée d'aller à Peredelkino ce jour-là ? En automne, il y a deux ans ? demanda Larry.

– Moi, je pense.

– Vous en êtes sûr ?

– On était tous ronds quand on a décidé ça. Mais je suis à peu près certain que c'est moi qui ai lancé l'idée.

– Vous buvez beaucoup, n'est-ce pas, monsieur Brown ? fit Larry.

Les énormes mains de Quinn semblaient vouloir étrangler le crayon qu'elles tenaient.

– Pas mal, oui.

– La boisson vous cause des pertes de mémoire, monsieur?

– Oui, parfois.

– Mais pas toujours. Vous avez quand même rapporté mot pour mot votre longue conversation avec Goethe le soir où vous étiez tous les deux complètement ivres. Vous étiez allé à Peredelkino avant, monsieur?

– Oui.

– Souvent?

– Deux ou trois fois. Peut-être quatre.

– Vous avez retrouvé des amis dans ce trou?

– Dans ce village, oui, répondit Barley, instinctivement hérissé par le langage de l'Américain.

– Des amis soviétiques?

– Bien sûr.

Larry fit une pause lourde de sous-entendus.

– Vous voulez bien identifier ces amis, monsieur? Nous donner leur nom?

Barley s'exécuta : un écrivain, une poétesse, un bureaucrate littéraire. En souriant, Larry les nota au crayon avec une lenteur délibérée, tandis que le regard furieux de Quinn continuait de foudroyer Barley par-dessus la table.

– Le jour de votre excursion, reprit Larry, le jour J, dirons-nous, vous n'avez pas pensé à aller voir vos anciens amis? A tirer des sonnettes pour voir qui était toujours là? A dire un petit bonjour?

Barley ne semblait plus se rappeler s'il en avait eu l'idée ou non. Il haussa les épaules et, selon son tic habituel, se passa le dos de la main sur les lèvres en vrai faux témoin.

– Je ne voulais pas leur imposer Jumbo, je pense. Et puis nous étions trop nombreux. Non, honnêtement, ça ne m'est pas venu à l'idée.

– Bien sûr, dit Larry.

Trois prétextes, notai-je avec tristesse. Trois quand un seul aurait suffi. Un coup d'œil à Ned me prouva qu'il pensait de même. Sheriton, lui, s'appliquait à ne pas penser du tout, et Bob à suivre l'exemple de son chef. Todd murmura quelque chose à l'oreille de Quinn.

— Est-ce vous qui avez suggéré d'aller voir le tombeau de Pasternak, monsieur Brown ? s'informa Larry d'un ton impliquant que l'on pouvait être fier de ce geste.

— La tombe, rectifia Barley irrité. Oui, c'est moi. Je crois que les autres ignoraient même qu'elle se trouvait là.

— Et la datcha de Pasternak, aussi, il me semble, fit Larry en consultant ses notes. « Si ces salauds ne l'ont pas détruite. »

Dans sa bouche, « salauds » sonnait comme un mot très grossier.

— C'est ça, la datcha aussi.

— Mais vous ne l'avez pas visitée, finalement ? Vous n'avez même pas vérifié si elle existait encore. La datcha de Pasternak a complètement disparu du programme ?

— Il pleuvait.

— Vous aviez une voiture et un chauffeur, monsieur Brown, même s'il ne sentait pas la rose.

Larry sourit à nouveau, et passa le bout de sa langue sur sa lèvre supérieure par sa bouche à peine entrouverte. Il marqua une nouvelle pause pour laisser aux pensées déplaisantes le temps de faire leur chemin.

— Ainsi, monsieur Brown, c'est vous qui avez réuni le petit groupe, et c'est encore vous qui avez organisé l'excursion, reprit Larry d'un ton boudeur. Vous avez pris la tête de la petite troupe, et vous l'avez menée au tombeau sur la colline — pardon, à la tombe. C'est à vous et personne d'autre que M. Nejdanov a parlé en redescendant. Il vous a demandé si vous étiez américains, et vous avez répondu : « Non, Dieu merci, nous sommes anglais. »

Personne ne rit. Même Larry n'esquissa pas l'ombre d'un sourire. Quinn avait l'air de dissimuler à grand-peine une douleur abdominale.

— Et c'est vous aussi, monsieur Brown, qui, par un heureux hasard, avez pu réciter les vers du poète, être le porte-parole du groupe lors d'une discussion sur sa valeur, vous débarrasser comme par magie de vos compagnons, et vous retrouver au déjeuner assis à côté de celui que nous appelons Goethe. « Je vous présente notre éminent écrivain, Goethe. » Monsieur Brown, nous avons un rapport de Londres concernant Magda, de chez Penguin. Nous savons que ses propos ont été recueillis en toute discrétion, au cours de rencontres ne prêtant pour elle à aucun soupçon, par un tiers qui n'est pas américain. Magda a eu l'impression que vous désiriez mener tout seul l'entretien avec Nejdanov. Avez-vous une explication à ce sujet, je vous prie ?

Barley s'était échappé une fois de plus. Il n'était pas sorti de la pièce, mais du domaine de ma compréhension. Il avait laissé les doutes aux sceptiques pour se réfugier dans l'univers de sa propre réalité. Incapable de se contenir face à cet aveu des manigances de l'Agence, Ned fit l'éclat que l'on attendait de Barley.

— Voyons, elle n'allait tout de même pas dire à votre indic qu'elle mourait d'envie de se mettre au pieu avec son petit ami pour l'après-midi !

Une fois encore, cette simple réponse aurait fait l'affaire, si Barley n'avait pas ajouté son grain de sel.

— J'ai peut-être voulu me débarrasser d'eux, en effet, reconnut-il d'une voix lointaine mais encore aimable. Après une semaine de foire du livre, n'importe quel être normal n'a plus envie de voir d'éditeurs de sa vie.

— Ah oui ? fit Larry avec un sourire en biais, secouant sa belle tête avant de livrer son témoin à Todd.

Mais Quinn se mit à parler au même moment. Il ne s'adressait ni à Barley ni à Sheriton, ni même à Clive, ni en fait à personne en particulier. Ses lèvres pincées se tortillaient comme un poisson pris à l'hameçon.

— A-t-on passé cet homme à la moulinette ? demanda-t-il.

— Monsieur, nous sommes tenus par des questions de protocole, expliqua Larry en me jetant un coup d'œil.

J'avoue qu'au début je ne compris pas, et Larry dut m'expliquer.

— C'est ce qu'on appelait un détecteur de mensonges, monsieur. Un polygraphe. Dans notre jargon : la moulinette. Je ne pense pas que vos services s'en servent.

— Dans certains cas, si, intervint courtoisement Clive assis à mes côtés, avant que j'aie eu le temps de répondre. Lorsque vous l'exigez, nous nous inclinons. On commence à les utiliser.

C'est alors seulement que Todd, l'introverti, prit sur lui d'intervenir. Il n'était pas prolixe ; il n'était d'ailleurs rien du tout à première vue, mais j'avais connu des avocats-conseils comme Todd, qui savent utiliser à leur avantage leur manque de charme, et manier leur faiblesse oratoire comme une matraque.

— Veuillez nous parler de vos relations avec Niki Landau, monsieur Brown.

— Je n'en ai pas, répondit Barley. On nous a condamnés à ne jamais nous revoir jusqu'au Jugement dernier. J'ai dû signer un papier m'engageant à ne plus lui adresser la parole. Demandez donc à Harry.

— Mais avant cette promesse ?

— On a éclusé quelques godets.

— Pardon ?

— Des godets... on a bu, du scotch. C'est un type sympa.

— Mais sûrement pas de votre classe sociale ? Il n'est pas allé à Harrow ni à Cambridge, si je ne m'abuse.

— Qu'est-ce que ça change ?

— Serait-ce une critique de la structure sociale britannique, monsieur Brown ?

— A mes yeux, c'est une des plus grandes misères du monde moderne, vieille branche.

— « Un type sympa », ça veut dire que vous l'aimez bien ?

— Oh, c'est un sacré emmerdeur, mais je l'aimais bien. Maintenant encore, d'ailleurs.

— Vous avez fait des affaires avec lui ?

— Il travaillait pour d'autres maisons. Moi je suis mon propre patron. On ne pouvait pas faire d'affaires.

— Vous ne lui avez jamais rien acheté ?

— Non, pourquoi ?

— Veuillez me renseigner sur les échanges que vous aviez avec Niki Landau quand vous vous retrouviez tous les deux quelque part, souvent dans les capitales de pays communistes.

— Eh bien, il se vantait de ses conquêtes. Il aimait la grande musique, le classique.

— Vous a-t-il jamais parlé de sa sœur ? Sa sœur qui est encore en Pologne ?

— Non.

— Vous a-t-il confié sa rancune contre les autorités britanniques au sujet du mauvais traitement prétendument infligé à son père ?

— Non.

— Quand a eu lieu votre dernier entretien privé avec Niki Landau, je vous prie ?

Barley finit par laisser percer un certain agacement.

— A vous entendre, on nous prendrait pour un couple de pédés ! protesta-t-il.

— Je vous ai demandé une date, monsieur Brown, précisa Todd sur le ton de celui dont la patience a des limites.

— C'était à Francfort, je crois. L'année dernière. On s'en est jeté quelques-uns derrière la cravate au Hessischer Hof.

— Vous parlez bien de la foire du livre de Francfort ?

— Personne ne va à Francfort pour le plaisir, vieille branche.

— Vous n'avez pas reparlé à Landau depuis ?

— Pas à mon souvenir.

— Pas même à Londres, durant la foire du livre au printemps dernier ?

Barley sembla se creuser les méninges.

— Bon sang, mais c'est bien sûr ! Stella. Vous avez raison.

— Pardon ?

— Niki avait repéré une fille qui avait travaillé pour moi. Stella. Il la trouvait à son goût. Je crois qu'il trouve toutes les filles à son goût. C'est un sacré coureur. Et il m'a demandé de faire les présentations.

— Qu'avez-vous fait ?

— J'ai accepté.

— Autrement dit, vous avez servi d'entremetteur ?

— C'est le mot, vieille branche.

— Et alors, qu'est-ce qui s'est passé ?

— J'ai invité la fille à prendre un verre au Roebuck, le pub du coin, à 6 heures. Niki est venu, mais pas la fille.

— Donc vous vous êtes retrouvé seul avec Landau. Un face-à-face ?

— Plutôt un tête-à-tête.

— De quoi avez-vous parlé ?

— Ben, de Stella je crois. Et puis du temps. Enfin, de tout et n'importe quoi.

— Monsieur Brown, avez-vous des relations avec d'anciens citoyens soviétiques résidant en Grande-Bretagne ?

— Avec l'attaché culturel, de temps en temps. Quand il condescend à vous parler, ce qui n'est pas fréquent. Si un écrivain russe est de passage et que l'ambassade donne une petite fête en son honneur, j'y vais généralement.

— D'après nos informations, vous jouez souvent aux échecs dans un café de Camden Town à Londres.

— Oui, et alors ?

— Ce café n'est-il pas fréquenté par des exilés russes, monsieur Brown ?

Barley se contenta d'élever le ton, sans perdre son calme pour autant.

— Bon, je connais Leo. Leo mise sur les faiblesses de l'adversaire. Je connais aussi Josef. Lui, il tire sur tout ce qui bouge. Je ne couche pas avec eux, et je n'échange pas de secrets d'État avec eux.

— Vous avez vraiment une mémoire très sélective, monsieur Brown. Il y a bien des fois où vos descriptions de personnages ou d'événements sont étonnamment plus détaillées.

Barley ne s'emportait toujours pas, ce qui donna un impact bien plus redoutable à sa réponse. Pendant un instant, il sembla qu'il ne prendrait même pas la peine de répliquer, au nom de la tolérance maintenant si profondément ancrée en lui.

— Je me rappelle seulement ce qui est important pour moi, vieille branche, finit-il par dire. Si je n'ai pas l'esprit aussi malsain que le vôtre, c'est tant pis pour vous.

Le visage de Todd s'empourpra, de plus en plus, alors que Larry élargissait son sourire jusqu'aux oreilles. Quinn, lui, avait le regard réprobateur d'une sentinelle. Quant à Clive, il n'avait rien entendu.

Mais Ned était rose de bonheur, et même Russell Sheriton, feignant d'être assoupi, semblait sourire à l'évocation de quelque beau souvenir parmi tant de déceptions.

Ce soir-là en me promenant sur la plage, je croisai Barley et deux de ses gardes, hors de vue de la villa, qui faisaient un concours de ricochets avec des galets.

— Je vous ai eus! Je vous ai eus! criait-il, penché en arrière, et levant les bras au ciel.

— Les mollahs flairent l'hérésie, déclara Sheriton au dîner, nous faisant le compte rendu des derniers événements alors que Barley, prétextant une migraine, avait demandé qu'on lui serve une omelette dans son pavillon. La plupart de ces types ont été élus sur un programme de marge de sécurité. Ce qui signifie augmenter le budget défense, et élaborer n'importe quel nouveau système, aussi aberrant soit-il, qui apportera la tranquillité et la prospérité à l'industrie de l'armement pour les cinquante années à venir. Ils ne couchent peut-être pas avec les fabricants d'armes, mais en tout cas ils bouffent avec. Pour eux, l'histoire que raconte Bluebird est vraiment dure à avaler.

— Et s'il racontait la vérité ? demandai-je.

Sheriton se servit tristement un autre morceau de gâteau aux noix.

— La vérité ? releva-t-il. Les Soviets ne sont plus dans le coup ? Ils rognent sur tout, et les guignols à Moscou ne savent pas la moitié des mauvaises nouvelles parce que les guignols sur le terrain les entourloupent pour pouvoir se gagner des montres en or et du caviar ? Vous croyez que c'est ça la vérité ?

Il engloutit une énorme bouchée sans même gonfler les joues.

— Vous ne vous rendez pas compte des comparaisons très ennuyeuses que ça entraîne ? lança-t-il en se servant du café. Vous savez ce qui est le pire pour nos dinosaures démocratiquement élus ? Le pire du pire ? C'est les conséquences que ça implique pour nous : Moribond côté soviet implique moribond de notre côté. Cette idée horripile les mollahs et les marchands de canons.

Il hocha la tête d'un air désapprobateur.

— Savoir que les Soviétiques n'arrivent pas à transformer de la merde en combustible, que les propulseurs de leurs roquettes aspirent au lieu de cracher, que leurs erreurs de détection lointaine sont pires que les nôtres, qu'ils ne réussissent même pas à faire sortir les molosses du chenil, et que les estimations du Renseignement sont ridiculement exagérées, tout ça, ça donne de l'urticaire à nos mollahs.

Il médita un instant sur l'inconstance desdits mollahs.

— Comment on fait pour prôner la course aux armements si on se retrouve seul en piste, comme un con ? Bluebird est une source de renseignements dévastatrice. Des tas de privilégiés grassement payés risquent fort de voir s'envoler leur poule aux œufs d'or à cause de Bluebird. La voilà la vérité, puisque vous la voulez.

— Alors pourquoi vous mouillez-vous là-dedans ? objectai-je. Si le candidat n'est pas populaire, pourquoi faire campagne pour lui ?

A peine avais-je dit ces mots que j'aurais voulu rentrer sous terre.

Il est rare que ce vieux Palfrey interrompe une conversation, et voie se tourner vers lui des têtes stupéfaites. C'était bien la dernière chose que je souhaitais cette fois-là. Ned, Bob et Clive me regardaient comme si j'avais perdu la raison, et les jeunes loups de Sheriton — il y en avait deux, si j'ai bonne mémoire — posèrent leur fourchette l'un après l'autre, et s'essuyèrent les doigts à leur serviette, également l'un après l'autre.

Seul Sheriton semblait ne rien avoir entendu. Ayant décidé qu'un peu de fromage ne lui ferait pas de mal, il avait tiré le chariot à lui et considérait le plateau d'un œil terne. Personne n'était dupe : le fromage ne représentait pas sa préoccupation majeure, et il parut clair qu'il cherchait à gagner du temps, se demandant s'il allait répondre, et si oui, de quelle manière.

— Harry, commença-t-il prudemment en s'adressant à un morceau de bleu hollandais. Harry, Dieu m'est témoin, vous avez devant vous un homme qui se dévoue à la paix et à l'amour de son prochain. En d'autres termes, mon ambition première est de foutre une telle trouille aux cracheurs de feu du Pentagone qu'ils n'iront plus jamais raconter au président des États-Unis que vingt petits lapins font un gros tigre, ou que les sardiniers naviguant à cinq kilomètres des côtes sont des sous-marins nucléaires soviétiques maquillés. Et je ne veux plus entendre de conneries sur les gens qui se creusent des petits abris sous terre pour survivre à la guerre nucléaire. Je suis glasnostien, Harry. Et j'ai fait certaines découvertes sur moi-même. Je suis né glasnostien, et mes parents l'étaient depuis toujours. Pour moi, le glasnostisme est un art de vivre. Et je veux que mes enfants puissent vivre. Cela n'est pas confidentiel, faites-en ce que bon vous semble.

— J'ignorais que vous aviez des enfants, remarqua Ned.

— C'est une façon de parler, répondit Sheriton.

Pourtant, si l'on grattait la façade, Sheriton était bien en train de nous faire un tableau authentique de sa nouvelle personnalité. Ned le comprit, moi aussi, et si Clive ne s'en aperçut point, c'est qu'il avait choisi d'amputer sa réceptivité. La franchise de Sheriton ne résidait pas tant dans ses propos, généralement destinés à masquer ses sentiments et non à les véhiculer, que dans cette nouvelle humilité débordante, si éloignée de son ambition impitoyable à l'époque où il était en poste à Londres. A cinquante ans, après un quart de siècle passé à brandir l'étendard de la guerre froide, Russell Sheriton secouait les barreaux de sa cage d'homme mûr, selon l'expression de Walter. Je n'avais jamais pensé éprouver un jour de la sympathie pour lui, mais ce sentiment germa en moi ce soir-là.

— Brady est un type brillant, nous avertit Sheriton dans un bâillement, comme nous montions tous nous coucher. Brady a l'esprit vif comme l'éclair.

Il faut le reconnaître, Brady était effectivement aussi brillant que des boutons d'uniforme.

Cela se voyait dès l'abord à son visage intelligent, et à l'élégance naturelle de son port altier. Il portait une veste de sport plus vieille que lui et, dès son entrée dans la salle, il parut évident qu'il prenait toujours plaisir à passer inaperçu. Son jeune assistant portait aussi une veste de sport, et cultivait l'élégance nonchalante de son maître.

— Alors, Barley, vous avez fait du bon travail, on dirait? remarqua allègrement Brady avec son accent chantant du Sud, en posant son attaché-case sur la table. On vous a remercié, j'espère? Je m'appelle Brady, et je suis bien trop vieux pour jouer au jeu idiot des pseudonymes. Voici Skelton. Barley, moi, je vous dis merci.

La salle de billard, acte deux, mais cette fois sans la table ni les chaises dures de la séance avec Quinn. Nous étions confortablement installés dans des fauteuils aux coussins moelleux. Un orage s'annonçait. Les vestales de Randy avaient fermé les volets et allumé des lampes. A mesure que le vent se levait, tout dans la maison se mit à vibrer comme des bouteilles s'entrechoquant sur une étagère. Brady ouvrit son attaché-case, précieuse relique du temps où l'on savait encore les fabriquer. Sa cravate bleue à pois trahissait le professeur d'université qu'il était à l'occasion.

— Barley, je ne rêve pas? J'ai bien lu quelque part que vous aviez joué du saxo dans l'orchestre du grand Ray Noble?

— Oui, j'étais encore en culottes courtes, Brady.

— Ray était un type adorable, non? Et quel son, cet orchestre! Jamais rien entendu de pareil, commenta Brady comme seuls les gens du Sud peuvent le faire.

— Ray était un grand seigneur, dit Barley qui se mit à fredonner quelques mesures de *Cherokee*.

— C'est dommage, sa prise de position politique, reprit Brady avec un léger sourire. On a tous essayé de le raisonner, mais il n'a rien voulu entendre. Vous avez joué aux échecs avec lui?

— Oui, en effet.

— Et qui a gagné?

— Moi, je crois. Pas sûr... Si, si c'est moi.

— Moi aussi, fit Brady en souriant.

Puis ils parlèrent de Londres et de Hampstead, où habitait Barley.

— Barley, j'adore ce coin. Hampstead, c'est l'idée que je me fais du monde civilisé.

Ils passèrent ensuite aux orchestres dans lesquels Barley avait joué et à certains des musiciens.

— Mon Dieu, c'est pas possible qu'il existe encore, celui-là ! A son âge je ne me risquerais même pas à acheter des bananes pas mûres !

Enfin, ils discutèrent de la politique anglaise. Brady souhaitait sincèrement savoir ce que Barley reprochait à Mrs. T.

Barley dut réfléchir un instant, et sur le coup resta sans réplique. Peut-être avait-il remarqué la lueur d'inquiétude dans le regard de Ned.

— Voyons, Barley, ce n'est pas sa faute si elle n'a aucun adversaire à sa taille.

— Cette bonne femme est une vraie Rouge ! grogna Barley, semant une panique discrète dans les rangs anglais.

La boutade ne fit pas rire Brady, qui se contenta de hausser les sourcils, et d'attendre comme nous tous.

— C'est une dictature constitutionnelle, poursuivit Barley, retrouvant peu à peu son allant. Mille jambes c'est bien, mais deux seulement, c'est un désastre. Que Dieu bénisse les corporations et envoie promener l'individualisme !

Il semblait prêt à développer cette thèse, mais changea d'avis et en resta là, à notre grand soulagement.

En tout cas, ce fut une entrée en matière plutôt détendue, et au bout de dix minutes, Barley dut se sentir très à l'aise... jusqu'au moment où Brady en arriva négligemment à « cette affaire dans laquelle vous vous êtes fourré... », et lui proposa de tout raconter à nouveau, dans ses propres termes, mais « en insistant sur le tête-à-tête que vous avez eu avec lui à Leningrad ».

Barley obéit. J'écoutai aussi attentivement que Brady, du moins le pensé-je, mais ne notai rien dans ce récit qui parût contredire ou compléter ce qui se trouvait déjà dans le dossier.

A première vue, Brady ne sembla rien remarquer de particulier lui non plus, car il gratifia Barley d'un sourire rassurant lorsqu'il eut terminé.

— Je vous remercie beaucoup, Barley, lui dit-il d'un ton en apparence approbateur, tout en compulsant ses papiers de ses doigts effilés. Le plus éprouvant dans l'espionnage, c'est l'oisiveté de l'attente, je l'ai toujours dit. Un peu comme pour un pilote de

272

chasse, ajouta-t-il, son regard s'arrêtant sur une feuille de son dossier. On est bien tranquillement chez soi en train de manger du poulet, et l'instant d'après on se retrouve mort de trouille, à plus de mille kilomètres à l'heure. Et puis on rentre chez soi à temps pour laver la vaisselle.

Il venait apparemment de trouver ce qu'il cherchait dans ses papiers.

— Ce n'est pas ce que vous avez éprouvé, Barley, largué à Moscou sans parachute ?

— Un peu, oui.

— ... à traîner en attendant Katia, reprit Brady. A traîner en attendant Goethe ? Vous avez quand même traîné un bon bout de temps après votre petit tête-à-tête avec Goethe, si je ne m'abuse ?

Posant ses lunettes sur le bout de son nez, Brady examina la feuille avant de la passer à Skelton. J'avais beau savoir que c'était une pause calculée, je me sentais néanmoins très inquiet, et visiblement Ned aussi, qui regarda Sheriton puis Barley avec anxiété.

— D'après nos rapports, Goethe et vous vous êtes quittés vers 14 h 33, heure de Leningrad. Vous avez vu cette photo ? Montrez-la-lui, Skelton.

Nous l'avions tous examinée, excepté Barley bien sûr. Elle montrait les deux hommes dans les jardins de Smolny juste après leurs adieux. Goethe avait déjà tourné les talons, et Barley avait encore les mains tendues vers lui. L'heure électronique imprimée dans le coin supérieur gauche indiquait 14 h 33 m 20 s.

— Vous vous rappelez vos dernières paroles ? demanda suavement Brady.

— Je lui ai dit que je le publierai.

— Et lui, ses dernières paroles ?

— Il voulait savoir s'il devait ou non se mettre en quête d'un autre être humain digne de ce nom.

— Drôles d'adieux ! remarqua Brady satisfait pendant que Barley étudiait encore la photo sous les regards croisés de Brady et Skelton. Et qu'avez-vous fait après, Barley ?

— Je suis retourné à l'Europe, et j'ai remis les documents.

— Quelle route avez-vous prise ? Vous vous souvenez ?

— La même qu'à l'aller. Un trolleybus jusqu'à la ville, et puis j'ai marché.

— Vous avez attendu le trolley longtemps ? demanda Brady, son accent du Sud prenant une inflexion moqueuse.

— Pas que je m'en souvienne.

— Combien de temps ?

— Cinq minutes... Un peu plus, peut-être...

Jusqu'à présent, je n'avais jamais entendu Barley alléguer une mémoire défaillante.

— Il y avait beaucoup de gens dans la file d'attente ?

— Non, pas beaucoup. Je n'ai pas compté.

— Le trolley passe toutes les dix minutes, et le trajet jusqu'à la ville est aussi de dix minutes. Encore dix autres minutes de marche, à votre allure, jusqu'à l'Europe. Nos guetteurs ont chronométré tous les itinéraires, et dix est un grand maximum. Or d'après M. et Mrs Henziger, vous ne les avez rejoints dans leur chambre qu'à 15 h 55. Ce qui nous donne un assez joli trou, Barley. Un trou dans le temps. Si vous m'aidiez à le combler ? Je ne veux pas croire que vous ayez passé ce temps à vous saouler. Vous rapportiez des documents précieux, et j'imagine que vous aviez plutôt hâte de vous en débarrasser.

Barley se tenait maintenant sur ses gardes, et Brady dut le sentir, car il arbora son plus cordial sourire en guise d'encouragement, du genre qui appelait les aveux.

Quant à Ned, il était figé sur sa chaise, les deux pieds reposant à plat par terre, le regard toujours fixé sur le visage inquiet de Barley.

Seuls Clive et Sheriton semblaient s'être juré de ne trahir aucune émotion.

— Qu'avez-vous fait, Barley ? demanda Brady.

— J'ai baguenaudé, répliqua Barley, qui mentait mal.

— Avec le carnet de Goethe en poche ? Le carnet qu'il vous avait confié comme la prunelle de ses yeux ? Vous avez baguenaudé ? Vous avez choisi un drôle de moment pour baguenauder pendant cinquante minutes, Barley ! Allons, où êtes-vous allé ?

— Je me suis promené le long du fleuve. Où nous étions déjà allés. Paddy m'avait dit de ne pas me presser, de ne pas me précipiter à l'hôtel, de marcher tranquillement.

— C'est exact, fit Ned dans un murmure. Ce sont les instructions que j'avais données via notre antenne à Moscou.

— Pendant cinquante minutes ? insista Brady, sans relever l'intervention de Ned.

— Je n'en sais rien, répliqua Barley. Je n'ai pas consulté ma montre. Quand on prend son temps, on prend son temps.

— Et il ne vous est pas venu à l'esprit qu'avec un magnétophone à piles glissé dans votre pantalon et un carnet rempli d'informations secrètes sans doute inestimables dans votre sac plastique, le chemin le plus court entre deux points était peut-être bien la ligne droite ?

La colère qui montait en Barley devenait dangereuse... dangereuse pour lui-même, comme il aurait pu l'apprendre en regardant l'expression de Ned ou la mienne.

— Mais enfin, vous n'écoutez pas ce que je vous dis ? explosat-il. Je vous répète que Paddy m'avait conseillé de prendre mon temps. Ça fait partie de l'entraînement que j'ai suivi à Londres, au cours de tous ces petits essais ridicules. Prenez votre temps. Ne vous pressez pas si vous portez quelque chose de précieux. Mieux vaut vous appliquer à marcher lentement.

Une fois encore, Ned vint à la rescousse.

— C'est exact, c'est ce qu'on lui a appris, dit-il en surveillant Barley du coin de l'œil, tout comme Brady.

— Alors vous avez baguenaudé depuis l'arrêt du trolley, vers le QG du Parti communiste à l'Institut Smolny — sans parler du Komsomol et des autres sanctuaires du Parti — avec le carnet de Goethe dans votre sac ? Pourquoi donc, Barley ? Les types sur le terrain font parfois des trucs bizarres, je suis bien placé pour le savoir, mais en l'occurrence c'est un acte que je qualifierais de suicidaire !

— J'obéissais aux ordres, Brady, nom de Dieu ! Je prenais tout mon temps. Combien de fois dois-je vous le répéter ?

Malgré cet éclat, il me sembla que Barley se trouvait enfermé dans un dilemme plutôt que dans un mensonge. Ses arguments étaient tellement sincères, et il y avait tant de solitude dans son regard de bête traquée. Il faut d'ailleurs rendre justice à Brady, car il sembla le sentir également, et, s'abstenant de triompher devant le désarroi de Barley, choisit de lui venir en aide au lieu de le pousser à bout.

— Vous voyez, Barley, ce trou dans votre emploi du temps susciterait de vifs soupçons chez certaines personnes. Ils vous imagineraient sûrement assis dans le bureau ou la voiture d'un inconnu en train de vous donner des instructions ou de photographier le carnet de Goethe. Cela s'est-il produit ? Si c'est le cas, le moment est venu de l'avouer. Ce sera de toute façon un mauvais moment à passer, mais maintenant n'est pas le pire.

– Non.

– Non quoi ? Vous ne voulez pas parler ?

– Non, ça ne s'est pas produit.

– En tout cas, il s'est passé quelque chose. Vous vous souvenez à quoi vous pensiez tout en baguenaudant ?

– A Goethe. A la publication de ses carnets. Au fait qu'il démolira le temple s'il en éprouve le besoin.

– Quel temple ? On pourrait laisser la métaphysique de côté un instant ?

– Katia. Les enfants. Il les entraînerait dans sa chute s'il se faisait prendre. Personne n'a le droit de faire ça. Je n'arrive pas à le comprendre.

– Alors vous avez baguenaudé pour essayer de comprendre ?

Barley avait-il vraiment baguenaudé, ou non ? En tout cas, il se taisait.

– N'aurait-il pas été plus normal de remettre le carnet d'abord, et de démêler vos problèmes d'éthique après ? Ça me surprend que vous ayez pu avoir les idées claires avec ce carnet qui brûlait votre sac. Je ne prétends pas que nous soyons très logiques dans ce genre de situation, mais même en acceptant les lois de l'anti-logique, j'ai le sentiment que vous vous êtes fourvoyé dans une situation fort embarrassante. Personnellement, je pense que vous avez fait quelque chose, et je pense que vous le pensez aussi.

– J'ai acheté un chapeau.

– Un chapeau ?

– Une toque en fourrure, oui.

– Pour qui ?

– Miss Coad.

– C'est votre petite amie ?

– C'est la gouvernante de la maison sûre à Knightsbridge, coupa Ned sans attendre la réponse de Barley.

– Et où l'avez-vous achetée ?

– Sur le chemin, entre l'arrêt du trolley et l'hôtel. Mais je ne sais plus où exactement. Une boutique quelconque.

– Et c'est tout ?

– Oui, juste un chapeau. Un seul.

– Combien de temps avez-vous mis ?

– D'abord j'ai dû faire la queue.

– Combien de temps ?

– Je n'en sais rien.

276

— Et qu'avez-vous fait d'autre ?

— Rien. J'ai juste acheté un chapeau.

— Vous mentez, Barley. Pas beaucoup, mais vous mentez, c'est certain. Qu'avez-vous fait d'autre ?

— Je l'ai appelée.

— Qui ça, Miss Coad ?

— Non, Katia.

— D'où l'avez-vous appelée ?

— D'un bureau de poste.

— Lequel ?

Ned avait mis sa main en auvent devant ses yeux comme pour se protéger du soleil. Pourtant l'orage avait éclaté, et dehors le ciel et la mer étaient noirs.

— Je ne sais pas. Un grand bureau. Les cabines se trouvent sous une sorte de galerie en fer.

— Vous l'avez appelée à son travail ou chez elle ?

— A son travail. C'était pendant les heures de bureau.

— Et comment se fait-il que nous n'ayons pas l'enregistrement de cette conversation ?

— J'avais débranché l'appareil.

— Quelle était la raison de votre appel ?

— Je voulais m'assurer que tout allait bien.

— Comment vous y êtes-vous pris ?

— Je lui ai dit bonjour. Elle m'a répondu. J'ai expliqué que j'étais à Leningrad, que j'avais rencontré mon interlocuteur, et que les affaires marchaient bien. Pour quiconque à l'écoute, il ne pouvait s'agir que d'Henziger. Mais Katia savait que je parlais de Goethe.

— Cela me semble logique, fit Brady avec un sourire indulgent.

— Et puis je lui ai dit qu'on se reverrait à Moscou pour la prochaine foire du livre. Je lui ai dit de prendre soin d'elle. Elle m'a promis de le faire. Et au revoir.

— C'est tout ?

— Je lui ai demandé de détruire les livres de Jane Austen que je lui avais apportés, sous prétexte que ce n'était pas la bonne édition, et que je lui en trouverais d'autres.

— Pourquoi cela ?

— Il y avait les questions pour Goethe dans le texte, des doubles de celles insérées dans le livre de poche qu'il avait refusé. On les avait mises là au cas où elle réussirait à le contacter et pas moi.

Elles représentaient un danger pour elle. Comme de toute façon il ne voulait pas répondre à ces questions, je préférais que ces livres ne traînent pas chez elle.

Dans le silence pesant de la pièce, on n'entendait que le vent qui faisait grincer les volets et s'engouffrait dans les auvents.

— Combien de temps a duré votre coup de fil avec Katia, Barley ?

— Je ne pourrais pas vous dire.

— Combien vous a-t-il coûté ?

— Je ne sais plus. J'ai payé au guichet. Deux roubles et quelques, je crois. On a pas mal discuté de la foire du livre. Je voulais entendre sa voix.

Cette fois, ce fut au tour de Brady de garder le silence.

— J'avais l'impression que tout était normal tant que je parlais, qu'elle allait bien.

Brady prit son temps avant de conclure, à la surprise générale :

— Une conversation anodine, si je comprends bien ? fit-il en rangeant ses affaires dans l'attaché-case de son grand-père.

— Tout à fait, approuva Barley. Un bavardage inoffensif. Sans conséquences.

— Comme deux vieilles connaissances, lança Brady en refermant l'attaché-case. Merci, Barley. Je vous admire.

Nous étions maintenant dans l'immense salon, Brady au centre. Barley était parti.

— Faites-le passer à la trappe, Clive, conseilla Brady d'un ton toujours empreint de courtoisie. C'est un fantoche, il n'est pas fiable, et il pense beaucoup trop. Vous n'avez pas idée des remous que suscite Bluebird. Les lobbies sont sur le pied de guerre, les généraux de l'armée de l'air ont des vapeurs, la Défense prétend que Barley va aller crier nos secrets sur les toits du Kremlin, et le Pentagone accuse l'Agence de leur refiler de la camelote. Votre seule issue est de le virer et de le remplacer par un professionnel. Quelqu'un de chez nous.

— Bluebird refuse de traiter avec un professionnel, déclara Ned, dont on sentait la fureur prête à éclater.

Skelton avait lui aussi une suggestion. C'était la première fois que j'entendais le son de sa voix, et je dus tendre l'oreille pour en saisir les accents cultivés d'universitaire.

— Et merde pour Bluebird! Bluebird n'a pas le droit de dicter ses ordres. C'est un traître, un dingue poussé par un complexe de culpabilité, et sans doute plein d'autres choses. Faites-lui griller la plante des pieds. Dites-lui que s'il cesse de communiquer, on va les donner, lui et la fille.

— Si Goethe est bien sage, il gagnera le gros lot, promit Brady. Un million sans problème. Et même dix millions. Si vous arrivez à l'intimider et à le payer un bon prix, nos dinosaures croiront peut-être en sa sincérité. Russell, faites mes amitiés à tout le monde. Clive, heureux de cette rencontre. Harry, Ned, à un de ces jours.

Il se dirigea vers la porte, Skelton à ses côtés.

Mais Ned n'en était pas aux adieux. Sans élever la voix ni taper du poing sur la table, mais avec une lueur sombre dans son regard éloquent et sur un ton où perçait une colère sourde, il appela Brady.

— Quelque chose vous tracasse, Ned?

— Bluebird ne se laissera pas rudoyer. Ni par eux, ni par vous. Le chantage, c'est peut-être très joli vu de la salle de contrôle, mais ça ne marche pas sur le terrain. Écoutez donc les bandes, si vous ne me croyez pas. Bluebird aspire au martyre, et les martyrs ne marchent pas aux menaces.

— Et alors ils marchent à quoi?

— Barley vous a-t-il menti?

— Pas outre mesure.

— C'est un type réglo. Et l'affaire est réglo. Réglo, vous vous souvenez de ce que ça veut dire? Pendant que votre esprit tordu cherche la petite bête, Bluebird joue réglo, et il choisit Barley comme coéquipier. Donc Barley est notre seul atout.

— Mais il est tombé amoureux de la fille, objecta Brady. Il a un esprit compliqué. Il est à haut risque.

— Il est amoureux de toutes les filles, et il les demande toutes en mariage. Il est comme ça. Ce n'est pas lui qui pense trop, c'est vous.

Brady sembla intéressé, non par ses propres convictions, si tant est qu'il en eût, mais par celles de Ned.

— J'ai vu toutes sortes de types défiler dans ce métier, poursuivit Ned. Et vous aussi, Brady. Certaines affaires ne sont jamais réglo, même une fois réglées, alors que celle-ci l'a été dès le premier jour. Si quelqu'un est en train d'essayer de la rendre glauque, c'est bien nous.

Je n'avais jamais entendu Ned parler avec autant de flamme. Et à l'évidence Sheriton non plus, qui en resta cloué sur place. Peut-être cela explique-t-il pourquoi Clive se sentit obligé de s'interposer et de clore le débat par un joli couplet d'adieux dans le plus pur style fonctionnaire.

— Bon, eh bien nous avons largement de quoi réfléchir après cela, Brady. Russell, il faut que nous en parlions ensemble. Il y a sûrement une solution intermédiaire, du moins, je le crois. Si on tâtait le terrain ? Si on en rediscutait un peu ? Enfin, si on refaisait le point ?

Mais personne ne quitta la pièce. Malgré ce bouquet final de banalités, Brady était toujours à la même place, et je remarquai une expression de franche bienveillance sur son visage, qui révélait l'homme sous son masque.

— Écoutez, Ned, on ne nous a pas engagés pour aimer notre prochain. Ce n'est malheureusement pas ce qui vaut à des fantoches comme nous d'être sur terre. Et on le savait tous quand on a choisi de s'enrôler. Si le but du jeu était de faire preuve d'honnêteté, Ned, vous seriez aux commandes à la place du directeur adjoint Clive ici présent, ajouta-t-il en souriant.

Clive ne sembla pas tellement apprécier cette idée, mais n'en raccompagna pas moins Brady à sa jeep.

Pendant un instant, je me crus seul avec Ned et Sheriton, mais j'aperçus Randy, notre hôte, dans l'encadrement de la porte, l'air de tomber des nues.

— C'était vraiment le grand Brady ? demanda-t-il, le souffle coupé. Le grand Brady qui avait l'air content ?

— Mais non, c'était Greta Garbo, répliqua Sheriton. Allons, Randy, laissez-nous, s'il vous plaît.

Je devrais maintenant vous décrire les moments harmonieux que Barley passa avec les jeunes assistants de Sheriton, qui l'escortaient jusqu'à son pavillon. Ils se promenèrent sur la plage, échangèrent des plaisanteries, et consultèrent un plan de Leningrad, sur lequel ils finirent par repérer la boutique où il avait acheté la toque en lynx pour Miss Coad. Ils établirent comment il l'avait payée, trouvèrent une explication possible à la disparition du reçu — si reçu il y avait eu —, voulurent savoir s'il avait déclaré le chapeau à la douane de Gatwick, et localisèrent le bureau de poste d'où il avait dû donner son coup de téléphone.

Je devrais aussi vous raconter ces soirées de détente que nous passâmes Ned et moi dans le pavillon de Barley, cherchant en vain un moyen pour le sortir de son humeur introspective.

Car les évasions de Barley se poursuivaient – je le comprenais déjà à l'époque – depuis l'instant où il avait accepté de se soumettre aux interrogatoires. Il était devenu un pèlerin solitaire, mais où allait-il? D'où venait-il? Et vers qui allait-il?

Puis vint ce fameux matin, le jeudi je crois – un vrai temps de paradis, comme ils disent là-bas –, où le coucou de l'aéroport de Logan déposa sur l'île Merv et Stanley, juste à l'heure pour leur petit déjeuner préféré : du bacon, et des crêpes arrosées de sirop d'érable. Le cuisinier de Randy connaissait bien leurs goûts.

C'étaient deux braves types du terroir, bourrus, aux mains larges et au visage buriné, qui semblaient sortir d'un vaudeville avec leurs chapeaux en feutre et leurs valises de commis-voyageurs, qu'ils gardèrent près d'eux tout en mangeant et posèrent ensuite avec précaution sur le sol peint en rouge de la salle de billard.

Leur métier leur avait façonné un visage inexpressif. Ils faisaient partie de cette catégorie de gens très prisés par notre propre Service : d'honnêtes fantassins, loyaux et simples, avec un boulot à faire et des gosses à nourrir, qui aimaient leur pays sans en faire un plat.

Avec ses cheveux ras et crêpelés, Merv ressemblait à un mouton fraîchement tondu. Stanley avait les jambes arquées, et portait un badge à son revers.

– Monsieur Brown, vous pourriez être Jésus-Christ ou une dactylo à quinze cents dollars par mois, ça n'y changerait rien, avait dit Sheriton alors que nous étions tous réunis chez Barley, pour l'inciter sournoisement à accepter. C'est comme le vaudou, l'alchimie, le oui-ja, ou le marc de café. Et si vous ne vous y soumettez pas, vous êtes fichu.

Clive prit la parole. Clive trouve toujours de bons arguments.

– S'il n'a rien à cacher, je ne vois pas pourquoi il s'inquiéterait. C'est leur version de la Législation sur la conservation du secret.

– Qu'en pense Ned? demanda Barley.

C'était Ned à présent, et plus Nedski.

Je n'oublierai jamais l'accent de défaite dans la réponse de Ned, cette défaite qui se lisait aussi dans son regard. L'interrogatoire de Barley par Brady avait ébranlé la confiance de Ned en lui-même et en son *Joe*.

— C'est à vous de choisir, Barley, dit-il avec embarras. C'est un choix pourri, si vous voulez mon avis, ajouta-t-il comme pour lui-même.

Barley se tourna vers moi, exactement comme il l'avait fait quand je lui avais demandé s'il acceptait de se soumettre à un interrogatoire des Américains.

— Harry, qu'est-ce que je fais?

Pourquoi diable se fiait-il tant à mon opinion? Ce n'était pas juste. Je devais avoir l'air aussi mal à l'aise que Ned, mais le cachai d'un haussement d'épaules insouciant.

— Soit vous leur faites plaisir et vous jouez le jeu jusqu'au bout, soit vous les envoyez paître. A vous de décider, répondis-je exactement comme la première fois.

L'éternelle réponse de l'avocat.

Barley était à nouveau figé et lointain, le regard fixé sur la mer par la fenêtre, son indécision faisant lentement place à la résignation.

— Eh bien, espérons qu'ils ne me surprendront pas à dire la vérité, conclut-il.

Puis il se leva, se décontracta les poignets et les épaules, tandis que dans son dos nous échangions des regards et des signes de tête furtifs, comme des majordomes ayant compris que leur maître a donné son accord.

Dans leur travail, Merv et Stanley faisaient preuve de l'efficacité respectueuse du bourreau. Ils avaient dû apporter la chaise, ou alors il y en avait toujours une sur place à leur disposition, une sorte de trône en bois à dossier droit pourvu d'un accoudoir gauche sculpté, que Merv plaça à portée de la prise électrique. Stanley parlait à Barley d'un ton paternel.

— Monsieur Brown, ne voyez surtout aucune hostilité à votre égard dans notre comportement. La situation présente exige que l'on évite toute interférence émotive. Votre interrogateur n'est pas un ennemi, mais un fonctionnaire impartial. C'est la machine qui fait tout le travail. Veuillez je vous prie ôter votre veston. Merci. Inutile de relever vos manches ou de déboutonner votre chemise. Mettez-vous à votre aise, détendez-vous.

Entre-temps, avec une grande délicatesse, Merv passa un brassard de tensiomètre autour du bras gauche de Barley et l'amena en contact avec l'artère humérale. Il pressa la poire pour le gonfler jusqu'à ce que le manomètre indique cinquante millimètres de mercure, pendant que Stanley s'affairait à fixer un tube pneumographique en caoutchouc d'un pouce de diamètre autour du thorax de Barley, prenant bien garde d'éviter tout contact irritant avec les tétons, puis un autre sur l'abdomen. Merv enfila un doigtier protégeant une électrode sur le médius et l'annulaire de la main gauche, pour enregistrer le réflexe psycho-galvanique et les variations de température de la peau, paramètres que le sujet, s'il a une conscience, ne peut contrôler, du moins l'affirment les convertis. J'avais demandé à Stanley de tout m'expliquer avant la séance, comme un parent inquiet s'informe auprès du chirurgien des détails de l'opération que va subir un proche. Harry, certains spécialistes du polygraphe utilisent une sangle supplémentaire autour de la tête, comme pour un encéphalogramme. Mais pas Stanley. Et certains spécialistes se font un plaisir de hurler et d'invectiver le patient. Mais pas Stanley. Selon lui, les questions accusatrices perturbaient de nombreux sujets, qu'ils fussent coupables ou non.

— Monsieur Brown, nous vous demanderons de ne faire aucun geste, même très lent, recommanda Merv. Le moindre mouvement risque de causer une grave perturbation dans le tracé, et nous obligera à refaire le test et répéter les questions. Merci d'avance. Tout d'abord, nous allons établir la norme. J'entends par là un réglage du niveau de voix et de réaction physique. Imaginez un sismographe : vous êtes l'écorce terrestre, et nous allons enregistrer les secousses que vous provoquez. Bien. Vous répondrez seulement par oui ou par non, et soyez gentil de dire toujours la vérité. Nous faisons une pause toutes les huit questions pour desserrer le brassard, sinon ça va vous gêner, et pendant ce temps nous bavarderons tranquillement. Mais pas d'énervement, s'il vous plaît. Rien qui puisse provoquer un surcroît d'excitation. Vous vous appelez Brown ?

— Non.

— Avez-vous un autre nom que celui-là ?

— Oui.

— Êtes-vous anglais, monsieur Brown ?

— Oui.

— Êtes-vous venu ici en avion, monsieur Brown?

— Oui.

— Êtes-vous venu en bateau, monsieur Brown?

— Non.

— Avez-vous répondu sincèrement à mes questions jusque-là, monsieur Brown?

— Oui.

— Comptez-vous répondre aussi sincèrement jusqu'à la fin du test, monsieur Brown?

— Oui.

— Je vous remercie, fit Merv avec un sourire aimable, tandis que Stanley dégonflait le brassard. Voici maintenant quelques questions de détente. Vous êtes marié?

— Pas en ce moment.

— Des enfants?

— Deux.

— Garçons ou filles?

— Un garçon et une fille.

— Le choix du roi. Prêt? demanda-t-il en regonflant le brassard. Nous repassons aux questions sérieuses. Détendez-vous. Voilà, parfait.

Dans la mallette ouverte, les quatre griffes métalliques traçaient leurs lignes mauves sur le papier millimétré, et les quatre aiguilles noires oscillaient sur leurs cadrans respectifs. Merv s'était installé à une petite table près de Barley, avec les feuilles d'un questionnaire sous les yeux. Même Russell Sheriton n'avait pas eu accès aux questions préparées par l'équipe des inquisiteurs sans visage de Langley. Il fallait éviter toute interférence des pauvres mortels entourant Barley, qui risquait d'affecter les pouvoirs mystérieux de la boîte magique.

Merv prit une voix complètement neutre lui assurant une totale impartialité dont je suis persuadé qu'il s'enorgueillissait. Il représentait la marche du temps, le centre de contrôle de Houston.

— Je fais partie d'un complot visant à fournir des renseignements erronés aux services secrets de Grande-Bretagne et des États-Unis d'Amérique. Oui? Non?

— Non.

— Mon but est d'encourager la paix entre les nations. Oui ou non?

— Non.

– Je collabore avec le Renseignement soviétique.

– Non.

– Je suis fier de ma mission au nom du communisme international.

– Non.

– Je collabore avec Niki Landau.

– Non.

– Niki Landau est mon amant.

– Non.

– Il l'a été.

– Non.

– Je suis homosexuel.

– Non.

Une pause, pendant laquelle Stanley dégonfla le brassard.

– Comment ça va, monsieur Brown ? Ce n'est pas trop douloureux ?

– J'adore souffrir, mon vieux.

Je remarquai que nous évitions tous de l'observer durant les pauses. Nous regardions le plancher, nos mains, ou les arbres agités par le vent à travers les vitres. Stanley prit le relais. Sa voix, un rien plus engageante, gardait pourtant le même débit mécanique.

– Je collabore avec Katia Orlova et son amant.

– Non.

– Je sais que l'homme que j'appelle Goethe est un agent du Renseignement soviétique.

– Non.

– Les documents qu'il m'a confiés sont l'œuvre du Renseignement soviétique.

– Non.

– Je suis victime d'un chantage aux mœurs.

– Non.

– Victime d'un autre type de chantage.

– Non.

– Victime de pressions.

– Oui.

– De la part des Soviétiques ?

– Non.

– Je suis menacé de faillite si je ne coopère pas avec les Russes.

– Non.

Une nouvelle pause. Troisième round. Merv prit le relais.

— J'ai menti quand j'ai dit avoir téléphoné à Katia Orlova de Leningrad.

— Non.

— J'ai appelé mon officier traitant soviétique de Leningrad pour lui rapporter ma conversation avec Goethe.

— Non.

— Je suis l'amant de Katia Orlova.

— Non.

— Je l'ai été.

— Non.

— Je suis victime de chantage à propos de mes relations avec Katia Orlova.

— Non.

— J'ai dit la vérité jusque-là durant cet interrogatoire.

— Oui.

— Je suis un ennemi des USA.

— Non.

— Mon but est de saper les dispositifs militaires des USA.

— Vous voulez bien me reposer cette question, vieux ?

— Un instant, intervint Merv.

Stanley arrêta aussitôt l'appareil pour laisser Merv faire une marque au crayon sur le papier millimétré.

— N'interrompez pas le rythme, s'il vous plaît, monsieur Brown. Certains sujets le font pour éluder une question délicate.

Quatrième round. Au tour de Stanley. Les questions reprirent avec la même monotonie, semblant ne pas devoir s'arrêter tant que les abysses les plus sordides ne seraient pas atteints. Les « non » de Barley s'enchaînaient maintenant sur un rythme lassant, et un ton de passivité ironique. Il restait assis dans la position exacte où ils l'avaient placé. Je ne l'avais jamais vu demeurer aussi longtemps immobile.

Ils firent une nouvelle pause, mais maintenant Barley ne se détendait plus entre les rounds. Son immobilité devenait insupportable. Le menton levé, les yeux clos, il semblait sourire, Dieu seul savait pourquoi. Parfois, son « non » tombait avant même la fin de la question. D'autres fois, il attendait si longtemps que les deux hommes s'arrêtaient et levaient le nez, l'un de sur ses cadrans, l'autre de ses papiers, avec l'angoisse du tortionnaire craignant soudain d'avoir trop tourmenté sa victime. Le « non » finissait pourtant par tomber de la bouche de Barley, ni plus ni moins fort. Léger décalage horaire.

D'où lui venait son stoïcisme ? Non, non à tout. Pourquoi était-il assis là comme un homme qui se prépare aux vicissitudes de l'âge, et proteste seulement par un petit « non » ? Que signifiait cette soumission, *non, oui, non, non,* jusqu'au déjeuner, quand ils déconnectèrent la machine ?

Je connaissais en fait la réponse, sans pourtant arriver à bien me la formuler : il était dans un autre monde.

Espionner, c'est attendre.

Il nous fallut attendre trois jours, qui me valurent quelques cheveux blancs. Nous avions attribué à chacun ses fonctions selon l'importance de son rang : Sheriton partit à Langley avec Bob et Clive, Ned resta dans l'île avec son *Joe,* et votre serviteur fut prié de se tenir à leur disposition, sans vraiment en saisir l'utilité. J'avais pris ce lieu en horreur, et je pense qu'il en allait de même pour Ned et Barley, supposition gratuite car je n'avais aucun échange avec eux. Barley était devenu distant, et avait même perdu son humour. Quelque chose l'avait atteint dans son orgueil.

Donc, nous attendîmes. Nous jouions distraitement aux échecs, finissant rarement une partie. Nous écoutions Randy parler de son yacht. Nous guettions la sonnerie du téléphone parmi les cris des oiseaux et le ressac de la mer.

Ce fut une période insolite, que rendaient plus insolite encore les cieux tourmentés, les orages, les superbes accalmies et autres caprices du temps en ce lieu isolé. Une « forteresse de brumes », selon l'expression de Randy, nous emprisonnait dans ses murs, instillant en nous la peur irraisonnée de ne plus jamais quitter l'île. Le brouillard se dissipa, mais nous étions toujours là. Cette vie en commun aurait dû nous rapprocher, si Ned et Barley n'avaient regagné chacun son royaume : l'un sa chambre, et l'autre la nature. A travers la vitre ruisselante, je voyais Barley arpenter la falaise sous des pluies battantes, vêtu d'un ciré, levant haut les jambes comme si ses chaussures le gênaient. Un jour, je l'aperçus qui jouait au cricket sur la plage avec Edgar le garde, utilisant une balle de tennis et un bout de bois rejeté par la mer. Pendant les belles accalmies, il arborait une vieille casquette bleue de loup de mer dénichée dans un coffre de marin, l'air grave, le regard fixé sur de lointaines colonies insoumises. Une fois, Edgar arriva accompagné d'un vieux chien jaune venu d'on ne sait où, et qu'ils s'amusèrent à faire courir de l'un à l'autre. Une autre fois, c'était jour de régates au large, et l'on voyait un demi-cercle de yachts blancs comme autant de minuscules dents étincelantes. Barley resta des heures à les regarder, ravi du spectacle, tandis qu'Edgar le surveillait.

Il doit penser à sa Hannah à lui. Il attend de la vie qu'elle lui offre le moment propice pour prendre une décision. Je compris bien plus tard que certaines personnes ne prennent pas forcément une décision de cette manière.

La dernière image que je garde de l'île a la rassurante distorsion d'un rêve. J'avais parlé avec Clive au téléphone à deux reprises seulement, ce qui chez lui équivalait à une quasi-disparition. La première fois, il désirait savoir « si vos amis tiennent le coup », et Ned me laissa entendre qu'il lui avait déjà posé la même question. La seconde fois, il voulait que je le renseigne sur les mesures compensatoires prévues pour Barley, entre autres les subsides destinés à sa maison d'édition, et également si l'argent sortirait de nos caisses ou proviendrait d'un fonds supplémentaire. J'avais pris quelques notes qui me permirent d'éclairer sa lanterne.

Il était midi. Je parcourais le *New York Times* et le *Washington Post* qui venaient d'atterrir sur la table de la véranda lorsque j'entendis Randy crier aux gardes que l'on demandait Ned au téléphone. Je me retournai pour voir arriver celui-ci côté jardin, traverser le vestibule et entrer dans la salle des communications. En levant les yeux, j'aperçus la silhouette immobile de Barley sur le palier du premier étage, où se trouvaient deux vieilles bibliothèques dont il avait demandé la clé à Randy le matin même pour jeter un coup d'œil à leur contenu. C'était sur le palier avec fenêtre cintrée qui avait vue sur la mer par-delà les parterres d'hortensias.

Debout, le dos tourné, les pieds légèrement écartés, sa longue main fine tenant un livre au bout de son bras ballant, l'autre à hauteur de tête en un geste familier de défense, il regardait l'océan. Il avait dû entendre tout ce qui s'était passé : les cris de Randy, les pas précipités de Ned dans le vestibule, et la porte de la salle des communications claquant derrière lui. Le dallage en céramique répercute l'écho des pas dans la cage d'escalier comme autant de carillons discordants. J'entendis ceux de Ned qui monta quelques marches en sortant de la salle, et s'arrêta.

— Harry, où est Barley?

— Ici, répondit tranquillement celui-ci par-dessus la rampe.

— Ils vous donnent le feu vert! cria Ned, excité comme un gosse. Ils vous présentent leurs excuses. J'ai parlé à Bob, Clive, et Haggarty. C'est leur plus gros coup depuis des années. Officiel! Ils croient en Goethe à cent pour cent. On ne reviendra plus sur la décision. Vous avez franchi toutes les barrières.

Ned, habitué maintenant aux moments d'absence de Barley, n'aurait pas dû être surpris par son manque total de réaction. Le regard de Barley resta fixé sur l'océan. Peut-être croyait-il apercevoir un frêle esquif sombrer? Cela arrive à tout le monde. Si l'on scrute la mer au large du Maine, on finit toujours par voir une voile, une coque, la tête minuscule d'un naufragé, ou une main levée en un geste de détresse, qui s'enfonce sous la houle pour ne plus reparaître. Il faut un certain temps pour se rendre compte qu'il s'agit en fait des aigrettes et des cormorans plongeant en quête de proies.

Mais Ned, au comble de l'excitation, se sentit blessé par cette indifférence. Ce fut un des rares instants chez lui où le professionnel relâcha sa vigilance, pour laisser percer les faiblesses de l'homme.

— Vous retournez à Moscou, Barley! C'est bien ce que vous vouliez, non? Aller jusqu'au bout de cette affaire?

Alors Barley, conscient d'avoir froissé Ned, se retourna enfin pour lui sourire.

— Oui, vieille branche, c'est bien ce que je désirais.

Entre-temps, Randy m'avait fait signe de me rendre à mon tour dans la salle des communications.

— C'est vous, Palfrey? demanda Clive au téléphone.

— Oui, c'est moi.

— Langley prend toute l'affaire en main, me dit-il comme si c'était le revers de la médaille. Ils l'ont classée priorité absolue. Il n'y a pas plus haut, ajouta-t-il en réprimant son enthousiasme.

— Ah bon? Félicitations, dis-je, écartant le combiné de mon oreille et le fixant d'un œil incrédule tandis que Clive continuait de déverser son flot de paroles.

— Je veux que vous rédigiez immédiatement un protocole d'accord, Palfrey, et les clauses exhaustives d'un engagement couvrant toutes les contingences habituelles. Ils sont à nos pieds, alors j'attends une grande fermeté de votre part. Soyez ferme mais juste, Palfrey. Nous avons affaire à des gens qui ont le sens des réalités. Des durs à cuire.

Et il continua, intarissable. En gage de leur mainmise sur l'opération, Langley se chargerait de la rente et de la réinsertion de Barley. Langley partagerait avec nous le contrôle de la source, mais aurait un vote prépondérant en cas de litige.

— Ils préparent une très longue liste des courses, Palfrey. Ils nous font la totale. Ils vont la soumettre à l'Intérieur, à la Défense, au Pentagone, et aux commissions scientifiques. Les plus grandes questions d'actualité seront débattues et rédigées pour que Bluebird y réponde. Ils connaissent les risques encourus, mais ils foncent quand même. Qui ne risque rien n'a rien. C'est comme ça qu'ils raisonnent. Très courageux de leur part.

Clive prit sa voix d'orateur à la tribune. Il triomphait enfin.

— Dans le grand bras-de-fer offensive-défensive, Palfrey, rien n'est laissé au hasard, m'exposa-t-il d'un ton docte, citant probablement mot pour mot ce que quelqu'un lui avait dit une heure auparavant. Il s'agit d'une mise au point très fine. Chaque question est aussi importante que sa réponse. Ils le savent, ils en sont parfaitement conscients. Ils ne peuvent faire de plus beau compliment à leur source que de lui préparer un questionnaire exhaustif. Ils n'ont pas fait ça depuis des années. Ça va à l'encontre des principes en vigueur.

— Ned est au courant ? lui demandai-je dès que je pus placer un mot.

— Non, bien sûr, aucun de nous ne le sait. Nous parlons là des plus hauts secrets de la défense.

— Non, est-ce que Ned sait que vous leur avez fait cadeau de son *Joe* ?

— Je vous demande de venir immédiatement à Langley discuter des conditions avec vos homologues américains. Randy organisera votre voyage. Palfrey, vous m'entendez ?

— Ned est-il au courant ? répétai-je.

Clive se réfugia aussitôt dans un de ces longs silences, qui donnent au coupable le temps de méditer sur ses fautes.

— Ned sera averti dès son retour à Londres. Ce sera bien assez tôt. Jusque-là, je compte sur votre discrétion. Le rôle de la Maison Russie restera le même. Sheriton a saisi toute l'importance de cette collaboration. Peut-être même sera-t-elle amplifiée, et de façon permanente, qui sait ? Ned devrait me remercier.

Plus que partout ailleurs, la nouvelle fut accueillie avec enthousiasme en Angleterre par la presse spécialisée. *Un mariage plein d'avenir*, claironnait *Booknews* quelques semaines plus tard dans un article annonçant la foire du livre de Moscou. *Les fiançailles d'Abercrombie & Blair, de Norfolk Street dans le Strand, avec Potomac Traders, Inc., de Boston dans le Massachusetts, que la rumeur annonçait depuis longtemps, sont enfin officielles ! Les cent dix kilos de l'entrepreneur Jack Henziger ont fait pencher la balance en faveur de Barley Scott Blair chez A & B. Leur nouvelle société par actions, Potomac et Blair, prévoit une grande offensive sur les marchés du bloc de l'Est à développement rapide. « C'est une vitrine sur l'avenir », assure Henziger.*

En avant pour la foire du livre de Moscou !

L'émouvante photographie qui accompagnait le communiqué de presse montrait Barley et Jack Henziger se serrant la main au-dessus d'un vase de fleurs. Elle avait été prise par le photographe du Service dans la maison sûre de Knightsbridge. Décoration florale signée Miss Coad...

Je retrouvai Hannah le lendemain de mon retour, pensant bien que nous ferions l'amour. Elle me parut très grande et radieuse, comme toujours quand je ne l'ai pas vue depuis un certain temps. C'était un jeudi, et elle conduisait son fils Giles, âgé de quatorze ans, à la consultation d'un charlatan derrière Harley Street. Je n'éprouve pas une grande sympathie pour Giles, sans doute parce que je sais qu'il a été conçu par dépit, juste après que j'eus renvoyé Hannah à Derek. Nous nous assîmes dans notre habituel et sinistre café devant une tasse de thé imbuvable, en attendant que Giles ressorte. Hannah fumait, ce que je ne supporte pas. Mais j'avais envie d'elle et elle le savait.

– Tu étais où en Amérique ? demanda-t-elle comme si cela avait de l'importance.

– Je n'en sais rien. Dans une île envahie par les aigrettes et le mauvais temps.

– J'imagine que ce n'était pas vraiment des aigrettes.

— Si, il y en a beaucoup là-bas.

Je lus dans son regard fiévreux qu'elle avait envie de moi également.

— Je suis obligée de ramener Giles à la maison, me dit-elle alors que nos pensées intimes étaient évidentes.

— Mets-le dans un taxi, suggérai-je.

Mais nous étions redevenus deux adversaires, et le moment de grâce était passé.

13.

Le dimanche matin à 10 heures, Katia passa chercher Barley devant l'entrée du Mejdounarodnaïa, le gigantesque hôtel que les Occidentaux appellent familièrement le « Mej », et où Henziger avait insisté pour qu'ils descendent. Installés dans le grand hall ridiculement pompeux, Wicklow et Henziger assistèrent aux joyeuses retrouvailles.

C'était une superbe journée qui fleurait bon l'automne. Barley, venu en avance attendre Katia, faisait les cent pas dans l'avant-cour et observait le défilé incessant des limousines aux vitres teintées qui engloutissaient ou régurgitaient leurs chefs d'État du tiers monde. La Lada rouge de Katia surgit enfin, aussi saugrenue qu'un éclat de rire au beau milieu d'un enterrement. Anna agitait sa petite main blanche comme un mouchoir par la vitre arrière, et Serguéï, assis à ses côtés avec la raideur d'un commissaire du peuple, se cramponnait à son épuisette.

Il était important que Barley remarque d'abord les enfants. Il avait décidé de cette ligne de conduite après mûre réflexion, car maintenant le moindre détail comptait, rien ne devait être laissé au hasard. Ce n'est qu'après leur avoir adressé à tous deux des gestes enthousiastes et fait une grimace à Anna par la vitre arrière qu'il jeta un regard à l'avant, où il vit l'oncle Matveï, bien calé dans le siège du passager, son visage hâlé luisant comme un marron, et ses yeux de marin pétillant sous la visière de sa casquette à carreaux. Sans se soucier du temps, Matveï avait sorti les plus belles pièces de sa garde-robe en l'honneur du gentleman anglais : sa veste de gabardine, ses meilleures bottes, son nœud papillon, et, épinglé à son revers, l'insigne en émail des drapeaux de la Révolution. Matveï baissa sa vitre et tendit la main à Barley, qui la saisit en répétant « Bonjour ! ». Alors seulement il porta son regard sur Katia. Il y eut un temps d'arrêt, comme s'il avait oublié son texte ou son rôle, ou simplement à quel point elle était belle, avant qu'il n'affiche un sourire radieux.

Katia ne fit pas preuve d'autant de retenue.

Dans un pantalon mal coupé qui lui allait à merveille, elle sauta hors de la voiture et se précipita vers Barley en criant son nom, rayonnante de joie et de confiance. Les bras grands ouverts, elle offrit joyeusement son corps à une étreinte innocente, qu'elle écourta toutefois dignement, en bonne Russe bien sage. Elle s'écarta de lui sans le lâcher pour étudier les détails de son visage, ses cheveux, et ses vêtements d'hiver démodés, tout en déversant un flot spontané de gentillesses.

— Quel bonheur, Barley ! Quel bonheur de vous revoir ! Bienvenue à la foire du livre. Bienvenue à Moscou, une nouvelle fois. Matveï ne pouvait pas croire à votre coup de fil de Londres. Il a déclaré : « Les Anglais ont toujours été nos amis. Nous n'aurions pas de flotte aujourd'hui s'ils n'avaient appris à Pierre l'art de naviguer. » Il parlait de Pierre le Grand, vous comprenez. Matveï ne jure que par Leningrad. Elle est superbe la voiture de Volodia, non ? Je suis contente qu'il ait enfin quelque chose à aimer.

Elle le lâcha, et tel l'imbécile heureux dont il avait maintenant tout l'air, Barley s'écria « Zut ! J'ai failli oublier », et partit chercher les sacs plastique qu'il avait posés contre le mur de l'hôtel près de l'entrée. Quand il revint en les tenant à la main, Matveï s'extrayait de la voiture pour lui céder la place à l'avant, mais Barley fut intraitable.

— Non, non, non et non ! Je serai très bien avec les jumeaux. Merci quand même, Matveï.

Puis, avec autant d'efforts que s'il manœuvrait un semi-remorque, il installa son immense carcasse sur la banquette arrière et distribua ses cadeaux au milieu des gloussements admiratifs des jumeaux : qu'est-ce qu'il est drôle, ce grand machin d'Occidental, avec des bouts qui dépassent de partout ! Et en plus il nous a apporté des chocolats anglais, des crayons de couleur suisses, des cahiers de dessin, les livres de Beatrix Potter en anglais, et pour Matveï une belle pipe toute neuve avec un paquet de tabac anglais, qui vont le combler de bonheur, selon Katia.

Et pour elle, tout ce dont peut rêver une femme : du rouge à lèvres, du parfum, un pull, et un foulard français en soie trop beau pour être porté.

Ayant quitté l'avant-cour du Mej, la voiture cahotait maintenant sur une autoroute criblée de fondrières, que Katia essayait d'éviter tout en parlant de la foire du livre qui devait s'ouvrir le lendemain.

Ils se dirigeaient vers l'est. L'éclat chaleureux du soleil doré de septembre rendait la banlieue presque belle. Mais ils entrèrent bientôt dans la campagne moscovite, triste et plate : champs à l'abandon, églises désertées et transformateurs protégés par une clôture. Le long de la route s'élevaient quelques hameaux isolés de vieilles datchas, dont les pignons sculptés et les jardinets rappelaient à Barley les petites gares provinciales anglaises de son enfance. Depuis le siège avant, Matveï empestait tout le monde avec sa nouvelle pipe, manifestant son extase entre des nuages de fumée. Mais Katia, trop occupée à jouer les guides, ne s'en formalisa pas.

— Derrière cette colline-là, il y a les fonderies machin-chose, Barley. Et cette vieille bâtisse en ciment, à gauche, c'est une ferme collective.

— Formidable ! s'écriait Barley. Extraordinaire ! Et quel temps, quand même !

Anna avait éparpillé ses crayons sur ses genoux et découvert que leurs pointes, une fois léchées, laissaient comme des traînées de peinture fraîche. Serguéï la pressait de les remettre dans la boîte de fer-blanc, tandis que Barley s'efforçait de ramener le calme en dessinant sur le cahier de la petite des animaux à colorier, mais les routes de Moscou ne sont pas tendres avec les artistes.

— Mais non, grosse bécasse, pas en vert ! lui dit-il. T'as déjà vu une vache verte, toi ? Allons bon, Katia, votre fille croit que les vaches sont vertes !

— Oh, Anna est une fantaisiste ! s'écria Katia en riant.

Par-dessus son épaule, elle dit quelque chose à la fillette, qui gloussa en regardant Barley. Entre le monologue ininterrompu de Matveï, le fou rire d'Anna, les interjections inquiètes de Serguéï, et le ronflement du petit moteur mis au supplice, plus personne ne s'entendait. La voiture quitta brusquement la route, traversa un champ et grimpa une colline, sans suivre le moindre chemin, ce qui souleva l'hilarité des enfants et de Katia, tandis que Matveï se cramponnait à sa casquette d'une main et à sa pipe de l'autre.

— Vous voyez ? dit Katia à Barley d'un ton triomphant par-dessus le vacarme, comme si elle venait de trouver un argument de poids dans une vieille querelle d'amoureux. En Russie nous pouvons aller où bon nous semble, tant que nous ne pénétrons pas dans les domaines de nos milliardaires ou des officiels du gouvernement !

Ils franchirent la crête de la colline en riant de plus belle, et dévalèrent la pente herbeuse, puis, comme un vaillant petit bateau porté par la vague, la voiture remonta une pente jusqu'à un chemin de ferme qui longeait un ruisseau, et s'enfonçait à ses côtés dans un petit bois de bouleaux. Katia parvint à arrêter la voiture, tirant de toutes ses forces sur le frein à main. Ils étaient seuls au paradis ; il y avait un ruisseau pour s'amuser à construire un barrage, une berge pour le pique-nique, et de l'espace pour jouer à la *lapta*, avec la balle et le bâton que Sergueï avait mis dans le coffre. Tout le monde devait se tenir en cercle, un joueur tenant la batte et un autre lui lançant la balle.

Anna n'accordait visiblement à la *lapta* qu'un intérêt relatif. Son seul désir était de bien s'amuser pendant la partie, puis de faire du charme à Barley au déjeuner. Mais Sergueï le soldat était un adepte de ce jeu, et Matveï le marin un fanatique. Tout en disposant sur le sol l'attirail du pique-nique, Katia expliquait l'importance mystique de la *lapta* dans l'évolution de la culture occidentale.

— Matveï m'assure que ce jeu est à l'origine du base-ball et du cricket. Il pense que ce sont les immigrés russes qui l'ont introduit en Occident, et sûrement aussi que c'est Pierre le Grand qui l'a inventé.

— Si c'est vrai, cela signifie la mort de l'Empire, déclara gravement Barley.

Étendu dans l'herbe, Matveï poursuivait son discours volubile en tirant sur sa pipe. Ses yeux d'un bleu si profond, perdus dans la contemplation de son passé à Leningrad, brillaient d'un éclat héroïque. Katia l'écoutait comme un poste de radio qu'on ne peut pas éteindre. Elle retenait un détail par-ci par-là, et faisait la sourde oreille à tout le reste. Elle traversa le pré, s'enferma un instant dans la voiture, et en ressortit vêtue d'un short, avec le sac du pique-nique en toile cirée et des sandwiches enveloppés dans du papier journal. Elle avait préparé des *kotleti*, du poulet froid et des pâtés, du concombre et des œufs durs. Elle avait apporté des bouteilles de bière Jigouli, et Barley du scotch, avec lequel Matveï porta un toast fervent à quelque monarque absent, peut-être Pierre lui-même.

Sergueï, debout sur la rive, ratissait l'eau avec son épuisette. Son rêve, expliqua Katia, était d'attraper un poisson et de le faire cuire pour ceux qui comptaient sur lui. Anna dessinait avec ostentation, s'écartant de son travail pour que les autres puissent l'admirer. Elle voulait donner à Barley son autoportrait pour qu'il l'accroche dans sa chambre à Londres.

— Elle demande si vous êtes marié, traduisit Katia, cédant au harcèlement de sa fille.

— Pas pour le moment, mais je suis toujours partant.

Anna posa une autre question, Katia rougit et la rembarra. Son devoir de loyaliste accompli, Matveï s'était étendu sur le dos, sa casquette rabattue sur les yeux, évoquant Dieu sait quoi, en tout cas des choses qui semblaient le ravir.

— Il va bientôt nous raconter le siège de Leningrad, s'écria Katia avec un sourire affectueux.

Elle marqua une pause, et son regard croisa celui de Barley, comme pour dire : « Maintenant nous pouvons parler ».

Le camion gris repartait ; il était grand temps. Barley l'avait remarqué avec agacement depuis un moment par-dessus l'épaule de Katia, espérant qu'il ne leur était pas hostile, et que de toute façon il les laisserait tranquilles. Les vitres de la cabine étaient obscurcies par la poussière. Il le vit avec soulagement s'éloigner en cahotant jusqu'à la route et disparaître.

— Oh, il va très bien, disait Katia. Il m'a écrit une longue lettre et tout marche bien pour lui. Il a été malade, mais il est complètement guéri, j'en suis sûre. Il y a beaucoup de choses dont il veut discuter avec vous, et il viendra spécialement à Moscou pendant la foire pour vous voir et savoir où en est le livre. Il souhaiterait qu'on lui montre bientôt le manuscrit définitif, ne serait-ce qu'une page. A mon avis ce serait dangereux, mais il est si impatient. Il veut qu'on lui soumette tout : titres, traductions, illustrations. Je crois qu'il vire à l'auteur-dictateur. Il doit confirmer tout cela très vite et trouver un appartement où vous pourrez vous rencontrer. Il désire s'occuper de tout lui-même, vous vous rendez compte ? Je crois que vous avez une très bonne influence sur lui.

Katia fouilla dans son sac. Une voiture rouge s'était arrêtée de l'autre côté du bois de bouleaux, mais Katia ne lui prêta pas attention, toute à sa bonne humeur.

— Mon avis personnel est que son travail sera bientôt considéré comme superflu, poursuivit-elle. Grâce aux conférences sur le désarmement qui avancent vite et à la nouvelle atmosphère de coopération internationale, toutes ces choses terribles appartiendront bientôt au passé. Évidemment, les Américains se méfient de nous. Évidemment, nous nous méfions d'eux. Mais si nous mettons nos forces en commun, nous pourrons désarmer complètement, et éviter les autres conflits dans le monde.

Elle avait pris sa voix didactique, qui n'admettait aucune contradiction.

— Comment pourrons-nous éviter les autres conflits dans le monde si nous n'avons plus d'armes ? objecta Barley, auquel son impertinence valut un regard courroucé.

— Vous vous montrez occidental et négatif, Barley, répliqua-t-elle en tirant l'enveloppe de son sac. C'est vous, pas moi, qui avez dit à Yakov que nous avions besoin d'une recherche sur la nature humaine.

Barley remarqua qu'il n'y avait ni timbre ni cachet de la poste. Seulement « Katia » en cyrillique, de l'écriture de Goethe, semblait-il. Mais comment en être sûr ? Un étrange pressentiment s'empara soudain de Barley, aussi insidieux qu'un poison ou un début d'allergie.

— De quoi s'est-il remis ? demanda-t-il.

— Était-il inquiet quand vous l'avez rencontré à Leningrad ?

— Nous l'étions tous les deux... à cause du temps, répondit Barley, attendant toujours une réponse à sa question.

Il se sentait légèrement gris, ou peut-être digérait-il mal quelque chose qu'il avait mangé.

— C'est parce qu'il était malade. Peu de temps après votre rencontre, il a eu une grave dépression nerveuse, très brutale. Même ses collègues ne savaient pas où il avait disparu. Ils redoutaient le pire. Un ami de confiance m'a dit qu'on craignait qu'il ne soit mort.

— J'ignorais qu'il avait des amis de confiance, à part vous.

— Il m'a choisie comme représentante auprès de vous. Naturellement, il a d'autres amis pour d'autres affaires.

Elle sortit la lettre de l'enveloppe mais ne la lui tendit pas.

— Ce n'est pas tout à fait ce que vous m'aviez dit, murmura-t-il, luttant toujours contre les signaux d'alarme qui se multipliaient dans son esprit.

Son objection la laissa indifférente.

— Pourquoi devrait-on tout dire lors d'une première rencontre ? Il faut se protéger, c'est normal.

— Vous avez sans doute raison, reconnut-il.

Anna avait fini son autoportrait, qui la montrait en train de cueillir des fleurs sur un toit, et exigeait la reconnaissance immédiate de son œuvre.

— Magnifique! s'écria Barley. Dites-lui que je vais l'accrocher au-dessus de ma cheminée. Je sais exactement à quel endroit. Il y a une photo d'Anthea au ski d'un côté, et de l'autre, Hal en bateau à voile. Anna ira au milieu.

— Elle demande quel âge a votre fils, dit Katia.

Il lui fallut réfléchir, se souvenir de la date de naissance de Hal, et la soustraire de l'année en cours, tout en essayant de faire abstraction de ses bourdonnements d'oreilles.

— Euh, attendez voir... Hal a vingt-quatre ans maintenant. Mais je crois bien qu'il a fait un mariage stupide.

Anna fut déçue. Elle les regarda d'un air de reproche tandis que Katia reprenait :

— Dès que j'ai appris qu'il avait disparu, j'ai essayé de le contacter par tous les moyens habituels, mais sans succès. J'étais complètement déprimée.

Elle lui tendit enfin la lettre, avec un soulagement évident, et il la prit, refermant distraitement sa main sur celle de Katia, qui ne la retira pas.

— Et puis il y a une semaine hier, c'est-à-dire samedi, deux jours à peine après votre appel de Londres, Igor m'a téléphoné chez moi. « J'ai des médicaments pour toi. Allons prendre un café et je te les remettrai. » Médicament, c'est notre nom de code pour une lettre. J'ai compris qu'elle venait de Yakov. J'étais surprise et très heureuse, car cela faisait des années que Yakov ne m'avait pas écrit. Et quelle lettre !

— Qui est Igor ? demanda Barley d'une voix forte pour couvrir le tumulte de ses pensées.

Il y avait cinq pages d'une écriture régulière et lisible sur du papier blanc de bonne qualité, impossible à se procurer. Barley

299

n'aurait jamais cru Goethe capable de rédiger un document d'aspect aussi conventionnel. Katia retira sa main, mais avec douceur.

— Igor est un ami de Yakov du temps où ils faisaient leurs études à Leningrad.

— Ah, bon! Et que fait-il maintenant?

Elle fut contrariée par sa question, impatiente d'entendre sa bonne appréciation de la lettre, même s'il ne pouvait la juger que sur son apparence.

— C'est un chercheur qui travaille pour un ministère. Qu'est-ce que ça peut faire? Vous voulez que je la traduise, oui ou non?

— Quel est son nom de famille?

Elle le lui dit d'un ton virulent qui le ravit et lui fit oublier un instant ses doutes. Ce sont des années et pas des heures qu'on aurait dû passer ensemble, pensa-t-il. On aurait dû se tirer les cheveux quand on était gamins. On aurait dû faire tout ce qu'on n'a pas fait avant qu'il ne soit trop tard. Il lui tint la lettre et elle s'agenouilla sur l'herbe derrière lui, s'appuyant tout naturellement d'une main sur son épaule et suivant les lignes de l'autre à mesure qu'elle traduisait. Il sentait ses seins lui effleurer le dos. L'effervescence de son monde intérieur se calmait, ses terribles soupçons faisant place à un état d'esprit plus objectif.

— Ça, c'est l'adresse, un simple numéro de boîte postale, expliqua-t-elle en montrant le coin supérieur droit de la feuille. C'est normal. Il est dans un hôpital spécial, peut-être dans une ville spéciale. Il a écrit cette lettre dans son lit. Vous voyez comme il écrit bien quand il ne boit pas? Il l'a confiée à un ami qui partait pour Moscou, et cet ami l'a donnée à Igor. C'est aussi normal. « Ma Katia adorée ». Enfin, ce n'est pas exactement ce qu'il dit, mais les termes d'affection sont différents dans nos deux langues. Peu importe. « J'ai été terrassé par une forme d'hépatite, mais la maladie est très instructive, et je suis vivant. » C'est tellement typique chez lui, de tirer tout de suite la leçon des choses.

Elle remit son doigt sur la ligne.

— Ce mot-là indique que l'hépatite est grave. C'est « virulente ».

— « Virale », corrigea tranquillement Barley.

Il sentit sur son épaule une pression réprobatrice.

— Qu'est-ce que ça peut bien faire que ce soit le mot juste? Vous voulez que j'aille chercher un dictionnaire? « J'ai eu une forte température et des hallucinations. »

– Des accès de délire, rectifia Barley.

– Le mot est *galioutsinatsia*, commença-t-elle d'un ton exaspéré.

– O.K., d'accord, je ne dis plus rien.

– « Mais maintenant je suis guéri, et dans deux jours je pars pour une semaine dans un centre de convalescence au bord de la mer. » Il ne dit pas laquelle, mais pourquoi le mentionnerait-il ? « Je pourrai faire tout ce que je voudrai, sauf boire de la vodka, mais il ne s'agit là que d'une consigne bureaucratique qu'en bon scientifique j'ignorerai très vite. » N'est-ce pas aussi typique, ça ? Penser à la vodka tout de suite après une hépatite !

– Tout à fait, acquiesça Barley en souriant pour lui faire plaisir, et peut-être pour se rassurer lui-même.

Les lignes étaient absolument droites, comme écrites sur du papier réglé, et il n'y avait pas la moindre rature.

– « Si seulement tous les Russes avaient accès à des hôpitaux comme celui-ci, notre nation jouirait vite d'une excellente santé. » Toujours idéaliste, même quand il est malade. « Les infirmières sont si belles et les médecins si jeunes et séduisants ! Cet établissement semble plutôt conçu pour l'amour que pour la maladie. » Il dit ça pour me rendre jalouse. Mais vous savez, c'est tout à fait inhabituel qu'il parle de gens heureux. Yakov est un tragédien doublé d'un sceptique. Je crois qu'ils ont aussi guéri ses accès de déprime. « Hier j'ai fait de l'exercice pour la première fois, mais je me suis très vite senti épuisé, comme un enfant. Après je me suis allongé sur le balcon, et j'ai même bien bronzé avant de m'endormir comme un ange, sans autre poids sur la conscience que celui de m'être mal conduit envers toi, de t'avoir toujours exploitée. » Après ce sont des mots d'amour, je ne traduirai pas.

– Il fait toujours ça ?

– Mais je vous l'ai dit, fit-elle en riant. C'est déjà anormal qu'il m'écrive. Il y a des mois, des années qu'il n'a pas parlé de notre amour, qui est maintenant entièrement platonique. Je crois que la maladie l'a rendu un peu sentimental. On peut lui pardonner ça.

Elle tourna la page qu'il tenait, et encore une fois leurs mains se rencontrèrent ; mais celle de Barley était glacée, et il fut surpris qu'elle ne lui en fasse pas la remarque.

– Maintenant nous en arrivons à M. Barley. Oui, à vous. Il est extrêmement prudent, il ne mentionne même pas votre nom. « Dis à notre cher ami que je ferai mon possible pour le voir pendant son séjour, si toutefois ma guérison se poursuit. Qu'il apporte ses documents, et j'essaierai de faire de même. Je dois donner une conférence à Saratov cette semaine-là. » Igor m'a expliqué que c'était l'académie militaire, et que Yakov y donne toujours une conférence en septembre. C'est fou ce qu'on apprend sur les gens quand ils sont malades ! « De là-bas j'irai à Moscou dès que possible. Si tu lui parles avant moi, fais-lui part de ce qui suit. Dis-lui d'apporter toutes les autres questions, car après cela je souhaite ne plus répondre aux hommes en gris. Dis-lui que sa liste doit être définitive et exhaustive. »

Barley écouta en silence la suite des instructions de Goethe, aussi catégoriques qu'elles l'avaient été à Leningrad. Mais intérieurement, il sentait les flots noirs de son incrédulité le submerger, et la terreur s'emparer de lui jusqu'à la nausée.

« Un essai de traduction sur une page, imprimée si possible, car c'est beaucoup plus révélateur », continuait Goethe par la bouche de Katia.

« J'aimerais une introduction par le professeur Killian, de Stockholm. Veuillez le contacter le plus tôt possible », lisait-elle.

« Avez-vous eu d'autres réactions de votre intelligentsia ? Si oui, faites m'en part, je vous prie. »

Au sujet des dates de publication, Goethe avait entendu dire que l'automne était la meilleure période pour la vente, mais fallait-il vraiment attendre une année entière ? demandait Katia pour son amant.

Et de nouveau le titre : « Que pensez-vous de *Le plus grand mensonge du monde* ? Communiquez-moi un projet de quatrième de couverture. Et veuillez envoyer un jeu d'épreuves au Dr Dagmar Machinchose à Stanford et au professeur Herman Machinchouette au MIT... »

Barley prenait consciencieusement des notes sur une page de son calepin intitulée FOIRE DU LIVRE.

— Qu'y a-t-il dans le reste de la lettre ? demanda-t-il comme elle la remettait dans son enveloppe.

— Je vous l'ai dit. Des mots d'amour. Il est en paix avec lui-même, et il désire renouer une liaison sérieuse.

— Avec vous.

— Barley, je trouve que vous vous comportez comme un enfant, dit-elle après une pause en le regardant droit dans les yeux.

— Alors vous êtes des amoureux ? insista Barley. Ils vécurent heureux, et cætera. C'est ça ?

— Autrefois il avait peur des responsabilités, mais plus maintenant. En tout cas, c'est ce qu'il écrit. Mais bien entendu, c'est hors de question. Ce qui est fini est fini, et on ne peut pas recommencer de zéro.

– Mais alors pourquoi écrit-il tout cela ? demanda Barley, têtu.

– Je ne sais pas.

– Vous croyez à ce qu'il dit ?

Elle était sur le point de laisser sa colère éclater quand une expression dans le regard de Barley l'arrêta. Ce n'était ni de l'envie ni de l'hostilité, mais le souci presque trop intense de la savoir en sécurité.

– Pourquoi vous ferait-il ce boniment sous prétexte qu'il est malade ? Ce n'est pas son genre de jouer avec les émotions des autres, que je sache ? Il se pique de dire toujours la vérité.

Son regard pénétrant ne quittait pas Katia, ni la lettre.

– Il est seul, dit-elle d'un ton protecteur. Je lui manque, alors il exagère. C'est normal. Barley, je crois que vous êtes un peu...

Elle ne trouvait pas le mot, ou peut-être, après réflexion, avait-elle renoncé à l'utiliser. Barley le lui souffla :

– Jaloux ?

Sachant qu'elle n'en attendait pas moins de lui, il sourit. Il se composa un beau sourire franc de simple camaraderie. Il lui donna une petite pression sur la main, et se remit lourdement sur ses pieds.

– Il a l'air en pleine forme, dit-il. Je suis très content pour lui. De sa guérison, je veux dire.

Et il le pensait vraiment. Il percevait dans sa propre voix les accents d'une sincère conviction. Il jeta un bref coup d'œil à la voiture rouge garée de l'autre côté du bois de bouleaux.

Pour la plus grande joie de tous, Barley se lança ensuite à corps perdu dans le rôle du père de famille en visite pour le week-end, auquel sa vie tourmentée l'avait parfaitement préparé. Sergueï voulait qu'il tente sa chance à la pêche, et Anna, qu'il explique pourquoi il n'avait pas apporté de maillot de bain. Matveï s'était endormi, le sourire aux lèvres, bercé par le whisky et les souvenirs. Katia, debout en short au milieu du ruisseau, paraissait plus belle et plus inaccessible que jamais, et ne se dépara même pas de sa beauté aux yeux de Barley lorsqu'elle se mit à ramasser des gros cailloux pour construire un barrage.

Personne n'avait jamais travaillé si dur à un barrage que Barley cet après-midi-là, n'avait compris aussi clairement comment les eaux se laissent dompter. Ayant retroussé les jambes de son pantalon de flanelle grise, malcommode pour la campagne, il se trempa jusqu'à l'entrejambe pour soulever des branches et des pierres jusqu'à épuisement. A califourchon sur ses épaules, Anna dirigeait les opérations. Sergueï appréciait le professionnalisme de Barley, et Katia, son panache. Une voiture blanche avait remplacé la rouge, et un couple déjeunait à l'intérieur, toutes portières ouvertes. A l'instigation de Barley, les enfants grimpèrent sur la colline et leur firent des signes, mais le couple ne leur rendit pas leur salut.

Le soir tombait, et l'odeur âcre des feux à l'automne flottait déjà parmi les feuilles mortes des bouleaux. On aurait pu croire revenu le temps des maisons de bois et de Moscou qui brûlait. Un couple d'oies sauvages passa au-dessus d'eux quand ils chargèrent la voiture. Les deux dernières au monde...

Pendant le trajet du retour, Anna s'endormit sur les genoux de Barley, Matveï reprit son monologue, et Sergueï contempla les pages de *Squirrel Nutkin* en fronçant les sourcils, comme s'il s'agissait du *Manifeste du parti communiste*.

— Quand allez-vous lui parler ? demanda Barley.

— Tout est arrangé, répondit-elle énigmatiquement.

— Par Igor ?

— Igor n'arrange pas les opérations. Igor n'est que le messager.

— Le nouveau messager, corrigea-t-il.

— Igor est une vieille connaissance et un nouveau messager. Ça vous dérange ?

Elle le regarda et devina ses intentions.

— Vous ne pouvez pas venir à l'hôpital avec moi, Barley. C'est trop risqué pour vous.

— Ce n'est pas vraiment une partie de plaisir pour vous non plus, répliqua Barley.

Elle sait, songea-t-il. Elle sait, mais elle ne sait pas qu'elle sait. Elle présente tous les symptômes, une partie d'elle-même a fait le diagnostic, mais l'autre refuse d'admettre que quelque chose ne va pas.

La salle des opérations anglo-américaine n'occupait plus la cave miteuse de Victoria Street, mais un appartement inondé de lumière au sommet d'un mini-gratte-ciel près de Grosvenor Square, dont la plaque indiquait « Groupe de conciliation inter-allié ». Gardé par des équipes de conciliants marines américains camouflés en civils, il y régnait une atmosphère d'effervescence efficace. Les jeunes gens tirés à quatre épingles qui étaient venus grossir nos rangs virevoltaient entre des bureaux bien rangés, répondaient au téléphone, communiquaient avec Langley sur des lignes protégées, faisaient circuler des papiers, pianotaient sur des claviers silencieux, ou attendaient d'un air faussement décontracté devant les rangées d'écrans qui avaient remplacé les horloges jumelles de la vieille Maison Russie.

On aurait dit un navire à deux ponts. Ned et Sheriton étaient assis côte à côte sur la passerelle fermée par une vitre insonorisée, et leurs équipages aux forces inégales vaquaient à leurs occupations sur le pont inférieur. Brock et Emma disposaient d'un mur, Bob, Johnny et leurs cohortes de l'autre et de la coursive centrale. Mais tous naviguaient dans la même direction. Tous les visages affichaient la même obéissance déterminée, tous les regards scrutaient les vagues successives de chiffres déferlant sur les écrans au fur et à mesure de l'arrivée des messages à bon port après décryptage automatique.

– Le camion est rentré sans embûches, annonça Sheriton quand brusquement clignota sur les écrans le nom de code BLACK-JACK.

Ce camion était un petit miracle d'infiltration.

Notre camion à nous dans Moscou! En présence des Américains, qui en étaient propriétaires, nous utilisions le terme plus noble de « poids lourd », mais entre nous, on l'appelait le camion. Une gigantesque opération avait précédé l'acquisition et l'utilisation de cet énorme Kamaz d'un gris sale, qui appartenait à la compagnie de fret SOVTRANSAVTO, d'où l'acronyme barbouillé en caractères romains sur son flanc crasseux. L'importante antenne munichoise de l'Agence avait recruté chauffeur et véhicule en Allemagne de l'Ouest, lors d'une de ses nombreuses virées pour rapporter des produits de luxe destinés aux rares privilégiés ayant accès à un certain magasin de Moscou. Des chaussures aux tampons hygiéniques en passant par les pièces détachées de voiture, le camion avait convoyé dans ses entrailles tous les produits de l'Occident. Le chauffeur était un de ces « camionneurs au long cours », comme les Soviétiques appellent ces malheureux – des fonctionnaires honteusement sous-payés, sans garantie médicale ni assurance en cas d'accident à l'Ouest, qui en plein hiver se blottissent stoïquement à l'abri de leur camion pour manger des saucisses avant de repasser une nuit dans leur cabine inconfortable, mais qui se constituent néanmoins en Russie de vastes fortunes grâce à ces bonnes aubaines de l'Occident.

Et voilà maintenant que, moyennant des récompenses encore plus mirifiques, ce camionneur au long cours avait accepté de « prêter » son véhicule à un « négociant occidental », en plein cœur de Moscou. Le négociant en question, qui faisait partie de l'armée personnelle des *toptouny* de Cy, lui avait fourni le camion. Cy l'avait farci de toutes sortes d'appareils de surveillance et d'écoute ingénieusement transportables. Le camion avait ensuite été débarrassé de son contenu avant d'être restitué à son conducteur en titre par des intermédiaires.

C'était la première fois qu'un arrangement de ce genre aboutissait. Notre propre maison sûre mobile à Moscou!

Seul Ned trouvait l'idée alarmante. Les camionneurs au long cours travaillaient en équipes de deux, Ned le savait mieux que quiconque, et par décret du KGB, ces équipes étaient constituées d'éléments incompatibles, souvent chargés de se surveiller l'un l'autre. Quand Ned avait demandé à consulter le dossier de l'opération, il s'était heurté à un refus, en vertu de ces mêmes règles de sécurité auxquelles il tenait tant.

Mais il nous restait encore à découvrir la pièce maîtresse du nouvel arsenal de Langley. Là encore, les protestations de Ned n'avaient pas eu d'effet. Dorénavant, les bandes magnétiques enregistrées à Moscou seraient chiffrées selon un code aléatoire, et transmises par impulsions digitales en mille fois moins de temps qu'il n'en aurait fallu pour les écouter normalement dans son salon. Une fois les impulsions reconverties en sons par la station réceptrice, on n'aurait jamais pu penser que les bandes avaient subi un tel traitement, affirmaient les sorciers de Langley.

Le mot ATTENDRE se formait en jolies petites pyramides sur les écrans. Espionner, c'est attendre.

Le mot SON apparut. Espionner, c'est écouter.

Ned et Sheriton coiffèrent leurs casques, tandis que Clive et moi nous glissions dans les deux sièges vides derrière eux et mettions les nôtres.

Katia réfléchissait sur son lit, les yeux rivés au téléphone, refusant qu'il sonne à nouveau.

Pourquoi donnes-tu ton nom alors qu'aucun de nous ne le fait? songeait-elle.

Et pourquoi donnes-tu le mien ?

– *Katia ? C'est Igor. Comment ça va ? C'était juste pour te dire que je n'ai eu aucune nouvelle de lui, O.K. ?*

– Alors pourquoi m'appelles-tu si tu n'as rien à me dire ?

– *Comme d'habitude, O.K. ? Même heure, même endroit, pas de problème. Exactement comme les autres fois.*

– Pourquoi répètes-tu ce qui n'a pas besoin de l'être, puisque je t'ai dit que je serai à l'hôpital à l'heure convenue ?

– *A ce moment-là il saura où il en est, quel avion il prend, etc. Alors ne t'en fais pas, O.K. ? Et ton éditeur ? Il est bien arrivé ?*

– Igor, je ne sais pas de quel éditeur tu parles.

Et elle avait raccroché avant qu'il ait eu le temps d'en dire plus.

Je deviens ingrate, songea-t-elle. Quand on est malade, c'est normal que les vieux amis accourent. Et si du jour au lendemain de vagues connaissances se confèrent le titre de vieil ami et monopolisent le devant de la scène, alors que pendant des années ils vous ont tout juste adressé la parole, c'est toujours une preuve de loyauté, et cela n'a rien d'inquiétant. Quelques mois auparavant, Yakov considérait Igor comme irrécupérable. « Igor a marché dans les traces que j'ai laissées, avait-il remarqué après une rencontre fortuite dans la rue. Il pose trop de questions. »

Et voilà qu'Igor se comportait comme le meilleur ami de Yakov, et se mettait en quatre pour lui apporter une aide aussi risquée qu'appréciable. « *Si tu as une lettre pour Yakov, tu n'as qu'à me la donner. J'ai établi une excellente liaison avec le sanatorium. Je connais quelqu'un qui fait le voyage presque chaque semaine* », lui avait-il dit lors de leur dernier rendez-vous.

– Le sanatorium ? s'était-elle écriée tout excitée. Mais où est-il, alors ? Où est-ce ?

Igor ne semblait pas encore avoir trouvé la réponse à cette question, car il avait fait la grimace et invoqué le secret d'État d'un air gêné. Le secret d'État pour nous, alors que nous sommes en train d'exposer au grand jour les secrets de l'État !

Je suis injuste avec lui, pensait-elle. Je commence à voir de la duplicité partout. Chez Igor, et même chez Barley.

Barley. Elle fronça les sourcils. De quel droit se permet-il de critiquer la déclaration d'amour de Yakov ? Pour qui se prend-il, cet Occidental, avec son charme, son cynisme et ses soupçons ? Comment ose-t-il s'introduire aussi vite dans mon intimité et jouer les pères Noël pour Matveï et les enfants ?

Je ne pourrai jamais faire confiance à un homme élevé sans dogme, se dit-elle sévèrement.

Aimer un croyant, peut-être ; aimer un hérétique, peut-être ; mais aimer un Anglais, jamais !

Elle alluma son petit transistor et balaya la bande des ondes courtes, après avoir mis les écouteurs pour ne pas déranger les jumeaux. Mais à l'écoute des diverses voix qui se disputaient son âme – Deutsche Welle, la voix de l'Amérique, Radio Liberté, la voix d'Israël, la voix de Dieu sait qui, chacune si suave, condescendante et irrésistible – elle sentit monter en elle la colère du désarroi. Je suis russe ! aurait-elle voulu leur crier. Même en pleine tragédie, je rêve d'un monde meilleur que le vôtre !

Mais quelle tragédie ?

Le téléphone sonnait. Elle saisit le combiné, mais ce n'était que Nazayan, complètement transformé depuis peu, qui voulait vérifier le calendrier du lendemain.

— Voilà, je voulais m'assurer personnellement que vous désiriez vraiment tenir le stand Octobre demain. Il faudra commencer de bonne heure, voyez-vous. Alors, si vous devez conduire vos enfants à l'école ou quelque chose comme ça, je peux très bien demander à Elisaveta Alexeïevna de vous remplacer. Ça ne pose aucun problème. Vous n'avez qu'à me le dire.

— C'est très gentil à vous, Grigori Tigranovitch, merci. Mais étant donné que j'ai passé presque toute la semaine à préparer la foire, je souhaite évidemment être présente à l'ouverture officielle. Matveï peut tout à fait se charger d'accompagner les enfants à l'école.

Elle raccrocha, l'air préoccupé. Mon Dieu, Nazayan, pourquoi ne pouvons-nous jamais discuter sans être en représentation ? Par qui nous croyons-nous écoutés pour nous sentir obligés de faire de si belles phrases ? Si je peux parler à un Anglais comme s'il était mon amant, pourquoi ne puis-je m'adresser normalement à un Arménien qui est mon collègue ?

Enfin il appela, et elle sut aussitôt qu'elle n'avait cessé d'attendre son appel, car elle souriait déjà. Au contraire d'Igor, il ne dit ni son nom, ni celui de Katia.

— Allez, je vous enlève, partez avec moi, proposa-t-il.

— Ce soir ?

— Les chevaux sont sellés, et nous avons trois jours de vivres.

— Mais vous n'êtes pas trop saoul pour m'enlever ?

– Non, aussi étrange que cela puisse paraître.

Il y eut une pause.

– Ce n'est pas faute d'avoir essayé, d'ailleurs, mais rien à faire. Ça doit être l'âge.

Il semblait effectivement à jeun. Et très proche.

– Mais la foire du livre, alors ? Vous allez déclarer forfait, comme pour celle de l'audio ?

– Au diable la foire du livre ! Il faut nous enfuir avant ou jamais. Après, on serait trop fatigués. Comment allez-vous ?

– Oh, je suis furieuse contre vous. Vous avez complètement ensorcelé ma famille, et maintenant, ils n'arrêtent pas de me demander quand vous allez revenir avec du tabac et des crayons.

Une deuxième pause. D'habitude il ne réfléchissait pas autant quand il plaisantait.

– C'est ça, mon truc. J'ensorcelle les gens, et dès qu'ils sont sous le charme, je cesse d'éprouver quoi que ce soit pour eux.

– Mais c'est affreux, ce que vous me dites là ! cria-t-elle, profondément choquée.

– Je ne fais que répéter les sages paroles d'une ancienne épouse. Elle disait que je n'avais que des impulsions, mais pas de sentiments, et que je ne devrais pas porter un duffle-coat à Londres. Quand on vous dit des choses comme ça, vous y croyez pour le reste de vos jours. Je n'ai plus jamais porté de duffle-coat depuis.

– Barley, cette femme... Barley, il faut être cruelle et complètement inconsciente pour dire une chose pareille. Je suis désolée, elle se trompe complètement. Elle devait être en colère, je pense, mais elle a quand même tort.

– Ah bon ? Alors quels sont mes sentiments ? Éclairez-moi.

Elle éclata de rire, comprenant qu'elle était tombée directement dans le panneau.

– Barley, vous êtes très très vilain. Je ne veux plus jamais entendre parler de vous.

– Parce que je n'ai aucun sentiment ?

– Bon, écoutez : d'abord, vous ressentez le besoin de protéger les gens. Nous l'avons tous remarqué aujourd'hui, et nous en sommes touchés.

– Quoi d'autre ?

– Ensuite, je dirais que vous avez le sens de l'honneur. Vous êtes décadent, c'est normal pour un Occidental, mais votre sens de l'honneur vous rachète.

– Est-ce qu'il reste des pâtés ?

– Ne me dites pas que vous avez faim, en plus !

– Je veux venir les manger.

– Maintenant ?

– Maintenant.

– Mais c'est absolument impossible ! Il est presque minuit, et nous sommes déjà tous couchés.

– Alors, demain ?

– Barley, c'est ridicule. Nous allons commencer la foire du livre, et nous avons des douzaines d'invitations chacun.

– Quelle heure ?

Un délicieux silence s'établit.

– Vous pouvez venir à « peut-être 19 h 30 ».

– Je serai sans doute en avance.

Ils se turent l'un et l'autre pendant un long moment, mais le silence les rapprochait encore plus que les mots n'auraient su le faire, aussi près que deux têtes sur le même oreiller, joue contre joue. Après qu'il eut raccroché, ce ne furent ni ses plaisanteries ni sa manière d'ironiser à ses propres dépens qu'elle garda en mémoire, mais le ton de sincérité satisfaite, voire de solennité, dont il n'avait pu se défaire.

Il chantait.

Dans sa tête, dans son cœur et dans tout son corps, Barley chantait.

Dans sa grande chambre grise du sinistre Mej, la veille de la foire du livre, il chantait *Bless This House* à la manière reconnaissable de Mahalia Jackson, et valsait à travers la pièce, un verre d'eau minérale à la main. L'immense écran de télévision, unique luxe de la chambre, lui renvoyait sa propre image.

Sobre.

Totalement sobre.

Barley Blair.

Seul.

Il n'avait rien bu. Rien pendant son debriefing dans le camion sûr, alors qu'il suait sang et eau. Pas même un verre d'eau tandis qu'il régalait Paddy et Cy d'une version édulcorée et sécurisante de sa journée.

Rien non plus avec Wicklow au Rossiya pour le cocktail des éditeurs français, où il avait littéralement brillé par son assurance.

Avec Henziger au National pour le cocktail des Suédois, où il s'était montré encore plus brillant, il avait pris un verre de *champanskoïe* géorgien par mesure de sécurité, car Zapadny ne cessait de s'étonner qu'il ne boive pas, mais il s'était débrouillé pour le déposer intact derrière un vase de fleurs. Donc, toujours rien.

Avec Henziger encore, à l'Oukraïna pour le cocktail de Doubleday, brillant maintenant autant que l'étoile polaire, il avait gardé à la main un verre d'eau minérale avec une tranche de citron, qui ressemblait étonnamment à un gin-tonic.

Au total, rien du tout. Ce n'était pas par grandeur d'âme, ni par souci de repentir, Dieu l'en préserve. Il n'avait pas fait vœu de tempérance, ni tourné la page. Il désirait simplement que rien ne vienne troubler l'exaltation lucide et rationnelle qui s'emparait de lui, ce sentiment nouveau de courir un terrible danger et d'être capable d'y faire face, de se savoir prêt à toute éventualité, y compris celle où rien ne se produirait, car cette préparation psychologique consistait en une défense tous azimuts centrée autour d'un absolu inviolable.

J'ai rejoint les rangs clairsemés de ceux qui savent ce qu'ils feront en premier, ce qu'ils feront en dernier et ce qu'ils ne feront pas du tout si le navire prend feu en pleine nuit. Il avait établi l'inventaire détaillé et ordonné des valeurs qui méritaient d'être sauvées, de celles auxquelles il n'attachait aucune importance, et de celles qu'il fallait rejeter, détruire et oublier.

Un grand nettoyage s'opérait dans son esprit, des plus petits détails jusqu'aux belles théories. En effet, comme Barley l'avait récemment découvert, c'était dans les petits détails que l'application des belles théories faisait des ravages.

Stupéfait par sa propre lucidité, il jeta un regard circulaire, tourna une ou deux fois sur lui-même, chanta quelques mesures, puis revint à son point de départ, certain de n'avoir rien négligé.

Ni la nuance d'incertitude dans la voix de Katia. Ni l'ombre d'un doute voilant un instant le lac sombre de ses yeux.

Ni l'écriture régulière de Goethe au lieu de son gribouillage insensé.

Ni ses plaisanteries d'une lourdeur inhabituelle sur les bureaucrates et la vodka.

Ni son petit couplet de remords sur son attitude envers Katia, alors que pendant vingt ans il l'avait traitée comme ça lui chantait, faisant notamment d'elle une messagère bonne à jeter après usage.

Ni ses promesses puériles de rattraper plus tard avec elle tout le temps perdu, pourvu qu'elle joue le jeu jusque-là, alors qu'un de ses articles de foi était de se désintéresser de l'avenir pour ne s'occuper que du moment présent. « Seul le présent existe. »

De ces poussières d'hypothèses, qui selon toute vraisemblance n'étaient guère plus que des hypothèses, les pensées de Barley s'envolèrent tout droit vers la grande récompense que lui offrait cette lucidité nouvelle : l'idée que, dans l'optique de la théorie qu'il mettait en pratique, Goethe avait raison, et que pendant presque toute sa vie, il avait représenté le premier terme d'une équation anachronique et faussée, dont Barley, par ignorance, incarnait le second.

L'idée que si un jour Barley était contraint de choisir, il suivrait le chemin de Goethe plutôt que celui de Ned ou d'autres, car sa présence serait instamment requise dans la zone dangereuse de l'entre-deux, dont il s'était lui-même élu citoyen.

L'idée que tout ce qui lui était arrivé depuis Peredelkino confirmait cette intuition : les mots en « isme » étaient morts, le bras de fer entre communisme et capitalisme avait fini dans les pleurnicheries, et la langue de bois n'existait plus que dans les chambres sûres des hommes en gris, qui s'obstinaient à danser longtemps après que la musique s'était tue.

Quant au patriotisme de Barley, il se résumait à un choix simple : quelle Angleterre avait-il décidé de servir ? Ses derniers liens avec les rêves impérialistes étaient rompus. Le tambour qui battait le rappel le révoltait, et Barley préférait mourir sous le talon des bottes que de marcher au pas avec elles. Il connaissait une Angleterre infiniment plus belle, celle qu'abritait son monde intérieur.

Il resta étendu sur son lit à attendre que la peur vienne l'étreindre, mais en vain. Il se retrouva plongé dans une partie d'échecs mentale, car les échecs sont le domaine des prévisions stratégiques, et il lui paraissait préférable d'étudier celles-ci dans le calme au lieu d'attendre pour ce faire que le toit s'effondre.

Si l'ultime bataille n'avait pas lieu, rien n'était perdu. Mais dans le cas contraire, il y avait beaucoup à sauver.

Barley se mit donc à penser. Il songea à ses préparatifs en gardant la tête froide, comme Ned n'aurait pas manqué de le lui conseiller s'il avait encore tenu les rênes.

Il réfléchit jusqu'à l'aube, s'assoupit un moment, et, à son réveil, reprit le cours de ses pensées. Quand il descendit au petit déjeuner, l'humeur joyeuse, impatient de goûter aux plaisirs de la foire, toute une partie de son esprit se consacrait à concevoir ce que les êtres assez fous pour l'accomplir appellent l'inconcevable.

14.

— Voyons, Ned, dit Clive d'un ton dégagé, encore fasciné par la magie du nouveau procédé de transmission. Bluebird a déjà été malade plusieurs fois dans le passé.

— Je sais, je sais, lui répondit distraitement Ned. Ce qui me dérange, ce n'est pas tant sa maladie que le fait qu'il écrive.

Le menton dans la main, Sheriton l'écoutait comme pendant le défilement de la bande. Des liens de sympathie s'étaient noués entre eux, ce qui est normal au cours d'une opération. La passation de pouvoirs ne leur posait pas plus de problèmes que si elle avait eu lieu longtemps auparavant.

— Mais mon cher, c'est ce qu'on fait tous quand on est malades : on écrit au monde entier ! s'écria Clive, s'imaginant à tort faire preuve de compréhension humaine.

L'idée que Clive puisse être malade ou avoir des amis à qui écrire ne m'avait jamais effleuré.

— Ce qui me dérange, reprit Ned, c'est qu'il confie de longues lettres à de mystérieux intermédiaires, et qu'il parle de fournir à Barley de nouvelles informations. On sait qu'en principe il n'écrit jamais à Katia. On sait qu'il est d'une prudence à toute épreuve. Brusquement il tombe malade, et il lui envoie une lettre d'amour exubérante par l'intermédiaire d'Igor. Quel Igor ? Quand ? Comment ?

— Barley aurait dû photographier la lettre ou la lui soustraire, dit Clive d'un ton désapprobateur.

Perdu dans ses pensées, Ned n'exprima pas le mépris que méritait cette suggestion.

— Et comment s'y serait-il pris ? Pour elle, c'est seulement un éditeur. Elle n'en sait pas plus sur lui.

— A moins que Bluebird ne lui en ait dit davantage, remarqua Clive.

— Ça m'étonnerait, répliqua Ned, qui revint aussitôt à son idée fixe. Il y avait une voiture... Une voiture rouge, puis une blanche. Vous avez vu le rapport de filature ; la rouge a fait le premier quart, et la blanche l'a remplacée.

— C'est pure spéculation, lança Clive. Tout Moscou passe les dimanches à la campagne quand il fait beau.

La réaction qu'il escomptait ne se produisant pas, il se remit à parler de la lettre :

— Katia ne s'en est pas méfiée. Elle n'a pas flairé de mauvais coup. Elle est folle de joie. Si elle et Barley n'y ont rien vu de louche, alors pourquoi nous, à Londres, on devrait se faire du mauvais sang à leur place ?

— Il a demandé la liste des courses, dit Ned comme hanté par une musique lointaine. Un questionnaire définitif et exhaustif. Pourquoi ?

Sortant enfin de son inertie, Sheriton fit de grands gestes pour calmer Ned.

— Holà, Ned, holà ! C'est le jour J et on est tous sur les nerfs. Allons nous reposer.

Il se leva, ainsi que Clive et moi, mais Ned resta obstinément assis, croisant nerveusement les mains sur son bureau.

Sheriton se pencha pour lui parler, gentiment mais fermement.

— Ned, écoutez-moi, s'il vous plaît. Ned ?

— Ça va, je ne suis pas sourd.

— Non, mais vous êtes fatigué. Si on dénigre encore une fois l'opération, elle va nous filer entre les doigts. On a accepté votre homme, Ned, celui que vous nous avez amené pour nous convaincre. On a remué ciel et terre pour que ça marche. On a la source, on a les crédits, et on a les relations haut placées indispensables. On est à deux doigts de combler les lacunes de nos connaissances comme aucune machine perfectionnée, aucun mouchard électronique, aucun jésuite du Pentagone n'y parviendrait avant une éternité. Si on garde notre sang-froid comme Barley et Bluebird, on aura découvert une mine d'or au-delà des espérances les plus folles. Seulement, il faut s'accrocher.

Mais son ton par trop convaincu et son visage joufflu au

masque pourtant impénétrable trahissaient un appel presque désespéré.

— Ned ?

— Je vous reçois cinq sur cinq, Russell.

— Ned, pour l'amour de Dieu, ce n'est plus une petite affaire de famille. On a joué gros jeu, maintenant il faut assurer. C'est le coup du siècle. Le verdict favorable du président ne doit pas nous faire douter de nos intuitions, au contraire, ça doit nous encourager à poursuivre. Croyez-moi, Ned, vous devriez dormir un peu.

— Je ne suis pas fatigué.

— Moi je pense que si, et je ne suis pas le seul. Vous savez ce que certaines personnes vont croire ? Que Ned a foncé pour Bluebird jusqu'à ce que le grand méchant loup américain vienne lui piquer son *Joe*. Alors tout d'un coup, Bluebird est devenu une source à la fiabilité douteuse. Sincèrement, tout le monde va penser que vous êtes très fatigué pour réagir comme ça.

Je jetai un coup d'œil à Clive.

Il regardait Ned avec des yeux si froids qu'ils me glacèrent le sang. Il est temps qu'on vous fasse changer d'air, semblaient-ils dire. Grand temps de préparer la trappe.

Henziger et Wicklow surveillèrent Barley de près ce jour-là, faisant des rapports fréquents, Henziger à Cy par un moyen qui leur était propre, et Wicklow à Paddy par l'intermédiaire d'un occasionnel. Tous deux signalèrent sa bonne humeur, son attitude décontractée, et, en des termes différents, son aisance souveraine. Tous deux décrivirent le petit déjeuner de rêve qu'il avait fait passer à deux éditeurs finlandais intéressés par le Transsibérien.

— Ils buvaient ses paroles comme du petit-lait, dit Wicklow sans se rendre compte de l'humour involontaire de sa métaphore.

Henziger et lui racontèrent avec amusement son obstination à jouer les guides durant leur visite du site permanent des expositions, exigeant que le taxi les déposât au bout de la grande avenue pour que ces deux pèlerins du monde capitaliste puissent profiter d'une première approche à pied.

Les deux espions professionnels avaient fait une agréable promenade sous un soleil mouillé d'automne, leur veste sur l'épaule, encadrant leur *Joe*, qui les gratifiait de commentaires touristiques originaux, chantait les louanges de l'architecture « Essoldo dernière période » et des jardins de style « rococo révolutionnaire ». Il faisait grand cas de l'immense bassin ornemental, dont les poissons dorés crachaient des jets d'eau sur la croupe dorée de quinze nymphes dans le plus simple appareil, chacune symbolisant une république socialiste. Il insista pour qu'ils flânent jusqu'aux colonnades blanches des tonnelles de l'Amour et jusqu'aux temples du plaisir dont les portails, fit-il remarquer, sont dédiés non à Vénus ou Bacchus, mais aux déesses déchues de l'économie soviétique : le charbon, l'acier, et même l'énergie atomique, Jack !

– Il faisait de l'esprit, et il n'avait pas bu. Qu'est-ce qu'il nous a fait rire ! raconta Henziger, qui depuis Leningrad s'était attaché à Barley.

Délaissant les temples, ils avaient ensuite remonté tous les trois le triomphal Cours de l'Empereur, long de mille cinq cents mètres, et large à perte de vue, qui glorifiait les réalisations du peuple au service de l'humanité. Jamais le pouvoir populaire n'a été symbolisé au moyen d'images aussi despotiques, avait affirmé Barley. Jamais révolution n'a ainsi encensé tout ce dont elle avait fait table rase ! Petit à petit, il avait haussé le ton pour couvrir les clameurs des haut-parleurs diffusant à longueur de journée des flots de messages d'autosatisfaction destinés au *vulgum pecus*.

Ils avaient enfin atteint les deux pavillons où se tenait la foire.

– A ma droite, les éditeurs de la Paix, du Progrès, et de la Détente ! avait annoncé Barley comme l'arbitre d'un combat professionnel. A ma gauche, les promoteurs de mensonges fascistes et impérialistes, les pornographes, les assassins de la vérité. Soigneurs hors du ring. Premier round.

Ils avaient montré leurs laissez-passer, et étaient entrés.

Le stand de la maison Potomac & Blair, récemment inaugurée et issue d'un surprenant mariage géographique, causa une jolie petite sensation à la foire du livre. Le logo P&B, amoureusement créé par Langley, resplendissait entre les étalages vieillots des Presses Astrales et de Purbeck Media. La décoration intérieure du stand, conçue par les architectes de Langley comme austère mais de bon goût, attirait tout de suite les regards. Les ouvrages exposés, pour la plupart des maquettes en passe d'entrer dans la chaîne de fabrication, avaient été préparés avec ce soin du détail que les services de Renseignement accordent à tout simulacre.

Dans l'arrière-stand minuscule, une ingénieuse machine débitait en permanence le seul bon café de la foire. L'hôtesse n'était autre que la Mary Lou de Langley. Les privilégiés avaient même droit à une gorgée de whisky pour se mettre en train, malgré une interdiction formelle des organisateurs, considérant que la reconstruction littéraire doit aussi être l'œuvre d'hommes sobres.

Avec son sourire de collégienne toute simple et sa jupe en tweed virevoltante, Mary Lou semblait un produit naturel de Madison Avenue section chic. Personne n'aurait pu soupçonner qu'elle était un produit fabriqué chez Langley.

De même Wicklow, avec son bavardage mondain, passait pour le parfait jeune éditeur au regard vif et à l'ascension vertigineuse, comme on les fait de nos jours.

Quant à l'honnête Jack Henziger, il était l'archétype du flibustier bien implanté dans le marché du livre américain. Il ne faisait pas de secret de son passé : il avait pratiqué le commerce des pipelines au Moyen-Orient, des œuvres humanitaires en Afghanistan, et des haricots rouges avec les tribus qui cultivent l'opium dans les collines thaïlandaises. Il avait l'âme d'un vendeur, mais personne ne savait qu'il l'avait vendue à Langley. Son cœur appartenait maintenant au monde de l'édition, et il était là pour le prouver.

Quant à Barley, il semblait prendre plaisir à jouer la comédie. Comme s'il renouait avec un univers depuis longtemps perdu, il serrait des mains, et recevait les félicitations de ses collègues et concurrents. Vers 11 heures, il se déclara fatigué de rester inactif et proposa à Wicklow de faire la tournée des stands pour encourager les troupes.

Ils partirent donc ensemble le long des allées engorgées par la foule de visiteurs et d'exposants, auxquels Barley adressait des salutations tonitruantes et donnait parfois une enveloppe blanche du paquet qu'il avait sous le bras.

— Que le diable m'emporte si ce n'est pas ce brave Barley Blair ! s'exclama une voix familière qui semblait sortir d'un empilement de bibles illustrées multilingues. Vous vous souvenez de moi ? Le troisième à gauche sur la photo, en suspensoir de vison ! Au temps où votre heure de gloire n'avait pas encore sonné...

— Spikey ! Ils vous ont laissé revenir ! J'en suis ravi, dit Barley en lui tendant une enveloppe.

— Ce qui m'inquiéterait, c'est qu'ils ne me laissent plus ressortir ! C'est votre papa, le monsieur ?

Barley lui présenta Wicklow, l'éminent conseiller littéraire, et Spikey Morgan lui donna sa bénédiction du bout de ses doigts jaunis par la nicotine.

Ils passèrent leur chemin, pour tomber quelques pas plus loin sur Dan Zeppelin. Dan ne parlait jamais, il faisait des messes basses avec son interlocuteur, les bras croisés, penché par-dessus son comptoir.

— Barley, dites-moi donc une chose. Ils font dans le genre pionnier de la détente par-devant et super-facho par derrière, ou quoi ? Alors comme ça quelques non-livres passent pour des livres cette année. Quelques non-écrivains sont sortis de prison. Vous parlez d'un changement ! Ce matin, j'arrive à mon stand, et je trouve un connard en train d'enlever les livres de mes étagères. Je lui dis : « Je peux vous poser une question indiscrète ? Qu'est-ce que vous foutez avec mes bouquins ? » Et il me répond : « J'obéis aux ordres ». Il en a confisqué six, y compris celui de cette conne de Mary G. Ambleside, *Conscience noire en chants et paroles*. Des ordres, vous vous rendez compte ! Enfin, Barley, qui sommes-nous, merde ? Qui sont-ils ? Qu'est-ce qu'ils nous font chier avec leur restructuration alors qu'il n'y a même jamais eu de structure ? Comme si on pouvait restructurer un cadavre ! Ah, je vous jure !

Du stand de Lupus Books, on les envoya à la cafétéria, où notre président en personne, sir Peter Oliphant, récemment fait chevalier, avait volé la vedette à tout le monde, même aux Russes, en réservant une table jusqu'à la fin de la foire. Un écriteau dans les deux langues consacrait son triomphe, et les drapeaux britannique et soviétique étaient là pour dissiper les derniers doutes. Flanqué d'interprètes et d'officiels de haut vol, sir Peter dissertait sur les nombreux avantages pour l'URSS de subventionner ses généreux achats.

— Mon Dieu, mais c'est monsieur le comte ! railla Barley en lui tendant une enveloppe. Où avez-vous mis la couronne ?

Le grand personnage eut un seul battement de paupières, puis continua imperturbablement de développer sa thèse.

Au stand israélien régnait une ambiance de paix armée. Une file d'attente ordonnée mais silencieuse, des garçons en jean et tennis nonchalamment appuyés au mur, et Lev Abramovitz, le cheveu blanc, la stature imposante, qui avait servi dans les Irish Guards.

— Salut, Lev! Comment va Sion?

— Peut-être qu'on est en train de gagner. Peut-être que l'heureux dénouement approche.

Quittant Israël, Barley mena Wicklow au pas de course vers le pavillon de la Paix, du Progrès, et de la Détente, où nul ne pouvait plus douter du bouleversement historique en cours, ni de qui en était à l'origine.

Chaque banderole, chaque centimètre carré de mur claironnait le nouvel Évangile. Dans chaque stand de chaque République, les pensées et les écrits du prophète, représenté du bon profil pour dissimuler la tache de naissance et mettre en valeur le menton volontaire, étaient exposés aux côtés de ceux de son maître Lénine, en portrait monochrome sur la couverture. Au stand de la VAAP, où Barley et Wicklow serrèrent quelques mains, et où Barley distribua un lot d'enveloppes, les discours du numéro un, traduits en anglais, français, espagnol et allemand sous couverture glacée, présentaient un attrait tout à fait résistible.

— Combien de temps va-t-il encore falloir gober toutes ces conneries, Barley? lui demanda *sotto voce* un éditeur moscovite blond. Quand vont-ils recommencer à nous réprimer, qu'on se sente plus à l'aise? Si notre passé est un mensonge, qui nous dit que notre futur n'en est pas un aussi?

Ils passèrent leur chemin, Wicklow sur les talons de Barley, qui saluait les personnes de connaissance.

— Joseph! Quel plaisir de vous revoir! Tenez, voilà une petite enveloppe. N'en faites pas des papillotes tout de suite.

— Barley! Mon ami! Est-ce qu'on vous a fait ma commission? A moins que je n'en aie pas laissé, je ne me rappelle plus...

— Youri, quel plaisir de vous revoir! Tenez, voilà une petite enveloppe.

— Venez donc boire un verre avec nous ce soir, Barley. Il y aura Sacha et Rosa. Rudi veut rester sobre parce qu'il donne un concert demain soir. Vous avez entendu parler des écrivains qu'ils ont libérés? Moi je vais vous dire. C'est pour nous en mettre plein la vue avec un beau coup de bluff. Ils les laissent sortir, ils leur offrent deux ou trois dîners, ils les montrent à la galerie, et ils les remettent en tôle jusqu'à l'année prochaine. Venez par ici, il faut que je vous vende un ou deux livres pour faire enrager Zapadny.

Wicklow ne se rendit pas compte tout d'abord qu'ils étaient arrivés à destination. Il vit sur un trépied des fanions délavés et une banderole rouge brodée de lettres d'or, et entendit Barley crier « Hou hou! Katia! ». Mais rien ne permettait l'identification du stand, sans doute parce que l'enseigne n'avait pas été livrée à temps. Les habituels livres invendables sur le développement agricole en Ukraine et les danses folkloriques géorgiennes dormaient sur leurs étagères depuis les dernières expositions. Le traditionnel mini-harem de femmes aux hanches larges, plantées là comme sur un quai de gare, entourait un petit homme mal rasé qui jouait de sa cigarette comme un magicien de sa baguette, et qui plissa les yeux pour déchiffrer le nom de Barley sur son badge.

Nazayan, lut à son tour Wicklow. *Grigori Tigranovitch, directeur littéraire, Éditions Octobre.*

Nazayan s'adressa à Barley en anglais, tenant sa cigarette encore un peu plus haut, sans doute pour mieux discerner les traits de son visiteur.

– Je suppose que vous cherchez Mlle Orlova?

– C'est ma foi vrai, répondit Barley avec enthousiasme.

Deux des femmes sourirent, et Nazayan eut un rictus obséquieux. Il s'écarta, soignant toujours ses effets de cigarette, et Wicklow reconnut Katia de dos, en grande conversation avec deux tout petits Asiatiques qu'il supposa être birmans. Sans doute mue par son instinct, elle se retourna, vit d'abord Barley, puis Wicklow, et son regard revint à Barley, qu'elle gratifia d'un sourire radieux.

– Ah, Katia! Quelle chance! fit Barley soudain timide. Comment vont les jumeaux? Ils ont survécu?

– Ils se portent très bien, merci.

Sous les yeux de Nazayan, de ses vestales et de Wicklow, Barley lui tendit une invitation pour le grand cocktail d'inauguration glasnostien de la maison Potomac & Blair.

– Au fait, il se pourrait fort que je ne participe pas à toutes les festivités ce soir, dit Barley à Wicklow alors qu'ils regagnaient sous un beau soleil le pavillon de l'Occident. Jack, Mary Lou et vous devrez vous débrouiller tout seuls comme des grands. Je dîne en charmante compagnie.

– On connaît la dame? demanda Wicklow, les faisant s'esclaffer tous les deux.

Elle va bien, songeait Barley avec soulagement. Il se trame peut-être quelque chose de louche, mais elle n'en est pas encore victime.

Que savions-nous et qu'avions-nous deviné, tous autant que nous étions, des sentiments de Barley envers Katia ? Dans une opération si méticuleusement organisée et contrôlée, l'amour est toujours une question délicate.

Wicklow, pourtant de mœurs assez relâchées, voyait la vie sentimentale de Barley d'un œil critique. Encore jeune, peut-être ne pouvait-il prendre au sérieux l'idée d'une passion plus mûre. Selon Wicklow, il s'agissait simplement d'une toquade, comme d'habitude. Les gens de l'âge de Barley ne pouvaient tomber amoureux.

Henziger, qui était de la même génération que Barley, considérait le sexe comme un des discrets avantages en nature de l'espionnage, et il ne doutait pas qu'on pût faire confiance à Barley pour accomplir son devoir, dans tous les sens du terme. Comme Wicklow, mais pour des raisons différentes, il ne trouvait rien d'anormal aux sentiments que Katia inspirait à Barley, et les jugeait même tout à fait profitables à l'opération.

A Londres, on ne s'était fait aucune opinion bien définie à ce sujet. Sur l'île, Brady avait dit le fond de sa pensée, mais ses invectives avaient été ignorées, autant que ses conseils.

Quant à Ned, il était marié avec une femme tout aussi rigoriste que lui, et aussi mauvais juge en la matière. Citez-moi un seul *Joe* en mission chez l'ennemi qui ne succombe pas au charme d'une jolie femme si elle se bat pour la même cause que lui, avait-il coutume de dire avec un sourire résigné.

Pour leur part, Bob, Sheriton et Johnny semblaient chacun à sa manière s'être faits à l'idée que la vie privée et les appétits de Barley étaient en général d'une complexité si étrange qu'il valait mieux les écarter des données du problème.

Et que pensait le vieux Palfrey, qui profitait de tous ses moments de liberté pour se précipiter à Grosvenor Square, ou en cas d'empêchement téléphonait à Ned pour lui demander des nouvelles de leur poulain ?

Palfrey pensait à Hannah, qu'il avait aimée et aimait encore, comme tous les êtres faibles. Hannah dont le sourire avait été jadis aussi chaleureux et sincère que celui de Katia. « Tu es un type bien, Palfrey, disait-elle avec une effrayante maîtrise les jours où elle essayait de me comprendre. Tu finiras par trouver un moyen.

Peut-être pas tout de suite, mais un jour ou l'autre. » Oh, pour trouver des moyens, ça j'en avais trouvé ! J'avais invoqué le code, ce code si commode qui stipulait que tout jeune avoué coupable d'adultère est *ipso facto* privé du droit de se défendre. J'avais invoqué les enfants, les siens et les miens – tant de gens sont impliqués, ma chérie... J'avais invoqué perfidement le mariage – comment vont-ils se débrouiller sans nous, ma chérie, Derek ne sait même pas faire cuire un œuf. J'avais invoqué mon association avec Derek, et quand l'étude fut fermée, j'avais enterré ma tête d'idiot dans les sables de mon désert secret, où aucune Hannah ne pourrait me dénicher à nouveau. Et j'avais aussi eu par la suite la bassesse d'invoquer le devoir, prétendant que le Service ne pardonnerait jamais un divorce infamant à son conseiller juridique.

Je pensais aussi à l'île, à ce soir où Barley et moi nous étions promenés sur la plage de galets à regarder des écharpes de brume ondoyer vers nous au-dessus des flots gris de l'Atlantique.

— Ils n'arriveraient pas à la faire sortir, au cas où les choses tourneraient mal, hein ? m'avait demandé Barley.

Je n'avais pas répondu, pensant qu'il n'attendait sans doute pas de réponse. Il avait vu juste. Une Soviétique bon teint qui commet un délit aux yeux de la loi soviétique ne peut être sauvée par un échange.

— De toute façon, elle n'abandonnerait pas ses enfants, surenchérit-il, désireux d'alimenter sa propre incertitude.

Nous regardâmes la mer pendant un moment, son regard y cherchant l'image de Katia, et le mien celle d'Hannah qui n'aurait jamais accepté non plus d'abandonner ses enfants, mais voulait les emmener avec elle, et faire un honnête homme du sous-fifre carriériste de Chancery Lane qui couchait avec la femme de son associé principal.

— Raymond Chandler ! cria l'oncle Matveï du fond de son fauteuil, par-dessus le vacarme des télévisions chez les voisins.

— Il est fantastique, approuva Barley.

— Agatha Christie !

— Ah, la grande Agatha...

— Dashiell Hammett ! Dorothy Sayers ! Josephine Tey !

Barley s'était assis sur le sofa, comme Katia l'y avait convié. Le salon était si exigu qu'il aurait pu en toucher les murs en étendant les bras. Dans un coin, une vitrine abritait tous les trésors de la famille, qu'elle lui avait déjà montrés : les tasses de poterie façonnées par une amie pour son mariage ; les médaillons représentant les deux époux ; le service à café de Leningrad, maintenant dépareillé, qui avait appartenu à la femme dont le portrait trônait dans un cadre en bois sur l'étagère supérieure ; la photo sépia fanée d'un couple tolstoïen, l'homme, barbu, l'expression volontaire, emprisonné dans son col amidonné, et la femme, avec sa coiffe et son manchon de fourrure.

— Matveï adore les romans policiers anglais, cria Katia depuis la cuisine, où elle s'affairait.

— Moi aussi, mentit Barley.

— Il est en train de vous expliquer qu'ils étaient interdits par les tsars. Ils n'auraient jamais autorisé pareille intrusion dans leur système policier. Resservez-vous de vodka si vous avez fini votre verre. Mais n'en redonnez pas à Matveï, s'il vous plaît. Et mangez quelque chose ! Nous ne sommes pas des alcooliques comme les Occidentaux. Nous ne buvons jamais sans manger.

Pour pouvoir la regarder à loisir, Barley se posta dans l'étroit couloir sous prétexte d'inspecter la bibliothèque, où il trouva des œuvres de Jack London, Hemingway, Joyce, Dreiser, John Fowles, Heine, Remarque et Rilke. Les jumeaux bavardaient dans la salle de bains. Par la porte ouverte de la cuisine, Barley observait les gestes délibérément posés de Katia. L'âme russe reprend le dessus, se dit-il. Lorsque tout marche bien, elle éprouve de la reconnaissance. Si ça ne marche pas, c'est la vie. Matveï soliloquait toujours gaiement dans le salon.

— Qu'est-ce qu'il dit, là ? demanda Barley.

— Il parle du siège de Leningrad.

— Je vous aime.

— Les habitants refusaient d'admettre leur défaite, traduisit-elle en préparant des tourtes au foie avec du riz, ses mains s'arrêtant un instant avant de se remettre au travail. Chostakovitch a continué de composer même quand l'encre gelait dans son encrier. Les romanciers écrivaient toujours, et chaque semaine on pouvait entendre un nouveau chapitre, si l'on savait dans quelle cave se terrait l'auteur.

— Je vous aime, répéta-t-il. Tous mes échecs précédents n'ont fait que me préparer à notre rencontre. C'est évident.

Elle expira profondément, et ils gardèrent tous deux le silence, sourds tant au monologue joyeux de Matveï qu'aux bruits d'écla-boussures provenant de la salle de bains.

— Et maintenant, qu'est-ce qu'il dit ? demanda Barley.

— Barley..., protesta-t-elle.

— S'il vous plaît. Répétez-moi ce qu'il raconte.

— Les Allemands étaient à quatre kilomètres au sud de la ville. Ils mitraillaient les faubourgs et bombardaient le centre à l'artille-rie lourde.

Elle lui tendit les sets de table et les couverts, et le suivit au salon.

— Deux cent cinquante grammes de pain pour un travailleur, et cent vingt-cinq pour les autres. Vous êtes vraiment fasciné par Matveï ou vous faites ça par politesse, comme d'habitude ?

— C'est un amour mûr, désintéressé, absolu et profond. Je n'ai jamais rien connu de tel. J'ai pensé que vous deviez être la pre-mière à le savoir.

Matveï, béat d'admiration, souriait à Barley, sa belle pipe anglaise toute neuve dépassant de sa poche de poitrine. Soutenant le regard de Barley, Katia se mit à rire et secoua la tête d'un air incrédule mais ravi. Les jumeaux, déboulant en peignoir, vinrent se jeter dans les bras de Barley. Katia les installa à table et fit pré-sider Matveï. Barley s'assit près d'elle, tandis qu'elle servait la soupe aux choux. Au prix d'un effort théâtral, Sergueï déboucha la bouteille de vin. Katia n'accepta qu'un demi-verre, et Matveï n'eut droit qu'à de la vodka. Anna quitta la table pour aller cher-cher son dessin, inspiré par une visite à l'Académie Timiriazev, et qui représentait des chevaux, un vrai champ de blé, et des plantes survivant à la neige. Matveï racontait l'histoire du vieil homme dans son atelier de mécanique, de l'autre côté de la rue, et une fois de plus Barley insista pour en entendre les moindres détails.

— C'était un vieil homme que connaissait Matveï, un ami de mon père, expliquait Katia. Il avait un atelier de mécanique. Quand il tombait d'inanition, il s'attachait à sa machine pour tenir debout. C'est ainsi que mon père et Matveï l'ont trouvé un jour, mort gelé, ligoté à sa machine.

Matveï désignait fièrement du doigt un endroit sur son pull.

— Matveï veut aussi que vous sachiez qu'il portait un insigne phosphorescent sur son manteau à l'époque. Cela permettait à ses amis de ne pas lui rentrer dedans quand ils partaient dans le noir avec leurs seaux chercher de l'eau dans la Neva. Bon, allez, le chapitre Leningrad est clos. Vous avez été très patient, Barley, comme toujours. J'espère que vous êtes sincère.

— Je ne l'ai jamais été autant de ma vie.

Barley était en train de porter un toast à la santé de Matveï lorsque le téléphone sonna près du sofa. Katia se leva d'un bond, mais Sergueï fut plus rapide. Il prit le combiné et écouta quelques secondes avant de raccrocher avec un haussement d'épaules.

— Il y a tellement d'erreurs téléphoniques, remarqua Katia en faisant passer les assiettes pour les tourtes.

Seule sa chambre existait, seul son lit existait.

Les enfants étaient allés se coucher, et Barley les entendait respirer bruyamment en dormant. Dans le salon, Matveï, allongé sur son matelas à même le sol, rêvait déjà de Leningrad. Barley s'assit sur le lit à côté de Katia, et lui prit la main, regardant son visage, qui se profilait contre l'obscurité de la fenêtre nue.

— J'aime aussi Matveï, dit-il.

Elle hocha la tête et eut un petit rire. Il lui caressa la joue du dos de la main, et se rendit compte qu'elle pleurait.

— Mais pas comme je t'aime toi, précisa-t-il. J'aime les enfants, les oncles, les chiens, les chats, et les musiciens. Je me sens responsable de toute l'Arche. Mais toi, je t'aime si profondément que j'ai presque honte de le dire. Je voudrais que tu puisses m'imposer silence. Je te regarde, et je déteste le son de ma propre voix. Tu veux que je te mette tout ça par écrit?

Prenant le visage de Katia entre ses deux mains, il l'embrassa, puis il l'allongea sur le lit et l'embrassa de nouveau, d'abord sur la bouche, puis sur ses paupières humides. Elle l'enlaça et l'attira vers elle. Mais elle le repoussa soudain, se leva d'un bond et alla jeter un coup d'œil aux jumeaux endormis, avant de fermer la porte de sa chambre au verrou.

— Si les enfants se réveillent, il faudra que tu te rhabilles et que tu prennes un air très sérieux, le prévint-elle en l'embrassant.

— Je peux leur dire que je t'aime?

— Si tu veux, mais je ne traduirai pas.

— Et à toi, je peux te le dire?

— Si tu es sage.

— Et tu traduiras?

Elle ne pleurait plus, ni ne souriait. Ses yeux noirs cherchaient gravement les siens. Puis ce fut l'étreinte sans réserve, sans avenant secret, ni clause restrictive imprimée en petits caractères à la fin du contrat.

Jamais je n'avais vu Ned dans cet état. Il était devenu le Jonas de sa propre opération, et son stoïcisme à toute épreuve rendait ses sombres pressentiments plus difficiles à accepter. Dans la salle des opérations, il était assis à son bureau tel le président d'une cour martiale, tandis que Sheriton tuait le temps près de lui comme un gros nounours doué d'intelligence. Et lorsqu'en désespoir de cause je décidai d'emmener Ned au Connaught, où j'allais parfois avec Hannah, et, pour rendre l'attente plus supportable, le régalai d'un dîner somptueux au Grill, je ne parvins toujours pas à faire tomber son masque de résignation.

A dire le vrai, son pessimisme altérait sérieusement mon propre moral. Je voyais la situation comme un jeu de bascule où Clive et Sheriton pesaient d'un côté, et Ned de l'autre, tel un poids mort. Les grandes décisions n'étant pas mon fort, je fus d'autant plus troublé de voir un homme de cette trempe accepter ainsi l'ostracisme.

— Tout ça, c'est dans votre tête, Ned, lui dis-je avec bien moins de conviction que Sheriton. Vous vous êtes fait tout un cinéma en prêtant aux gens des idées qui ne les ont jamais effleurés. D'accord, ce n'est plus votre affaire. Mais cela ne veut pas dire que c'est un naufrage complet. Et en plus, ça fait descendre votre crédibilité en dessous du niveau de la mer, cette attitude.

— Un questionnaire définitif et exhaustif, répéta Ned, comme si un hypnotiseur lui avait mis cette formule dans la tête. Mais pourquoi définitif? Pourquoi exhaustif? Trouvez-moi donc une bonne réponse! Quand Barley l'a vu à Leningrad, Bluebird lui a jeté notre questionnaire préliminaire à la figure, il ne voulait pas en entendre parler. Et maintenant, il réclame la liste des courses en une fois. Il la réclame! La liste définitive. La totale! Et on doit la lui préparer pour ce week-end. Après cela, il ne répondra plus aux questions des hommes en gris. Il nous dit en gros que c'est notre dernière chance. Pourquoi, à la fin?

— Essayez de considérer les choses sous un autre angle, insistai-je dans un murmure désespéré après que le sommelier nous eut apporté un second carafon de bordeaux rouge hors de prix.

Bon, alors Bluebird a été récupéré par les Soviets. C'est un gros méchant que les Soviets manipulent. D'accord. Mais pourquoi mettraient-ils un point final à l'affaire ? Ils pourraient très bien s'amuser tranquillement à nos dépens. A leur place, vous mettriez un terme à l'affaire en nous envoyant un ultimatum et des délais, vous ?

Sa réponse valait bien le dîner le plus cher que j'aie jamais offert à un collègue officier de toute ma vie.

— Si j'étais russe, peut-être que j'y serais obligé.

— Pourquoi donc ?

Ses mots me glacèrent d'autant plus les sangs que son ton était détaché et clinique.

— Parce qu'il pourrait bien ne plus être présentable. Être incapable de parler, ou de tenir sa fourchette et son couteau, ou de saler sa viande. Il se pourrait qu'il ait fait de son plein gré une ou deux remarques sur sa charmante maîtresse à Moscou, qui n'avait pas la moindre idée de ce qu'elle faisait. Il se pourrait que...

Nous rentrâmes à Grosvenor Square. Barley avait quitté l'appartement de Katia à minuit heure locale, et avait regagné le Mej, où Henziger était resté à l'attendre dans le vestibule en lisant ostensiblement un manuscrit.

Le moral de Barley était excellent, mais il n'avait aucun renseignement nouveau à leur communiquer. C'était juste une soirée en famille très agréable, avait-il déclaré à Henziger. Et la rencontre à l'hôpital tient toujours, avait-il ajouté.

Le jour suivant, rien. Le vide total. Espionner, c'est attendre. Espionner, c'est se faire un sang d'encre à voir Ned décliner et sombrer. Espionner, c'est emmener Hannah dans votre appartement de Pimlico entre 4 et 6, alors qu'elle est censée prendre un cours d'allemand, Dieu sait pourquoi! Espionner, c'est simuler l'amour, et s'assurer qu'elle sera de retour à temps pour préparer le dîner de ce cher Derek.

15.

Ils prirent la voiture de Volodia, que Katia avait empruntée pour la soirée. Barley devait l'attendre à 21 heures devant la station de métro Aéroport, et à 21 heures précises, la Lada s'arrêta brutalement à sa hauteur.

– Tu n'aurais pas dû insister, dit-elle.

Les fenêtres des immeubles brillaient au-dessus d'eux, mais dans les rues régnait déjà une atmosphère inquiétante de couvre-feu. L'air humide de la nuit s'emplissait des parfums de l'automne, et un croissant de lune se drapait dans des voiles de brume. De temps à autre leurs mains s'effleuraient, de temps à autre leurs mains se trouvaient et s'enlaçaient étroitement. Dans le rétroviseur cassé, dont plusieurs morceaux manquaient, Barley observait les voitures qui les suivaient sans les dépasser. Katia tourna à gauche, toujours sans qu'on les double.

Comme elle ne disait rien, il restait silencieux lui aussi. Il se demandait comment les femmes acquéraient ce sens des lieux où l'on peut parler, et de ceux où l'on doit se taire. A l'école ? Au contact des amies plus âgées, en grandissant ? Ou grâce au petit sermon consciencieux du médecin de famille, vers la deuxième année de la puberté ? « Il est temps pour toi d'apprendre que les voitures et les murs ont des oreilles, comme les gens. »

La voiture s'engagea en cahotant sur une bretelle jusqu'à un parking inachevé.

– Pense que tu es médecin, lui enjoignit-elle alors qu'ils se faisaient face par-dessus le toit de la voiture. Il faut que tu prennes l'air très sérieux.

— Je suis médecin, répéta Barley.

Ni l'un ni l'autre ne plaisantaient.

Ils avancèrent prudemment entre d'innombrables flaques d'eau miroitant sous la lune, jusqu'à une allée protégée par un auvent d'amiante, qui conduisait à une double porte ouvrant sur une réception désertée. Il reconnut les premiers relents d'hôpital : désinfectant, encaustique, alcool à 90 °. Elle l'entraîna rapidement à travers un hall circulaire de béton moucheté, le long d'un couloir au sol revêtu de linoléum, et passa devant un comptoir de marbre gardé par des femmes à l'air maussade. Une horloge marquait 22 h 25, et Barley vérifia ostensiblement l'heure à sa montre. L'horloge retardait de dix minutes. Dans le couloir suivant, des silhouettes étaient affalées sur des chaises de cuisine le long du mur.

La salle d'attente évoquait des catacombes enténébrées soutenues par d'énormes piliers, avec une estrade à une extrémité, et à l'autre, des portes battantes donnant sur les toilettes. Quelqu'un avait accroché une lampe provisoire pour indiquer le chemin, et à sa faible lueur, Barley aperçut un vestiaire vide derrière un comptoir de bois, des brancards alignés, et un téléphone vétuste fixé au pilier le plus proche. Katia s'assit sur un banc adossé au mur, et Barley prit place à ses côtés.

— Il essaie toujours d'être ponctuel, mais quelquefois il est en retard à cause de la liaison, dit-elle.

— Je pourrai lui parler ?

— Non, il serait furieux.

— Pourquoi ?

— S'ils entendent parler anglais sur une ligne interurbaine, cela attirera immédiatement leur attention. C'est normal.

Un homme à la tête bandée, qui errait tel un soldat aveugle revenant du front, poussa les portes battantes et pénétra par erreur dans les toilettes pour dames. Deux femmes en sortaient, qui l'arrêtèrent aussitôt et le remirent dans la bonne direction. Katia ouvrit son sac à main pour en sortir un carnet et un stylo.

Il essaiera à 22 h 40, avait-elle dit. A 22 h 40, il tentera le premier appel. Il ne parlera pas longtemps. Ce n'est pas prudent, même sur une ligne sûre.

Elle se leva et alla au téléphone, se baissant pour passer sous le comptoir du vestiaire, en vieille habituée.

Lui dira-t-il qu'il l'aime ? se demandait Barley. « Je t'aime assez pour mettre ta vie en danger ? » Lui fera-t-il la même déclaration que dans sa lettre ? Ou bien lui dira-t-il qu'il irait jusqu'à la sacrifier pour purifier sa conscience tourmentée ?

Elle se tenait de profil, le regard fixé sur les portes battantes. Avait-elle aperçu quelque chose d'inquiétant ? Avait-elle entendu un bruit ? Ou bien ses pensées avaient-elles déjà rejoint Yakov ?

C'est son attitude quand elle l'attend, pensa-t-il, celle de quelqu'un habitué à patienter toute la journée.

La sonnerie éraillée du téléphone poussiéreux retentit. Un sixième sens avait déjà guidé Katia vers lui et il n'eut pas le temps d'émettre un deuxième râle qu'elle décrochait déjà. Un mètre ou deux seulement la séparaient de Barley, mais la rumeur diffuse de l'hôpital couvrait sa voix. Elle s'était détournée, sans doute par souci d'intimité, et avait collé sa main libre contre son oreille, pour mieux recevoir la voix de son amant dans l'écouteur. Barley l'entendait juste répéter « oui », « oui », docilement.

Laissez-la tranquille ! songeait-il avec colère. Je vous l'ai déjà dit, et je vais vous le répéter ce week-end. Laissez-la tranquille, tenez-la en dehors de tout ça. Traitez avec les hommes en gris ou avec moi, mais pas avec elle !

Le carnet et le stylo étaient posés sur une étagère branlante fixée au pilier, mais Katia n'y avait pas touché. *Oui, oui, oui.* C'est ce que je disais sur l'île. *Oui, oui, oui.* Il la vit rentrer le cou dans les épaules, étirant son dos comme si elle inspirait profondément, ou savourait un instant de bonheur intime. Écartant le coude de son corps, elle pressa l'écouteur plus étroitement contre son oreille. *Oui, oui.* Et pourquoi pas *non*, pour une fois ? *Non, je ne m'aplatirai pas pour toi !*

Il vit sa main libre toucher le pilier, ses doigts s'écarter et se raidir, et ses ongles s'enfoncer dans le plâtre sombre. Il vit le dos de sa main crispée devenir exsangue, et soudain cette main immobile l'inquiéta. Katia s'agrippait de toutes ses forces à la prise qu'elle avait trouvée. Plaquée contre une falaise, suspendue entre son amant et le vide, seul un doigt la retenait à la vie.

Barley vit son visage lorsqu'elle se retourna, le combiné toujours collé à l'oreille. Qui était-elle ? Qu'était-elle devenue ? Pour la première fois depuis leur rencontre, elle demeurait sans expression, et le téléphone semblait un revolver appuyé contre sa tempe.

Elle avait le regard hébété d'un otage.

Son corps commença de glisser le long du pilier, comme si l'effort de se tenir debout était devenu trop dur pour elle. D'abord ses genoux cédèrent, puis son corps s'affaissa doucement, mais Barley se précipita pour la retenir. Passant un bras autour de sa taille, il lui arracha le combiné de l'autre, le porta à son oreille, et cria « Goethe! », mais n'eut pour toute réponse que la tonalité, et raccrocha.

Barley avait oublié jusque-là sa propre force. A peine avaient-ils commencé de marcher que Katia fut prise d'une violente réaction contre lui et le frappa du poing en silence, lui assenant un coup si sec sur la pommette qu'il en fut un instant aveuglé. Il lui saisit les mains, la tira sous le comptoir, et la fit sortir *manu militari* de l'hôpital, jusque dans le parking. « C'est une malade instable, s'entraînait-il à expliquer. Je suis son médecin traitant. »

La tenant toujours d'une main, il renversa le contenu de son sac sur le toit de la voiture, trouva la clé, ouvrit la portière du passager et poussa Katia à l'intérieur. Puis au cas où elle serait tentée de reprendre le volant, il fit le tour en hâte jusqu'à la place du conducteur.

— Je rentre, dit-elle.

— Je ne connais pas le chemin.

— Emmène-moi à la maison, répéta-t-elle.

— Je ne connais pas la route, Katia! Il faut que tu me guides, tu entends?

Il la saisit par les épaules.

— Redresse-toi. Regarde par la vitre. Merde, où est la marche arrière dans cette bagnole?

Il tripota nerveusement le levier de vitesses, qu'elle saisit pour passer la marche arrière d'un coup sec qui fit grincer la boîte.

— Bon, les phares, maintenant, dit-il.

Il avait déjà trouvé la manette, mais laissa Katia les allumer à sa place, l'obligeant ainsi à réagir. Alors qu'ils ressortaient du parking en cahotant, il fit une embardée pour éviter une ambulance entrant à toute vitesse. De l'eau boueuse éclaboussa le pare-brise. Comme le temps n'était pas à la pluie, Katia n'avait pas remis les essuie-glaces, et Barley dut arrêter la voiture, sauter dehors et éponger la vitre tant bien que mal avec son mouchoir, avant de reprendre le volant.

— Tourne à gauche, ordonna-t-elle. Plus vite, s'il te plaît.

— Mais nous sommes arrivés par l'autre côté tout à l'heure.

— C'est un sens unique. Dépêche-toi.

Elle se tut, et il ne parvint plus à lui arracher la moindre parole. Il lui tendit sa flasque, mais elle la repoussa. Il conduisait lentement, ignorant ses recommandations d'accélérer. Dans le rétroviseur intérieur, il voyait des phares garder leurs distances. C'est Wicklow, pensa-t-il. C'est Paddy, Cy, Henziger, Zapadny, c'est toute la cavalerie qui suit. Le visage sans vie de Katia apparaissait par intermittence à la lumière des réverbères au sodium. Son regard semblait tourné vers quelque vision cauchemardesque engendrée par son imagination. Elle mordait son poing crispé, dont les jointures blanchissaient.

– Je tourne là ? demanda brutalement Barley avant de lui crier au visage : Dis-moi où tourner, tu veux ?

Elle répondit d'abord en russe, puis en anglais.

– Là. A droite. Plus vite.

Il ne reconnaissait rien. Chaque rue déserte ressemblait à la suivante, à la précédente.

– Tourne ici.

– A gauche ou à droite ?

– A GAUCHE !

Elle répéta son ordre en hurlant à tue-tête. Après les cris vinrent les larmes, et les larmes coulaient, entrecoupées de sanglots oppressés, désespérés, qui finirent par s'espacer, et cesser quand ils arrivèrent devant son immeuble. Barley tira sur le frein à main, mais il était cassé. La voiture avançait encore quand il se pencha pour ouvrir la portière à Katia. Il voulut l'aider, mais, plus rapide que lui, elle sortit chancelante et courut à travers le terre-plein, fouillant dans son sac à main pour trouver ses clés. Caché dans l'ombre de la porte, un jeune homme en blouson de cuir fit mine de lui barrer la route, mais déjà Barley l'avait rejointe, et le garçon s'écarta vivement pour les laisser passer. Sans attendre l'ascenseur, ou peut-être avait-elle oublié qu'il en existait un, elle monta les escaliers quatre à quatre, Barley sur ses talons. Ils dépassèrent un couple enlacé, et un vieillard ivre vautré sur le palier du premier. Poursuivant leur escalade, ils virent une vieille femme qui cuvait son alcool, puis un adolescent. Ils montèrent tant de marches que Barley commençait à craindre que Katia n'eût oublié à quel étage elle habitait. Enfin elle s'arrêta, tourna la clé, et ils se retrouvèrent chez elle. Elle se précipita dans la chambre des jumeaux, et, à genoux sur le lit, tête baissée, haletant comme un nageur à bout de souffle, elle étreignit les deux corps endormis.

Une fois encore, seule sa chambre existait. Il l'y conduisit, car même dans cet espace exigu, elle ne retrouvait plus son chemin. Elle s'assit sur le lit avec précaution, comme si elle en avait oublié la hauteur, et Barley, près d'elle, scrutait son visage inexpressif, observant ses yeux clos qui s'ouvraient à demi avant de se refermer. Il n'osait pas la toucher tant elle était tendue, terrifiée et loin de lui. Elle se tenait le poignet comme s'il était cassé, et poussa un long soupir. Il prononça son nom, mais elle ne sembla pas l'entendre. Il jeta un regard tout autour de la chambre. Une petite tablette fixée au mur faisait office de coiffeuse et de bureau. Parmi les vieilles lettres se trouvait un bloc à spirale, semblable à ceux que Goethe utilisait. Barley décrocha un encadrement de Renoir suspendu au-dessus du lit et le posa sur ses genoux. En espion entraîné, il arracha une page du bloc-notes, la posa sur le sous-verre, prit un stylo et griffonna :

Raconte.

Il lui mit le papier sous les yeux, et elle le lut avec indifférence, sans lâcher son poignet. Inconsciemment appuyée contre lui, elle eut un léger haussement d'épaules. Son corsage était défait, et ses cheveux tout emmêlés par la course. Il écrivit à nouveau *Raconte*, puis la saisit par les épaules, et ses yeux l'imploraient, pleins d'un amour désespéré. Il tapota la feuille du doigt, prit le cadre et le cala fermement sur les genoux de Katia pour qu'elle s'y appuie. Elle contempla le mot sur le papier, et partit d'un long sanglot déchirant, avant de laisser tomber sa tête sur sa poitrine, dérobant à Barley son visage derrière l'écran de sa lourde chevelure noire.

Ils ont pris Yakov, écrivit-elle.

Il s'empara du stylo.

Qui te l'a dit ?

Yakov, répondit-elle.

Qu'est-ce qu'il a dit ?

Il vient à Moscou vendredi. Il te donne rendez-vous chez Igor vendredi soir à 11 heures. Il t'apporte des informations et répondra à tes questions. Prépare une liste détaillée. Ce sera la dernière fois. Il veut des précisions sur le livre, la date de publication, etc. Apporte-lui du bon whisky. Il m'aime.

Il saisit le stylo.

C'est Yakov qui parlait ?

Elle acquiesça.

Pourquoi dis-tu qu'ils l'ont pris ?

Il utilisait le mauvais nom.

Quel nom ?

Daniil. C'est notre code. Piotr si tout va bien. Daniil s'il est tombé entre leurs mains.

Le stylo était passé rapidement de l'un à l'autre. Maintenant, Barley le gardait et griffonnait sans cesse, question après question.

Il a commis une erreur ? demanda-t-il.

Elle secoua négativement la tête.

Il a été malade. Il a peut-être oublié votre code ?

Même réponse.

Il ne s'est jamais trompé avant ?

Alors elle fit « non » encore une fois, reprit le stylo et écrivit rageusement : *Il m'a appelée Maria. Il a dit : « Allô, Maria ? » C'est le nom que je dois prendre en cas de danger. Sinon, c'est Alina.*

Écris ce qu'il a dit.

« Allô, Maria ? Ici, c'est Daniil. Ma conférence a été le plus beau succès de ma carrière. » Il mentait.

Pourquoi ?

Il dit toujours qu'en Russie, le seul succès, c'est de perdre. Une plaisanterie à nous. Donc, il me disait qu'on était perdus.

Barley s'approcha de la fenêtre, et regarda le carrefour et la rue en contrebas. Son obscur univers intérieur s'était tu. Pas un mouvement, pas un souffle. Barley se sentait prêt. Il l'avait été toute sa vie sans le savoir. En tant que compagne de Goethe, Katia était condamnée comme lui. Pas encore morte, parce que Goethe l'avait protégée avec les dernières parcelles de courage qu'il avait pu trouver en lui. Mais morte elle serait, dès qu'ils décideraient d'allonger le bras pour la cueillir.

Pendant une heure environ, il demeura ainsi à la fenêtre, avant de revenir vers le lit. Katia était couchée en chien de fusil, les yeux grands ouverts. Il passa un bras autour d'elle et l'attira tout contre lui, sentant son corps de marbre céder progressivement à son étreinte, tandis qu'elle fondait en larmes, secouée de sanglots convulsifs et silencieux, comme si elle craignait que les micros ne les entendent.

Il se remit à écrire, cette fois en larges majuscules bien lisibles :

JE SUIS LÀ, MOI.

Les nouvelles défilaient régulièrement sur les écrans. Barley a quitté le Mej. A suivre. Ils sont arrivés à la station de métro. A suivre. Sont ressortis de l'hôpital. Katia au bras de Barley. A suivre. Les hommes mentent, mais l'ordinateur est infaillible. A suivre.

— Mais pourquoi c'est lui qui conduit ? demanda vivement Ned quand cette information tomba.

Sheriton était trop absorbé pour répondre, mais Bob, debout derrière lui, avait une suggestion.

— Les hommes n'aiment pas que la femme conduise, Ned. Le temps du phallocratisme n'est pas encore révolu.

— Merci du renseignement, répondit Ned poliment.

Clive avait un sourire approbateur.

Entracte. Les écrans restèrent un instant muets, et Anastasia, une vieille Lettonne acariâtre de soixante ans, dont vingt passés au service de la Maison Russie, compléta le rapport, car elle seule avait été autorisée à surveiller le hall d'entrée de l'hôpital.

La légende vivante relata les événements suivants :

Elle avait fait deux passages, l'un pour aller aux toilettes, et l'autre pour revenir dans la salle d'attente.

Au premier, Barley et Katia attendaient, assis sur un banc.

Au second, ils se trouvaient près du téléphone, et semblaient s'étreindre. Barley tenait sa main à la hauteur du visage de Katia, qui avait un bras levé et l'autre ballant.

Était-ce avant ou après l'appel de Bluebird ?

Anastasia l'ignorait. Depuis les toilettes, elle avait prêté attentivement l'oreille, mais n'avait pas entendu le téléphone sonner. Soit l'appel n'avait pas eu lieu, soit il était déjà terminé quand elle avait fait son deuxième passage.

— Pourquoi diable Barley l'a-t-il prise dans ses bras ? demanda Ned.

— Elle avait peut-être une poussière dans l'œil, avança Sheriton d'un ton acide, le regard toujours rivé à l'écran.

— Et en plus, c'est lui qui a conduit, insista Ned. Il n'a pas le droit là-bas, mais il a conduit. Il lui a laissé le volant pendant tout l'aller-retour à la campagne et le trajet jusqu'à l'hôpital. Et tout d'un coup, il la remplace. Pourquoi ?

Sheriton posa son stylo, et passa un doigt à l'intérieur de son col de chemise.

– Bon, alors à votre avis, Ned, Bluebird a passé le coup de fil ou pas ? Hein ?

Ned eut l'honnêteté de réfléchir à la question.

– Probablement, oui. Sinon, ils auraient attendu.

– Elle a peut-être entendu quelque chose de déplaisant, suggéra Sheriton. Des mauvaises nouvelles, par exemple.

Les écrans maintenant muets, la pièce était plongée dans une pénombre glauque.

Sheriton avait un bureau personnel, tout en bois de rose avec en prime les inévitables lithos. Nous nous y installâmes pour attendre en buvant du café.

– Qu'est-ce qu'il peut bien foutre chez elle pendant si longtemps ? me glissa Ned en aparté. Tout ce qu'il a à faire, c'est obtenir d'elle l'heure et le lieu du rendez-vous. Il n'a pas besoin de deux heures pour ça, quand même ?

– Peut-être qu'ils prennent un peu de bon temps, dis-je.

– Si ce n'était que ça, je serais rassuré.

– Il doit encore être en train d'acheter un chapeau, railla Johnny, qui nous avait entendus.

– C'est reparti ! s'écria Sheriton comme la sonnerie se faisait entendre, nous rappelant à la salle des opérations.

Sur un plan lumineux de la ville, un point rouge indiquait l'appartement de Katia. Le rendez-vous était fixé à trois cents mètres à l'est, au coin sud-est de deux grandes artères, marquées en vert. Barley devait longer le trottoir vers le sud et ralentir à l'endroit convenu, comme s'il cherchait un taxi. Notre voiture s'arrêterait près de lui. Barley était censé indiquer à voix haute son hôtel au chauffeur, et marchander par gestes le prix de la course.

Au deuxième rond-point, la voiture changerait de direction pour pénétrer dans un chantier de construction où notre camion était garé, tous feux éteints, son chauffeur feignant de dormir. Si l'antenne radio était sortie, la voiture devait effectuer un tour complet sur la droite et revenir au camion.

Sinon, rendez-vous annulé.

Le rapport de Paddy tomba sur les écrans à 1 heure du matin, heure de Londres. Les bandes magnétiques arrivèrent à peine une heure plus tard, après transmission du toit de l'ambassade des États-Unis. Depuis, le rapport a été disséqué sur toutes les coutures. Pour moi, il demeure un modèle de compte rendu des opérations sur le terrain.

Bien sûr, l'identité de l'auteur a son importance, car tous les auteurs ont leur facture propre. Sans être devin, Paddy avait beaucoup de qualités : ancien Gurkha entré dans les Services spéciaux, puis officier du Renseignement, distingué linguiste, organisateur ou improvisateur selon les cas, il avait exactement le profil que Ned recherchait.

Pour sa couverture à Moscou, il avait si bien endossé l'habit d'une certaine niaiserie anglaise que les gens se moquaient de lui quand ils en parlaient entre eux : ses randonnées estivales en short trop long dans les bois autour de Moscou ; le ski de fond en hiver, pour lequel il surchargeait sa Volvo de skis antédiluviens, de bâtons en bambou, de rations de fer, et enfin, et surtout, de lui-même, coiffé d'une toque en fourrure qui semblait une relique des premières expéditions arctiques. Mais il faut être malin pour jouer les idiots pendant si longtemps sans se faire démasquer, et Paddy l'était, même si par la suite cela devait arranger certains de prendre ses excentricités pour argent comptant.

Il dirigeait avec maestria son groupe hétéroclite de pseudo-étudiants en langues, employés d'agence de voyages, petits négociants, et autres éléments à passeports multiples. Ned lui-même n'aurait pas fait mieux. Paddy les couvait comme un pasteur ses ouailles, et chacune de ces âmes, au fond si solitaires, l'idolâtrait. Malheureusement pour lui, les qualités qui attiraient les gens vers lui étaient celles-là mêmes qui le rendaient vulnérable à la duperie.

Pour en revenir au rapport, Paddy fut tout d'abord frappé par la précision du récit de Barley. Comme en témoignent d'ailleurs les bandes, sa voix était plus assurée que jamais.

Paddy fut aussi impressionné par sa détermination et par son dévouement à sa mission, comparant avantageusement le Barley en face de lui dans le camion à celui qu'il avait briefé en vue du séjour à Leningrad, et il avait raison. C'était un homme transformé, épanoui.

En outre, le récit de Barley recoupait tous les faits vérifiables dont Paddy disposait, depuis le rendez-vous au métro et le trajet vers l'hôpital jusqu'à l'attente sur le banc et la sonnerie rapidement interrompue du téléphone. Barley expliqua que Katia se trouvait juste devant quand il avait sonné. Lui-même l'avait à peine entendue. Il n'était donc guère étonnant qu'Anastasia n'eût rien entendu non plus, déduisit Paddy. Katia avait dû être rapide comme l'éclair en décrochant.

La communication entre Katia et Bluebird avait été brève. Deux minutes au plus, selon Barley. Encore un bon point. On connaissait l'aversion de Goethe pour les longues conversations téléphoniques.

Avec une telle somme de faits concomitants rapportés par un Barley à l'aise comme un poisson dans l'eau, comment diable soutenir après-coup que Paddy aurait dû conduire Barley tout droit à l'ambassade et le réexpédier à Londres, bâillonné et ligoté ? C'est pourtant ce que Clive prétendit, bien sûr, et il ne fut pas le seul.

Revenons aux trois mystères qui tracassaient Ned : l'étreinte, le retour de l'hôpital avec Barley au volant, et les deux heures passées dans l'appartement. Imaginons la scène dans le camion : Barley tel que Paddy l'a vu, penché au-dessus de la table, son visage luisant de chaleur éclairé par la lumière rasante. En bruit de fond, le ronronnement des baffles. Les deux hommes portent des écouteurs. Barley chuchote, s'adressant autant au micro en circuit fermé posé entre eux qu'à son officier traitant. De toutes les nuits d'aventures que Paddy a passées à la frontière nord-ouest, aucune n'a dû être imprégnée d'une telle tension dramatique.

Cy est assis dans la pénombre avec une troisième paire d'écouteurs. C'est son camion, mais il a pour instructions de laisser Paddy jouer les maîtres de cérémonie.

— Et puis là, elle a commencé à flageoler sur ses jambes, dit Barley sur le ton de la confidence entre hommes, qui fait sourire Paddy. Pendant toute la semaine, elle s'était fait tout un cinéma avec ce coup de fil, et puis d'un coup c'était fini. Alors elle a craqué. Je pense qu'autrement elle aurait tenu le coup jusque chez elle.

— Oui, sûrement, reconnaît Paddy, compréhensif.

— Mais c'était trop pour elle. Le fait d'entendre la voix de Goethe, d'apprendre qu'il serait en ville dans deux jours, et puis ses craintes pour ses enfants, pour lui et pour elle-même, tout ça, c'était simplement trop.

Paddy comprend parfaitement. Il a connu des femmes émotives en son temps, et sait fort bien ce qui peut les faire fondre en larmes.

A partir de là, tout s'enchaîna naturellement. Les mensonges s'orchestrèrent en une symphonie. Barley dit qu'il avait fait son possible pour la réconforter, mais elle était dans un tel état qu'il avait dû la soutenir d'un bras pour l'emmener à la voiture, et la reconduire chez elle.

Sur le chemin, elle avait encore pleuré un peu, mais récupérait déjà quand ils étaient arrivés à son appartement. Barley lui avait préparé une tasse de thé et tenu la main jusqu'à ce qu'il fût certain qu'elle s'était ressaisie.

— Bien joué, approuva Paddy.

Et si sa voix sur la bande évoque celle d'un officier de l'armée des Indes du XIXe siècle félicitant ses hommes après une charge de cavalerie inutile, c'est simplement parce qu'il était impressionné, et parlait trop près du micro.

Enfin, il y a la question de Barley, qui marqua l'entrée en scène de Cy. Rétrospectivement, elle n'est autre que l'aveu d'une préméditation de vol, mais Cy ne le comprit pas plus que Paddy, ni personne à Londres hormis Ned, dont l'inefficacité exaspérante en faisait maintenant le paria de la salle des opérations.

— Ah oui, au fait, et la liste des courses ? lança Barley au moment de partir.

Une question comme tant d'autres concernant des petits détails administratifs. Rien de particulier.

— Quand est-ce que vous allez glisser la liste des courses dans ma jolie petite main ? répéta-t-il.

— Pour quoi faire ? demanda la voix de Cy, émergeant de l'ombre.

— Mais j'en sais rien, moi. Je devrais peut-être la potasser un peu, non ?

— Il n'y a rien à potasser, dit Cy. Ce sont des questions écrites, auxquelles il faut répondre par oui ou par non, et il est capital que vous n'en connaissiez aucune à l'avance. Merci beaucoup.

— Alors, je l'aurai quand ?

— Une liste des courses se prépare toujours le plus tard possible, déclara Cy.

Quant à l'opinion de Cy sur l'état d'esprit de Barley, on peut en retenir cette perle : « Avec les Angliches, on ne peut jamais savoir ce qu'ils pensent, de toute manière », aurait-il déclaré.

Cette fois-là au moins, Cy n'avait pas complètement tort.

— Il n'y avait aucune mauvaise nouvelle, insistait Ned, tandis que Brock repassait l'enregistrement du camion pour la troisième, ou la trentième fois.

Nous étions de retour dans notre bonne vieille Maison Russie, où nous avions cherché refuge. C'était comme aux tout premiers jours. L'aube pointait, mais nous étions trop énervés pour songer à dormir.

— Pas de mauvaises nouvelles. Rien que des bonnes, répétait Ned. « Je vais bien. Je suis en sécurité. J'ai fait une belle conférence. Je prends l'avion. On se voit vendredi. Je t'aime. » Et elle se met à pleurer.

— Je ne sais pas, moi, dis-je à contrecœur. Ça ne vous est jamais arrivé de pleurer de joie ?

— Mais enfin, là, elle pleure tellement qu'il doit la trimballer tout le long du couloir. Elle pleure tellement qu'elle ne peut plus conduire. Et une fois dans son immeuble, elle se précipite chez elle comme si Barley n'existait pas, tellement elle est heureuse que Bluebird arrive par avion le jour prévu. Et Barley la console. Obligé, avec toutes ces bonnes nouvelles !

On entendait une fois de plus la voix enregistrée de Barley.

— Et il est calme, commenta Ned. Parfaitement calme. Pas l'ombre d'une inquiétude. « Impeccable, Paddy. Tout va pour le mieux. C'est pour ça qu'elle pleure. » Ben voyons !

Il se cala dans son fauteuil, et ferma les yeux. La voix franche et loyale de Barley sortait toujours du magnétophone.

— Il ne nous appartient plus, affirma Ned. Il nous a quittés.

Comme Ned, à sa manière, nous avait quittés lui aussi. Il avait mis sur pied une superbe opération. Et maintenant, à l'en croire, il ne lui restait plus qu'à la regarder lui filer entre les doigts. De ma vie, je n'ai vu homme plus seul ; sauf, peut-être, moi-même.

Espionner, c'est attendre.
Espionner, c'est s'angoisser.
Espionner, c'est se dépasser.

Les formules magiques de Walter, le cher disparu, et de Ned, le mort-vivant, résonnaient aux oreilles de Barley. L'apprenti sorcier avait hérité les sortilèges de ses maîtres, mais ses pouvoirs étaient plus grands que les leurs l'avaient jamais été.

Il avait atteint le sommet d'une montagne que nul d'entre eux n'avait gravie. Il avait le but, les moyens de l'atteindre, et ce que Clive aurait appelé le mobile, c'est-à-dire la volonté, en termes plus objectifs. Tous leurs enseignements se révélaient payants, maintenant que Barley se retournait tranquillement contre eux pour les duper. Et pourtant, ce n'était pas un escroc.

Leurs drapeaux ne lui étaient rien, quelle que fût la direction du vent. Barley n'était pas un traître. Il ne luttait même pas pour sa propre cause. Il savait quelle bataille il devait gagner, et au nom de qui. Il connaissait l'ampleur du sacrifice auquel il se préparait. Il n'était pas un traître, mais cohérent avec lui-même.

Il se moquait des étiquettes que se collaient les deux camps pour se faire peur, et de leurs systèmes décadents. Cet homme seul était plus fort qu'eux tous réunis, qui avaient cru pouvoir le contrôler. Ils représentaient à ses yeux la pire des armes, parce que leur existence même justifiait leurs objectifs.

En douceur – à vrai dire, de manière plus amère que douce – Barley avait découvert la colère. Il en sentait les premières fumées âcres, il en entendait les premiers crépitements.

N'existait que l'instant présent, Goethe avait raison. Il n'y avait pas de demain ; demain, c'était un faux-fuyant. Seul l'instant présent, ou alors le néant ; et Goethe, maintenant du fond de ce néant, avait toujours raison. Tuer l'homme en gris qui somnole en nous, brûler son triste costume, et ouvrir à nos cœurs la porte de la cage, voilà l'aspiration de tout être humain digne de ce nom, voire même – aussi incroyable que cela puisse paraître – de certains hommes en gris. Mais comment y arriver ?

Goethe avait raison, et ce n'était pas sa faute ni celle de Barley si chacun avait sans le vouloir entraîné l'autre. Dans l'éclat radieux d'une conscience à son aurore, une émotion fraternelle pour cet étrange compagnon de route submergeait Barley. Il souscrivait sans retenue à son rêve éperdu de libérer les forces de la saine raison et d'exposer au grand jour les secrets inavouables.

Mais Barley ne s'étendit pas longtemps sur les tourments que Goethe souffrait en enfer, où sans doute lui-même irait bientôt le rejoindre. Je le pleurerai quand j'en aurai le temps, se dit-il. D'ici là, ce qui comptait, c'était cette vie que Goethe avait risquée sans vergogne, avant d'essayer de la sauver dans un dernier sursaut de courage.

Pour l'instant, Barley devait utiliser les ruses des hommes en gris. Plus que jamais, il devait se dépasser, attendre, et s'angoisser. Il devait constamment inverser l'être et le paraître, serein intérieurement, extérieurement frustré. Il devait vivre sur la pointe des pieds sans éveiller les soupçons, l'esprit aux aguets, tout en feignant d'être le Barley Blair qu'ils voulaient voir, le pantin dont ils tiraient les ficelles.

Pendant ce temps, le joueur d'échecs en lui calculait ses coups. Le négociateur assoupi ouvrait l'œil à l'insu de tous, l'éditeur réussissait ce qu'il n'avait jamais réalisé auparavant, il devenait l'intermédiaire lucide entre la nécessité et l'utopie.

Katia sait, raisonnait-il. *Elle sait que Goethe a été pris.*

Mais ils ne savent pas qu'elle sait, parce qu'elle a gardé sa présence d'esprit au téléphone.

Et ils ne savent pas que je sais que Katia sait.

Je suis la seule personne au monde hormis Katia et Goethe à savoir qu'elle sait.

Katia est toujours libre.

Pourquoi?

Ils n'ont pas kidnappé ses enfants, mis à sac son appartement, ni enfermé Matveï dans une maison de fous; ils n'ont usé d'aucun de ces délicats procédés traditionnellement réservés aux dames russes qui font le facteur pour des physiciens de la défense soviétique décidés à confier des secrets d'État à un éditeur occidental décadent.

Pourquoi?

Jusqu'à maintenant, je suis libre, moi aussi. Ils ne m'ont pas enchaîné par le cou à un mur de brique.

Pourquoi?

Parce qu'ils ne savent pas que nous savons qu'ils savent.

Ils veulent donc autre chose.

Ils nous veulent nous, et davantage encore.

Mais qu'est-ce « davantage »?

Quel est le secret de leur patience?

Tout le monde finit par parler, avait froidement déclaré Ned. *Avec les méthodes modernes, tout le monde parle.* Il conseillait ainsi à Barley de ne pas jouer les héros s'il était pris. Mais Barley ne pensait plus à lui-même. Il pensait à Katia.

Chaque jour, chaque nuit qui suivit, Barley déplaça ses pièces sur son échiquier mental, attendant comme nous tous le rendez-vous de vendredi avec Bluebird.

Dès le petit déjeuner, Barley est prêt pour la représentation. Un éditeur et un espion modèles. Chaque jour, du matin au soir, il est l'âme de la foire.

Goethe, je ne peux rien faire pour toi. Aucune force au monde ne saurait t'arracher à leurs griffes.

Katia et les enfants, eux, peuvent encore être sauvés. Même si tout le monde finit par parler, même si Goethe ne fait pas exception à la règle, au bout du compte.

Quant à moi : impossible à sauver, comme toujours.

Goethe m'a donné le courage, et Katia l'amour, pensait-il comme son dessein caché prenait corps.

Non. Katia m'a apporté les deux. Et elle continue de le faire.

Et le vendredi arrive, un jour comme les autres, nos écrans presque silencieux. Barley se prépare consciencieusement pour le grand cocktail inaugural de Potomac & Blair, placé sous le signe de la détente et de la glasnost, selon la formule ampoulée de nos cartons d'invitation, en trois volets à bord dentelé, imprimés il n'y a pas quinze jours sur la presse du Service.

Et régulièrement, avec une feinte désinvolture, Barley s'assure du bien-être de Katia. Il l'appelle aussi souvent que possible pour bavarder, le mot « opportun » signifiant que tout va bien pour elle, et lui, glissant en retour « honnêtement » au hasard d'une conversation futile. Pas de sujet grave, rien sur l'amour, la mort, ou les grands poètes allemands, mais simplement :

Comment vas-tu ?

La foire ne t'épuise pas trop, honnêtement ?

Comment vont les jumeaux ?

Matveï est toujours content de sa pipe ?

Tout cela voulant dire je t'aime, je t'aime, je t'aime et je t'aime, honnêtement.

Afin de mieux s'assurer de sa sécurité, Barley envoie Wicklow jeter un coup d'œil au pavillon socialiste.

— Elle est en pleine forme, sourit Wicklow, rassurant ainsi l'anxiété de Barley. Bon pied, bon œil !

— Merci, dit Barley. Rudement gentil de votre part, mon vieux.

La deuxième fois, encore à la demande de Barley, c'est Henziger lui-même qui se déplace. Peut-être Barley se réserve-t-il pour la soirée, ou bien se méfie-t-il de ses propres émotions. Elle est toujours là, en vie, elle respire toujours, elle vient de passer sa robe du soir.

Mais pendant tout ce temps, et même lorsqu'il retourne en ville avant les invités pour pouvoir les accueillir, Barley ne cesse de passer en revue tous les faits, modifiables ou non, avec une objectivité que lui envierait le plus véreux des avocats expérimentés.

16.

– Gyorgy. Quelle joie! Où est Varenka?

– Barley, mon cher ami, pour l'amour de Dieu, sauvez-nous! Nous n'aimons pas plus ce XXᵉ siècle que vous autres Anglais. Alors, fuyons-le ensemble! On part ce soir, d'accord? Vous prenez les billets?

– Youri! C'est votre nouvelle épouse? Madame, vous feriez mieux de le quitter. C'est un vrai monstre.

– Barley, écoutez-moi! Tout va bien. Plus de problèmes! Dans le temps, il fallait supposer que tout allait de travers. Aujourd'hui, il suffit de lire les journaux pour en être sûr.

– Micha! Ça avance, le travail? Parfait.

– C'est la guerre, nom de Dieu, Barley! La guerre ouverte. D'abord il va falloir pendre la vieille garde haut et court, et après ça, gagner une autre bataille de Stalingrad.

– Leo! Ravi de vous revoir. Comment va Sonia?

– Mais enfin, Barley, écoutez ce que je vous dis, à la fin! Le communisme n'est pas une menace. C'est une industrie qui vit des erreurs de connards d'Occidentaux.

Le cocktail avait lieu dans la salle des miroirs au premier étage d'un vieil hôtel du centre ville. Des gardes en civil étaient postés sur le trottoir, et d'autres assuraient la surveillance dans le vestibule, dans l'escalier, et à l'entrée de la salle.

Potomac & Blair avait lancé une centaine d'invitations. Huit avaient été acceptées, aucune refusée, et environ cent cinquante personnes étaient déjà présentes. Barley préférait se tenir près de la porte en attendant Katia.

Un troupeau de jeunes Occidentales envahit la salle, escortées par les pseudo-interprètes officiels de rigueur, tous des hommes. Un philosophe corpulent, clarinettiste amateur, arriva avec son dernier petit ami en date.

— Alexandre, quelle bonne surprise!

Un Sibérien solitaire prénommé Andreï, déjà ivre, tenait absolument à discuter d'une question vitale avec Barley.

— Le socialisme à parti unique est une calamité, Barley. Nous sommes tous désespérés. Accrochez-vous au multipartisme, en Angleterre. Au fait, vous allez publier mon dernier roman?

— Je ne peux vraiment rien vous dire pour l'instant, Andreï, répliqua prudemment Barley sans perdre la porte de vue. Notre conseiller littéraire slavisant l'aime beaucoup, mais il ne le voit pas bien sur le marché anglais. Enfin on y pense, on y pense.

— Vous savez pourquoi je suis venu ce soir? fit Andreï.

— Non, mais je vais bientôt le savoir.

Un joyeux groupe fit son entrée. Katia n'était pas parmi les nouveaux arrivants.

— Pour pouvoir me montrer à vous dans mes plus beaux vêtements, expliqua Andreï. Entre Russes, on connaît trop bien toutes nos ficelles, alors on a besoin de voir notre reflet dans le miroir de l'Occident. Vous venez chez nous, vous en repartez avec notre meilleure image gravée en vous, et du coup on se sent revalorisés. Dites-moi, puisque vous avez publié mon premier roman, ça semblerait logique que vous sortiez le deuxième.

— Pas si le premier ne s'est pas vendu, Andreï, répliqua Barley avec une fermeté inhabituelle, apercevant avec soulagement Wicklow qui se frayait un chemin dans leur direction.

— Vous savez qu'Anatoli est mort en décembre après une grève de la faim dans sa cellule? reprit Andreï. Au bout de ces deux années du grand renouveau russe, vous vous rendez compte? continua-t-il en avalant une longue rasade de whisky, gracieusement fourni par l'ambassade américaine pour la promotion d'une Russie plus sobre.

— Bien sûr qu'on est au courant, intervint Wicklow avec compassion. C'est écœurant.

— Alors comme ça, vous ne voulez pas publier mon roman?

Laissant Wicklow se débrouiller avec Andreï, Barley se précipita vers la porte, bras ouverts et tout sourire. L'éblouissante Natalie, de la Bibliothèque fédérale de littérature étrangère, faisait son apparition. Une femme d'une soixantaine d'années, dont la beauté n'avait rien à envier à l'intelligence. Ils tombèrent dans les bras l'un de l'autre.

— Alors, de qui allons-nous parler ce soir, Barley ? fit-elle. De James Joyce ou d'Adrian Mole ? Tiens, c'est drôle, vous avez l'air intelligent, tout d'un coup. C'est d'être devenu capitaliste qui vous fait cet effet ?

Il y eut soudain un exode massif vers l'autre bout de la salle, et les gardes inquiets passèrent aussitôt la tête par la porte. Les conversations tombèrent un instant, puis repartirent de plus belle. On venait d'ouvrir le buffet.

Mais toujours pas de Katia.

— Maintenant tout est plus simple, grâce à la perestroïka, disait Natalie avec son sourire irrésistible. Voyager à l'étranger n'est plus un problème. Par exemple pour aller en Bulgarie, il suffit de décrire à nos bureaucrates le genre de personne que l'on est, car bien évidemment, les Bulgares ont besoin de savoir à qui ils ont affaire avant notre arrivée chez eux. Est-on d'une intelligence supérieure, moyenne, ou normale ? Les Bulgares doivent se préparer, et peut-être même s'entraîner, selon les cas. Est-on une personne calme ou excitée, à l'esprit simple ou débordant d'imagination ? Une fois qu'on a répondu à ces petites questions, et à bien d'autres du même genre, on peut passer à des problèmes plus importants, tels que l'adresse et le nom complet de la grand-mère maternelle, la date de sa mort, le numéro de son acte de décès, et selon leur humeur, le nom du médecin qui l'a signé. Vous voyez que nos bureaucrates font tout leur possible pour mettre rapidement en vigueur les nouvelles consignes de détente, et nous expédier en vacances à l'étranger avec nos enfants. Barley, qui donc attendez-vous avec tant d'impatience ? Aurais-je perdu mon charme, ou est-ce que mon bavardage vous ennuie ?

— Et alors, vous leur avez dit quoi ? lui demanda-t-il en riant, s'obligeant à ne plus la quitter des yeux.

— Eh bien, que j'étais très intelligente, calme et pleine d'humour, et que les Bulgares seraient ravis de ma présence. En fait, les bureaucrates veulent simplement mettre notre détermination à l'épreuve. Ils espèrent qu'à force de nous envoyer d'un service à l'autre, ils arriveront à nous décourager de sortir du pays. Mais ça s'arrange depuis quelque temps. Tout s'arrange petit à petit. Vous n'y croyez peut-être pas, mais la perestroïka est faite pour nous, et pas seulement pour épater les étrangers.

— Comment va votre chien, Barley ? demanda une voix morose tout près de lui.

C'était Arkadi, un sculpteur non officiel, accompagné de sa fiancée non officielle.

— Mais je n'ai pas de chien, Arkadi. Pourquoi cette question ?

— Parce que depuis quelques instants, il est devenu moins dangereux de parler de son chien que de ses amis, si vous voulez mon avis.

Barley tourna la tête dans la direction du regard d'Arkadi, et vit Alik Zapadny à l'autre bout de la salle, en grande conversation avec Katia.

— A Moscou, on parle à tort et à travers ces temps-ci, poursuivit Arkadi, les yeux toujours fixés sur Zapadny. Dans notre enthousiasme, on devient imprudents. Les indics vont faire une plus belle moisson que nos agriculteurs, cet automne. Demandez-lui donc. Il doit savoir tout ce qui se passe dans la profession.

— Alik, vieille canaille, voulez-vous cesser d'importuner cette pauvre femme ? demanda Barley en embrassant Katia et en donnant ensuite l'accolade à Zapadny. Je l'ai vue rougir depuis l'autre bout de la pièce. Méfiez-vous de lui, Katia. Son anglais est presque aussi bon que le vôtre, et il parle plus vite. Alors, comment ça va ?

— Très bien, merci, fit-elle d'une voix douce.

Elle portait la même robe que lors de leur première rencontre à l'hôtel Odessa. Elle se montrait un peu lointaine, mais maîtresse d'elle-même. Ses traits tirés trahissaient pourtant une intense affliction. Dan Zeppelin et Mary Lou faisaient partie du petit groupe.

— Nous avions justement une discussion très intéressante sur les droits de l'homme, Barley, expliqua Zapadny en décrivant avec son verre un geste circulaire, comme s'il faisait la quête. N'est-ce pas, monsieur Zeppelin ? Nous apprécions toujours beaucoup les Occidentaux qui viennent nous faire de grands sermons sur la conduite à tenir envers nos criminels. Moi, ce que je me demande, c'est quelle différence il y a entre un pays qui met en prison un petit peu trop de monde, et un pays qui laisse courir ses gangsters dans la nature. Je crois bien que je viens de trouver un argument de poids pour nos dirigeants. Demain matin, on pourrait annoncer au prétendu Comité de surveillance d'Helsinki que nous ne voulons plus rien entendre tant qu'ils n'auront pas

348

mis la mafia américaine sous les verrous. Qu'en pensez-vous, monsieur Zeppelin ? On relâche notre racaille, et vous emprisonnez la vôtre. C'est honnête comme marché, non ?

– Vous voulez que je vous réponde poliment ou pas ? lança sèchement Dan par-dessus l'épaule de Mary Lou.

Un autre groupe d'invités polyglottes passa près d'eux, suivi, après une pause très théâtrale, par le grand sir Peter Oliphant en personne, avec sa cour de valets russes et anglais. Le brouhaha s'amplifiait à mesure que la salle se remplissait. Trois correspondants britanniques au teint blafard s'en allèrent après examen du buffet dévalisé. Quelqu'un ouvrit le piano et se mit à jouer un chant ukrainien. Une belle voix de femme s'éleva, et d'autres reprirent en chœur.

– Vraiment, je ne vois pas de quoi vous avez peur, répondait Katia à Barley tout étonné car il ne se rappelait pas lui avoir posé de question. Je suis sûre que vous êtes très courageux, comme tous les Anglais.

Dans l'atmosphère étouffante de ce tourbillon mondain, l'excitation de Barley lui jouait des tours. Il se sentait curieusement enivré, alors qu'il buvait le même verre de scotch depuis le début de la soirée.

– Peut-être qu'il n'y a rien là-bas, hasarda-t-il à l'intention de Katia et d'un cercle de visages inconnus. Là-bas dans l'ombre. Pas de talent.

Tout le monde attendait, y compris Barley, qui s'appliquait à les regarder tous, mais n'avait d'yeux que pour Katia. Qu'avait-il donc dit ? Qu'avaient-ils compris ? Leurs visages encore tournés vers lui ne reflétaient plus la gaieté, pas même celui de Katia, mais seulement une certaine consternation. Il poursuivit tant bien que mal :

– Pendant des années, on a tous eu l'image d'Épinal de grands artistes russes attendant qu'on les découvre.

Il hésitait, à présent.

– Vous n'êtes pas d'accord ? Des romans épiques, des pièces de théâtre... Des grands peintres, bannis, travaillant dans l'illégalité. Des greniers regorgeant de merveilles interdites. Des musiciens, aussi, condamnés à l'obscurité. On en parlait, on en rêvait. La continuation secrète du XIXᵉ siècle. « Et quand viendra le dégel, ils sortiront de leur prison de glace pour nous éblouir. » Voilà ce qu'on se disait. Mais nom de Dieu, où sont-ils donc, tous ces génies ? Peut-être qu'ils sont morts congelés ? Peut-être que la répression a fonctionné. C'est ça que j'essaye d'expliquer.

Un silence de plomb suivit ses paroles. Alors Katia vint à son secours.

— Le talent soviétique existe, et a toujours existé, Barley, même aux époques les plus sombres. Rien ne peut le détruire, affirmat-elle avec une pointe de son ancienne rigueur dans le ton. Peut-être devra-t-il d'abord s'adapter aux nouvelles structures, mais il va bientôt éclater au grand jour. Je suis sûre que c'est ce que vous voulez dire.

Henziger avait commencé son discours. Un chef-d'œuvre d'hypocrisie inconsciente.

— J'espère que l'entreprise audacieuse de Potomac & Blair apportera sa modeste contribution à l'ère nouvelle de l'entente Est-Ouest, déclara-t-il, imbu de ses convictions.

Il éleva la voix et son verre en même temps. C'était le type même de l'honnête négociant, de l'Américain bien pensant et homme de cœur. C'était sûrement ainsi qu'il se voyait, d'ailleurs, car il se dissimulait à lui-même son côté cabotin.

— Enrichissons-nous mutuellement! cria-t-il en levant encore plus haut son verre. Libérons-nous mutuellement! Faisons du commerce ensemble, parlons et buvons ensemble, et construisons ensemble un monde meilleur. Mesdames et messieurs, je bois à votre santé, à Potomac & Blair, à notre entreprise commune... et à la perestroïka. Amen!

Ils réclament tous Barley, à présent, sur l'instigation de Spikey Morgan, soutenu avec enthousiasme par Youri et Alik Zapadny. Tous les vieux de la vieille scandent « Bar-ley! Bar-ley! ». Bientôt la salle entière reprend le mot d'ordre, sans même savoir pourquoi, et sans même voir Barley, jusqu'au moment où il bondit sur la table du buffet, tenant un saxophone emprunté à quelqu'un, et joue *My Funny Valentine*, comme à chaque foire du livre depuis la première, accompagné au piano par Jack Henziger, cette fois, dans le style de Fats Waller.

Les gardes à la porte se glissent dans la salle pour écouter, ceux dans l'escalier s'avancent sur le pas de la porte, et ceux du hall montent jusqu'à mi-chemin dans l'escalier lorsque les premières notes du chant du cygne de Barley s'envolent avec pureté et force.

— Mais enfin, on va au nouveau restau indien ! s'écria Henziger furieux, alors qu'ils étaient sur le trottoir sous l'œil bovin des *top-touny* de service. Amenez donc Katia, on a réservé une table.

— Désolé, Jack. On a un autre engagement. Un rendez-vous de longue date.

Henziger jouait en fait la comédie.

— Elle a besoin qu'on veille sur elle, lui avait avoué Barley. Je vais l'emmener souper dans un coin tranquille.

Pourtant, Barley n'emmena pas Katia dîner pour leur soirée d'adieux, comme le confirmèrent les occasionnels avant d'être relevés. Ce fut Katia qui emmena Barley, en un lieu connu de tous les jeunes citadins russes depuis l'adolescence, et que l'on trouve au sommet de chaque immeuble dans toutes les grandes villes. Pour les femmes russes de la génération de Katia, cet endroit reste systématiquement attaché aux souvenirs du premier amour. Il y en avait un, bien sûr, dans l'immeuble de Katia, en haut de l'escalier, au niveau des combles, plus apprécié en hiver qu'en été, car il abritait un réservoir d'eau chaude suintant et des tuyaux brûlants, rafistolés avec un adhésif noir.

Katia dut d'abord s'assurer que Matveï et les jumeaux allaient bien, tandis que Barley l'attendait sur le palier. Après quoi, elle lui prit la main et lui fit monter l'escalier, dont la dernière volée de marches était en bois. Katia avait une clé qui ouvrait la porte en acier rouillée, interdite d'accès aux gens extérieurs à l'immeuble. Après l'avoir refermée derrière eux, Katia entraîna Barley sous les chevrons, jusqu'à un coin de sol dur, où elle avait installé un lit de fortune, et d'où l'on apercevait les étoiles ternies à travers une lucarne crasseuse, avec en bruit de fond les borborygmes des tuyauteries, et dans l'air l'odeur désagréable du linge qui séchait.

— La lettre que tu avais remise à Landau s'est égarée, dit-il. Elle a atterri entre les mains de nos officiels, et ce sont eux qui m'ont envoyé à toi. J'en suis navré.

Mais l'heure n'était plus aux excuses ni aux reproches. Il ne lui avait confié qu'une toute petite partie de son plan, et ne lui en apprit pas davantage, car ils avaient reconnu d'un commun accord qu'elle en savait déjà trop. En outre, ils avaient à parler de choses plus sérieuses. Ce fut en effet ce soir-là que Katia raconta à Barley tout ce qu'il devait par la suite garder d'elle dans son souvenir. Elle lui avoua aussi son amour en des termes simples, pour lui permettre d'affronter la longue séparation qui les attendait.

Barley n'éternisa pas ce tête-à-tête, soucieux de ne pas éveiller les soupçons des hommes sur le terrain ni de ceux à Londres. Il fut de retour au Mej à minuit, à temps pour un dernier verre avec les copains.

— Au fait, Jack, Alik Zapadny m'a invité à son pot d'adieux traditionnel pour les vétérans demain après-midi, annonça-t-il à Henziger au bar du premier étage.

— Vous voulez que je vous accompagne? demanda Henziger qui, comme les Russes eux-mêmes, ne se faisait aucune illusion sur les accointances douteuses de Zapadny.

— Oh, non. Vous êtes encore un bleu dans le métier. C'est réservé aux vieux briscards, à ceux qui ont connu l'époque où il n'y avait pas d'espoir.

— Ça se passe à quelle heure? s'enquit Wicklow, toujours plein de sens pratique.

— 16 heures, si j'ai bonne mémoire. Une drôle d'heure pour un pot. Oui, c'est bien ça. 16 heures.

Il leur souhaita bonne nuit et monta au septième ciel dans l'ascenseur du Mej, une cage de verre qui glisse le long d'un piston en acier, pour la plus grande terreur des honnêtes gens restés au sol.

C'était l'heure du déjeuner, et après toutes ces nuits blanches et ces petits matins gris, il paraissait indécent qu'un scoop tombe à midi. Pourtant, c'en était un. Il arriva par porteur, glissé dans une enveloppe jaune soigneusement enfermée dans une mallette en acier. Et le porteur n'était autre que ce grand échalas de Johnny, de leur antenne à Londres, qui entra en courant dans la salle des opérations, ayant traversé la place sous la protection d'un garde depuis leur ambassade. Il parcourut au pas de course le premier niveau, et monta jusqu'au centre de contrôle, avant de s'apercevoir que nous avions émigré dans le bureau en bois de rose de Sheriton pour la pause sandwiches-café.

Il tendit le document à Sheriton, et se pencha par-dessus son épaule comme un messager de tragédie, tandis que Sheriton parcourait la lettre de couverture, qu'il fourra aussitôt dans sa poche, et lisait enfin le message.

Puis Johnny se posta derrière Ned quand celui-ci en prit connaissance à son tour. C'est seulement lorsque Ned me le fit passer que Johnny dut estimer qu'il en avait assez lu. Il s'agissait de l'interception d'une transmission de l'Armée soviétique, émise à Leningrad, captée en Finlande par les Américains, et décryptée en Virginie par un complexe informatique assez puissant pour éclairer Londres pendant un an.

Leningrad à Moscou, copie à Saratov.

Le professeur Yakov Saveleïev est autorisé à prendre un week-end de repos à Moscou après sa conférence vendredi à l'Académie militaire de Saratov. Veuillez régler les détails du voyage et du séjour.

— Merci, monsieur l'Officier d'administration à Leningrad, murmura Sheriton.

Ned avait repris le message pour relire. Il semblait le seul d'entre nous à ne pas être impressionné.

— C'est tout ce qu'ils ont décrypté ? demanda-t-il.

— Je n'en sais rien, Ned, fit Johnny avec une hostilité non dissimulée.

— Il y a marqué « Un sur un » là. Qu'est-ce que ça veut dire ? Allez voir si c'est le seul arrivage du jour, et sinon, soyez gentil de bien vouloir vérifier ce qu'ils ont capté d'un peu intéressant dans le même lot.

Il attendit que Johnny eût quitté la pièce pour dire d'un ton acide :

— Ça, c'est la meilleure. Ils suivent à la lettre le manuel du parfait espion. C'est pas vrai, on se croirait en train de bosser avec les Allemands !

Nous restâmes là, à manger distraitement notre déjeuner. Sheriton, vêtu d'un cardigan en mohair, les mains dans les poches, nous tournait le dos et regardait par la fenêtre en verre teinté la circulation silencieuse dans la rue. Et nous, à travers la vitre intérieure, nous regardions Johnny parler sur l'une des lignes prétendument sûres. Il raccrocha et revint dans la pièce.

— Zéro, annonça-t-il.

— Quoi, zéro ? demanda Ned.

— « Un sur un » signifie un. C'est un message isolé. Rien avant, rien après.

— Un coup de chance, alors ? suggéra Ned.

— Un message isolé, répéta Johnny obstiné.

Ned se tourna vivement vers Sheriton, qui était toujours de dos.

— Russell, réfléchissez deux minutes! Cette interception est complètement indépendante. Elle n'est entourée par aucune autre, et ça sent le coup fourré. C'est un piège.

A son tour, Sheriton relut le document, et lorsqu'il parla, la lassitude de sa voix indiquait clairement que sa patience était à bout.

— Ned, les cryptographes m'ont formellement assuré que l'interception provenait d'une source militaire inférieure et avait été transmise à partir d'une bécane millésimée 1921. Personne ne prépare plus un coup fourré comme ça, aujourd'hui. Personne ne se livre plus à ce genre de petit jeu. Ce n'est pas Bluebird qui prend un mauvais virage, c'est vous.

— Mais c'est justement pour ça qu'ils ont utilisé cette tactique! On ne ferait pas la même chose, vous et moi? On jouerait côté fermé pour les prendre par surprise.

— Peut-être bien, concéda Sheriton comme s'il se désintéressait de la question. Quand on en arrive à ce genre de raisonnement, il est difficile de voir les choses sous un autre angle.

— On ne peut quand même pas demander à Sheriton d'arrêter l'opération sous prétexte que tout va bien, Ned! intervint Clive, doucereux à souhait, et encore plus odieux que d'habitude.

— Sous prétexte que monsieur entend des voix, oui! rectifia Sheriton, qui sentait la colère monter en lui, et se retourna vers nous l'air maussade. Sous prétexte que quand ça gaze pour nous, c'est un coup monté du Kremlin, et quand ça foire, au moins on est sûrs d'être seuls en cause. Ned, l'Agence a failli crever de ce genre de gangrène. Et vous aussi, d'ailleurs. Alors on ne va pas recommencer ce cirque aujourd'hui. C'est mon opération, et c'est ma peau.

— Et mon *Joe*, remarqua Ned. Il est grillé, et Bluebird avec.

— Ben voyons! railla Sheriton d'un ton glacial. Ça ne fait aucun doute... Une remarque, monsieur le directeur adjoint? lança-t-il à Clive avec un regard peu amène.

Clive était passé maître dans l'art de nager entre deux eaux.

— Russell, si je puis me permettre, et vous, Ned, je crois que vous êtes tous les deux dans une grande phase d'égocentrisme. On fait partie d'un service. On travaille en équipe. Ce sont nos chefs qui ont donné le feu vert pour Bluebird, et pas seulement nous. On est tous tenus par un esprit de corps, bien supérieur à nos petites personnes.

354

Faux, pensai-je. Il leur est inférieur. C'est une insulte aux capacités de chacun de nous, sauf peut-être dans le cas de Clive, qui avait besoin de cet esprit de corps.

Sheriton se retourna vers Ned, sans encore hausser la voix.

– Ned, essayez d'imaginer un instant ce qui va se passer à Washington et à Langley si j'annule l'opération maintenant? Vous imaginez les gros rires de hyène à la Défense, au Pentagone, et chez les dinosaures? On les entendra même de ce côté-ci de l'Atlantique! Vous avez une idée de ce qu'on penserait des renseignements de Bluebird?

Il montra du doigt Johnny, qui était assis, et dont le regard atone se posait tour à tour sur chacun d'eux.

– Vous imaginez le rapport que va faire ce type, ce Judas? fit-il sans rancune apparente. On essayait de calmer un peu les esprits, vous vous rappelez? Et maintenant, vous venez me dire que je dois jeter Bluebird aux fauves!

– Je vous dis seulement de ne pas lui donner la liste des courses.

Sheriton pencha la tête de côté, comme s'il était sourd.

– A qui? A Barley ou à Bluebird? fit-il.

– Ni à l'un ni à l'autre. Annulez tout.

Après que sa colère eut longtemps couvé, Sheriton la laissa enfin éclater. Il vint se planter à moins d'un mètre en face de Ned, et leva rageusement les bras, entraînant dans son geste les larges manches de son cardigan, ce qui lui donna l'allure d'une chauve-souris obèse en fureur.

– O.K., d'accord. Allons-y pour le scénario catastrophe, signé Ned. On donne à Bluebird la liste des courses, et il se révèle être à leur solde, pas à la nôtre. Ai-je jamais envisagé cette possibilité? Oui, Ned. Je ne pense qu'à ça jour et nuit. Si Bluebird travaille pour eux, si Barley et la fille travaillent pour eux, si les joueurs ne sont pas tous fair play, les USA peuvent se torcher le cul avec la liste des courses et la bouffer après.

Il se mit à arpenter la pièce.

– La liste des courses va montrer aux Russkoffs ce que leur propre agent nous a révélé. Ils sauront ce que nous savons. C'est déjà dur. En plus, ils sauront ce que nous ne savons pas, et pourquoi. Encore plus dur, mais ce n'est pas le pire. Une analyse sérieuse de la liste des courses leur révélera les lacunes de notre système de renseignement, et s'ils sont vraiment malins, celles de notre putain d'arsenal de bon Dieu de merde, infoutu de fonctionner tellement il est suréquipé. Et pourquoi, ils sauront tout ça ? Parce que, au bout du compte, on cherche toujours à se renseigner sur ce qui nous fout la trouille, c'est-à-dire sur ce que nous, on ne peut pas faire et qu'eux ils réussissent. Voilà le mauvais côté des choses. Ned, j'ai pesé le pour et le contre, je connais les enjeux. Je sais ce que Bluebird peut nous rapporter, et ce qu'il va nous coûter si on merde. Je préfère ne pas perdre, mais j'ai déjà vu des gens se rétamer, et ça ne me fait pas plus peur que ça. Si on se plante, ça va chier en rase-mottes. Mais ça, on le savait déjà quand on était sur l'Île mystérieuse, et encore plus aujourd'hui parce que maintenant on ne joue plus, c'est du sérieux. Alors ça n'est vraiment pas le moment de regarder en arrière, à moins d'avoir un motif en béton.

Il revint vers Ned.

— *Bluebird est réglo*, Ned ! Vous vous souvenez ? Ce sont vos propres paroles. J'ai trouvé bien que vous me disiez ça, et je trouve toujours ça bien. Bluebird dit l'absolue vérité, il dit tout ce qu'il sait. Et mes maîtres, qui ont la vue courte, vont bien être obligés de l'avaler, même si ça leur colle la chiasse. Vous me recevez, Ned, ou vous dormez déjà ?

Ned refusait de se laisser gagner par la fureur noire de Sheriton.

— Ne la lui donnez pas, Russell. Il ne nous appartient plus. Si vous tenez à lui donner quelque chose, donnez-lui du feu.

— Du feu ? Leur renvoyer la balle avec Barley pour raquette, vous voulez dire ? Reconnaître que Bluebird, c'est de la foutaise ? Non, mais vous plaisantez, j'espère ? Je veux des preuves, Ned, pas des intuitions, des putains de preuves. A Washington, tous les gens qui ont des couilles affirment que Bluebird, c'est la sainte Bible, le Talmud et le Coran réunis. Et vous, vous venez me dire de lui donner du feu ! C'est vous qui nous avez embarqués dans cette galère, Ned. Faut pas essayer de quitter le navire si vite, merde !

Ned considéra un instant ces arguments, et Clive considéra Ned, qui finit par hausser les épaules avec indifférence, puis retourna à son bureau en faisant semblant de compulser quelques papiers dans son coin. Je me rappelle m'être alors demandé si lui aussi avait une Hannah, si nous n'en avions pas tous une, une vie qu'il nous était interdit de vivre et qui nous torturait.

Peut-être n'existait-il réellement aucune petite pièce à la VAAP, ou alors Alik Zapadny, après ses années de détention, entretenait pour elles une aversion fort compréhensible.

Quoi qu'il en soit, la salle où il avait décidé que se déroulerait leur entrevue sembla à Barley assez grande pour y organiser le bal du régiment, et ne contenait qu'un seul ornement de petite taille : Zapadny lui-même, tapi à un bout de la longue table comme une souris dans son trou. Il regardait de ses yeux perçants son visiteur s'avancer vers lui à travers la pièce, ses longs bras ballants, les coudes légèrement relevés, et le visage empreint d'une expression que personne sans doute ne lui avait jamais vue auparavant : ni désolée, ni insaisissable, ni volontairement ahurie, mais décidée jusqu'à en paraître inquiétante.

Zapadny avait étalé quelques papiers devant lui, à côté d'une pile de livres et d'une carafe d'eau avec deux verres. De toute évidence, il souhaitait donner à Barley l'impression d'être surpris en plein travail, plutôt que de lui faire face de sang-froid, sans accessoires et sans la protection de ses nombreux assistants.

— Barley, mon cher ami, c'est vraiment très aimable à vous de venir me rendre une petite visite d'adieux, un homme comme vous, aussi occupé que moi..., commença-t-il avec un débit beaucoup trop rapide. Je dirais que si notre chère industrie du livre continue de s'épanouir ainsi, je ne vois pas d'autre solution que d'employer au moins cent personnes de plus, et sans doute se trouver des bureaux plus spacieux — mais cela n'est que mon opinion personnelle et confidentielle.

Il sifflota, farfouilla dans ses papiers, et avança une chaise, voulant faire montre d'une courtoisie très vieille Europe. Mais comme à son habitude, Barley préféra rester debout.

— Je ne peux pas me risquer à vous offrir un verre pendant les heures de bureau, quand le soleil est encore au-dessus de l'horizon, s'excusa Zapadny. Mais asseyez-vous, je vous en prie, et discutons ensemble quelques minutes.

Il consulta sa montre en haussant les sourcils.

— Mon Dieu ! Cette foire devrait durer un mois et pas seulement cinq jours. Au fait, comment avance le projet sur le Transsibérien ? Je ne pense pas qu'il y ait de difficulté majeure, du moment que vous respectez nos exigences, et que tous les cocontractants observent les règles du jeu. Les Finlandais sont trop gourmands ? Ou peut-être votre M. Henziger est-il trop gourmand ? Le moins qu'on puisse dire, c'est que c'est un dur en affaires.

Son regard croisa de nouveau celui de Barley, et il se sentit encore plus mal à l'aise. Debout devant lui, Barley n'avait pas l'air de quelqu'un qui souhaite discuter du Transsibérien.

— Très franchement, je trouve un peu étrange que vous ayez exigé de me voir en tête à tête, continua Zapadny en désespoir de cause. Après tout, ce projet concerne directement les services de Mme Korneïeva. C'est elle et son équipe qui sont responsables du photographe, et de tous les détails pratiques.

Mais Barley avait également préparé son petit discours, qu'il débita, lui, sans la moindre trace de nervosité.

— Alik, dit-il toujours sans s'asseoir. Est-ce que ce téléphone fonctionne ?

— Bien sûr.

— Je dois trahir mon pays, et je suis pressé. Alors je voudrais que vous me mettiez en rapport avec les autorités compétentes, parce qu'il y a certains points que je dois exposer à l'avance. Et je ne veux pas entendre votre baratin sur « je ne sais pas qui il faut contacter ». Faites-le, sinon vous allez rater une belle occasion de vous faire mousser aux yeux des salauds qui croient vous diriger.

C'était le milieu de l'après-midi, mais le petit bureau de Ned à la Maison Russie était déjà baigné d'une lumière crépusculaire hivernale qui enveloppait Londres. Il était calé dans son fauteuil, les pieds sur son bureau, les yeux fermés, et un verre de whisky ambré à portée de main... sûrement pas son premier de la journée, devinai-je aussitôt.

— Ce cher Clive est toujours cloîtré avec les seigneurs de Whitehall ? me demanda-t-il d'un ton las.

— Il est à l'ambassade américaine. Ils terminent la liste des courses.

— Je ne pensais pas qu'un simple petit Anglais avait l'autorisation de la voir de près.

— C'est une question de principe. Sheriton doit signer une déclaration faisant de Barley un citoyen américain à titre honorifique, et Clive devait ajouter une citation.

– Disant quoi ?

– Que Barley est un homme d'honneur, apte et loyal.

– Vous lui avez fait un brouillon ?

– Évidemment.

– Pauvre idiot ! reprocha Ned, l'air songeur. Ils vous pendront pour ça un jour.

Il se pencha en arrière et referma les yeux.

– Elle a vraiment tant de valeur que ça, cette liste des courses ? demandai-je, pour une fois plus disposé que Ned à discuter de détails pratiques.

– Une valeur inestimable, répliqua Ned nonchalamment. Si quelque chose a de la valeur, c'est bien cette liste.

– Ça vous ennuierait de m'expliquer pourquoi ?

Je n'avais pas été admis au cœur du secret des documents Bluebird, et de toute façon, je savais que dans le cas contraire, j'aurais été incapable d'y rien comprendre. Mais Ned, avec la conscience qui le caractérisait, avait pris le chemin des cours du soir. Il avait religieusement écouté les cerveaux du Service, et avait invité à l'Athenaeum les plus grands spécialistes scientifiques de la défense pour travailler la question.

– L'interface, dit-il d'un ton méprisant. L'hystérie collective garantie. On surveille leurs joujoux, ils surveillent les nôtres. Chacun regarde de loin les tournois de tir à l'arc de l'autre, et personne ne sait quelles cibles sont visées. Si l'ennemi vise Londres, est-ce qu'il va toucher Birmingham ? Qu'est-ce qui relève de l'erreur, qu'est-ce qui est calculé ? Est-ce que quelqu'un a rétréci le cercle d'incertitude ?

Il parut content de lui en voyant mon air ahuri.

– On les regarde balancer leurs missiles balistiques intercontinentaux sur la péninsule du Kamtchatka. Mais est-ce qu'ils pourraient les balancer en plein sur un silo Minuteman ? Eh bien, on ne sait pas, et eux non plus. Parce que des deux côtés, personne n'a jamais testé sa grosse artillerie en temps de guerre, évidemment. Leurs trajectoires ne seront plus celles de leurs essais quand la fête commencera. Et Dieu merci, la Terre n'est pas un globe parfait. Quelle vieille dame le serait, à son âge ? Sa densité varie et sa force gravitationnelle aussi, quand des trucs du genre missile ou ogive volent dans tous les sens. D'où les erreurs de visée. Nos spécialistes essayent de les compenser dans les tirs de réglages en emmagasinant des données saisies par les satellites-espions.

Goethe a essayé lui aussi. Peut-être qu'ils réussissent mieux que lui, peut-être pas. Et des deux côtés, on ne le saura que le jour où cette jolie petite planète sautera, parce qu'on n'a droit qu'à un essai pour de bon.

Il s'étendait à loisir, comme si ce sujet lui plaisait.

— Résultat des courses : division dans les deux camps. Les Faucons hurlent : « Les Soviets sont les rois de la précision ! Ils peuvent enculer une mouche cul-de-jatte à quinze mille kilomètres ! » Et forcément les Colombes répondent : « Non seulement on ne sait pas de quoi les Soviets sont capables, mais eux-mêmes l'ignorent. Et quand on n'est pas sûr que son colt marche, on ne se risque pas à tirer le premier. Si on se tient à carreau, c'est dû à cette incertitude. » Voilà ce qu'elles répondent, les Colombes. Mais cet argument n'est pas du genre à satisfaire l'esprit terre à terre des Américains, vous voyez, parce qu'ils n'aiment pas s'embourber dans les concepts foireux ou les visions sublimes. Et ce que Goethe a raconté représente une hérésie encore plus énorme. Il a dit que l'incertitude est la seule chose dont on est sûrs, et je suis assez d'accord avec lui, d'ailleurs. Alors les Faucons l'ont pris en grippe, et les Colombes ont fait une noce à tout casser.

Il but une autre gorgée.

— Si seulement Goethe avait soutenu les idées des excités de la précision, tout aurait été tellement plus simple, dit-il d'un ton réprobateur.

— Et la liste des courses, dans tout ça ? redemandai-je.

Il regarda d'un œil curieux le fond de son verre.

— Mon cher Palfrey, on choisit les objectifs en fonction des suppositions qu'on fait sur la stratégie des autres, dans les deux camps. *Ad infinitum.* Doit-on renforcer le matériau de construction de nos silos ? Si l'ennemi ne peut pas les toucher, qu'est-ce qu'on en a à foutre ? Doit-on les renforcer à bloc, si toutefois on sait le faire, en dépensant des milliards ? C'est exactement ce qui se passe, même si personne ne va le crier sur les toits. Ou est-ce qu'on les protège n'importe comment à coups de guerre des étoiles et de jolis milliards de dollars ? Ça dépend de nos idées préconçues, et de qui signe notre feuille de paye. Ça dépend si on est un fabricant ou un contribuable. Est-ce qu'on fait circuler nos fusées sur des trains, sur des autoroutes, ou est-ce qu'on les gare sur une route de campagne, ce qui semble être la tendance ce mois-ci ? Ou est-ce qu'on décide que de toute façon, c'est de la ferraille merdique, et zut ?

— Bon, alors, c'est le début ou la fin ? demandai-je.

— Est-ce que ça s'est jamais arrêté ? répliqua-t-il avec un haussement d'épaules. Allumez la télé, et qu'est-ce que vous voyez ? Les dirigeants des deux côtés qui se tombent dans les bras, qui se pleurent dans le gilet, et qui se ressemblent chaque jour de plus en plus. *Youpi! Tout est fini!* N'importe quoi! Écoutez les spécialistes, et vous comprendrez que rien n'a changé d'un iota.

— Et si j'éteins ma télé, qu'est-ce que je vois ?

Il ne souriait plus. Son visage s'était fait plus grave que jamais, et pourtant sa colère, s'il s'agissait bien de colère, semblait uniquement dirigée contre lui-même.

— Vous nous verrez nous, cachés derrière nos écrans obscurs, à nous répéter les uns aux autres qu'on maintient la paix.

17.

L'insaisissable vérité dont parlait Ned nous fut lentement révélée par bribes d'informations de seconde main, ce qui est généralement le cas dans notre bel univers secret.

A 18 heures, Barley sortit des bureaux de la VAAP, comme nos écrans nous le signalaient à présent avec insistance, et il y eut un instant de panique à l'idée qu'il pût être saoul, car Zapadny était un bon compagnon de beuverie, et ils auraient fort bien pu prendre ensemble une vodka d'adieux. Barley émergea au côté de Zapadny. Ils s'étreignirent avec effusion sur le seuil, Zapadny quelque peu congestionné et faisant de grands gestes nerveux, Barley au contraire raide comme un piquet, d'où la crainte des guetteurs qu'il fût ivre, et leur décision saugrenue de le photographier, comme si en fixant pour l'éternité cet instant sur la pellicule ils aideraient à le dessaouler. Ce cliché étant le dernier dans le dossier, on peut imaginer de quelles attentions il fut l'objet. Barley serre solidement Zapadny dans ses bras. On dirait, mais ceci n'engage que moi, qu'il soutient le pauvre Zapadny afin de lui insuffler le courage de tenir sa promesse. Et le rose semble étrange. Les locaux de la VAAP sur la rue Bolchaïa Bronnaïa dans le centre de Moscou occupent une ancienne école construite au début du siècle, je pense, avec de grandes fenêtres et une façade en plâtre, qui cette année-là avait été repeinte en rose pâle. Sur la photo, cette teinte vire à l'orange flamboyant, sans doute sous les derniers rayons rougeoyants du soleil. Les deux hommes se trouvent ainsi auréolés d'un étrange halo, écarlate et fulgurant. L'un des guetteurs entra même dans le vestibule sous prétexte de se rendre à la cafétéria, pour essayer de prendre la scène sous l'angle opposé, mais un homme de haute stature, qui regardait le spectacle sur le trottoir, lui bloquait la vue. Personne ne l'a jamais identifié. Au kiosque à journaux, un autre homme, grand lui aussi, buvait distraitement dans une chope, en gardant les yeux fixés sur les deux hommes dehors.

Les guetteurs ne prirent pas note des centaines de personnes entrant ou sortant de l'immeuble de la VAAP pendant les deux heures où Barley s'y trouva. C'eût été tâche impossible. Comment savoir si les visiteurs étaient venus pour acheter des copyrights ou des secrets ?

Barley regagna son hôtel, où il prit un verre avec un groupe d'amis éditeurs, dont Henziger, qui confirma au grand soulagement de l'équipe londonienne que Barley n'était pas saoul, mais au contraire très calme et d'humeur pensive.

Barley mentionna bien au passage qu'il attendait un appel d'un des laquais de Zapadny. « On espère toujours conclure cette affaire du Transsibérien. » Vers 7 heures du soir, il se découvrit une faim dévorante. Henziger et Wicklow l'emmenèrent au restaurant japonais en compagnie de deux charmantes filles de chez Simon & Schuster, sur lesquelles Wicklow comptait pour aider Barley à se détendre agréablement avant son rendez-vous du soir.

Barley se montra si éblouissant pendant le dîner que les filles le supplièrent de les accompagner au National, où un groupe d'éditeurs américains avait organisé une petite fête. Barley répondit qu'il avait un rendez-vous, mais passerait peut-être plus tard, selon l'heure.

A 20 heures précises à la montre de Wicklow, Barley fut demandé au téléphone, et prit la communication dans le restaurant, à moins de cinq mètres de la table. Wicklow et Henziger tendirent l'oreille par réflexe professionnel. Wicklow se rappelle avoir entendu : « C'est tout ce qui compte », et Henziger croit avoir compris « C'est d'accord », ou peut-être « pas d'accord », ou même « pas encore ».

En tout cas, Barley revint à leur table furieux, et déclara à Henziger que ces enfoirés exigeaient toujours beaucoup trop d'argent. Henziger interpréta sa réaction comme un signe de tension nerveuse bien plus que d'intérêt pour le projet sur le Transsibérien.

Un quart d'heure plus tard, Barley fut à nouveau réclamé au

téléphone, et regagna la table en souriant. « Ça y est, ça marche, dit-il tout joyeux à Henziger. C'est dans la poche. Et ces gens-là ne reviennent jamais sur une promesse. » Henziger et Wicklow applaudirent des deux mains, et Henziger remarqua : « Il nous en faudrait davantage des comme ça à Moscou ! »

Il ne leur vint pas à l'esprit que jamais auparavant Barley n'avait montré tant d'enthousiasme pour un accord d'édition. Mais à leur décharge, il faut bien reconnaître que leur attention était mobilisée par un seul objectif : le grand coup du soir.

La conversation de Barley pendant ce dîner fut par la suite minutieusement reconstituée, sans que l'on puisse en tirer d'indices pour autant. Il s'était montré bavard, mais très posé. Il avait surtout parlé de jazz. Son idole était Slim Gaillard. Les grands sont toujours mis au ban de la société, affirma-t-il. Le jazz est une forme de rébellion. Même ses règles de base doivent être transgressées par les vrais improvisateurs, expliqua-t-il.

Et tous d'approuver : oui, bravo, vive la rébellion, vive l'individu, à bas les hommes en gris ! Seulement, personne n'interpréta ses paroles correctement. Ce qui, là encore, était normal.

A 21 h 10, ayant à peine deux heures à tuer, Barley annonça qu'il allait se reposer un peu dans sa chambre. Il avait des lettres à écrire, et quelques affaires à régler. Wicklow et Henziger lui proposèrent de venir l'aider, ayant ordre de ne pas le laisser seul, dans la mesure du possible. Mais Barley déclina leur offre, et ils durent s'incliner.

Henziger monta donc la garde dans la chambre voisine, et Wicklow s'installa dans le couloir, tandis que Barley s'allongeait, position qu'il ne dut garder guère plus d'une seconde, car ce qu'il réussit à accomplir en si peu de temps tient du miracle.

Il écrivit cinq lettres – c'est ce que nous réussîmes à établir par la suite –, et donna deux coups de fil en Angleterre à ses enfants. Ces communications furent interceptées au Royaume-Uni et retransmises à Grosvenor Square, mais n'avaient aucune incidence sur l'opération. Barley souhaitait simplement prendre des nouvelles de la famille, en particulier de sa petite-fille âgée de quatre ans. Il insista pour qu'on l'amène jusqu'au téléphone, mais elle était trop intimidée, ou trop fatiguée pour lui parler. Lorsque sa fille Anthea lui demanda comment allaient ses amours, il répondit « la boucle est bouclée », réponse assez étrange, mais les circonstances ne l'étaient-elles pas tout autant ?

364

Ned fut le seul à remarquer que Barley n'avait pas parlé de son retour en Angleterre le lendemain, mais Ned n'était plus qu'une voix dans le désert, et Clive envisageait sérieusement de lui retirer complètement l'affaire.

Barley écrivit également deux courtes lettres, une à Henziger et l'autre à Wicklow. Comme elles ne furent apparemment pas ouvertes, et que – fait encore plus extraordinaire – la direction de l'hôtel les fit porter dès 8 heures le lendemain matin aux bons numéros de chambre, on en déduisit rétrospectivement qu'elles faisaient partie du marché conclu par Barley au cours de son passage à la VAAP ce jour-là.

Ces lettres annonçaient aux deux intéressés que s'ils quittaient le pays le jour même sans faire d'histoires, en emmenant Mary Lou dans leurs bagages, il ne leur serait rien fait. Barley avait ajouté un mot gentil à l'intention de chacun.

« Wickers, vous avez vraiment l'étoffe d'un éditeur. Foncez! »

« Jack, j'espère que vous n'allez pas vous retrouver en pré-retraite à Salt Lake City à cause de cette histoire. Dites-leur que vous ne m'avez jamais fait confiance. Moi-même je n'ai jamais eu confiance en moi, alors... »

Pas d'homélie, pas de citation de circonstance sortie de son inépuisable réserve. Barley se débrouillait très bien sans les conseils avisés d'autrui, semblait-il.

A 22 heures, il quitta l'hôtel en compagnie d'Henziger, et ils se firent déposer dans les faubourgs nord de la ville, où Cy et Paddy les attendaient dans le camion sûr. Cette fois, Paddy était au volant, et Henziger s'assit à côté de lui. Barley monta à l'arrière avec Cy, enleva son manteau, et laissa Cy lui installer son harnachement enregistreur et faire le point de la situation : l'avion de Goethe en provenance de Saratov était arrivé à Moscou à l'heure prévue, et un homme correspondant à la description de Goethe était entré dans l'immeuble d'Igor quarante minutes plus tôt.

Peu après, les fenêtres de l'appartement cible s'étaient éclairées.

Cy remit alors à Barley un exemplaire de *Tant qu'il y aura des hommes* contenant la liste des courses, et un plus gros volume relié dissimulant un brouilleur, que l'on déclenchait par ouverture du livre. Barley en avait déjà manipulé un à Londres et en connaissait bien l'emploi. Les micros de contact étaient réglés de manière à neutraliser les impulsions de l'appareil, contrairement aux mouchards ordinaires dans les murs. Barley connaissait aussi l'inconvénient du brouilleur : il était décelable. Si l'appartement d'Igor était truffé de micros cachés, les Oreilles détecteraient aussitôt le brouillage. Londres et Langley avaient jugé valable de prendre le risque.

Mais on avait négligé un autre détail, à savoir l'éventualité que le brouilleur tombe entre les mains de l'ennemi. Il s'agissait encore d'un prototype, pour la mise au point duquel on avait investi une petite fortune et plusieurs années de recherche.

A 22 h 54, alors qu'il quittait le camion sûr, Barley tendit une enveloppe à Paddy en lui disant : « C'est pour Ned. A lui remettre en main propre au cas où il m'arriverait quelque chose. » Paddy la glissa dans la poche intérieure de son veston. Il remarqua que le contenu de l'enveloppe était assez volumineux, et qu'elle ne portait pas le nom du destinataire, pour autant qu'il pût en juger dans la demi-obscurité.

Le récit le plus imagé du trajet de Barley entre le camion et l'immeuble ne fut pas celui de Paddy, d'une rigueur toute militaire, encore moins celui de Cy, dont le style rappelait les discours d'Haig, mais celui, plein d'exubérance, de son cher ami Jack Henziger, qui l'accompagna jusqu'à l'entrée. Barley ne dit pas un mot, et lui non plus, ni l'un ni l'autre ne souhaitant se faire remarquer en tant qu'étrangers.

– Ça m'a énervé, parce qu'on a marché côte à côte sans réussir à être au pas. Évidemment, Barley fait de grandes enjambées et moi des petites. L'immeuble est un de ces monstres en brique comme ils en ont là-bas, avec plus d'un kilomètre d'esplanade en béton tout autour, alors on a marché longtemps sans arriver nulle part. On se croirait dans un rêve, je me suis dit, où on court, on court, mais on n'avance jamais. Il faisait très chaud et moite. Je transpirais. Barley, lui, était frais comme une rose. Il était très calme, ça c'est sûr. Il semblait en pleine forme. Il m'a regardé droit dans les yeux. Il m'a souhaité bonne chance. Il était en paix avec lui-même. Je l'ai senti.

Au moment de la poignée de main, Henziger eut pourtant l'impression fugitive que Barley était en colère. Peut-être contre Henziger d'ailleurs, dont il semblait maintenant désireux d'éviter le regard.

– Et puis je me suis dit, peut-être que c'est après Bluebird qu'il en a, parce qu'il l'a fourré dans ce pétrin. Ou alors après nous tous, et il est trop bien élevé pour le dire. Il se montrait très british, réservé, parlant avec retenue, gardant tout en lui.

Quatre-vingt-dix secondes plus tard, comme ils se préparaient à partir, Cy et Paddy aperçurent une silhouette à la fenêtre d'Igor, qu'ils reconnurent comme étant Barley. La main droite ajustait le haut du rideau, le signal convenu pour dire que tout allait bien. Ils reprirent la route, confiant la surveillance de l'appartement à des occasionnels qui se relayèrent toute la nuit. La fenêtre de l'appartement resta éclairée, et Barley ne ressortit pas.

Une théorie parmi tant d'autres est qu'il n'alla pas du tout à l'appartement, qu'ils le firent aussitôt sortir de l'immeuble par derrière, et que la haute silhouette à la fenêtre était un de leurs hommes, peut-être celui de la photographie prise l'après-midi à l'entrée de la VAAP. Personnellement, cette question ne m'a jamais paru digne d'intérêt, contrairement aux experts consultés. Quand un problème menace de vous submerger, rien de tel qu'un petit détail sans importance pour vous aider à surnager.

L'hypothèse de la disparition de Barley finit par prendre forme et fit son chemin au cours de la nuit. Les optimistes, comme Bob et, pour un temps, Sheriton, refusèrent d'y croire jusqu'à l'aube, et même après. Barley et Bluebird ont roulé sous la table une fois de plus, soutenaient-ils pour se remonter le moral. C'était reparti comme à Peredelkino. Deuxième édition. Pas de doute, se disaient-ils.

Puis on échafauda une histoire de kidnapping jusqu'à 5 h 30 du matin, heure de Londres, lorsque Henziger et Wicklow reçurent leurs lettres. Wicklow prit aussitôt un taxi pour l'ambassade anglaise, où les gardes soviétiques à l'entrée ne lui barrèrent pas le passage. Résultat : un message prioritaire de Paddy à Ned, qui devait le déchiffrer en personne. Entre-temps, Cy envoyait un message similaire à Langley, à Sheriton, et à quiconque acceptait encore d'écouter un homme dont le séjour à Moscou semblait devoir bientôt toucher à sa fin.

Sheriton encaissa la nouvelle avec son flegme habituel. Ayant lu le télégramme de Cy, il jeta un regard autour de lui et vit que toute l'équipe l'observait : les charmantes jeunes filles, les garçons portant cravate, le fidèle Bob, Johnny l'ambitieux au regard de tueur, ainsi que Ned, Brock et moi-même côté anglais, Clive s'étant prudemment éclipsé sous prétexte d'une affaire urgente. Sheriton avait des dons d'acteur, ainsi d'ailleurs que Henziger, et il en joua pour l'occasion. Il se leva, remonta sa ceinture, se passa la main sur le visage comme s'il éprouvait le besoin de se raser, puis déclara :

— Bon, eh bien, les enfants, il ne vous reste plus qu'à ranger les chaises sur les tables jusqu'à la prochaine.

Il s'avança vers Ned, toujours assis à son bureau, les yeux fixés sur le télégramme de Paddy, et posa une main sur son épaule.

— Ned, je vous dois un bon gueuleton, dit-il.

Il alla jusqu'à la porte, décrocha du portemanteau son Burberry tout neuf, l'enfila, le boutonna, et sortit, suivi peu après par Bob et Johnny.

D'aucuns ne firent pas une sortie aussi élégante, en particulier les seigneurs et maîtres du douzième étage.

Une fois de plus, une commission d'enquête fut organisée.

Il fallait citer des noms, n'épargner personne, faire rouler les têtes.

Le directeur adjoint en serait le président, et Palfrey le secrétaire.

Une fonction annexe de ce genre de comité, découvris-je, est de parer d'une certaine dignité des événements qui se sont déroulés sans la moindre trace de dignité. La solennité fut donc de mise.

Selon la coutume, les premiers à être entendus furent les théoriciens de la conspiration, rapidement recrutés au Foreign Office, au ministère de la Défense, et dans un corps peu sympathique appelé les Experts-Conseils officieux, composé de chercheurs industriels et universitaires qui se prenaient pour des espions du dimanche. Ces espiocrates amateurs avaient une énorme influence dans les souks de Whitehall, et le comité leur accorda des audiences d'une longueur excessive. Un professeur d'Edimbourg eut le temps de fumer cinq pipes pendant son exposé, et manqua nous asphyxier tous, personne n'osant lui demander d'éteindre cette saloperie.

La première grande question était de savoir ce qui allait se passer maintenant. Y aurait-il des expulsions, un scandale ? Qu'allait-il advenir de notre antenne à Moscou ? Nos occasionnels avaient-ils été compromis dans cette opération ?

Le camion-écoute, bien que propriété soviétique, était un problème qui concernait les Américains, et sa brusque disparition causa secrètement un grand souci à ceux qui en avaient prôné l'utilisation.

Déterminer qui doit être expulsé et pour quel motif n'est jamais simple, car de nos jours les chefs de station à Moscou, Washington et Londres se désignent ouvertement aux responsables du pays concerné. Au QG du KGB, personne ne se faisait d'illusions sur les activités de Paddy et de Cy. Leur couverture n'était pas destinée à les protéger de nos adversaires, mais des regards curieux du monde extérieur.

Quoi qu'il en soit, ils ne furent pas expulsés. Personne ne le fut, d'ailleurs. Personne ne fut arrêté non plus. Quant aux occasionnels, ils furent relevés de leurs fonctions, et reprirent tranquillement leur travail de couverture.

L'absence de représailles fut considérée par nos pontifes occidentaux comme hautement significative.

Un geste conciliateur à l'époque de la glasnost ?

Un signe clair pour nous faire comprendre que les documents Bluebird n'étaient qu'un appât en vue d'obtenir la liste des courses des Américains ?

Ou un signe moins clair pour nous faire comprendre que lesdits documents étaient authentiques, mais qu'ils préféraient ne pas l'admettre ?

Chaque camp avait pris ses positions, selon le principe que Ned m'avait déjà expliqué : de chaque côté de l'Atlantique, les Colombes et les Faucons reprirent joyeusement leur vieille guerre de tranchées.

Si les Russes nous font savoir que les documents sont authentiques, il est évident qu'ils sont faux, soutenaient les Faucons.

Et vice versa, prétendaient les Colombes.

Et vice versa de votre vice versa, renchérissaient les Faucons.

Beaucoup de papier noirci et de batailles livrées. Des promotions, des évictions, des départs à la retraite, des médailles, des mises à l'écart et des rétrogradations. Mais pas de consensus. Seulement l'habituel triomphe du plus fort, présenté comme une conclusion logique.

Dans notre comité, seul Ned refusa d'entrer dans la danse, semblant parfaitement satisfait d'accepter les reproches. « Bluebird était réglo, et Barley aussi », s'entêta-t-il à répéter devant la commission, sans se départir de sa bonne humeur. « Personne n'a dupé personne, on s'est dupés nous-mêmes. C'est nous qui avons eu l'esprit tordu, pas Bluebird. »

Peu après avoir ainsi proclamé son opinion sur l'affaire, on jugea qu'il souffrait de tension nerveuse, et qu'il convenait de ne pas le convier trop souvent aux délibérations.

Ah, oui, notes furent prises. Au passif, bien sûr, puisque la voix active a cet inconvénient de trahir le sujet. Mais notes furent prises quand même, et très sérieusement. Des foultitudes de notes furent prises.

Note fut prise que Ned avait omis d'informer le douzième étage de la fugue d'ivrogne de Barley après son retour de Leningrad.

Note fut prise que ce soir-là Ned avait réquisitionné toutes sortes de personnes sans faire de rapport, entre autres Ben Lugg, et l'Oreille en chef, Mary, qui sut étouffer sa loyauté envers son collègue et supérieur pour décrire avec piquant au comité le despotisme de Ned. Réclamer des écoutes illégales, vous vous rendez compte ! Faire mettre des lignes hors service ! Quelle audace !

Mary fut envoyée à la retraite peu après et vit depuis à Malte, dans une fureur noire. On craint même qu'elle ne soit en train d'y écrire ses Mémoires.

Note fut aussi prise, à regret cependant, de la conduite douteuse de notre conseiller juridique de Palfrey – du coup on me restitua ma particule –, qui avait omis de justifier l'usage fait de l'autorité déléguée du ministre de l'Intérieur, tout en sachant parfaitement qu'il y était tenu par le Règlement intérieur secret régissant les activités du Service, en vertu de l'amendement machin, et conformément à l'alinéa chose d'un protocole douteux du ministère de l'Intérieur.

Le feu de l'action fut toutefois pris en considération comme circonstance atténuante. Le conseiller juridique ne fut pas mis à la retraite, et ne partit pas à Malte. Mais on ne lui accorda pas pour autant l'absolution. Au mieux un semi-pardon. Un conseiller juridique n'aurait jamais dû autant s'immiscer dans une opération. C'était faire un usage inapproprié de ses talents. Le mot « malavisé » circula même dans les couloirs.

Note fut également prise, et encore à regret, que le même conseiller juridique avait rédigé le brouillon d'une lettre de recommandation chaleureuse pour Barley, que Clive avait signée à peine quarante-huit heures avant la disparition de celui-ci, auquel elle avait permis de prendre la liste des courses, bien qu'il ne l'eût apparemment pas gardée longtemps en sa possession.

Pendant mes heures de loisir, je rédigeai les clauses du préavis de licenciement de Ned, tout en songeant avec angoisse à mon propre sort. La vie dans le Service avait certes ses contraintes, mais l'idée de la vie dans le monde extérieur me terrifiait.

L'annonce de la mort de Bluebird ralentit pour un temps les délibérations du comité, qui reprirent néanmoins très vite. L'article par qui le scandale arriva se résumait à six lignes dans la *Pravda*, bien ficelées pour en dire ni trop ni trop peu, annonçant la mort après une longue maladie du professeur Yakov Saveleïev, distingué physicien de Leningrad, et faisant état de ses palmes académiques. Il était décédé de mort naturelle – nous assurait la notice – après une importante conférence à l'académie militaire de Saratov.

A l'annonce de cette nouvelle, Ned prit un jour de congé, qui s'étendit à trois jours, à cause d'une petite grippe. Mais les théoriciens de la conspiration s'en donnèrent à cœur joie :

Saveleïev n'était pas mort.

Il était mort depuis le début, et nous avions eu affaire à un imposteur.

Il faisait ce qu'il avait toujours fait : diriger la section de désinformation scientifique du KGB.

Ses informations étaient authentiques, n'étaient pas authentiques.

C'était de la rigolade.

C'était de l'or en barre.

C'était du feu.

C'était un message de paix sincère transmis à grand risque par les modérés de l'équipe gouvernementale de Moscou, pour nous montrer que l'épée nucléaire soviétique rouillait dans son fourreau et que le bouclier nucléaire soviétique était plus troué qu'une passoire.

C'était un odieux complot pour persuader les froussards américains d'ôter leur doigt du bouton nucléaire.

Bref, il y avait de quoi satisfaire tous les appétits.

Et comme dans la symbiose entre puissances belligérantes, rien ne peut se produire chez l'un qui ne déclenche un effet de miroir chez l'autre, une contre-propagande interne s'institua, et l'histoire de la participation américaine dans l'affaire Bluebird fut récrite en hâte.

Langley savait depuis le début que Bluebird était le méchant dans l'histoire, selon cette contre-propagande.

Ou alors, c'était Barley.

Ou encore, les deux.

Sheriton et Brady avaient joué un double-double-jeu, avec pour unique objectif « d'allumer le feu » de façon convaincante et de prendre une longueur d'avance sur les Russes dans l'éternelle lutte pour la Marge de sécurité.

Sheriton était un génie.

Brady était un génie.

Tous étaient des génies!

Sheriton avait réussi un coup superbe. Brady avait réussi un coup superbe.

L'Agence regorgeait de fins stratèges, à l'opposé de leurs tristes homologues du monde extérieur. Que Dieu protège l'Agence! Que ferions-nous sans elle?

Et comme si tout cela ne suffisait pas, d'autres suggestions vinrent s'additionner aux précédentes. Par exemple, Sheriton avait été le jouet innocent du Pentagone et de la Défense, qui avaient préparé une liste des courses bidon, sachant depuis le début que Bluebird était un coup monté.

Et il fallait prendre au sérieux chaque nouvelle rumeur, même si le seul vrai mystère résidait dans l'identité et les motifs de celui qui en était l'auteur. A maintes reprises, ledit auteur se trouva être Russell Sheriton, qui défendait sa peau de son mieux.

Quant à Bluebird, s'il n'était pas vraiment mort de mort naturelle, c'était maintenant chose faite.

Seul Ned, de retour de son exil volontaire, se montra une fois encore assez rustre pour avancer l'hypothèse la plus vraisemblable. « Bluebird était réglo, et nous l'avons tué », déclara-t-il sans ambages lors de la première réunion à laquelle il assista. On ne le convia pas à la suivante.

Et pendant tout ce temps, on recherchait activement Barley, même si certains d'entre nous souhaitaient de tout cœur qu'on ne le retrouvât point. Nos pistes se rapprochaient de lui, le touchaient presque, et le plus souvent s'en éloignaient. Mais nous étions des gens consciencieux. Nous n'abandonnâmes jamais.

Quel marché avait bien pu conclure Barley ? Et pourquoi ?
Qu'étaient donc prêts à lui acheter les Russes ? A lui, qui
jusque-là s'était contenté d'un déjeuner coûteux, sans doute payé
de sa propre poche, pour se convaincre de changer définitivement
de camp.

Au bout du compte, il était grillé. Complètement grillé, avant
même le moment où il les avait contactés. Et il le savait.

Qu'avait-il donc à leur offrir qu'ils ne pouvaient facilement
obtenir par leurs propres méthodes ? Après tout, nous parlons ici
de torture, des procédés les plus abjects, des abysses de l'agonie,
d'où l'on revient – quand retour il y a – pour vivre un enfer
encore plus épouvantable. Les Russes sont peut-être en train
d'améliorer leur image, mais personne n'a cru un seul instant
qu'ils allaient renoncer du jour au lendemain à des méthodes qui
avaient fait leurs preuves depuis toujours.

La première réponse, et la plus évidente, était : la liste des
courses. Barley pouvait dire platement aux Russes qu'il ne
l'obtiendrait pas de ses maîtres sans recevoir certaines garanties.
Et qu'il préférait souffrir le martyre jusqu'à la fin de ses jours
plutôt que de leur donner la liste sans contrepartie.

Et ils le crurent sur parole! Ils comprirent qu'ils devraient se
passer de la liste des courses s'ils n'acceptaient pas ses conditions.
Et comme les hommes en gris des deux camps redoutent autant
l'abnégation que l'amour, les tendres sages du KGB préférèrent
évidemment traiter avec la face connue de Barley plutôt qu'avec sa
face cachée.

Ils savaient qu'il avait le pouvoir de refuser, de leur dire :
« Non, je n'irai pas chercher la liste des courses, et je n'irai pas
dans l'appartement d'Igor, si vous ne me donnez pas votre parole
d'honneur. »

Ils savaient, après l'avoir écouté, qu'il avait la force d'âme
nécessaire. Et, comme nous d'ailleurs, cela les gênait plutôt.

Barley – il l'avait confié à Henziger et Wicklow au dîner – ne
connaissait pas de Russe qui revienne sur sa parole d'honneur. Il
ne parlait pas de politique, bien sûr, mais d'affaires.

Et en échange ? Qu'avait acheté Barley pour le prix de ce qu'il
vendait ?

Katia.

Matveï.

Les jumeaux.

Joli marché. Des êtres vivants contre une lettre morte.

Et pour lui-même ? Rien. Rien qui puisse apparemment atténuer la force de ses exigences concernant ceux qu'il avait pris sous sa protection.

Peu à peu, il fut évident que Barley, pour une fois, avait traité un contrat en or. Si Bluebird était une cause perdue, Katia et les enfants, eux, semblaient s'en être sortis gagnants. Elle était restée chez Octobre, on la voyait de temps à autre à des réceptions, elle répondait elle-même au téléphone, chez elle et à son bureau. Les jumeaux allaient toujours à l'école, et chantaient les mêmes chansons idiotes. Matveï suivait son petit bonhomme de chemin.

Évidemment, une autre grande théorie vint bientôt s'ajouter aux précédentes : « Les Soviets se lancent dans une opération de camouflage interne. Ils ne veulent pas donner crédit aux révélations de Bluebird sur leur incompétence. »

L'aiguille oscilla ainsi de l'autre côté du cadran pendant un temps, et les documents Bluebird furent décrétés authentiques. Mais pas pour longtemps.

— C'est ce qu'ils veulent nous faire croire, clama un gros bonnet.

L'aiguille revint précipitamment à sa position initiale, car personne n'aime être pris pour un imbécile.

En tout cas, le marché conclu par Barley fut respecté. Katia ne perdit pas ses privilèges, sa carte rouge, son appartement, son travail, ni même, au cours des mois, sa beauté. Au début, il est vrai, les rapports mentionnèrent sa pâleur intense, son apparence négligée, et ses longues absences du bureau. De toute évidence, personne n'avait promis à Barley qu'elle ne serait pas invitée à faire une déclaration spontanée de sa relation avec le défunt Bluebird.

Mais peu à peu, après une période convenable de retraite, elle était redevenue pleine de vie, et sortait beaucoup.

Et Barley ?

La piste passa du chaud au froid, puis au glacé.

Ses tantes reçurent des lettres officielles de démission, postées à

Lisbonne quelques jours après la foire du livre. Le style portait l'empreinte de l'ancien Barley : une lassitude généralisée pour l'édition, l'industrie a explosé trop vite, il est temps de faire d'autres choses pendant que j'ai encore quelques années devant moi.

Quant à ses projets immédiats, il se proposait de « disparaître pendant un moment » et d'explorer des contrées exotiques. Il paraissait évident qu'il n'était plus en URSS.

Du moins, relativement évident.

Après tout, c'est ce que lui-même affirmait, ainsi que la charmante employée de l'agence de voyages Barry Martin, dont les bureaux étaient sis au Mejdounarodnaïa. M. Scott Blair avait décidé de rentrer sur Lisbonne au lieu de Londres, déclara-t-elle. Un coursier de la VAAP avait apporté son billet, qu'elle avait changé pour une réservation sur le vol Aeroflot direct quittant Moscou le lundi à 11 h 20, et atterrissant à Lisbonne à 15 h 30, après escale à Prague.

De fait, ce billet fut bien utilisé par quelqu'un. Un homme de haute stature, qui ne parla à personne, et ressemblait comme deux gouttes d'eau à Barley, ou presque. Il s'agissait peut-être d'un des deux hommes aperçus dans le vestibule de la VAAP. De toute façon, la piste fut vérifiée, remontée, et mena tout droit à Tina, la gouvernante de Barley à Lisbonne. Oui, oui ! Tina avait eu de ses nouvelles, expliqua-t-elle à Merridew. Une jolie carte postale de Moscou disant qu'il avait rencontré une dame et partait en vacances avec elle.

Merridew fut profondément soulagé d'apprendre que Barley n'allait finalement pas revenir dans son secteur.

Au cours des mois suivants, un tableau de la vie après la vie de Barley s'esquissa, puis s'évanouit en fumée.

Un trafiquant de drogue ouest-allemand entendit raconter pendant sa détention qu'on interrogeait un homme répondant à la description de Barley dans une prison près de Kiev. Un vrai boute-en-train, d'après lui. Très populaire auprès des autres détenus. Très libre. Même les gardiens le gratifiaient d'un sourire forcé de temps en temps.

Un couple de Français aventureux rentrant au pays avait reçu l'aide d'un « grand Anglais sympathique », qui leur avait parlé français, après une collision près de Smolensk entre leur voiture et une limousine soviétique. Personne n'avait été blessé. Un mètre quatre-vingts, cheveux bruns en désordre, très courtois, un rire bruyant, encadré par des malabars russes.

Et un jour, vers la Noël, peu après que Ned eut officiellement démissionné de la Maison Russie, un message arriva de La Havane, signalant que, d'après une source cubaine, un Anglais se trouvait en détention spéciale dans une prison politique près de Minsk, et qu'il chantait tout le temps.

Il chantait ? répliqua la Centrale, outrée. Il caftait, vous voulez dire ?

Non, il chantait à la manière de Satchmo, répondit La Havane. La source était un fana de jazz, comme l'Anglais.

Et qu'en était-il de la lettre de Barley à Ned ?

C'est encore un des petits mystères de cette affaire : elle ne fut jamais versée au dossier. Il n'y en a trace nulle part dans l'histoire officielle de l'affaire Bluebird. Je suppose que Ned l'a gardée par-devers lui parce qu'il y tenait trop pour l'archiver.

Voilà. Ceci devrait être la fin de l'histoire, ou plutôt, l'histoire ne devrait pas avoir de fin. A en croire les initiés, Barley avait l'air bien parti pour rejoindre l'armée des ombres qui hante les repaires ténébreux de la société moscovite, les défecteurs et les espions abandonnés, échangés ou suspects, avec leurs épouses pathétiques et leurs surveillants moroses, distribuant leurs rations de plus en plus réduites d'articles de luxe et de souvenirs occidentaux.

Selon le scénario habituel, on aurait dû le repérer quelques années plus tard, apparemment par hasard, à un cocktail où par miracle et par mystère se serait trouvé un journaliste anglais. Et sans doute, si la procédure restait inchangée, l'aurait-on chargé de divulguer quelque information de désinformation, ou invité à jeter un peu de poudre aux yeux de ses anciens maîtres.

Il sembla que ce rituel allait être suivi, quand un télégramme prioritaire du successeur de Paddy rapporta qu'un grand Anglais à cheveux bruns avait été vu — et même entendu — en train de jouer du saxophone dans un nouveau club de la vieille ville, un an jour pour jour après sa disparition.

Clive fut tiré de son lit, des messages s'envolèrent dans tous les sens entre Londres et Langley, et on consulta le Foreign Office, qui pour une fois donna un avis clair et net : *ce n'est ni notre pro-*

blème, ni le vôtre. L'idée semblait être que les Russes étaient mieux équipés que nous pour tenir Barley en laisse. Après tout, ils avaient déjà fait leurs preuves dans ce domaine.

Le lendemain arriva un second télégramme, cette fois du gros Merridew à Lisbonne. Tina, la gouvernante de Barley, avec laquelle Merridew était resté en contact bien à contrecœur, avait reçu l'ordre de préparer l'appartement pour l'arrivée de son patron.

Mais par quel moyen ? demanda Merridew.

Par téléphone, répondit-elle. Senhor Barley lui avait téléphoné.

Téléphoné d'où, pauvre idiote ?

Tina n'avait pas demandé de détails, et Barley n'en avait pas donné. Pourquoi aurait-elle demandé où il était, puisqu'il arrivait à Lisbonne d'un jour à l'autre ?

Merridew était effondré, et il n'était pas le seul. Nous informâmes les Américains, mais Langley souffrait d'une amnésie collective. Presque au point de nous demander : « Barley qui ? » Les gens pensent couramment que des services comme les nôtres prennent des mesures de représailles très violentes contre les agents qui ont trahi leurs secrets. Eh bien, parfois c'est vrai, quoique rarement contre des gens de la classe de Barley. Mais dans le cas présent, il fut clair dès le début que personne, en particulier l'équipe de Langley, ne souhaitait mettre sous les feux des projecteurs quelqu'un qu'ils désiraient si ardemment oublier. Mieux vaut acheter son silence, avaient-ils déclaré à l'unanimité. Et laisser les Américains hors du coup.

Je montai l'escalier avec appréhension. J'avais refusé la protection de Brock, ainsi que les services d'un Merridew guère enthousiaste. L'escalier était sombre, raide, peu accueillant et trop silencieux. C'était en début de soirée, et nous savions que Barley se trouvait chez lui. Je sonnai, mais n'entendant pas de tintement, je frappai à la petite porte basse en bois épais, qui me rappela le pavillon de l'appontement sur l'île. J'entendis des pas à l'intérieur, et reculai aussitôt, sans véritable raison, sinon une peur instinctive d'animaux méchants. Barley serait-il agressif, furieux ou chaleureux ? Me jetterait-il dans l'escalier ou me prendrait-il dans ses bras ? Je portais un attaché-case, et je me rappelle l'avoir fait passer de la main droite à la main gauche, pour être prêt à me défendre en cas de besoin. Et pourtant, je ne suis pas un homme violent. Je sentis une odeur de peinture fraîche. Comme il n'y avait pas d'œilleton sur la porte hermétiquement fermée, Barley n'avait aucun moyen de savoir qui venait le voir. J'entendis le loquet glisser, et la porte s'ouvrit vers l'intérieur.

— Bonjour, Harry, dit-il.

— Bonjour, Barley, répondis-je, m'attendant à le voir sourire à la vue de mon complet léger, que j'avais choisi bleu foncé au lieu de gris.

Il avait minci, il était plus sec et se tenait plus droit, paraissant encore plus grand, me dépassant maintenant d'une tête. Tu es un éternel voyageur philosophe, m'avait souvent répété Hannah au début, espérant que nous apprendrions tous deux à le devenir. Barley avait perdu ses gestes indisciplinés, sans doute par la pratique des lieux exigus. Il avait bonne allure, dans un jean et une vieille chemise de cricket dont il avait relevé les manches au-dessus du coude. Ses avant-bras et son front portaient des traces de peinture blanche, et j'aperçus derrière lui une échelle, un mur à moitié repeint, et, au centre de la pièce, des piles de livres et de vieux disques à demi protégés par une bâche.

— Vous êtes venu pour une petite partie d'échecs, Harry ? me demanda-t-il sans se dérider.

— Si on pouvait plutôt parler un peu, dis-je comme j'avais essayé de le faire avec Hannah, et avec tous ceux auxquels j'avais proposé des demi-mesures.

— Officiellement ?

— Eh bien...

Ignorant ma réponse, il m'examina d'un regard direct et pénétrant, en prenant tout son temps — et Dieu sait s'il semblait en avoir à sa disposition —, comme on observe, j'imagine, ses compagnons de cellule ou ses interrogateurs dans un univers où les règles de politesse élémentaire ont tendance à être négligées.

Je ne lisais ni gêne ni honte, ni arrogance, ni nervosité dans ce regard qui semblait au contraire plus limpide que dans mon souvenir, comme fixé en permanence sur ces horizons lointains vers lesquels il s'évadait de temps à autre par le passé.

— J'ai un peu de rouge au frais, si ça vous dit, proposa-t-il.

Sans me quitter des yeux, il s'écarta pour me laisser passer, avant de refermer la porte et de faire retomber le loquet.

Il ne souriait toujours pas. J'avais du mal à saisir son état d'esprit. Je sentis que je ne pourrais pas le comprendre s'il choisissait de ne rien me dire. En d'autres termes, je comprenais tout ce qu'il m'était permis de comprendre, mais pour le reste, néant.

Il retira les housses qui protégeaient les sièges, et les plia soigneusement. J'ai souvent remarqué dans ma vie que les anciens détenus mettent longtemps à ravaler leur orgueil.

– Que me voulez-vous ? demanda-t-il en nous servant à chacun un verre.

– Ils m'ont chargé de faire le nettoyage. D'obtenir de vous des réponses, des garanties. Et de vous en donner d'autres en échange.

J'avais perdu la main pour ce genre de tractations.

– Nous pourrions vous aider. Vous avez peut-être besoin de quelque chose. On pourrait aussi se mettre d'accord sur la marche à suivre pour l'avenir, etc.

– J'ai toutes les garanties dont j'ai besoin, merci, répondit-il poliment, s'accrochant au seul mot qui semblait avoir retenu son intérêt. Ils feront les choses à leur rythme. Moi, j'ai promis de ne rien dire.

Il sourit enfin.

– J'ai suivi votre conseil, Harry. Je suis devenu un amant à distance, comme vous.

– Je suis allé à Moscou, dis-je en essayant de reprendre en main la conversation. J'ai frappé à toutes les portes, j'ai vu des tas de gens. Je me suis servi de mon vrai nom.

– Quel est-il ? demanda-t-il toujours courtois. Votre nom, le vrai ?

– Palfrey, dis-je en omettant la particule.

Il eut un sourire sympathique et approbateur.

– Le Service m'a envoyé là-bas pour vous retrouver. Officieusement, mais d'une certaine manière officiellement. Je devais questionner les Russes à votre sujet. Arranger un peu les choses. Nous estimions qu'il était temps de découvrir ce qui vous était arrivé. Voir si on pouvait vous aider.

Et s'assurer qu'ils suivaient bien les règles du jeu, aurais-je pu ajouter. S'assurer que personne à Moscou n'allait faire de vagues. Pas de fuites stupides, ni de coup médiatique.

– Je vous ai dit ce qui m'était arrivé, remarqua-t-il.

– Vous voulez dire dans vos lettres à Wicklow, à Henziger, et aux autres ?

– Oui.

– Eh bien, nous avons évidemment compris qu'elles avaient été écrites sous la menace, voire même par une autre main. Un peu comme la lettre de ce pauvre Goethe.

– C'est des conneries, ça. C'est moi qui les ai écrites de mon plein gré.

J'essayai d'en arriver au message que j'étais censé lui transmettre, au contenu de ma mallette.

– Nous considérons que vous avez agi avec un grand sens de l'honneur, dis-je en prenant un dossier que j'ouvris sur mes genoux. Tout le monde finit par parler sous la torture, et vous n'avez pas fait exception à la règle. Nous vous sommes reconnaissants de ce que vous avez accompli pour nous, et sommes conscients de ce que cela a dû vous coûter, professionnellement et personnellement. Nous tenons à ce que vous receviez un maximum de compensations. Mais il y a des conditions, bien sûr. En revanche, votre prix sera le nôtre.

Où avait-il donc appris à observer les gens comme ça ? A être continuellement inaccessible ? A rendre les autres nerveux quand lui-même restait impassible ?

Je lui lus nos conditions, qui étaient celles que nous avions imposées à Landau, mais inversées : rester hors de la Grande-Bretagne, et n'y entrer qu'avec notre consentement préalable. Règlement final et exhaustif de toutes réclamations possibles. Son silence éternel exprimé *ex abudanti cautela* et d'une dizaine d'autres manières. Et beaucoup d'argent. Signer ici, à condition – encore et toujours des conditions – de se taire à jamais.

Il ne signa pas. Cette conversation l'ennuyait déjà. Il écarta d'un geste négligent mon superbe stylo.

– Au fait, qu'est-ce que vous avez fait à Walt ? Je lui ai rapporté un chapeau. Une sorte de couvre-théière en fourrure tigrée. Je n'arrive pas à remettre la main dessus, d'ailleurs.

– Envoyez-le-moi, je m'arrangerai pour faire suivre.

Au son de ma voix, il eut un sourire triste.

– Pauvre vieux Walt. Ils l'ont saqué, hein ?

– On ne dure jamais très longtemps dans ce métier, répliquai-je, mais, ne pouvant soutenir son regard, je changeai rapidement de sujet. Je suppose que vous avez entendu dire que vos tantes ont revendu la maison à Lupus Books ?

Il se prit à rire, pas de son vieux rire énorme, certes, mais de celui d'un homme libre, en tout cas.

380

— Sacré Jumbo! Ce démon a réussi à entourlouper la Vache Sacrée! C'est bien son genre!

L'idée ne semblait pas le déranger, au contraire il paraissait se réjouir de cette fin méritée. Comme tous mes collègues, je me sens mal à l'aise face aux bons sentiments. Mais ce jour-là, je réussis à ressentir par procuration la paix qui régnait en Barley. Il était apparemment devenu d'une tolérance infinie.

— Elle va venir, me dit-il en contemplant le port. Ils m'ont promis qu'un jour elle viendrait.

Pas tout de suite. A l'heure choisie par eux, et non par Barley. Mais il était convaincu qu'elle viendrait. Peut-être cette année, peut-être la suivante. La montagne bureaucratique russe allait bien finir par accoucher d'une souris miséricordieuse. Barley en était persuadé. Cela se ferait lentement, mais sûrement. Il avait leur parole.

— Ils ne reviennent jamais sur une promesse, m'assura-t-il.

Face à pareille confiance, il eût été indécent de le contredire. Et puis, quelque chose d'autre m'empêchait d'afficher mon scepticisme habituel. Hannah, encore. Je l'entendais me supplier silencieusement de le laisser vivre en paix avec son humanisme, même si j'avais détruit celui de ma maîtresse. « Tu penses que les gens ne changent jamais parce que toi tu ne changes pas, m'avait-elle dit un jour. Tu te sens en sécurité uniquement quand tu es désabusé. »

Je proposai à Barley de l'emmener dîner, mais il ne sembla pas m'entendre. Il se tenait debout devant la baie vitrée, regardant les lumières du port tandis que je regardais son dos. Il avait la même attitude que lorsque nous l'avions interrogé pour la première fois ici, à Lisbonne. La même position du bras qui tenait le verre. La même pose que sur l'île quand Ned lui avait appris sa victoire. Mais il se tenait plus droit. Je m'aperçus soudain qu'il s'était remis à me parler. Il voyait déjà le bateau arriver de Leningrad, disait-il. Il la voyait déjà descendre la passerelle avec les enfants et se précipiter vers lui. Il se voyait assis avec Matveï sous l'arbre au feuillage ombreux dans le parc devant sa maison, où il avait discuté avec Ned et Walter alors qu'il était encore un grand enfant. Il entendait déjà Katia lui traduire le récit des exploits héroïques de Matveï. Il croyait en tous les espoirs que j'avais enterrés au fond de moi-même le jour où j'avais préféré le bastion imprenable de la méfiance absolue aux dangereux chemins de l'amour.

Je réussis à le persuader de venir dîner avec moi, et il me fit le plaisir de me laisser payer. Mais je ne pus rien acheter en retour. Il ne signa rien, n'accepta rien, n'exigea rien, ne céda rien. Il ne devait rien à personne, et nous envoyait tous gentiment au diable.

Il était d'un calme olympien et d'une discrétion sans pareille. Il respectait mes sentiments, mais fut assez courtois pour ne pas me demander ce qu'ils étaient. Je ne lui avais jamais parlé d'Hannah, et je compris alors que je ne le ferais jamais, car le nouveau Barley n'aurait pas admis mon immuabilité.

Il tint absolument à me faire cadeau de son histoire, pour que je ne retourne pas vers mes maîtres les mains vides. Il me ramena à son appartement, insista pour que je prenne un dernier verre, et m'assura que rien n'était de ma faute.

Et il parla. Pour moi. Pour lui-même. Il parla encore et encore. Il me raconta l'histoire telle que j'ai tenté de vous la rapporter ici, de son point de vue, mais aussi du nôtre. Il parla jusqu'à l'aube, et quand je le quittai à 5 heures du matin, il se demandait s'il ne ferait pas bien de finir son pan de mur avant d'aller se coucher. Il y avait tant de choses à préparer, m'expliqua-t-il. Les moquettes. Les rideaux. Les étagères.

— Tout se passera très bien, Harry, me déclara-t-il en me raccompagnant à la porte. Dites-leur.

Espionner, c'est attendre.